D1196580

La communication

Etat des savoirs

Ouvrages parus chez le même éditeur

Jean-François Dortier, *Les Sciences humaines. Panorama des connaissances*, 1998

Jean-Claude Ruano-Borbalan (sous la direction de), *Eduquer et Former. Les connaissances et les débats en éducation et en formation*, 1998

Jean-Claude Ruano-Borbalan (coordonné par), *L'identité. L'individu, le groupe, la société*, 1998

Si vous désirez être informé(e) des parutions de Sciences Humaines Éditions
et de la revue mensuelle *Sciences Humaines* :
Sciences Humaines, 38, rue Rantheaume,
BP 256, 89004 Auxerre Cedex.
Tél. : 03 86 72 07 00/Fax : 03 86 52 53 26.

La communication

Etat des savoirs

Coordonné par

Philippe Cabin

Réalisation et diffusion de l'ouvrage

Conception : Philippe Cabin, Jean-François Dortier et
Jean-Claude Ruano-Borbalan

Coordination : Philippe Cabin

Conception maquette, mise en pages intérieures et fabrication :
Anne Leprince et Marc-Philippe Saligue,
PolyPAO, 89420 Saint-André-en-Terre-Plaine

Conception maquette couverture : Gilbert Franchi

Secrétariat : Laurence Blanc

Diffusion : Nadia Léal

Promotion : Estelle Dorey

Diffusion Presses universitaires de France

38, rue Rantheaume,
BP 256, 89004 Auxerre Cedex

ISBN 2-912601-03-7

Liste des auteurs

Sylvain Allemand, journaliste scientifique au magazine *Sciences Humaines*

Michel Augendre, Directeur des ressources humaines de la Chambre de commerce et d'industrie de Saint-Etienne-Montbrison

Daniel Bougnoux, Professeur de sciences de la communication à l'Université Stendhal et à l'Institut d'études politiques de Grenoble, rédacteur en chef des *Cahiers de médiologie*

Philippe Breton, Chercheur au CNRS

Philippe Cabin, journaliste scientifique au magazine *Sciences Humaines*

Jean Charron, Professeur à l'Université de Laval (Québec), Département d'information et de communication

Alexandrine Civard-Racinais, journaliste

Jacques Cosnier, Professeur émérite à l'université Louis-Lumière-Lyon-II, Laboratoire d'éthologie des communications

Daniel Dayan, Chercheur au laboratoire Cognition communication politique du CNRS

Alain Degenne, Directeur de recherche au CNRS, Laboratoire d'analyses secondaires et de méthodes appliquées à la sociologie

Willem Doise, Professeur de psychologie sociale à l'Université de Genève

Jean-François Dortier, Rédacteur en chef du magazine *Sciences Humaines*

Jean-Baptiste Fages, auteur de nombreux ouvrages de vulgarisation en sciences humaines

Gustave-Nicolas Fischer, Professeur de psychologie sociale à l'Université de Montréal et à l'Université de Metz, Directeur du Laboratoire de psychologie de l'environnement de travail

Patrice Flichy, Chercheur au Centre national d'études des télécommunications (CNET), Directeur de la revue *Réseaux*

Michel Forsé, Professeur de sociologie à l'université Lille-I

Jean-Yves Fournier, Professeur de psychopédagogie à l'IUFM de Créteil

Martine Fournier, journaliste scientifique au magazine *Sciences Humaines*

Jacques Goldberg, Directeur du Laboratoire de sociologie animale de l'université Paris-V

Loïc Grasland, Maître de conférences à l'Université d'Avignon

Marc Guillaume, Professeur à l'Université Paris-IX-Dauphine

Nicolas Journet, journaliste scientifique au magazine *Sciences Humaines*

Jean-Noël Kapferer, Professeur à HEC

Catherine Kerbrat-Orecchioni, Professeur de sciences du langage à l'université Louis-Lumière-Lyon-II, Directeur du Groupe de recherches sur les interactions communicatives (CNRS/ Lyon-II)

Michel Lallement, Professeur de sociologie à l'Université de Rouen, membre du Groupe de recherche innovations et sociétés

Jacques Lecomte, journaliste scientifique au magazine *Sciences Humaines*

Pierre Lévy, philosophe, Professeur au département Hypermédia de l'université Paris-VIII

Edmond Marc Lipiansky, Professeur de psychologie à l'université Paris-X-Nanterre

Armand Mattelart, Professeur de sciences de l'information et de la communication à l'université Paris-VIII

Philippe Meirieu, Professeur en sciences de l'éducation, Directeur de l'Institut des sciences et pratiques d'éducation et de formation de l'université Louis-Lumière-Lyon-II

Jean-Louis Missika, Maître de conférences à l'Institut d'études politiques de Paris

Edgar Morin, sociologue, philosophe, Directeur de recherche émérite au CNRS

Jacques Mousseau, Directeur à TF1 de 1978 à 1997, Directeur de la rédaction de la revue *Communication et langage*, vice-président de l'Institut multimédias

Alex Mucchielli, Professeur de sciences de l'information et de la communication à l'université Montpellier-III

Jacques Perriault, Professeur des universités, Directeur du Laboratoire de recherche sur l'industrie de la connaissance du CNED, Futuroscope de Poitiers

Dominique Picard, Professeur de psychologie sociale à l'université Paris-XIII-Villetaneuse

Jean-Claude Ruano-Borbalan, Directeur de publication du magazine *Sciences Humaines*

Françoise Tristani-Potteaux, Maître de conférences à l'Institut français de Presse, université Panthéon-Assas-Paris-II

Paul Watzlawick, psychothérapeute, membre du MRI (*Mental Research Institute*) de Palo Alto, Professeur émérite de l'Université de Stanford

Yves Winkin, Professeur d'anthropologie de la communication à l'Université de Liège

Dominique Wolton, Directeur du Laboratoire cognition communication et politique du CNRS, Directeur de la revue *Hermès*, Directeur du programme sur les sciences de la communication du CNRS

AVANT-PROPOS

Ce livre s'inscrit dans la collection d'ouvrages de référence et de synthèse publiée par le mensuel de vulgarisation scientifique *Sciences Humaines*. Il reprend les principaux articles parus dans *Sciences Humaines* depuis cinq ans sur les questions relatives à la communication.
Il comporte également quelques textes publiés sur d'autres supports ainsi que plusieurs textes inédits. Le lecteur trouvera les contributions des meilleurs spécialistes.

L'ensemble de ces articles est mis en perspective par une introduction générale et par le maintien des procédés rédactionnels de *Sciences Humaines*.
On trouvera dans tous les ouvrages de la collection : des encadrés de réflexion et de vulgarisation, des sélections de fiches de lectures, des bibliographies, des entretiens, des mots clés et des définitions, des index, etc.

Le souci de la collection est de permettre la formulation des interrogations fondamentales et la synthèse des connaissances grâce à un appareillage critique clair, accessible, mais aussi précis que possible. Un découpage hiérarchique, croisant les avancées de la recherche et les interrogations des non-spécialistes permet à chacun, quel que soit son degré de familiarité avec le sujet, de pouvoir y accéder et d'approfondir ses propres interrogations.

SOMMAIRE

Cinquième partie – Technologies de la communication et société

Annexes

Jean-François Dortier*

INTRODUCTION

LA COMMUNICATION : OMNIPRÉSENTE, MAIS TOUJOURS IMPARFAITE**

La communication limpide et transparente est un mythe. Les messages sont souvent ambivalents, le récepteur sélectionne les données et les véritables enjeux sont souvent cachés : c'est ce que nous apprennent les recherches sur la communication depuis bientôt un demi-siècle.

La communication de face à face

L'être humain débute sa carrière de communicateur très tôt. A peine sorti du ventre de sa mère, il se met à hurler, crier, pleurer. Ces pleurs manifestent-ils la douleur, la colère, la peur ? On ne sait trop. Peut-être tout cela à la fois... Pour l'entourage, c'est un premier « signe » : le bébé est donc bien vivant.
C'est ainsi que l'on commence à communiquer.

Les premiers contacts...

Le premier cri du nouveau-né n'est pas un acte de communication intentionnel, mais l'expression de ses émotions. Très vite, le bébé découvrira cependant que ses cris sont un moyen pour entrer en contact avec les personnes qui l'entourent, pour appeler maman, lui faire comprendre qu'il a faim, qu'il a mal, ou tout simplement qu'il veut être pris dans les bras, bercé, caressé...
Les scientifiques ont découvert depuis peu ce que les mères savaient depuis toujours : la communication entre la mère et son nourrisson – même privée de langage – est d'une grande richesse. Les études sur le sujet – principalement d'orientation psychanalytique et éthologique – sont désormais très

---

* Rédacteur en chef du magazine *Sciences Humaines*.
** Texte inédit.

nombreuses (1). Elles nous apprennent plusieurs choses :
– les conduites de communication sont à la fois riches, précoces et subtiles ; elles passent par plusieurs canaux : l'odorat, le toucher, la voix, les gestes, les regards, les mimiques, etc. ;
– ces interactions ont une importance centrale dans le développement psychologique de l'enfant. Développement social et intellectuel bien sûr, mais aussi dans l'équilibre affectif. Même bien nourri, l'enfant privé de contacts, connaît rapidement de graves troubles (2) ;
– des différences individuelles dans les conduites et les modes de communication se manifestent très tôt. Tous les bébés ne communiquent pas de la même façon : certains sont très sociables, d'autres craintifs, certains expressifs, d'autres peu communicatifs, etc. ;
– la communication est un processus d'ajustement interactif. Le bébé n'est jamais un être passif qui serait modelé par sa mère.

La communication chez les animaux

Les observations sur la communication des bébés confirment ce que l'on a déjà observé à propos des animaux : la richesse du répertoire communicationnel non verbal. Dans toutes les espèces animales, on communique. Et on communique même beaucoup : pour appeler un mâle ou une femelle à la période des amours (brame du cerf ou clignotement de la luciole), pour retrouver ses petits (miaulement aigu de la chatte), pour marquer son territoire (l'urine du lion qui délimite son royaume), pour définir les relations hiérarchiques (le « baisemain » du dominé au dominant chez les chimpanzés), pour demander la nourriture (les piaillements des poussins). Cette communication passe par des canaux chimiques (grâce à l'émission dans l'air de certaines molécules d'alcool, la femelle Bombyx du mûrier émet un appel sexuel que le mâle peut recevoir à plusieurs centaines de mètres), visuels (les parades nuptiales des oiseaux), auditifs (chant d'appel sexuel – ou *calling song* – des grillons), tactiles (chez les guêpes sociales d'Europe et chez l'abeille domestique, les échanges de nourriture « bouche à bouche » sont réglés par des signaux tactiles précis au moyen des antennes), etc. (3) Certains de ces comportements de communication sont programmés génétiquement, d'autres sont acquis par apprentissage. C'est le cas du chant des oiseaux. On a pu montrer que chez

1. Voir T. Brazleton et Cramer, *Les Premiers Liens*, Stock/Calmann-Lévy, 1991 ; H. Montagner, *L'Attachement, les débuts de la tendresse*, Odile Jacob, 1988 ; A. Braconnier et J. Sipos (dir.), *Le Bébé et les interactions*, Puf, 1998. P.M. Baudonnière, *L'Evolution des compétences à communiquer chez l'enfant de 2 à 4 ans*, Puf, 1988 ; J. Beaudichon, *La Communication sociale chez l'enfant*, Puf, 1982 ; D. Stern, *Mère et Enfant : les premières relations*, Mardaga, 1977.
2. Le psychanalyste américain d'origine hongroise R. Spitz (1887-1974) a décrit les troubles « d'hospitalisme » et de dépression anaclitique dus aux carences affectives chez le nourrisson dans *La Première Année de la vie de l'enfant*, Puf, 1958 ; voir aussi A. Sameroff et R.M. Emde, *Les Troubles des relations précoces*, Puf, 1993.
3. Voir l'article « La communication animale », H. Montagner, *Encyclopédia Universalis*.

Communication animale et ritualisation de la violence

La communication est omniprésente dans le monde animal parce qu'elle est indispensable à la survie : pour appeler les petits, marquer son territoire, solliciter la femelle, alerter d'un danger, etc. Mais communiquer possède aussi un rôle central : celui de pacifier les relations.

Les postures de menace du loup, du serpent ou du cormoran expriment leur colère et indiquent qu'ils sont prêts à l'attaque. Mais ces attitudes hostiles contribuent d'abord à dissuader l'adversaire et donc à éviter le combat. Lorsqu'un combat s'engage néanmoins entre mâles d'une même espèce (pour se disputer les faveurs d'une femelle ou défendre leur territoire), il est soumis à des règles précises et fortement ritualisées évitant la violence extrême (1). Ainsi, on observe chez le rat, le loup ou le coq de bruyère, et bien d'autres espèces encore, tout un « code de conduite » du combat formalisé par des attitudes caractéristiques (2). Entre loups, lorsqu'un des combattants veut abandonner, il se roule sur le sol et tend son museau comme un jeune animal en quête de nourriture. Ce geste signifie *« J'arrête, je suis vaincu, tu es le plus fort. »* Cette pose met fin au combat et stoppe un cycle de violence qui pourrait conduire à la mort. Au printemps, lors de la période de l'amour chez le goéland, le mâle doit exécuter une manœuvre d'approche auprès de la femelle s'il ne veut pas l'effrayer. Il se pose d'abord à distance, s'approche lentement, puis va offrir un poisson à la belle. Ce rituel permet d'afficher ses intentions pacifiques (3). Les postures de soumission du dominé au dominant (comme certaines séances d'épouillage chez les singes) sont également un facteur de régulation des relations.

Posture de menace, de soumission, de ritualisation du combat, offrandes amicales... autant de signes de communication qui contribuent à stabiliser les contacts, pacifier les relations, éviter que les conflits ne dégénèrent en une violence sans limites. Chez l'animal, communiquer, c'est souvent éviter la guerre.

---

1. De tels combats existent dans presque tout le monde animal : chez les poissons, les mammifères, les reptiles.
2. I. Eibl-Eibesfeld, *Ethologie, Biologie du comportement*, Naturalia et Biologia, 1984.
3. « L'homme n'est malheureusement pas un loup pour l'homme ! », B. Cyrulnik, « Les liens sociaux invisibles », *Sciences Humaines*, hors série n° 4, mai/juin 1994.

le passereau *Swamp sparrow*, le chant est stéréotypé et en grande partie programmé génétiquement. En revanche, le pinson est capable d'apprendre les chants d'oiseaux d'espèces proches de la sienne si on l'élève avec eux (4).

La communication « non verbale »

La communication « non verbale » – par gestes, regards ou postures – n'est pas simplement un comportement archaïque utilisé par ceux qui n'ont pas accès au langage : les enfants et les animaux. Elle conserve chez l'adulte humain une grande importance (5).

La communication non verbale correspond d'abord à l'expression du visage et aux postures du corps que l'on adopte. Dans une conversation entre deux personnes, le fait de croiser les bras en regardant le sol n'a pas du tout la même signification que de regarder son interlocuteur en souriant, en hochant la tête et en ouvrant grand les yeux. Dans un cas, on manifeste une distance critique, dans l'autre, une approbation bienveillante. Les gestes de la main, les postures du corps, le ton de la voix, les expressions du visage, sont révélateurs du degré d'intimité avec l'interlocuteur, de l'intérêt que l'on porte au sujet de la conversation, de la volonté de poursuivre ou non l'échange. Souvent, la communication non verbale est en correspondance avec le message que l'on veut faire passer ; mais parfois elle trahit celui qui parle. C'est le cas lorsque la voix se met à trembler dans un entretien d'embauche, un examen ou une conférence, alors que l'on voudrait justement pouvoir donner l'apparence du naturel. C'est le cas lorsqu'un sourire ambigu ou un regard évasif laisse croire à votre interlocuteur que vous vous moquez de lui.

La communication non verbale a été étudiée sous plusieurs angles : psychologues et éthologues se sont intéressés aux multiples significations des expressions du visage, l'anthropologue américain Ray Birdwhistell a fondé la « kinésique », étude de la communication par les mouvements du corps (6), Edward T. Hall a fondé la « proxémique » qui étudie la gestion par l'individu de son espace et des distances entre personnes dans les processus de communication (7). Dans une optique encore plus élargie, Yves Winkin jette les bases d'une « anthropologie de la communication » qui, adoptant une démarche ethnographique, observe minutieusement les formes de communication telles qu'elles se déroulent sur les lieux de travail (réunion, entretien), dans les lieux semi-publics (terrasse de café), ou privés (à la maison), pour comprendre comment le contexte et la culture façonnent les types de communication (8).

4. H. Montagner, *op. cit.*
5. Voir l'article d'Y. Winkin dans le *Dictionnaire critique de la communication*, sous la direction de L. Sfez, Puf, 1993.
6. R. Birdwhistell, *Introduction to Kinesics*, 1952 ; et « Un exercice de kinésique et de linguistique : la scène de la cigarette », dans Y. Winkin, *La Nouvelle Communication*, Seuil, 1981.
7. E.T. Hall, *La Dimension cachée*, Seuil, 1971 et Y. Winkin, *op. cit.*
8. Voir l'article de Y. Winkin, « Vers une anthropologie de la communication », dans cet ouvrage.

La communication non verbale passe aussi par la façon de se vêtir, le maquillage et tous les signes d'apparat : les tatouages chez les Maoris, les peintures du corps chez les Amérindiens, et… le costume-cravate chez les cadres des grandes entreprises occidentales.

Et la parole fut…

Au moyen de gestes, de cris, de postures et d'expressions de visages, les animaux, les nourrissons et les adultes humains peuvent dire beaucoup de choses. Mais leur répertoire expressif reste tout de même limité : aux sollicitations, aux alertes, aux avertissements, aux signes marquant le statut…
Avec l'accès au langage, l'humain entre dans une nouvelle sphère mentale et ses capacités communicatives s'en trouvent démultipliées. Il est alors possible de poser des questions, de raconter des histoires, d'avoir des conversations, de créer des mondes imaginaires et même de rapporter les propos d'autrui, c'est-à-dire de s'extraire de la communication directe et immédiate.
L'apparition du langage humain comporte de grandes énigmes : quand et comment est-il apparu au cours de l'évolution ? Quelle est la part de l'apprentissage et des prédispositions héréditaires dans l'acquisition de la parole chez l'enfant ? Quels liens se nouent entre langage et pensée ?
Une chose est sûre, la parole est un instrument extraordinaire permettant l'expression d'une infinité de messages différents. Le linguiste André Martinet en a expliqué une des raisons. Le langage humain est fondé sur une « double articulation ». Il est d'abord construit à partir d'unités de sens comme ours, maman, arbre, bateau… Ces unités de sens sont elles-mêmes formées de segments phonétiques plus simples (le son « pin » est présent dans sapin, lapin, pinson, etc.). Cette architecture à deux étages permet une combinatoire très complexe et infiniment variée de mots et de possibilités d'expression.

Le langage sert-il vraiment à communiquer ?

Au XXe siècle, les linguistes se sont surtout intéressés à la nature du langage, à sa logique interne, à sa structure, à son fonctionnement (9). Pour Ferdinand de Saussure (1857-1913), le père de la linguistique moderne, la langue forme un système de signes abstraits, articulés entre eux dont il faut comprendre l'armature plus que l'histoire ou l'usage. Les linguistes s'attacheront ensuite à décomposer le langage en atomes élémentaires (phonèmes (10), morphèmes (11)), pour voir comment ils s'emboîtent, se conjuguent, se disposent entre eux pour former une architecture signifiante. Pendant quarante ans, Noam Chomsky (né en 1928) a tenté de

9. Voir J.-F. Dortier, « Langage et communication », *Les Sciences humaines. Panorama des connaissances,* Sciences Humaines Editions, 1998.
10. Voir mots clés en fin d'ouvrage.
11. *Idem.*

Les six fonctions du langage selon Jakobson

Dans *Essais de linguistique générale* (1), le linguiste Roman Jakobson propose de distinguer six fonctions du langage :
– la fonction « expressive » ou émotive qui traduit les émotions ;
– la fonction « conative » qui a pour but d'agir sur le destinataire (par exemple en donnant un ordre) ;
– la fonction « phatique » qui vise à établir ou à maintenir un contact (comme lorsque l'on dit *« Allô ! »* au téléphone) ;
– la fonction « métalinguistique » qui consiste à réguler son propre discours (*« Je voudrais dire que », « Voilà ce que je pense... », « Et cætera, et cætera... »*) ;
– la fonction « poétique » qui vise à la recherche des effets de style ;
– la fonction « référentielle » qui consiste à transmettre une information.

1. R. Jakobson, *Essais de linguistique générale*, rééd. Editions de Minuit, 1981.

reconstruire une « grammaire universelle » qui serait au fondement de toutes les langues du monde. Roman Jakobson (1896-1982), autre grand linguiste, a proposé de distinguer les fonctions du langage (*voir encadré ci-dessus*).
Paradoxalement les linguistes se sont assez peu intéressés au langage en tant qu'outil de communication (12). Ce n'est que très récemment à travers notamment des courants comme la pragmatique (13), l'analyse de conversation (14) ou la nouvelle rhétorique (15), la sociolinguistique (16), que le langage a été réintroduit dans le cycle de la communication. On s'est alors aperçu que la communication langagière ne reposait pas simplement sur des lois formelles. Lorsqu'il parle, l'être humain est loin de répondre aux règles énoncées et codifiées. Dans les conversations ordinaires, la parole est désordonnée : on ne termine pas ses phrases, on commet beaucoup d'erreurs de syntaxe, on se répète, on use de beaucoup d'implicite. La langue parlée n'est pas celle des livres de grammaire. Lorsqu'un homme dit à son ami, attablé au comptoir d'un café : *« Fait soif ! »*, il bouscule les règles de l'expression correcte, use d'un implicite (*« Veux-tu me payer un coup à boire ? »*). Malgré l'incorrection, malgré l'implicite, il se fait pourtant bien comprendre (17).

12. Dossier « Le langage sert-il à communiquer ? », *Sciences Humaines*, n° 51, juin 1995.
13. Voir mots clés en fin d'ouvrage.
14. *Idem.*
15. *Idem.*
16. *Idem.*
17. Voir C. Kerbrat-Orecchioni, *L'Implicite*, Armand Colin, 1986.

C'est une des particularités de la communication humaine d'être sensible à cette flexibilité du langage. Un ordinateur ne saurait interpréter une telle phrase et ne pourrait en tirer normalement aucune autre conséquence pratique.

Vers une société de communication ?

De l'écriture aux NTIC

Cinq cent mille ans au moins séparent l'invention du langage de celle de l'écriture (18). Il faut encore attendre cinq mille ans entre la naissance de l'écriture et celle de l'imprimerie. Puis l'histoire s'accélère : un peu plus de quatre cents ans entre l'invention de l'imprimerie (Gutenberg vers 1450) et celle du téléphone (Graham Bell en 1876), de la radio (Guglielmo Marconi en 1899). Seulement quarante ans plus tard, la télévision émet ses premiers programmes réguliers. Encore quarante ans et naissent le « multimédia » et les « NTIC » (nouvelles technologies de l'information et de la communication) (19). A chaque grande étape de l'histoire des communications, l'humanité semble faire un bond en avant.
On ne mesure pas assez cette révolution qu'a constitué l'écriture dans l'évolution de l'humanité. Elle a permis de codifier les connaissances, d'accéder à une certaine abstraction qui n'était pas permise par la transmission orale (20). Elle a aussi été un formidable moyen de transmission des connaissances – et des croyances – par-delà les distances, des frontières et du temps.
A travers le temps, Hérodote peut continuer à nous raconter ses voyages autour de la Méditerranée, Montaigne nous aider à réfléchir sur la vanité de l'homme, ou Goethe nous attendrir sur le sort de Wilhelm Meister.
Le livre et la presse sont aussi des vecteurs des mutations sociales. On admet, par exemple, que le livre a joué un grand rôle dans les transformations culturelles à partir du XVIe siècle : *« L'invention du caractère d'imprimerie mobile par Gutenberg a accéléré la diffusion du livre, autorisant ainsi le schisme protestant, l'esprit du libre examen, l'essor du rationalisme puis de la philosophie des Lumières. »* (21) La radio a joué aussi son rôle dans l'histoire : c'est par les ondes que De Gaulle a lancé son appel du 18 juin. C'est par la radio aussi que les peuples de l'Est ont été initiés à la musique occidentale, qu'ils ont pu entendre les voix de la résistance à la propagande officielle (22).

18. 500 000 ans est un minimum. Certains datent l'apparition du langage humain à plus d'un million d'années, d'autres à environ 300 000 ans... L'écriture, elle, est apparue pour la première fois en Asie mineure, sous forme de signes cunéiformes, vers – 3 000 ans.
19. Voir mots clés en fin d'ouvrage.
20. Voir J. Goody, *La Raison graphique. La domestication de la pensée sauvage*, Editions de Minuit, 1979 et « De l'oral à l'écrit », entretien dans *Sciences Humaines*, n° 83, mai 1998.
21. D. Bougnoux, « Pourquoi des médiologues ? », *Sciences Humaines*, hors série n° 21, La vie des idées, juin/juillet 1998.
22. J. Semelin, *La Liberté au bout des ondes*, Belfond, 1997.

Contre le déterminisme technologique : le transistor, le rock et le baby boom

« Quand le transistor apparut en France dans les années 50, Philips, qui en fut le premier fabricant, a réalisé une étude de marché dont les résultats ont été catastrophiques : il n'y avait aucun marché potentiel pour le transistor. Cependant, vous le savez, le transistor eut un bel avenir.

Comment peut-on expliquer le succès inattendu de cet appareil ? Deux phénomènes, indépendants du monde technique mais concernant largement la génération des baby-boomers, permettent d'expliquer à la fois l'échec des prévisions de cette société d'études de marché et le succès de l'appareil. Le premier est une mutation fondamentale de la famille. Schématiquement, cette génération qui est née après-guerre a établi avec ses parents d'autres modes relationnels. Certains sociologues de la famille parleront de démocratie familiale ou d'un rapport d'autonomie beaucoup plus grand.

Le second élément n'a rien à voir avec la sociologie de la famille. Il s'agit d'une rupture fondamentale dans l'histoire de la musique : l'invention du rock.

Si vous associez le rock, l'autonomie des adolescents dans la famille et l'invention d'un composant solide, vous constituez un nouveau système de communication qui est cet appareil de radio portable utilisé principalement pour l'écoute de la musique.

De cette petite histoire, on peut tirer me semble-t-il, une leçon importante pour notre débat : il n'y a pas de déterminisme technologique. Ce ne sont pas les techniques qui transforment à elles seules les sociétés. » (1)

1. P. Flichy « Nouvelles technologies et communication : mythes et réalités », dans J.-F. Dortier (dir.), *La Communication appliquée aux organisations et à la formation*, Demos Editions, 1998.

Plus généralement, quel rôle joue la télévision dans la diffusion des valeurs et des modes de vie ? C'est l'une des interrogations centrales soumises à la sociologie des médias.

Seuls les futurologues ont des réponses tranchées sur la question. Marshall McLuhan (1911-1980) fut l'un des premiers à s'interroger sur les effets des médias. On lui doit quelques formules célèbres, aussi évocatrices que douteuses : « *The message*

is the medium », qu'on peut mieux comprendre lorsque l'on sait la fascination qu'exerce la télévision par le pouvoir de l'image. L'autre grande idée est celle du « village planétaire », c'est-à-dire d'un monde où les moyens de communication permettent d'abolir les frontières et ses différences culturelles.
La sociologie de la communication et des médias tempère aujourd'hui l'idée d'un déterminisme technologique qui voudrait que les techniques puissent, à elles seules, transformer les modes de vie. La radio et la télévision sont certes des vecteurs de la diffusion des modes dans la jeunesse, mais ils n'en sont pas la cause (23).

La sociologie des médias

La sociologie des médias est forte aujourd'hui de très nombreuses recherches (24). L'américain Harold H. Lasswell avait, dans les années 40, formulé un programme de recherche sur les médias à partir de cinq grandes interrogations : Qui ? dit quoi ? comment ? à qui ? avec quels effets ?
Qui sont les producteurs d'information ? (journalistes, hommes politiques, responsables de presse, etc.) ; que disent-ils ? (quels sont les messages diffusés : information, divertissement, publicité...) ; comment ? (par quels canaux : presse, télévision, radio ?) ; à qui ? (quel est le public touché ?) ; avec quels effets ? (manipulation, influence indirecte, suggestion).
Ces cinq questions génèrent à elles seules une foule de recherches spécialisées. Ainsi le problème classique : « Quel est l'effet des médias sur le public ? » se décline en de nombreuses sous-questions : quels sont les effets de la violence télévisuelle sur les jeunes, les effets de la publicité sur les comportements de consommation, les effets de l'information sur la fabrication de l'opinion publique ?, etc. Les réponses à ces questions sont beaucoup moins unilatérales qu'on ne le croit souvent.
Dans une enquête célèbre, déjà vieille de cinquante ans, sur les effets médiatiques de la campagne électorale américaine sur l'opinion des électeurs, le sociologue américain Paul Lazarsfeld avait montré que, contre toute attente, les médias parvenaient assez peu à changer les opinions préalables du public. L'écoute d'un discours de droite, même à haute dose, ne suffit pas à changer l'opinion de l'électeur de gauche. Et inversement ! C'est ce qui explique que les auditeurs des chaînes de télévision conservent durablement leur opinion, même en écoutant tous les mêmes messages. Depuis cette enquête fondatrice, les théories sociologiques se sont affinées. Pour le « modèle de l'agenda », les médias ne font que sensibiliser le public à certains thèmes (le sport ou le chômage) par le seul fait d'en parler souvent. Ils accordent moins d'importance à d'autres sujets (la santé ou la vie culturelle par exemple). Ce faisant, les médias n'imposent pas une opinion commune

23. P. Flichy, *Une histoire de la communication moderne*, La Découverte, 1991.
24. J. Lazar, *Sociologie de la communication de masse*, Armand Colin, 1991.

sur tel ou tel sujet, mais attirent l'attention à leur propos. Ce que l'on résume par la formule : *« Les médias ne nous disent pas ce qu'il faut penser mais ce à quoi il faut penser. »* (25)
De façon générale, les spécialistes admettent bien aujourd'hui que les médias ont une influence sur le public, mais cette influence n'est ni mécanique, ni uniforme (schéma de la propagande), elle est indirecte, diffuse et différenciée (26).

Vers une société de communication ?
Depuis les années 50, l'essor des médias de masse (presse, radio, télévision) a été accompagné d'autres mutations sociales importantes en matière de communication :
– le développement parallèle de la publicité et du marketing ;
– la prolifération des outils de communication comme le téléphone, le fax, les réseaux électroniques ;
– le développement de la communication politique ;
– l'essor de la communication d'entreprise (avec la naissance du métier de directeur de la communication).
– en même temps, s'est produite une révolution dans les relations sociales : le déclin de l'autorité traditionnelle (dans le couple, la famille, l'école, l'entreprise) a laissé place à la concertation, l'écoute, la négociation, la discussion, l'échange, bref, la « communication » entre parents et enfants (27), entre maris et femmes (28), entre cadres et salariés, entre professeurs et élèves (29).
La convergence de ces évolutions a donné naissance à deux phénomènes distincts :
– la formation des sciences de l'information et de la communication qui se sont donné pour mission d'analyser les différentes formes de communication (*voir encadré ci-contre*) ;
– l'éclosion d'une idéologie de la « la société de communication ».

L'utopie de la communication
L'apparition d'une « idéologie de la communication » a pris corps sur la base de transformations réelles – essor des médias, de la téléphonie, des communications interpersonnelles, de la communication d'entreprise. Mais, à partir de là s'est construite une vision idéale de la société de communication. Cette vision repose sur quelques idées simples : la société de communication permet d'abolir les frontières spatiales, temporelles et sociales entre les hommes. Elle permet une communication généralisée et transparente : « généralisée » à tous les niveaux de la vie sociale (relations personnelles, entreprise, enseignement) et « transparente », car

25. J. Lazar, *L'Opinion publique*, Dalloz/Sirey, 1995.
26. C.-J. Bertrand (dir.), *Médias, introduction à la presse, la radio et la télévision*, Ellipses, 1996.
27. M. Fize, *La Démocratie familiale*, Editions de la Renaissance, 1991.
28. J.-P. Kaufmann, *Sociologie du couple*, Puf, 1993.
29. A. Prost, *L'Ecole, la société, la famille. Histoire générale de l'éducation*, Nouvelle Librairie de France, 1981.

A la recherche des sciences de la communication

• Les « sciences de l'information et de la communication » (SIC) existent-elles ?

Le terme « sciences de la communication et de l'information » est une appellation récente qui renvoie à des disciplines et à des objets d'étude divers.

Parmi les disciplines impliquées figurent la linguistique, la sociologie des médias, les sciences cognitives, les sciences politiques, la psychologie, la sémiologie, l'anthropologie...

Les domaines étudiés ? Ce sont le langage, la rhétorique, les médias, la communication non verbale, les nouvelles technologies de l'information, la publicité, la communication politique... bref, tout ce qui peut être rassemblé sous le terme de communication.

• Les SIC ont-elles une unité ?

Le regroupement d'un ensemble aussi disparate tient d'abord à une assise institutionnelle : la création récente d'un secteur d'enseignement et de recherche labelisé comme tel par l'Université (il s'agit de la 71e section du Conseil national des universités). Les SIC sont maintenant enseignées sous ce label dans les universités, les IUT (d'information et de communication), les écoles spécialisées (comme le Celsa), les écoles de journalisme.

Il existe au sein du CNRS un « Programme interdisciplinaire et de recherche des sciences de la communication ».

• Existe-t-il une « pensée communicationnelle » ? (1)

C'est un débat en cours. Certains auteurs affirment qu'il ne peut y avoir d'unité des SIC car elles n'ont ni objet commun ni théorie unique de référence. Cette absence de paradigme commun peut être considérée comme un facteur de faiblesse ou de richesse.

D'autres soutiennent, en revanche, qu'il est possible et nécessaire de rassembler les SIC autour d'un paradigme et d'une problématique qui leur soient propres.

Une chose est sûre, il existe aujourd'hui un « arrière-plan », un ensemble de théories et de modèles de références qui forment en quelque sorte le patrimoine commun des sciences de la communication. On y retrouve la linguistique et ses dérivés (pragmatique, rhétorique, sémiologie), l'Ecole de Palo Alto et la communication paradoxale, les recherches en sociologie sur l'impact des médias (Harold Lasswell, Paul Lazarsfeld, Elihu Katz...), l'anthropologie des rites d'interaction (Erving Goffman), l'analyse de conversation...

---

1. B. Miège, *La Pensée communicationnelle*, Pug, 1995.

les techniques de communication permettent une communication sans tabous, sans malentendus, sans secrets, et une démocratisation de la vie sociale.
Cette idéologie de la communication a fait l'objet de sévères critiques. Le sociologue Philippe Breton parle d'« utopie de la communication » pour désigner une idéologie forgée dans la seconde partie du XXe siècle, et qui envisage la résolution des problèmes sociaux et humains sur la base d'une communication universelle et transparente entre les hommes. Lucien Sfez y voit le déploiement d'une « utopie » technicienne et déshumanisante sans consistance (30), Erik Neveu s'est attaché à dévoiler les différentes facettes du « mythe » de la société de communication (31).

Les failles de la communication

Les études sur la communication apportent un démenti au mythe d'une communication totale et transparente rendue possible par la puissance de la technique d'une part, par les vertus de la démocratisation d'autre part.
La communication se développe sans conteste. Mais elle ne pourra jamais être totalement neutre et sans ombre. Il y a plusieurs raisons à cela : la communication est souvent à sens unique ou dissymétrique, les enjeux implicites brouillent les échanges et interdisent de tout dire, les messages sont souvent ambigus, le récepteur jamais totalement réceptif... Il importe de dévoiler ces ressorts cachés de la communication pour apprendre à les maîtriser.

L'asymétrie des interlocuteurs : information ou communication ?

Pour communiquer, il faut d'abord être deux : un émetteur et un récepteur. Mais il faut aussi que l'information circule dans les deux sens. Or, ce n'est le cas ni des médias (presse, radio, télévision), ni de la communication politique ou de la communication d'entreprise... où la circulation de l'information est à sens unique. Certains auteurs suggèrent de ne pas confondre information et communication (32).
Dans d'autres cas, il y a bien des interlocuteurs en présence, mais leurs positions respectives (situation hiérarchique, temps de parole, aisance dans l'expression) sont trop inégalitaires pour qu'il y ait vraiment échange. C'est le cas entre un maître et son élève, un patron et son salarié, un conférencier et son public, etc. Cette « asymétrie » des positions interdit un véritable dialogue égalitaire.

Les enjeux implicites de la communication

La seconde raison des difficultés et ambiguïtés de la communication tient aux enjeux sociaux et humains, souvent implicites, qu'elle recèle. La communication

30. L. Sfez, *Critique de la communication*, Seuil, 1988.
31. E. Neveu, *Une société de la communication ?*, Montchrestien, 1997.
32. D. Bougnoux, *L'Information contre la communication*, Hachette, 1995.

ne se réduit pas à un seul échange d'informations. Communiquer, c'est aussi défendre une image de soi, chercher à influencer autrui, marquer son territoire, etc. Dans le domaine des relations interpersonnelles, Edmond Marc Lipiansky distingue quatre types d'enjeux : les enjeux liés à l'identité de chacun (garder la face lors d'un débat par exemple), les enjeux territoriaux (maintenir une distance pour protéger son espace personnel), des enjeux relationnels (rapports hiérarchiques), des enjeux d'influence (manipulation, persuasion). Ces enjeux agissent fortement sur les processus de communication et contribuent à structurer la relation (33).

Les messages sont souvent ambigus

Une autre limite à une communication véritablement transparente réside dans la difficulté à formuler des messages clairs et explicites. La polysémie des termes contribue fortement à rendre la communication ambiguë.

L'usage de termes comme « Etat », « homosexuel », « révolution », « psychanalyse » évoque des sens très différents qui renvoient, selon celui qui les emploie ou les reçoit, à des significations implicites différentes. Ainsi, le mot Etat, signifie pour les uns le service public, la protection sociale, l'intérêt général, pour d'autres, il renvoie à d'autres significations : « pouvoir », « bureaucratie », « impôts », « fonctionnaire ». La pluralité des significations d'un même mot ou d'un même message a été mise en évidence par la sémiologie, science des signes dont Charles S. Pierce (1839-1914), Roland Barthes (1913-1980) et Umberto Eco (né en 1932) sont les principaux représentants. Le vocabulaire que nous employons, les propos que nous tenons sont souvent porteurs d'une multiplicité de sens. C'est le premier obstacle qui risque déjà de biaiser une bonne communication (34).

Le récepteur n'est pas passif

Une autre grande leçon des sciences de la communication est que le récepteur du message n'est jamais passif. Toutes les recherches le montrent : l'attention du lecteur, de l'auditeur ou du spectateur est toujours sélective. En lisant un texte, aussi captivant soit-il, le lecteur « décroche » toujours à un moment et perd une partie de l'information donnée. C'est ce qui se passera forcément à la lecture de ce texte. Le processus de filtrage de l'information est renforcé par le fait qu'émetteur et récepteur ont rarement les mêmes centres d'intérêts et préoccupations. Ce qui est dit par l'un n'est pas entendu par l'autre. D'où les éternels malentendus qui surgissent dans toutes les relations personnelles : *« Mais si, je te l'ai dit ! »*, *« Mais non, je te le jure ! »*, *« Mais si, j'aurais dû enregistrer ! »*

33. A. Mucchielli propose quant à lui une typologie des enjeux de la communication assez voisine en cinq points : enjeux informatifs, enjeux relationnels, enjeux d'influence, enjeux de positionnement d'identité, enjeux normatifs qui portent sur la régulation des relations elles-mêmes (voir *Psychologie de la communication*, Puf, 1995).
34. Paradoxe : E. Morin soutient au contraire que le flou entretenu dans nos propos est parfois ce qui rend aussi la communication possible (voir son texte dans cet ouvrage).

Le modèle télégraphique de Claude Shannon (1948)

Le premier modèle de la communication est celui proposé par l'ingénieur américain Claude E. Shannon. Dans un article fondateur, « The Mathematical Theory of Communication », publié en 1948, il propose un modèle linéaire qui repose sur une chaîne d'éléments : la source d'information, l'émetteur qui transforme le signal en un code (la voie humaine se transforme en impulsions électriques dans un téléphone), le canal de transmission, le récepteur qui décode les signaux et, enfin, le destinataire du message.

Pour C. Shannon, qui travaillait pour la Bell Telephon, il s'agissait de proposer une solution mathématique au problème suivant : comment transmettre dans des conditions optimales un message à travers un moyen de communication (téléphone, télégraphe...) ? De fait, sa théorie permettait de calculer le nombre d'informations circulant par un canal donné (la ligne du téléphone) une fois le message transformé en signaux électriques. Le modèle de C. Shannon a connu un destin singulier : bien que visant à répondre à un problème technique précis, il sert aujourd'hui de matrice de référence pour les sciences de la communication. Référence ambiguë, car s'il est d'usage de le présenter en premier, c'est pour s'en démarquer aussitôt. Car, si les spécialistes ont compris une chose : c'est que la communication humaine ne pouvait se réduire à un modèle mathématique.

Les travaux de psychologie cognitive ont montré que l'individu n'est jamais un spectateur neutre. Il filtre, décode, sélectionne, réinterprète l'information reçue. C'est ce que l'on appelle le « traitement de l'information » (35).

Quand la forme agit sur le contenu

Autre leçon importante des théories de la communication : la forme du message rejaillit toujours sur le contenu. Un même message *« Voulez-vous cesser de fumer ? »* sera perçu très différemment, et provoquera des réactions différentes s'il est demandé avec un sourire poli, sur un ton péremptoire ou par le biais d'une note de service. Un même texte contenant les mêmes idées et arguments n'aura pas la même force de conviction selon qu'il est présenté sous la forme d'un manuscrit

35. J.-F. Dortier, « La révolution cognitive », *Sciences Humaines*, hors série n° 20, La psychologie aujourd'hui, décembre 1997/janvier 1998.

raturé ou lorsqu'il est imprimé dans une revue prestigieuse. La présentation influe insidieusement sur le poids du message : la forme agit sur le fond, le contenant sur le contenu.
Dès lors, la maîtrise de l'expression orale ou écrite, l'art de l'argumentation et de la présentation de soi sont des éléments essentiels dans la communication. D'excellentes idées ou informations peuvent être noyées si elles sont exprimées sous une forme trop complexe ou ennuyeuse. A l'opposé, des idées douteuses ou triviales peuvent trouver crédit lorsqu'elles sont exprimées avec talent. Les meilleurs conférenciers ne sont pas toujours les plus grands penseurs. Inversement, les plus médiocres orateurs ne sont pas forcément ceux qui ont les plus mauvaises idées...

APPRENDRE À COMMUNIQUER

Résumons-nous : la communication est omniprésente dans nos sociétés. Mais c'est un art difficile. Les échanges sont souvent inégalitaires, les enjeux et sous-entendus sont multiples, le récepteur n'est pas toujours attentif, ni le message bien élaboré. Autant de raisons qui pourraient rendre pessimiste sur les capacités de communiquer. Le plus étonnant, écrivait André Malraux, n'est pas l'incompréhension, mais que, compte tenu des espaces infinis qui nous séparent, nous parvenions parfois à nous comprendre...
Il faut en prendre son parti : le projet d'une communication transparente est illusoire. D'abord la communication ne peut résoudre les problèmes d'organisation ou de relations humaines qui ne sont pas de son ressort. Ensuite, la communication restera toujours un acte complexe et difficile.
Faut-il en conclure qu'une bonne communication est impossible ? Au contraire. La prise de conscience de ses biais ouvre la voie à une meilleure maîtrise de la communication. Connaître les ressorts de la communication – ses embûches, ses obstacles, ses enjeux invisibles – permet de mieux en jouer. Une fois que l'on a renoncé au rêve d'une communication totalement limpide et efficace, il reste que *« La communication, c'est comme le chinois, ça s'apprend. »* (36)

Les lois de la bonne communication

Quelques lois simples de la bonne communication tiennent d'abord de la prise en compte de trois facteurs : 1) la clarté du message, 2) la prise en compte des intérêts et des attitudes du récepteur et 3) la qualité de la relation établie.
Produire un message clair suppose tout d'abord de maîtriser quelques règles de l'expression écrite ou orale. Les écoles de journalisme enseignent, par exemple, certains conseils qu'il faut connaître, pour écrire clairement : *« Les phrases courtes*

36. D'après le titre du livre d'A. Oger-Stefanink, Rivages/Les Echos, 1987.

sont les plus accessibles.»; «*Un vocabulaire riche et imagé touche plus qu'un vocabulaire abstrait et général.»*; «*Des exemples vivants et des illustrations sont nécessaires pour appuyer une démonstration.»*, etc. (37)

La bonne expression orale possède ses lois. Pour bien communiquer en public, par exemple, il faut savoir qu'un exposé n'est pas un cours ni une démonstration. «*Bien structurer son propos; annoncer d'avance le plan de son intervention; maîtriser le ton de la voix, les silences, les gestes; avoir recours à des images concrètes et des formules clés*», etc.

Mais le message ne fait pas tout. «*Ce qui compte dans la communication n'est pas ce qui est dit mais ce qui est compris.*» (38) De nombreux biais de la communication proviennent, on l'a vu, des distorsions, des déformations, des filtrages du récepteur.

Bien communiquer suppose donc de s'adapter à son auditoire, à son lectorat, à son interlocuteur, de connaître ses intérêts et ses attentes. Il faut savoir ensuite ajuster son discours à ses capacités et ses disponibilités. Pour éviter la surcharge cognitive de l'auditeur, le bon communicateur doit limiter son propos : «*Trop d'informations tue l'information.*» Ce qu'un fin orateur avait déjà compris, il y a plus de trois siècles «*On doit pouvoir discerner, entre toutes les choses qui se présentent à son esprit sur le sujet qu'on traite, ce que les auditeurs en doivent savoir, pour ne leur dire précisément que cela.*» (39)

La troisième condition d'une bonne communication réside dans la qualité de la relation. La première règle est celle du *feed-back*, c'est-à-dire l'interaction avec l'interlocuteur (40). Le *feed-back* est d'abord un moyen de pouvoir contrôler si un message (consigne, enseignement, etc.) a été compris, et de quelle façon par l'interlocuteur. Le *feed-back* s'effectue à travers les questions de l'émetteur (qui doit pouvoir vérifier si son auditoire a bien compris ce qu'il voulait dire), celle du récepteur (qui doit pouvoir demander des précisions, critiquer ce qui vient d'être dit). Carl Rogers suggérait d'employer en entretien la technique de la reformulation, qui est destinée à montrer que l'on est bien en phase avec son interlocuteur.

Le *feed-back* montre la nécessité dans toute communication de mettre en place un véritable échange. Cette circulation de la parole est le meilleur moyen pour limiter les malentendus, les réinterprétations, les déformations, les filtrages qui parasitent toute communication.

Par ailleurs, il existe toute une panoplie de règles et de techniques destinées à améliorer la communication interpersonnelle ou en groupe : technique de l'entretien,

37. Ces conseils ne sont valables que dans certaines circonstances. Les écrits professionnels ne répondent pas aux mêmes règles : mémoire, article de presse, courrier, etc.
38. G. Leperlier, *La Communication pédagogique, des techniques d'expression au développement personnel*, Privat, 1992.
39. G. de Cordemoy, *Discours physique de la parole*, rééd. Slatkine, 1973.
40. B. Meyer, *Les Pratiques de la communication. De l'enseignement supérieur à la vie professionnelle*, Armand Colin, 1998.

conduite de réunion, techniques de communication interpersonnelles (Programmation neurolinguistique, Analyse transactionnelle), techniques d'expression écrite, orale... (41)

Au cœur du lien social...

Le philosophe Jurgen Habermas a publié un épais et difficile ouvrage, *L'Agir communicationnel*, dans lequel il veut montrer le rôle central que peut et doit jouer la communication dans les sociétés modernes. La communication est d'abord au cœur de toute relation sociale. Sans langage, sans communication, pas de vie en commun. De plus, c'est par l'argumentation, le dialogue, la négociation, que la démocratie peut vraiment vivre. La démocratie suppose enfin la libre circulation de l'information.

S'il est vrai que la communication est au cœur du lien social, en comprendre les logiques revient à comprendre l'un des fondements des rapports humains et des sociétés contemporaines.

41. Voir dans cet ouvrage : « Petit guide des techniques de communication », p. 217.

Sciences de la communication : les grandes références

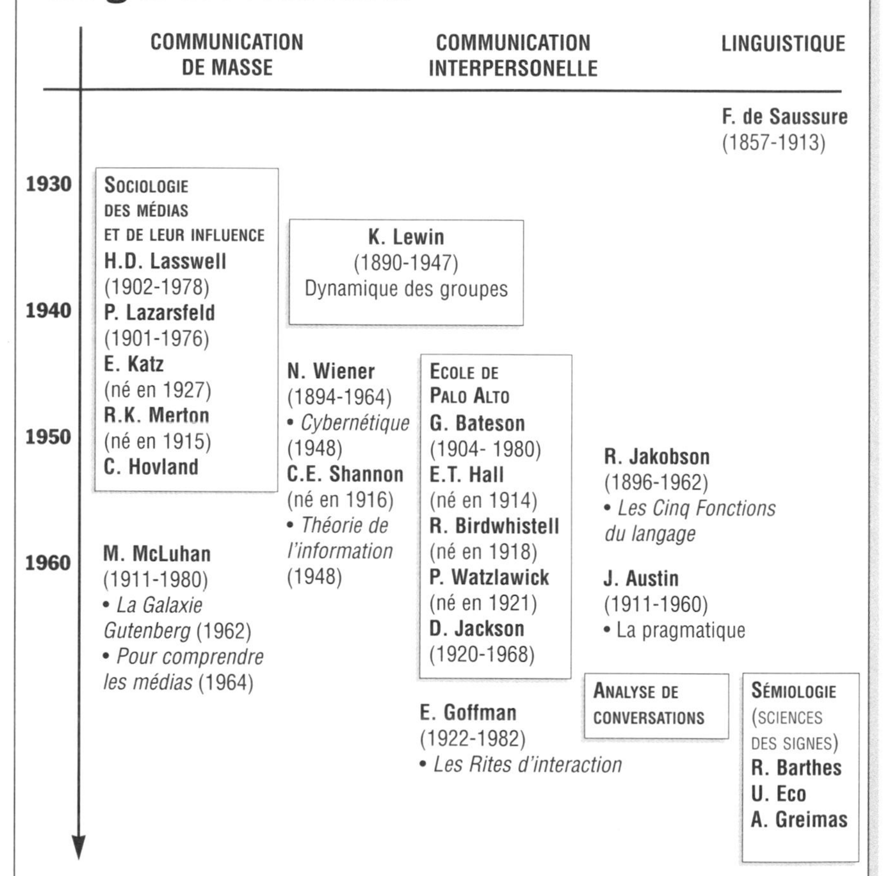

Sociologie des médias : à partir des années 40, de nombreuses recherches sont menées aux Etats-Unis sur la sociologie des médias et notamment leur influence sur le public.

La dynamique des groupes : elle étudie les mécanismes d'influence, les changements d'attitude et les réseaux d'affinité qui s'opèrent au sein d'un groupe. La communication est également un de ses domaines de recherche privilégiés. Kurt Lewin est le fondateur de la dynamique des groupes. Jacob Moreno, celui de la sociométrie (*voir p. 248*).

Norbert Wiener : professeur au MIT, il a créé la cybernétique en 1948 comme science des machines automatiques autorégulées. La cybernétique a eu une forte influence sur la naissance des modèles de la communication.

Claude Shannon : mathématicien, il est le père de la théorie mathématique de l'information qui fut le modèle de référence des sciences de la communication.

Ecole de Palo Alto : on désigne ainsi les auteurs regroupés autour de Gregory Bateson, Paul Watzlawick et Edward T. Hall, qui se sont intéressés à la communication interpersonnelle, à la communication non verbale et aux formes de la communication pathologique (*voir p. 131*).

Erving Goffman : sociologue américain. Il montre que la communication entre personnes est fortement régulée par des rites d'interaction et que la présentation de soi (la mise en scène) est un enjeu prépondérant de cette relation (*voir p. 176*).

PREMIÈRE PARTIE

LA COMMUNICATION : ENJEUX ET MODÈLES

LA COMMUNICATION est constitutive de toute société. Elle n'est d'ailleurs pas l'apanage de l'être humain : la richesse de la communication animale montre qu'elle est même nécessaire à toute forme de vie. Chaque espèce développe des moyens de communication adaptés à ses caractéristiques et à son environnement (*voir l'article de Jacques Goldberg*). La communication animale est souvent sommaire, mais les recherches en éthologie montrent que, dans certains cas, elle possède une véritable syntaxe.

Pourquoi les hommes communiquent-ils ? Pour Edgar Morin, la communication a plusieurs fonctions : l'information, la connaissance, l'explication, la compréhension. Mais, selon lui, le problème central est celui de la compréhension humaine. Edmond Marc, pour sa part, répond à la question en adoptant un point de vue psychologique. Il distingue quatre types d'enjeux : identitaires (affirmer et construire son identité), territoriaux (définir et défendre son espace personnel et les distances avec autrui), relationnels (gérer les risques psychologiques que comporte toute relation avec une autre personne), et conatifs (la recherche d'influence et d'action).

Comme le montre Daniel Bougnoux, la communication se développe dans tous les espaces de la vie sociale : la famille, la maison, l'école, l'entreprise… Dans chacun de ces lieux, elle est aujourd'hui confrontée à de profondes mutations : liées aux transformations sociales, mais aussi à l'apparition sans cesse renouvelée de nouveaux outils et supports. Elle a pris une telle ampleur qu'elle constitue une industrie, avec ses entreprises, ses technologies, ses professionnels. Françoise Tristani-Potteaux présente les caractéristiques des « métiers de la communication », à travers les quatre figures emblématiques que sont le journaliste, le « dircom », le producteur et le publicitaire.

L'accroissement considérable des moyens de communication a pour effet de créer certaines illusions : celle d'une société transparente et d'une communication généralisée, celle d'une « démocratie électronique » réalisée par les NTIC (nouvelles technologies de l'information et de la communication). Ces utopies rendent encore plus difficile la tâche des chercheurs en sciences de la communication.

Ces dernières sont nées aux Etats-Unis. Elles ne se sont développées en France qu'à partir des années 60. Depuis, elles se sont structurées et diversifiées, au point de former aujourd'hui un champ essentiel des sciences humaines (*voir l'entretien avec Dominique Wolton*). Elles ont abouti à la construction de différents modèles d'analyse qui ont pour vocation de comprendre et d'améliorer les phénomènes de communication. Alex Mucchielli présente dans son article les principaux modèles. Il montre que le modèle initial, fondé sur un schéma simple (émetteur-message-canal-récepteur), a été enrichi et progressivement complexifié. Les modèles actuels essaient de prendre en compte la multiplicité des facteurs et des enjeux (qu'ils soient contextuels, cognitifs, affectifs, relationnels, sociaux, culturels...) de l'activité communicative.

Daniel Bougnoux*

LES TERRITOIRES DE LA COMMUNICATION**

La communication nous entoure dans nos demeures, avec le téléphone, la télévision ou le livre... Elle est aussi bien présente à l'école, que dans l'entreprise, dans le monde politique ou dans le monde animal. Comment donner une unité disciplinaire à un champ d'étude aussi vaste ?

Il y a des mots écrans, des mots patauds, qui plombent véritablement le discours, et des mots avec lesquels on n'en aura jamais fini, ou pas vraiment commencé. Par où entrer dans « la communication » ? Ce grand sac enferme trop de choses (qui ne sont justement pas des choses, mais des relations) ; la communication, dit-on, ne serait pas bonne à penser. Reprenons du début, c'est-à-dire peut-être de la nature.

Communication animale et communication humaine

Pourquoi les oiseaux chantent, et comment traduire ce qu'ils disent ? Mais d'abord, chanter se ramène-t-il à parler ? Du chant d'oiseau à la parole humaine : par l'addition ou la soustraction de quoi passe-t-on de l'un à l'autre ? Quand je le caresse, mon chat ronronne : est-ce un message ? La réponse à un stimulus ? Une posture ? Les oiseaux ou le chat s'expriment, et l'être vivant ne peut pas ne pas exprimer quelque chose. Mais si la communication est coextensive à nos formes de vie, si vivre c'est communiquer comme l'ont très justement posé en principe les disciples de Bateson, il faut distinguer entre les registres, et tracer des frontières sémiotiques, pragmatiques (1), médiatiques : une amibe a des

---

* Rédacteur en chef des *Cahiers de médiologie*, professeur à l'université Stendhal et à l'Institut d'études politiques de Grenoble. A publié récemment *La Communication contre l'information*, Hachette « Question de société », 1995, et *Lettre à Alain Juppé (et aux énarques qui nous gouvernent) sur un persistant « problème de communication »*, Arléa, 1996.

** *Sciences Humaines*, hors série n° 16, mars/avril 1997.

1. Voir mots clés en fin d'ouvrage.

comportements d'absorption ou de division que l'on retrouve chez une firme multinationale, mais la métaphore est vite épuisée tant les niveaux d'organisation et d'échanges sont différents.
Passons de l'animal au très jeune enfant, celui qui ne parle pas encore. Lui aussi s'exprime et construit à coups de signaux indiciels ou charnels le riche réseau des premières relations ou du monde primaire et encore symbiotique du préverbal. N'allons surtout pas croire que cette animalité ou cette enfance sont des étapes anciennes, dépassées, sans retour; la sphère primaire des signaux indiciels constitue bien plutôt le socle permanent de nos relations, et la condition la plus générale de nos performances communicationnelles. C'est à ce niveau archaïque, mais toujours très présent, que nous touchent non seulement les séductions de la culture de masse (la publicité, la plupart des images, des rythmes ou des messages-*stimuli* de notre environnement médiatique ou urbain), mais aussi les œuvres de l'art, et les influences qui circulent dans nos relations interpersonnelles. Au commencement était la chair, sensible, extensible, et ce sont toujours les corps qui se touchent et qui communiquent avant les esprits; la résille d'une conversation, par exemple, tient à ces ponts de signaux sensibles, charnels, lancés entre les individus; toute communauté est tissée d'un maillage indiciel, d'autant plus efficace (dans la communication politique comme dans la publicité) qu'il demeure largement inconscient ou primaire, enfoui sous les messages ou les articulations secondaires de la communication codée et médiatisée.

La communication domestique

Visitons maintenant la maison. Nos espaces domestiques sont agencés pour être à la fois ouverts et fermés, équipés de fenêtres et de membranes filtrantes qui sont les terminaux du monde extérieur, et qui acheminent celui-là sans violence, à petites doses, jusque dans notre intimité. Une classification sommaire de ces différents médias nous procurera une première cartographie de notre discipline. Certains appareils sont là pour augmenter le rayon des relations interpersonnelles. C'est, par excellence, le cas du téléphone, du fax-répondeur, de l'E-mail ou de la simple boîte aux lettres. Derrière ceux-là s'étend un réseau bruissant de messages acheminés d'individu à individu. En revanche, la télévision, les journaux, les magazines ou la radio pénètrent nos demeures d'un flot de messages produits à une échelle massive. Ces messages circulent d'un centre vers une périphérie largement anonyme, et ils autorisent peu la conversation ou le *feed-back* : le courrier des lecteurs, « Radio-com c'est vous » ou le passage de quelques auditeurs-spectateurs à l'antenne ne constituent pas une réelle interactivité, ce maître mot des nouvelles technologies.
Ces médias traditionnels diffusent selon un schéma « un/tous » des messages nécessairement impersonnels, et fortement standardisés selon les mesures d'audience ou la vocation des chaînes; on distingue dans leurs contenus des ingrédients très divers, qu'on regroupera en quatre grandes classes :
– l'information proprement dite (qui

nous propose une connaissance), catégorie noble mais fortement minoritaire;
– le divertissement, les fictions ou les jeux (qui nous proposent une simple détente);
– les émissions relationnelles, qui prétendent secouer l'apathie tant dénoncée du public et refaire du lien social (c'est le cas du Téléthon, des *reality shows* ou de tous les programmes par lesquels la télévision tente de pallier les carences de l'institution);
– les messages directifs par lesquels diverses catégories d'annonceurs (qui peuvent aller des hommes politiques aux simples messages publicitaires) prêchent ou prescrivent le bien. Il est important pour nos études de communication d'insister sur l'extrême diversité des messages acheminés, ou des «missions» remplies par nos différents médias, car une vision intellectualiste a longtemps privilégié dans ce domaine l'information pure, ou la «culture», alors que la communication consiste d'abord à organiser le lien social et à maintenir la cohésion de la communauté.

Nous n'avons pas mentionné l'ordinateur, qui peut assister quelques médias traditionnels, et augmente considérablement le traitement domestique de l'information et la puissance de calcul. Couplé à des CD-Roms ou au réseau Internet, l'ordinateur multimédia peut relayer et amplifier la plupart des fonctions informationnelles et relationnelles dévolues aux médias précédents.

On trouve encore dans l'espace domestique, rangés sur des étagères, des livres, des disques que l'on classera en général comme œuvres d'art : leur temps n'est pas celui du flot, et elles échappent au rythme de l'information puisque la consultation répétée d'une symphonie ou d'un poème ne les périme pas, mais augmente au contraire le plaisir que nous tirons de ces «messages» d'un genre plus rare. Alors que l'information et la communication peuvent s'exercer en temps réel, et que le direct ou du moins une certaine fraîcheur contribuent à leur valeur, les œuvres de l'art nous atteignent le plus souvent depuis un différé qui fait au contraire leur grandeur, et qui peut, dans le cas du message spirituel, remonter à «la nuit des temps». Il serait ruineux pour la majesté de l'art d'aligner ces œuvres ou ces messages sur le temps de l'information, ou des «nouvelles technologies»; c'est pourtant ce qui se passe aux marges de l'institution muséale, ou littéraire, ou religieuse, depuis que notre modernité se plaît à mélanger les genres, les temps et les espaces, et à rabattre ou à consommer sur le mode du flot, ou d'un nivellement égalitaire, ce que l'institution culturelle avait soin de hiérarchiser. Dans tous les secteurs où elle s'infiltre, «la communication» ronge les anciens parapets et pousse à des reclassements qui bousculent fortement les anciennes hiérarchies du savoir, de l'autorité ou de la culture.

Communication à l'école et école de communication

L'école, cette antichambre de l'espace public, est un autre lieu de communication. Elle arrache l'enfant à la sphère domestique et l'introduit dans un lieu transitionnel, qui n'a pas la dureté du monde du travail mais qui prépare à celui-ci, tout en confrontant les individus à des relations et à des conflits inédits. Le savoir véhiculé par l'école relève largement de ce que Régis Debray a nommé la graphosphère, et la plupart des performances scolaires passent traditionnellement par le livre ; cette majesté de la chose écrite, qui fut toujours concurrencée ou complétée par l'oralité et les relations interpersonnelles, se trouve aujourd'hui défiée par d'autres outils : l'audiovisuel, le multimédia, le télé-enseignement ou divers réseaux alternatifs de distribution ou d'échange des connaissances. Les modes de raisonnement qui émergeaient du cursus traditionnel se maintiendront-ils face aux « nouvelles technologies » ? Quelles formes renouvelées de culture, ou (diront certains) d'illettrisme, engendrent aujourd'hui le choc du visible avec le lisible, ou des écrans face aux écrits ? L'image, l'audiovisuel et l'ordinateur ont mis longtemps à pénétrer les enceintes pédagogiques et les contenus des programmes, où leur introduction suscite des annonces enthousiastes ou apocalyptiques. Ils ne détruiront, certes, ni le livre, ni le tableau noir, mais leur coexistence avec les anciennes « technologies » semble irréversible, et elle annonce des formes inédites de savoir, de transmission ou de mémoire, qui déborderont ici encore les « anciens parapets ».

L'entreprise communicante

Les mondes du travail ou de la production se trouvent aujourd'hui pareillement infiltrés, et comme transis par l'impératif communicationnel. Quelle est l'entreprise qui ne doit pas désormais produire ou négocier ses relations, internes et externes, à la satisfaction de ses principaux partenaires ? Cela suppose, en interne, des relations de pouvoir qui ne soient pas exagérément hiérarchiques, et qui fassent place à la motivation et à la négociation ; en externe l'entreprise doit créer son image, et l'entretenir par un réseau de (bonnes) relations ; de même les biens ou les services qu'elle jette sur le marché ne peuvent y subsister sans l'habillage de la publicité, qui gomme la violence de la production et des relations marchandes, en enrobant l'objet dans le lubrifiant universel de la gentillesse, de l'humour ou d'une séduction sexy. A quoi servirait-il de produire des marchandises, si l'on ne doublait celles-là de la production de désirs ou d'un imaginaire correspondant chez ses consommateurs potentiels ?
Partout où pénètrent les relations marchandes, c'est-à-dire partout où des clients ont le choix, ce modèle publicitaire tend ainsi à remplacer vaincre par convaincre, et une argumentation économique et technique (soumise au principe de réalité) par un tourbillon de signes ludiques ou passionnels qui entraînent plus sûrement l'adhésion, ou le désir, qu'un raisonnement trop sévère. Le monde glacé du calcul égoïste et des relations marchandes se trouve ainsi capitonné ou doublé par la frivolité publicitaire, ou le principe de plaisir, qui le déguise et l'accompagne aussi sûrement que son ombre portée. Où s'arrête aujourd'hui ce modèle ? Partout où il faut vendre (une idée, un dirigeant politique, une œuvre d'art ou un courant de pensée), la panoplie

publicitaire se déploie, et tente de nous séduire.

L'Etat moderne n'échappe donc pas lui-même à cette extension de la séduction ; quand les communautés traditionnelles et quelques corps intermédiaires sont menacés de dissolution dans l'individualisme de masse, « la communication » ici encore se propose comme la panacée apte à refaire du lien social, voire de l'autorité ou de la transcendance symbolique. Peut-on toutefois produire de la croyance, de la transcendance ou de l'appartenance comme on débite ailleurs des produits manufacturés ? La vogue des études et des professions de la communication participe peut-être d'un mirage, celui de relations publiques ou d'échanges symboliques enfin accessibles à la manipulation, celui du *« one best way »* capable de produire scientifiquement quelque chose qui ressemble à du lien social. Les mêmes études, pourtant, enseigneraient avec plus de profit qu'aucune société n'est fondée sur la science ou sur la logique, mais davantage sur du mythe, inaccessible comme tel au calcul. Il ne faut pas confondre la transmission d'information, qui est une relation technique ou scientifique, qui court du sujet à l'objet, avec la communication qui est une relation pragmatique entrelaçant le sujet au sujet : la première est descendante et banalement manipulatoire, la seconde circulaire, ou réflexive, ou réverbérante, et exclut en principe le regard de surplomb ou la visée instrumentale. On programme (catégorie technique) une machine ou une filière de production, mais non pas ses amours, ni ses conversations (échanges définitivement pragmatiques). Une chaîne technique est par définition prévisible ; un plan ou une campagne de communication, à l'inverse, se caractériserait peut-être comme cette action (du sujet sur le sujet) aléatoire, contingente et qui peut toujours échouer. Pourquoi Chirac l'a-t-il emporté sur Balladur ? Comment Juppé peut-il remonter dans les sondages ? Les « conseillers en communication » pullulent autour des hommes politiques, des chefs d'entreprise ou de tous ceux qui détiennent aujourd'hui quelque parcelle d'autorité publique, sans que la compétence de ces experts dépasse sensiblement celle des faiseurs de pluie.

La mondialisation de la communication

Le plus large cercle de nos études de communication, enfin, réside dans la sphère mondiale des échanges, ou dans l'horizon baptisé globalisation. Ici encore, les prophètes de l'apocalypse et de l'avenir radieux ont rivalisé d'éloquence. Plus sobrement, nos études consisteront d'abord à distinguer dans ce domaine ce qui se mondialise désormais rapidement (les échanges monétaires et marchands, la géostratégie des multinationales ou des grandes puissances, l'information, le tourisme, la standardisation scientifique et technique ou le monde des objets en général…), et ce qui du côté des sujets résiste infiniment à ces mouvements centrifuges, et tire en sens inverse, vers les micro-appartenances et le morcellement communautaire. L'extension planétaire de la culture de masse n'a pas vérifié les craintes de ceux qui dénonçaient la standardisation, ou le règne uniforme du même ; et le retour d'archaïsmes aussi flagrants (et scandaleux pour l'utopie communicationnelle) que la religion ou divers nationalismes donne à penser sur les limites de nos modernes «machines à communiquer» – au premier rang desquelles le moteur du marché. Coca-Cola jamais n'abolira l'islam, ni l'Occitanie, ni la gastronomie, qui se retrouvent tous trois sur Internet, où s'échangent mille et une façons de partager quelque chose ensemble, à quelques-uns ou à plusieurs millions...

Vers une culture communicationnelle

Si communiquer c'est d'abord «avoir en commun», le monde moderne et les réseaux qui le maillent ne cessent de renouveler nos façons d'être ensemble, et de ramifier nos mondes en les morcelant. La vertigineuse diversité des échelles de «la communication», de l'interpersonnel au planétaire et l'imbrication des niveaux font douter qu'une discipline puisse à elle seule s'emparer d'un pareil «champ».

Nul n'est propriétaire d'aucune clé ou forme d'intelligibilité dans ces domaines, beaucoup trop complexes et mouvants pour relever d'une méthode, ou d'un regard de surplomb, et nos «spécialistes» ne détiennent chacun qu'un morceau déchiré de la carte. Si une interdiscipline baptisée communication tâtonne aujourd'hui à la recherche de sa consistance, celle-là ne pourra donc se produire que sur le mode du débat, et de la confrontation entre les disciplines. Une «culture communicationnelle» semble plus complexe à acquérir qu'aucune autre, car, entre le micro et le macrosocial, elle devrait embrasser au minimum une sémiologie, elle-même corrigée ou enrichie par une pragmatique et par une médiologie (2) – pour rendre compte des phénomènes de l'énonciation sans en exclure la logique des différents médias ; les modèles de la cybernétique devraient y intervenir, notamment les logiques de la causalité circulaire et de l'auto-organisation ; les concepts de la psychologie sociale ou de la psychanalyse parachèveraient utilement un cursus où l'on n'apprend pas seulement comment nos messages circulent, mais selon quels effets imaginaires ou symboliques ils trouvent preneurs, et quelles raisons ou folies collectives fondent nos communautés.

Cet ensemble disciplinaire nous pose un formidable défi. Il pourrait intéresser en priorité les sociologues, les philosophes ou les logiciens qui campent sur leurs propres modèles, et ne voient dans «la communication» qu'un ramassis de questions mal posées, ou un flot sans honneur.

La relation, la fonction média, les techniques : ce que désignent ces termes n'est pas facile à penser, et les disciplines traditionnelles ont préféré généralement les contourner. Ne considérons que la question des médias : s'il est vrai qu'il n'y a pas de pensée sans outil, comme postule le médiologue, comment sans tomber dans le mécanisme, ni l'idéalisme, penser aujourd'hui l'efficacité symbolique des «machines à communiquer» (qui ont commencé avec l'écriture ou l'invention de l'alphabet),

2. Voir mots clés en fin d'ouvrage.

et particulièrement des «nouvelles technologies»?

En incitant les philosophes à penser en termes d'événements, d'énonciations ou de relations et non plus de substances, et à se pencher sur les facteurs techniques (traditionnellement méprisés) pour y chercher quelques ingrédients moins grandioses de leurs raisons, les disciplines de la communication auraient déjà bien mérité de la culture.

Edgar Morin*

L'ENJEU HUMAIN DE LA COMMUNICATION**

Pourquoi communique-t-on ? On communique pour informer, pour s'informer, connaître, se connaître, expliquer, s'expliquer, comprendre, se comprendre.

Le lien fondamental évident qui existe entre communication et organisation dans les sociétés humaines est tout aussi fondamental dans l'organisation cellulaire du vivant. Le fonctionnement de la cellule est coordonné par un système de computation, d'information, de communication. L'information génétique portée par l'ADN (acide désoxyribonucléique) est copiée puis transmise par l'ARN messager (acide ribonucléique) jusqu'à l'organite chargé de le traduire en une protéine qui correspond au message inscrit sur l'ADN. Je ne traiterai cependant pas ici de ce lien organisation/communication qui est pourtant essentiel. Il y a un deuxième aspect dont je ne parlerai pas : c'est l'extension continue d'une sorte de réseau neurocérébral artificiel composé du fax, du téléphone portable, du modem relié à l'ordinateur et, plus récemment, d'Internet. Alors de quoi parlerai-je ? D'un point qui m'importe, qui est l'objet de mes obsessions et qui a été résumé dans le titre « L'enjeu humain de la communication ». Pourquoi communique-t-on ? On communique pour informer, s'informer, connaître, se connaître éventuellement, expliquer, s'expliquer, comprendre, se comprendre.

---

* Sociologue, philosophe, directeur de recherche émérite au CNRS, auteur notamment de *La Complexité humaine*, Flammarion, 1994 ; *Les Idées*, Seuil, 1995 ; *Pleurer, aimer, rire*, Arléa, 1996 ; *Terre-patrie*, Seuil, 1996 ; *Amour poésie sagesse*, Seuil, 1997.

** Ce texte est tiré de l'intervention d'Edgar Morin au forum « La communication : état des savoirs », organisé les 22 et 23 mai 1997 par Demos Formation et *Sciences Humaines*. Il a été publié dans les actes du forum : *La Communication appliquée aux organisations et à la formation*, Demos, 1998.

Je vais assez rapidement examiner les problèmes se posant à chacun des niveaux, puis je centrerai sur le problème, pour moi essentiel, de la compréhension.

Information et connaissance

Au premier niveau se trouve la relation entre information et connaissance. Il y a une phrase de Thomas S. Eliot qui m'a toujours fasciné. Ce poète anglais disait : *« Quelle est la connaissance que nous perdons dans l'information et quelle est la sagesse* (wisdom) *que nous perdons dans la connaissance* (knowledge) *? »*

La signification du premier terme de cette citation est évidemment la suivante : l'information peut être conçue comme une unité discrète ; cette particule qui est mise en relief dans la théorie de la communication de Claude Shannon. Cette unité élémentaire d'information, appelée le bit, ne se charge de sens qu'intégrée à une connaissance qui l'organise. Une pluie quotidienne d'informations vous inonde sans que vous soyez capables de l'organiser, donc de la connaître. Dans ce contexte, que représente la connaissance par rapport à l'information ? La connaissance est ce qui permet de situer l'information, de la contextualiser et de la globaliser, c'est-à-dire de la placer dans un ensemble. Face à un excès d'informations, nous risquons de tomber de Charybde en Scylla. Soit nous sommes soumis à une information pléthorique inorganisée que, très rapidement, nous oublions, parce qu'incapables de la structurer ; soit l'information est trop bien organisée, c'est-à-dire sélectionnée par un système théorique rigide. Ainsi, par exemple, un système de propagande politique effectuera un tri dans les informations reçues du monde. Celles qui semblent confirmer la validité dudit système seront captées. Les autres seront rejetées, réfutées. Le propre de l'information est de nous apporter un élément décisif et de nous surprendre. Or, le propre d'une théorie est de penser avoir tout expliqué. Elle résiste à la surprise et essaie de rattacher l'information au système préexistant. Vous aurez toujours ce conflit entre une théorie peu flexible qui ne parvient pas à se transformer pour capter l'information qui la contredit, et des informations qui n'ont plus de sens parce qu'inorganisées. Ainsi, la connaissance est l'organisation, non seulement des informations, mais également de données cognitives. Du reste, dans la théorie de C. Shannon aujourd'hui très banalisée, on a un peu gommé l'intérêt des trois termes : information, bruit et redondance. Le bruit, ou *noise*, est ce grouillement d'événements dépourvus de sens d'où brusquement jaillit l'information qui éclaire. Pourquoi éclaire-t-elle ? Parce que l'on peut l'intégrer dans ce qu'il appelait la redondance. La redondance indique que le nouveau ne peut s'inscrire que sur ce qui est déjà connu et organisé, sinon le nouveau n'arrive pas à être du nouveau et retourne au désordre. Mais le mot « redondance » a un second sens : pour être sûr que l'information parvienne, il faut la répéter, il faut la confirmer. D'où la nécessité de faire répéter au téléphone le numéro de rue ou le numéro de téléphone que l'on vous donne, etc.

Effectivement, dans la transmission d'informations existe toujours le risque d'erreur au moment de la réception. La connaissance est ainsi : ce qui situe, contextualise, globalise l'information et un certain nombre de données antérieures, connues, etc. J'aborderai maintenant une fonction importante du processus qui mène à la connaissance : l'explication.

Expliquer

Expliquer, c'est avoir recours à des déterminismes, des causalités, voire des finalités. C'est utiliser, dans l'objectif de connaître un objet en tant qu'objet, tous les moyens recensables, logiquement et empiriquement, en procédant par déduction, induction, etc. Evidemment, l'explication est souvent un exercice difficile. Comment peut-on, par exemple, expliquer les causes de la guerre de 14-18 ? L'attentat de Sarajevo déclenche une succession d'événements qui mèneront à la Première Guerre mondiale. L'assassinat de l'archiduc François-Ferdinand sera suivi trois semaines plus tard par l'ultimatum de l'Autriche-Hongrie à la Serbie, puis la Russie se mobilise, suivie par la France et enfin, l'Allemagne déclare la guerre à la France et envahit la Belgique, provoquant l'entrée en guerre de l'Angleterre. Vous avez un processus en chaîne qu'il faut situer dans le temps, dans l'histoire, dans le cadre des forces politiques d'alors : par exemple, de la rivalité des impérialismes économiques en présence, etc. Expliquer, tâche extrêmement difficile ! L'explication ne saurait d'ailleurs suffire à la connaissance du fait appréhendé. L'élément essentiel manquant est celui que j'aborderai maintenant : la compréhension.

Comprendre

La compréhension introduit la dimension subjective dans la connaissance et dans l'explication. Je l'analyserai à deux niveaux. Tout d'abord, je reprendrai une distinction classique de la pensée allemande qui oppose l'explication et la compréhension. L'explication se caractérise par son objectivisme ; à l'opposé, la compréhension nécessite toujours le recours à un processus d'empathie, de sympathie, donc à un processus subjectif. L'explication permet de connaître un fait humain (sujet) en tant qu'objet ; la compréhension permet de comprendre un sujet en tant que sujet. Si je rencontre une jeune fille en pleurs, je pense qu'elle a un chagrin, je pense qu'elle souffre. Peut-être a-t-elle perdu un être cher ? Peut-être a-t-elle été abandonnée par son fiancé ? Je peux être touché, ému par son chagrin car je sais ce qu'est le chagrin, ce que sont l'amour et la perte d'amour. En revanche, je peux appréhender objectivement le phénomène des pleurs en procédant à l'analyse du liquide lacrymal. J'obtiendrai alors des éléments précis sur sa composition chimique et son degré de salinité. Ils ne me permettront cependant jamais de comprendre ce que veut dire pleurer. Dans le processus de la compréhension, pour moi qui suis sujet, *ego*, l'autre est devenu un *« ego alter »*, un autre moi. De moi à moi, je comprends ce que peut être un « je », ce que peut être un autre moi. Prenons un autre exemple, si je dis : *« Jean-François aime Béatrice Dalle. »* Je le comprends, tout d'abord subjectivement, parce que je trouve Béatrice Dalle très attirante. D'autre part, à un

niveau plus profond, j'ai moi-même été amoureux. Je peux comprendre ce sentiment-là. Il serait impossible de saisir le sens de la phrase : «*Jean-François aime Béatrice Dalle*» de façon purement objective. Ainsi la compréhension est un moyen de connaissance. C'est un instrument évidemment sujet à erreurs, à malentendus. D'ailleurs tout, toujours, dans la communication comporte le risque d'erreur. C'est une fatalité à laquelle nous ne pouvons pas échapper.
A un second niveau, le terme de compréhension non seulement s'oppose à celui d'explication mais, à un niveau plus ample, englobe et intègre l'explication. Il fait fonctionner simultanément le mode objectif et le mode subjectif. Pour comprendre les êtres qui nous entourent, nous devons les connaître en tant qu'objets effectivement, mais en même temps, en tant qu'êtres humains, subjectivement. Parmi les sciences humaines, certaines utilisent fréquemment les méthodes quantitatives. Par exemple, l'économie a ainsi une connaissance objective de tout un ensemble de processus. Mais pour comprendre un phénomène, elle oublie l'être humain, la subjectivité, la souffrance, l'espoir, les mythes, les tourments... Il est évident que nous sommes dans une époque où ce problème est devenu capital. Le déferlement des connaissances d'experts – compartimentées et techniques, fondées sur des indices objectifs – tend à refouler tout ce qui n'est pas quantifiable. Ainsi se trouve éliminé totalement le subjectif, le sujet de la connaissance. Pour ces sciences humaines, le problème est d'intégrer le sujet.
Après avoir tracé le cadre général, je vais maintenant préciser les problèmes, les difficultés se posant à chacun des niveaux et je terminerai par celui de la compréhension.

Les difficultés de chaque niveau de communication

Au niveau premier, celui de l'information, quel est le problème fondamental posé ? C'est celui des erreurs involontaires ou provoquées. Il y a toujours du «bruit», c'est-à-dire quelque chose qui perturbe la communication. D'ailleurs, tous les langages évoluent à partir d'un certain nombre d'erreurs d'audition et de formulation.
Au niveau de la connaissance se pose un problème beaucoup plus perturbant encore que celui qui sévit au niveau précédent. C'est l'existence de structures de pensée que j'appelle «paradigmes», c'est-à-dire les principes, les relations logiques entre les concepts maîtres qui déterminent le mode de connaître. Par exemple, si vous avez une structure de pensée déterministe, vous rejetterez tout ce qui vous semble aléatoire. Confronté à un fait humain, vous rechercherez le déterminisme. Tout ce qui ne rentrera pas dans votre schéma sera écarté comme insignifiant. Si vous avez une structure de pensée atomisante, vous ne percevrez que des individus isolés, des particules, etc., vous rejetterez tout ce qui apporte la moindre relation de continuité entre les éléments. La structure de pensée dominante dans notre société est disjonctive et réductrice. Elle est disjonctive parce qu'elle sépare les faits, les données, les problèmes, les disciplines, etc. Elle est réductrice parce

qu'on essaie, alors, de donner l'explication d'un ensemble organisé à partir d'un élément simple qui le constitue. C'est ainsi devenir aveugle à ces ensembles, à ces systèmes. Je pense qu'il y a inintelligibilité d'une structure de pensée à l'autre. Si vous utilisez un système de pensée qui réduit l'humain au naturel, tout ce que vous expliquerez de l'humain se résumera, comme Richard Dawkins (1) le prétend, à l'action des gènes. Ainsi les comportements sociaux humains seront réduits aux comportements sociaux des animaux ou des insectes. Si vous avez une structure de pensée disjonctive, vous éliminerez tout ce qui est biologique chez l'être humain, son corps, son cerveau, et ne retiendrez que la dimension culturelle et psychologique. Dans tous ces cas, vous aurez une vision mutilée.

Pour moi, il est tout à fait naturel de penser en terme d'unité du multiple et du multiple de l'un. Au cours d'une discussion sur l'humain, certains voient la variété et la diversité des individus et des cultures et finissent par gommer l'unité de l'espèce humaine. D'autres ne voient que l'unité de l'espèce humaine et finissent par occulter la diversité des cultures. Ainsi, en possession de données, d'informations et de connaissances identiques, il leur est difficile de s'entendre...

Je me référerai à une expérience personnelle. Mon ami Alain Touraine et moi étions récemment invités par un hebdomadaire à interviewer Lionel Jospin. Au cours de cet entretien, j'avais l'impression subjective désagréable de me trouver déphasé. Pourquoi ? A. Touraine disait que le parti socialiste n'était pas encore assez moderne et qu'il devait l'être absolument. Je pensais, pour ma part, que le problème n'était ni d'être moderne – la modernité étant déjà très problématisée –, ni de s'adapter à ce qui était actuel. Je jugeais qu'il fallait chercher et servir non pas un projet, mais une voie, une idée, orientée vers le futur. L. Jospin et A. Touraine ont trouvé mon propos inconvenant ! L. Jospin a déclaré : « *Vous savez, les grandes idéologies, c'est fini ; elles sont mortes, nous sommes les grands brûlés de l'idéologie.* » Cependant, une idée n'est en rien une idéologie. Je mesurais alors à quel point je ne parvenais pas à me faire comprendre.

Je discute fréquemment politique et j'ai souvent l'impression d'être confronté à des interlocuteurs myopes, rétrécissant la politique à l'économie. Ils ne s'interrogent pas sur les grands défis, les grands processus, les grandes perspectives. Dans ce débat avec Jospin, j'apparaissais comme un individu développant des idées générales et creuses, totalement dépourvu de réalisme. Nous ne nous comprenions pas alors que nous parlions des mêmes choses.

Cependant, je sais qu'ils ne m'ont pas compris, mais eux ignorent qu'ils ne me comprennent pas. Quand A. Touraine dit qu'il faut répondre aux défis du temps présent, faisant référence d'une certaine façon et en partie à « la modernité », je le comprends. Quand en réponse à A. Touraine, L. Jospin met en avant les traditions, l'enracinement dans le passé, je le comprends. Dans ce contexte, j'essaie d'avoir un « méta

1. R. Dawkins, *Le Gène égoïste*, Odile Jacob, 1996.

point de vue» : je maintiens mon point de vue en intégrant celui de l'autre.
J'arrive ainsi à ces intéressantes questions : comment se comprendre ? comment s'entre-comprendre ?

La compréhension

A mon avis, pour accéder à la compréhension, il faut reconnaître les paradigmes, c'est-à-dire les structures de pensée, qui nous gouvernent et qui gouvernent les autres. Elles sont ce que Masao Maruyama a appelé les *mind scapes* ou «paysages mentaux». Les paysages mentaux à l'intérieur desquels nous sommes ne communiquent absolument pas les uns avec les autres.
Mais dès lors que nous sommes conscients de nos paradigmes et de ceux de l'autre, que comprend-on ? On comprend l'incompréhension ! L'acquis est capital. Nous parvenons ainsi à l'intelligibilité de l'inintelligibilité dans les relations humaines. Nous comprenons ce qui est d'habitude mis sur le compte des malentendus, des difficultés, de surdité, de mauvaise volonté, d'idioties, etc. La compréhension n'est possible qu'à l'intérieur d'un même paradigme. Quand nous avons un paradigme qui se connaît, on peut comprendre bien ceux qui ne nous comprennent pas. Dans ce cas, nous évitons d'être gouvernés par des structures de pensée dont nous sommes totalement inconscients. Dans ces conditions, il est possible de développer ce que j'appelle le «méta point de vue».
J'atteins maintenant l'idée finale et peut-être cruciale de mon exposé : le problème de la compréhension humaine.

La compréhension humaine

J'ai déjà expliqué que le rapport avec l'autre, *«ego alter»*, se fait par la médiation de l'*alter ego*. Mais qu'est-ce que l'*alter ego* ? Arthur Rimbaud disait : *«Je est un autre.»* Anthropologiquement, nous avons à l'égard de nous-même une relation d'étrangeté, c'est-à-dire un rapport subjectif/objectif. Je m'explique. Je crois que demeure en nous une forme archaïque de la connaissance de nous-même. Elle est cette image, cette idée de double, de spectre, de fantôme qui nous accompagne, que nous découvrons dans nos miroirs. De fait, nous pratiquons sans arrêt un dialogue avec nous-même : nous sommes deux. Comme disait Carlos Suarez, la solitude, c'est l'inexorable dualité. Le deux est dans le un. Ainsi capables d'avoir cette relation d'extériorité avec nous-même, nous pouvons avoir une relation d'intériorité avec autrui. Cependant, ce pouvoir d'empathie et de sympathie, cette aptitude à considérer autrui comme sujet, ne suffit pas. Des difficultés internes et externes interfèrent.
Le premier obstacle, pour comprendre autrui, est l'incompréhension qui règne à l'égard de nous-même. C'est notre capacité de nous auto-occulter. En anglais, on appelle cela la *self deception*, c'est-à-dire la tromperie, le mensonge à l'égard de soi-même. C'est un processus qui fonctionne sans arrêt. Il y a toute une part de nous-même qui nous ment, nous dupe, nous fait oublier ce qui nous gêne, nous fait mettre en relief ce qui nous plaît. Cette automystification permanente est vérifiée chaque fois que l'on nous remet en mémoire un souvenir qui nous étonne ! Nous nous interrogeons

alors : *« Cela s'est-il réellement passé ainsi ? »* Effectivement l'événement décrit est conforme à la réalité mais il nous gênait un peu ; il a alors été oublié ! Ce processus, nous ne l'utilisons pas uniquement à l'égard de l'*ego*, mais également à l'égard de l'*« ego alter »*.

La seconde difficulté dans la compréhension de l'autre est cette tendance à le réduire à une personnalité figée, à l'enfermer dans une image fixe. On tend à ignorer cette dimension fondamentale qui est la multipotentialité, la multipersonnalité d'autrui. Les dérives, les accidents qui surviennent dans les existences sont ces phénomènes étonnants engendrés par les croyances et les mythes qui nous possèdent. Réduire l'autre à un seul trait, un seul épisode de sa vie, pour le définir en totalité, installe une totale incompréhension. Hegel disait : *« Si je traite quelqu'un qui a fait un crime de criminel, je réduis toute sa personnalité, toute sa vie à l'acte criminel qu'il a commis. »* Prenons l'exemple de Cioran. En Roumanie, dans sa jeunesse, il a été fasciste et a écrit, durant cette période, des textes effrayants. Depuis ces années-là, il a changé, regretté, fait son autocritique, et écrit tout à fait autre chose. Cependant, des articles ont paru affirmant que le Cioran fasciste se camouflait toujours sous sa vision pessimiste et désespérée. Je pense, quant à moi, que l'on ne peut réduire personne à un épisode de son passé ou de sa jeunesse. C'est cela le refus de la réduction.

L'incompréhension

C'est pour toutes ces raisons que le phénomène généralisé est celui de l'incompréhension et du malentendu.

On serait en droit de penser que les individus que l'on comprend le moins sont ceux qui sont le plus éloignés de nous. On ne connaît rien des rites d'une tribu, d'un peuple inconnu. Quel est le rite de politesse, de courtoisie ? On ne comprend pas. C'est vrai. Mais ce sont des incompréhensions qui peuvent se résoudre dès que l'on a appris ces rites, dès que l'on se connaît mutuellement. Il existe, d'ailleurs, de plus en plus de petits guides à cet usage. Par exemple, quand vous parlez business avec un Japonais, il ne faut jamais parler de l'affaire au début, il faut attendre la fin. Paradoxalement, l'incompréhension est beaucoup moins modulable, réductible, quand elle implique des proches. Elle peut être terrifiante au sein d'une même famille, entre parents/enfants, enfants/parents, etc. Il y a également des milieux professionnels où l'incompréhension est énorme. Permettez-moi de vous citer une anecdote. J'ai assisté au *Monde de l'éducation*, à une réunion préparatrice au numéro sur l'université. Quelques intervenants ont abordé le sujet de la haine sévissant entre universitaires. Cette haine-là vient non seulement de la rivalité, de la compétition mais en plus, elle est cette haine intellectuelle abstraite pour les idées d'autrui, pour les idées de ceux qui vont sur votre territoire. Un de nos participants, autrefois président d'université, raconta une séance de commission de sélection de philosophes. Réunis pour statuer sur un cas, ils l'oublièrent rapidement. Ils commencèrent à se critiquer les uns les autres, à presque s'insulter et à discuter sur un mode terrifiant. Ce président d'université demanda alors à son huissier : «*Achetez-moi tout de suite deux kilos de bananes.*» Il avait l'impression d'être face à un groupe de singes s'agitant et se disputant sur un arbre. Les bananes furent distribuées. Chaque participant ouvrit la banane et la mangea tout en continuant la discussion. A l'issue de cette réunion, sans avoir atteint en rien l'objectif fixé, l'un des participants dit : «*C'est une excellente idée d'avoir pensé à nous donner quelque chose à manger; la prochaine fois, je préférerais un gâteau.*» La relation d'incompréhension existait donc à deux niveaux : entre les philosophes présents et à l'égard du geste même qui essayait de leur faire comprendre qu'ils ne se comprenaient pas.

Souvent, je songe au miracle du cinéma. Sur l'écran, nous voyons Chaplin vagabond; il nous émeut et nous l'aimons, lui, le sale, le pauvre... Cependant, en sortant du cinéma, au coin de la rue, se tient un clochard. Alors, on se détourne, on trouve qu'il sent mauvais, on l'évite, on a peur. La compréhension a fonctionné devant l'écran. Les films nous montrent souvent des gangsters qui, effectivement, accomplissent des actes de cruauté; mais en même temps, nous les voyons en proie aux sentiments humains d'amitié ou d'amour. Grâce au cinéma, nous percevons la complexité des individus et, du coup, nous comprenons. C'est pour cela que le cinéma, pourtant tant décrié, a une dimension beaucoup plus humaine que la réalité quotidienne.

Nous avons, je pense, un besoin vital de la compréhension lié à ce besoin tout aussi vital de la «reliance», la communication qui nous relie les uns les autres.

Les outils de la compréhension

Autrefois, l'idée d'âme et le mot «âme» étaient beaucoup utilisés. C'est un mot très protoplasmique, et pour en illustrer l'usage, je citerai cette anecdote. Jacques Monod, un scientifique tout à fait objectiviste et rigoureux me surprit un jour en parlant d'un épistémologue.

Il me dit à son propos : «*Il n'a pas d'âme.*» J'ai alors parfaitement compris ce qu'il voulait me dire. Ainsi, certains mots, bien que sémantiquement très incertains, sont des outils puissants permettant l'accès rapide à la compréhension. La musique est une communication de l'âme. Le mythe communique de l'irrationalisable. Et, évidemment, la rationalité communique de l'intelligibilité. Mais nous savons bien que pour comprendre, la musique ne suffit pas, le mythe ne suffit pas, la rationalité ne suffit pas. L'amour aussi nous fait connaître, mais il est capable en même temps de nous aveugler. Tous ces modes de communication et de compréhension – fragmentaires, jetés en vrac, livrés pêle-mêle – doivent être synergisés. Tout cela – informations, idées, valeurs, mythes, explications, musiques, images – devrait être assemblé et complémentarisé. Finalement, je pense que la compréhension serait à la fois le moyen et la fin de la communication humaine. Quel est le paradoxe contemporain ? Un accroissement considérable des moyens de communication induit peu de communication (au sens de «compréhension»). Pourtant, il s'agit là d'un enjeu décisif pour que nous puissions éventuellement sortir de la barbarie de la communication humaine.

Jacques Goldberg[*]

LA COMMUNICATION ANIMALE[**]

S'ils ne s'expriment pas vraiment dans une langue aussi pure que celle que leur a prêtée Jean de La Fontaine, le chat, le renard ou la poule ont chacun un mode d'expression propre à leur espèce. La communication existe dans tout le règne animal et même dans tout le monde vivant.

L'ÉTUDE de la communication animale est parfaitement interdisciplinaire : des éthologistes et des linguistes, des psychologues et des sociologues, mais aussi des neurophysiologistes, endocrinologues ou chimistes s'y intéressent. Elle peut fournir des modèles de recherche et de réflexion pour les communications proprement humaines et va également permettre de mieux comprendre le langage humain en ce qu'il a de différent ou de commun avec celui des autres espèces vivantes.

La communication, propriété de la matière vivante

La communication existe déjà à tous les niveaux de la matière vivante : génétique, métabolique et neurologique.

Au niveau génétique, le transfert d'information entre macromolécules d'acides nucléiques – ADN et ARN (1) – peut être considéré comme une première forme de communication. Ne parle-t-on pas d'« ARN messager » ? Le message codé est d'une très grande complexité et à travers l'édification des protéines, il va faire de la cellule, de l'individu, de l'espèce, ce qu'ils sont en définitive.

Les processus métaboliques (physiologiques) permettent aux cellules de communiquer entre elles par des moyens plus rapides : hormones et autres molé-

---

* Directeur du Laboratoire de sociologie animale, université Paris-V. Il est l'auteur de *Les Sociétés animales*, Delachaux et Niestlé, 1998.

** *Sciences Humaines*, n° 7, juin 1991.

1. Voir mots clés en fin d'ouvrage.

cules chimiques transportées dans le milieu intérieur constituent un modèle biochimique de communication.
Au cours de l'évolution, la sensibilité cellulaire s'est perfectionnée au niveau de certaines cellules jusqu'à faire émerger une propriété nouvelle, la sensorialité : réception spécialisée plus élaborée des *stimuli* extérieurs (non plus seulement olfactifs mais aussi visuels ou sonores).
Les cellules sensorielles regroupées ensuite en organes sensoriels ont dû, avec le perfectionnement évolutif des espèces, développer un système de connexions entre elles et les organes moteurs capables de répondre : c'est ce qui a constitué le système nerveux. L'ensemble de ces connexions va permettre la communication animale. Elles n'ont cessé avec le système nerveux, de devenir plus complexes tout au long de la phylogenèse (2) des espèces.

A chaque espèce son langage

Chaque espèce animale vit dans un monde qui lui est propre, et va développer des moyens de communication adéquats et adaptés. La communication animale est avant tout un transfert d'informations convoyées par des signaux ou des combinaisons de signaux différents, émis en direction des congénères. Les individus récepteurs réagissent d'ailleurs aux signaux de leurs congénères par un comportement adapté. Comment déterminer que l'action commise par un animal constitue vraiment un signal ? Certains cas ne présentent aucune difficulté surtout lorsque le changement opéré est rapide : certains signaux d'alarme des parents déclenchent l'immobilité immédiate des poussins ; les signaux de détresse des petits sont toujours de bons signaux pour les parents, de même certaines substances sexuelles ou sociales. Ou encore tous les signaux de menace ou de combat...
Mais il n'en est pas toujours ainsi : les parades sexuelles des oiseaux mâles, leurs chants et les luxueux déploiements de leurs plumes magnifiques modifient la croissance des glandes sexuelles et le comportement reproducteur des femelles. après un long temps de maturation. De même, les changements sont souvent latents et non visibles dans l'immédiat. Des phéromones sociales, substances chimiques émises par les membres d'un groupe, assurent la régulation démographique des populations de mammifères ou le nombre d'individus par castes chez les insectes sociaux (fourmis, termites, abeilles) : ces régulations et ces modifications sont essentielles à la vie des sociétés ; elles passent pourtant tout à fait inaperçues, au moment de l'émission même des signaux.
La bonne connaissance d'une espèce et la familiarité qu'un chercheur peut acquérir avec celle-ci permettent souvent de décrypter aisément la fonction d'un signal. Les différentes postures de menace de la mésange bleue, par exemple, sont fort complexes, mais les séquences de comportement, bien observées, sont, en elles-mêmes, édifiantes. On peut aussi parfaitement tester dans bon nombre de cas, comme chez les mouettes, les postures de menace en les faisant répondre à des

2. Voir mots clés en fin d'ouvrage.

leurres, sortes de maquettes en bois pourvues d'ailes et de plumes.
Chez les poules, l'élément essentiel de reconnaissance individuelle se situe au niveau de la crête et des plumes du cou et de la tête : si l'on peint de couleurs anormales ou si l'on revêt les poules de cagoules, elles deviennent incapables de se reconnaître et toute la hiérarchie sociale, si bien fixée en temps normal, en est totalement perturbée.
Les signaux agissent sur tous les canaux possibles : même les ultrasons, comme chez les dauphins ou les chauves-souris, permettent de s'orienter et de communiquer. Les poissons électriques (mormyres ou gymnotes) font de même en utilisant des signaux électriques.
Les signaux visuels sont, eux, beaucoup plus répandus dans les groupes zoologiques les plus divers : vertébrés, crustacés, insectes. Ils sont directs, rapides et bien localisés, mais ne peuvent être utilisés que le jour, sauf dans le cas de ceux qui produisent eux-mêmes lumière ou luminescence : lucioles, vers luisants ou poissons des grands fonds. Chez les espèces diurnes, ces signaux visuels sont le plus souvent des mouvements stéréotypés ou des postures faciles à reconnaître. Souvent aussi, des couleurs ou des structures spéciales sont mises en évidence à l'appui d'une communication donnée. Certaines espèces sont dotées de cellules spéciales (chromatophores) permettant de changer de couleur rapidement et de communiquer leur état ou leurs intentions. Mais plus simplement, les plumages saisonniers ou les changements de couleur des poils des mammifères peuvent aussi prendre valeur de communication.

La communication visuelle agence souvent des signaux plus complexes : danses nuptiales des épinoches, danses guerrières des poissons du Siam, danses de reconnaissance des abeilles indiquant la qualité, la direction et la distance d'une source de nourriture.
La communication acoustique est tout aussi répandue chez les animaux terrestres que chez les vertébrés aquatiques, y compris les poissons (moins muets qu'on ne le pense habituellement !). L'avantage des signaux acoustiques sur les visuels est de pouvoir être reçus en dehors de la ligne droite (chemin obligé dans le visuel). Ils peuvent être produits par des organes très divers : cordes vocales des mammifères, syrinx des oiseaux, organes musicaux stridulants chez les sauterelles ou les grillons. Ils transmettent comme les signaux visuels, des informations concernant l'âge, l'espèce, l'état de motivation, l'identité individuelle ou sexuelle, le groupement ou la dispersion. Ils évitent les hybridations interspécifiques, synchronisent les activités sexuelles et jouent un grand rôle dans les comportements entre jeunes et parents.
La communication chimique, la plus ancienne dans l'histoire de la vie, mais aussi la plus répandue encore dans le monde animal actuel, peut jouer dans certaines circonstances les mêmes rôles que les précédents. Il s'agit de la transmission de substances chimiques par diffusion dans les courants d'air ou d'eau. De nombreuses espèces marquent ainsi leur territoire (zone défendue contre les congénères) : sécrétions de glandes spéciales, émissions d'urines

ou projections d'excréments. Certaines substances encore permettent d'avertir les congénères d'un danger imminent : la peau de certains poissons blessés libère une substance qui avertit les autres membres du banc. Ces substances (phéromones) sécrétées en quantités infinitésimales (de l'ordre du millionième de gramme) ont une puissance fantastique : certaines femelles de papillons peuvent attirer les mâles des kilomètres à la ronde…
Bien que tributaires des supports de transmission (le vent par exemple), ce qui réduit leur efficacité, les signaux chimiques sont efficaces en ce qu'ils reflètent le mieux la composition chimique de leur émetteur et la spécificité des messages. Ils permettent également une excellente modulation avec le système neuroendocrinien. On a ainsi pu parler d'un véritable système neuro-exocrinoendocrinien (nerveux – phéromone – hormone). Les signaux ne se limitent pas à déclencher simplement une réaction chez le congénère, de façon simple.
L'ordre des phrases dans le chant est d'une grande importance pour la reconnaissance de l'espèce par les congénères. Contrairement à ce que l'on a cru pendant longtemps, les répertoires des oiseaux, loin d'être stéréotypés, sont très divers. Les motifs des chants sont variés au sein d'une même espèce et l'on se trouve en présence d'une véritable syntaxe.
Le répertoire des oiseaux chanteurs est généralement composé de catégories peu nombreuses de sons (une dizaine environ) mais le nombre des thèmes de chants peut atteindre chez certaines espèces des valeurs étonnantes : la grive musicienne possède cent soixante-dix thèmes, le rouge-gorge, plusieurs centaines. Les étourneaux se servent des éléments sonores de leur entourage et augmentent ainsi leur répertoire. De même chez les singes Rhésus, les messages sont interprétés différemment selon la séquence des sons émis. Les signaux changent souvent de valeur et de signification en fonction du contexte. Un même signal engendrera la fuite ou le combat suivant le lieu où il est émis. Nombreuses aussi sont les espèces qui possèdent des signaux d'alarme différents selon le type de prédateur communiqué à ses congénères. Le contexte interne (état hormonal par exemple) peut donner des significations tout à fait différentes à un même signal.

Communication animale, langage humain : une opposition arbitraire ?

L'homme est, certes, la seule espèce à posséder le langage verbal qui permet l'émission de séquences de mots, de propositions ou de phrases. Des règles complexes et bien déterminées, transmises au moins en partie par la culture, en régissent l'ordonnance. Le langage humain est conventionnel et appris dans le contexte social.
Pourtant, certaines espèces animales, comme nous l'avons vu, émettent, elles aussi, des séquences complexes de signaux nécessitant un apprentissage. Certaines espèces d'oiseaux établissent de véritables dialectes d'un lieu à l'autre.
L'opposition entre signal inné stéréotypé chez l'animal et la capacité d'émissions apprises et symboliques chez

l'homme devient donc dépassée, surtout lorsque l'on prend en compte la possibilité d'utilisation de symboles chez les singes anthropoïdes. La différence serait-elle d'ordre quantitatif plutôt que qualitatif ?

La communication animale n'est pourtant jamais futile alors que le langage humain peut véhiculer des images irréelles ou permettre la spéculation, la fraude ou le mensonge (les cas décrits de mensonges chez l'animal revêtent quelques doutes quant à leurs significations). Quant au langage humain, il détient la particularité unique de pouvoir exprimer des messages à propos du langage lui-même.

Les comparaisons les plus sûres et les plus intéressantes se feront certainement au niveau des communications non verbales dont certaines se retrouvent à la fois chez l'homme et chez l'animal. La richesse et la diversité des expressions, mimiques, postures, gestes sont telles dans la communication non verbale qu'elles sont en même temps une difficulté pour déterminer l'origine de ces signaux : biologique ou culturelle.

Certaines de ces expressions (sourire, rire, pleur, salutation, flirt, colère) se retrouvent dans toutes les cultures humaines (universaux). Les affects primaires (joie, tristesse, colère, surprise, dégoût) sont associés le plus souvent à des expressions faciales présentes un peu partout dans les populations humaines. Les recherches étho-ethnologiques doivent se poursuivre pour dresser un bilan plus précis. Complexité, dépendance intellectuelle et cognitive rendent la communication verbale humaine tout à fait unique au moins dans son aspect quantitatif.

Certains biologistes pensent cependant que les langages humains peuvent trouver une origine dans l'évolution du vivant ; les linguistes, de leur côté, en trouvent peu d'indices dans l'évolution des langues étudiées et ont beaucoup de réticences à admettre ce type d'hypothèses.

En fait, les communications non verbales reliées au langage ne trouvent pas beaucoup d'équivalents dans les communications animales. En revanche, les manifestations d'affects humains sont faciles à relier à celles des animaux. Si communication animale et communication humaine sont difficiles à comparer au niveau verbal, des résultats intéressants et prometteurs existent au niveau des affects et du « vrai » non-verbal.

Le langage des animaux

Le chant des baleines ou la danse des abeilles figurent certainement parmi les langages d'animaux les plus intrigants. Karl von Frisch avait mis en évidence, il y a déjà plus de soixante ans, ce phénomène bien singulier : pour indiquer à ses congénères où se trouve le champ de fleurs, l'abeille effectue une danse en forme de huit. La direction est indiquée par l'axe de la danse. La distance est indiquée par sa vitesse. Le chant des baleines pourrait bien être ce chant des sirènes auquel faillit succomber Ulysse tant la mélopée des énormes cétacés est étrange et fascinante. Ce cri des baleines à bosses (*Megaptera navoe-anglia*) se diffuse à travers les masses aquatiques sur plusieurs milliers de kilomètres !

Les scientifiques ont maintenant appris que les langages d'animaux, à défaut d'être vraiment traduits, répondaient à des fonctions précises dont les plus fréquentes sont l'appel amoureux et la défense du territoire.

Ce que disent les grenouilles

Perchées sur une branche d'arbuste, au bord de l'eau, par un soir d'été, les grenouilles commencent leur sérénade : pour qui, pourquoi ces coassements ? Comme pour le chant des oiseaux, le brame du cerf ou le cricri du grillon, et, plus généralement pour les vocalisations de la plupart des autres espèces animales, les grenouilles et crapauds s'expriment pour appeler la femelle et protéger leur territoire. Gary M. Fellers, de l'Université de Maryland, a passé quatre étés au bord du même étang pour tenter d'interpréter le coassement de la grenouille. Deux types de cri sont à distinguer. L'« appel amoureux » ou « appel d'accouplement » s'adresse toutes les 5 ou 6 secondes à la bien-aimée. La sérénade est en même temps un signal destiné à marquer son territoire à l'égard des autres mâles. Si un mâle approche à moins de 80 centimètres, le coassement se fera plus fort et éraillé. Le « cri de rencontre » indique alors à l'intru qu'il doit déguerpir. S'il s'y refuse, le combat aura alors lieu.

Comment les oiseaux apprennent à chanter

Sur les 8 500 espèces vivantes d'oiseaux, seule une moitié d'entre eux siffle. Ce sont principalement les mâles qui sifflent, pour protéger leur territoire et attirer les femelles au printemps.

Le langage n'est pas inné : un pinson élevé dans l'isolement total, ou qui est sourd, ne saura pas chanter. L'apprentissage s'effectue dans une période déterminée, celle des trois premiers mois de la vie. Au-delà, l'apprentissage n'est plus possible. Des chercheurs ont essayé d'élever un pinson parmi les chants de coucou. celui-ci apprend la langue des coucous ! En revanche, si on lui fait entendre des sons de différentes familles d'oiseaux durant sa phase d'apprentissage, il sélectionne spontanément ceux de son espèce ! Au sein d'une même espèce, il existe de véritables « dialectes ».

F. Nottebohm, le grand spécialiste du chant des oiseaux, a par ailleurs montré qu'en injectant de la testostérone – une hormone mâle – à une femelle, celle-ci se met à chanter. Preuve que l'apprentissage du langage chez les animaux est soumis à des interactions complexes entre des prédispositions génétiques, des facteurs biologiques et aussi un « milieu » culturel.

JEAN-FRANÇOIS DORTIER

Références bibliographiques
- *La Communication chez les animaux,* Gründ, 1989.
- *La Recherche,* avril 1991.
- *Sciences et avenir,* janvier 1991.

LES SCIENCES DE LA COMMUNICATION AUJOURD'HUI

Entretien avec Dominique Wolton*

Les sciences de la communication se sont constituées depuis peu en France. Dominique Wolton présente les grands axes de la recherche, tous liés à des enjeux de société.

***Sciences Humaines* : Comment se sont constituées en France les sciences de la communication ?**

Dominique Wolton : Historiquement, le champ de la communication est marqué par les théories et les recherches venues des Etats-Unis. En France, un grand rôle est joué à partir des années 60 par Georges Friedmann, Edgar Morin et Roland Barthes, qui ont introduit l'étude des médias de masse. Ils ont fondé ensemble la revue *Communications* et initié une réflexion critique sur l'arrivée massive de la radio, de la télévision et de la publicité, puis, plus généralement, sur la culture de masse. Ces travaux entrepris entre 1960 et 1970 attestent d'une curiosité à l'égard de ces phénomènes nouveaux.
Une deuxième étape survient après 1968. Sur le plan idéologique, l'influence de 1968 a été de développer une critique de type néomarxiste sur les médias vus comme des instruments d'aliénation et de la domination. La télévision, la communication sont considérées comme des outils d'abrutissement. Ces analyses s'appuient sur le développement des grandes industries culturelles aux Etats-Unis et en Europe. Ce qui donne force à ces thèses est que les industries du film et de la télévision vont plutôt dans le sens des intérêts économiques et non des valeurs.
A partir des années 80, un troisième courant émerge. Il s'intéresse à l'arrivée des nouvelles techniques de communication : le vidéo-texte, la télévision par câble, le Minitel, puis le satellite. Ce courant-là est plutôt apologétique, parce que fasciné par les capacités techniques. Le rapport Nora-Minc, par exemple, est révélateur de cette nouvelle tonalité liée assez fortement à l'idéologie technique.
Dans les années 85-90, un quatrième courant apparaît. Il est lié à une réflexion sur les liens entre communication et démocratie. On découvre que sans communication il n'y a plus de

* *Directeur du Laboratoire communication et politique (CNRS). Directeur de la revue* Hermès. *Directeur du programme sur les sciences de la communication du CNRS. Auteur de* Penser la communication, *Flammarion, 1997.*

démocratie. C'est dans ce courant-là que s'inscrivent les travaux que j'ai entrepris en 1985.

***SH :* C'est l'époque où le CNRS vous a confié la mission d'organiser un programme interdisciplinaire sur la communication. Pensez-vous que les éléments étaient réunis pour constituer une authentique science de la communication?**

D.W. : En 1985, j'ai rédigé un rapport à la demande du CNRS expliquant qu'une politique scientifique devait être impulsée dans ce secteur. Mais le domaine de la communication ne peut ni ne doit être dans une science unifiée. C'est par nature un domaine pluridisciplinaire. Il concerne en effet trois grands secteurs – les neurosciences, les sciences cognitives et les sciences sociales – et une dizaine de disciplines : philosophie, anthropologie, sociologie, géographie, histoire, droit, sciences politiques, psychologie, linguistique et psychosociologie. Chacune a sa problématique propre; il n'y a donc pas une mais des sciences de la communication. Il y a également une grande diversité des objets d'analyse : au moins sept champs d'étude différents autour desquels nous avons impulsé des programmes de recherche spécifiques. Le premier est celui de la communication dite «naturelle», c'est-à-dire la communication intersubjective des êtres humains. Il y a ensuite la communication de masse avec la presse, la télévision, la publicité. Un autre champ d'étude concerne l'interculturel, c'est-à-dire la question des rapports entre l'identité et la communication. Avec la construction européenne – projet politique qui implique 15 pays et 370 millions d'habitants qui n'ont pas la même langue, pas les mêmes valeurs, pas les mêmes souvenirs –, nous sommes confrontés à un enjeu énorme de communication.

Un autre immense domaine d'étude : l'analyse des effets sociaux des techniques de communication comme le téléphone, l'informatique, la télévision ou le multimédia. L'histoire des techniques de communication (du télégraphe à Internet) constitue un autre objet d'étude.

Certaines questions relatives à la communication sont transversales. C'est le cas de la rhétorique et de l'argumentation qui concernent à la fois la communication individuelle, la communication publique, la communication institutionnelle.

L'étude du fonctionnement de l'espace public et de la communication politique est aussi un domaine de recherche en plein développement, à la mesure de l'extension de la logique politique à l'ensemble des aspects de la réalité. Voilà autant de domaines de recherche interdisciplinaires qui constituent d'importants enjeux sociaux. La particularité de ces sujets d'étude est d'être récents : ils n'ont pas de longue tradition intellectuelle. Cette nouveauté donne une certaine ouverture, mais aussi une fragilité aux recherches en cours. Ce qui change, pour finir ce rapide tour d'horizon, c'est qu'il existe aujourd'hui un beaucoup plus grand nombre d'étudiants et d'enseignants directement intéressés par l'information et la communication. C'est un progrès, car c'est la naissance d'une communauté culturelle visible dans les filières universitaires, des sociétés savantes, comme l'AFSIC (1), et les revues comme *Hermès*, *Réseaux*, *Quaderni*, *MEI*. Le décalage est d'ailleurs croissant entre ce milieu académique assez réservé à l'égard de l'« explosion de la communication » et le discours beaucoup plus, beaucoup trop enthousiaste, des acteurs économiques, des ingénieurs, des hommes politiques et des médias. La difficulté ? Ce n'est pas parce que tout le monde a une opinion sur la communication, ce qui est normal puisque chacun communique, que tout le monde en est spécialiste. Là aussi se pose un problème de connaissance. La communication est un domaine où les résistances à l'analyse sont fortes, parce que chacun croit déjà savoir. C'est un des plus grands chantiers économiques, culturels et intellectuels du siècle prochain.

***SH :* Le rôle de la communication dans nos sociétés est très ambigu. D'un côté, on a le sentiment que les moyens de communication permettent une plus grande diffusion d'informations, et donc une transparence plus grande entre les hommes. De l'autre, la communication apparaît aussi comme une entreprise de manipulation. Comment raccorder ces deux images ?**

D.W. : Je ne partage pas la vision d'une communication de masse qui abrutirait le peuple et vampiriserait la politique. Supposer cela, c'est faire fi de l'hypothèse de base du modèle démocratique : une certaine capacité critique et une intelligence des individus. On accorde bien cette intelligence au citoyen dans le cadre des élections au suffrage universel. Pourquoi le même citoyen, qu'on suppose suffisamment autonome pour faire un choix politique, deviendrait-il tout à coup complètement idiot et manipulé dès lors qu'il consomme des médias ? Au demeurant, toutes les enquêtes sur la réception des médias montrent que le téléspectateur est toujours actif

quand il regarde son poste. Le cerveau humain fonctionne comme un système cognitif qui dispose d'un certain nombre de filtres dans les images qui lui sont proposées, qui opère des choix à partir de valeurs, de représentations qui lui sont propres.
Il existe bien sûr des dérives médiatiques qui participent de la manipulation du public et auquel il est difficile de se soustraire. J'ai écrit un livre à propos de la façon dont les médias ont parlé de la guerre du Golfe. Cet épisode a, à mon sens, marqué une véritable rupture dans l'histoire des rapports entre la communication et la démocratie. Hélas, pour la première fois, on a eu les moyens techniques de présenter en direct une guerre sous l'angle uniquement technique, comme dans un jeu vidéo. C'était une guerre sans hommes et sans morts. De plus, il y avait un bon camp – « nous » – et un mauvais camp – « l'ennemi » irakien. Ce type d'information unilatérale a été reçu dans tous les pays arabes comme de l'impérialisme. Voilà une dérive grave de l'information. Mais ce n'est pas parce que l'on observe des dérives qu'il faut en conclure qu'il y a une dénaturation complète du système de l'information. On observe plutôt une culture critique croissante du public. Ce dernier se laisse de moins en moins avoir par les messages.
L'autre versant de la question est l'idée d'une sorte de « démocratie électronique » réalisée par les nouvelles technologies de la communication. Je critique depuis toujours cette idéologie technique, mode de raisonnement qui consiste à extrapoler un changement de société à partir d'une capacité technique. Ce n'est pas parce que chacun a son clavier chez lui, connecté en permanence à son poste de télévision – qui permet de voter à tout moment pour savoir si les Français sont pour le fait qu'Alain Delon ait les cheveux courts, etc. – que la démocratie est améliorée. Et cela pour deux raisons : la première, c'est que la participation politique n'est pas simplement un problème de vote mais le problème de l'engagement dans l'espace public. La seconde raison est que l'instantanéité des systèmes électroniques n'est pas compatible avec la démocratie. La politique demande du temps pour savoir apprécier un homme politique : savoir s'il sait se débrouiller dans deux ou trois crises, s'il ne ment pas trop, etc. Le temps est indissociable de la politique, or tous ces systèmes de participation à distance ou d'interaction jouent exactement le rôle inverse, à savoir une interactivité immédiate.

***SH :* Quelle place tient, selon vous, la communication dans nos sociétés ?**

D.W. : La communication est probablement la valeur occidentale par excellence depuis les XVIe-XVIIe siècles car elle véhicule l'idée du progrès, de la diffusion de l'information, de la disparition des barrières entre les hommes. Cependant, cette valeur s'est diffusée dans une société qui était jusque-là fermée ; il s'agissait donc de faire sauter des barrières. Or, nous sommes aujourd'hui dans des sociétés ouvertes, ce qui oblige à repenser le rôle de la communication dans l'espace public. On s'aperçoit bien des dégâts que peut causer une communication généralisée : le citoyen occidental est sous une espèce de flux d'informations constant qui fait qu'il doit résister à une masse d'images où se succèdent l'horreur, le divertissement ; où se mêlent le proche et le lointain, la réalité et la fiction. A ce syncrétisme, s'ajoute l'extrême rapidité de chaque information diffusée. Comment digérer des informations qui ne durent pas plus d'une ou deux minutes ?

Trois phénomènes inattendus et importants surgissent avec la victoire de l'information et de la communication. D'abord la question de l'autre, qui est toujours l'horizon de la communication, change de sens. Hier, il fallait du temps et des difficultés pour atteindre l'autre. Aujourd'hui, l'autre est omniprésent ; facilement joignable par l'intermédiaire du téléphone, de l'ordinateur, des réseaux interactifs, et demain de l'image. Il n'y a plus de distance entre soi et autrui. Il faut donc éviter que l'autre, parce que trop proche, ne devienne menaçant, et suscite l'inverse du but recherché dans toute communication, c'est-à-dire le rejet ou bien le rapprochement. Du coup, c'est la question de la distance qui devient centrale. L'idéal de la communication pendant des siècles a été, à juste titre, de réduire la distance temporelle et géographique. C'est chose faite. On s'aperçoit aujourd'hui du besoin de réintroduire des distances pour éviter trop de rapprochement, c'est-à-dire des règles de droit pour éviter la loi de la jungle ; on s'aperçoit également du besoin de protection des libertés individuelles et collectives, de la réglementation… Et dans l'information, il faut ouvrir une réflexion pour éviter la tyrannie du direct.

Enfin, on assiste au renversement du rapport identité/communication. Hier, l'identité était l'obstacle à la communication ; aujourd'hui, elle en devient la condition. Pourquoi ? Parce qu'il n'y a pas de communication sans identité. Et plus il y a de communications et d'ouvertures, ce qui est le modèle économique, culturel et politique dominant actuel, plus il faut renforcer son identité. Sinon, il y aura un rejet violent de la communication. Aujourd'hui, le problème central est l'identité. Or, on se méfie de l'identité en l'assimilant à l'identité haineuse d'hier, alors qu'elle est tout simplement la condition culturelle à l'acceptation d'une communication omniprésente.

Propos recueillis par
JEAN-FRANÇOIS DORTIER
(*Sciences Humaines*, hors série n° 16, mars/avril 1997)

1. AFSIC : Association française des sciences de l'information et de la communication.

Edmond Marc Lipiansky*

POUR UNE PSYCHOLOGIE DE LA COMMUNICATION**

Une psychologie de la communication se doit d'articuler trois niveaux : celui du sujet, de ses motivations et de ses fonctionnements cognitifs et affectifs ; celui de l'interaction et de sa dynamique relationnelle ; celui du contexte social, de ses normes, de ses rôles et de ses rituels.

Il existe un grand nombre de travaux sur la communication. Il peut donc paraître naïf ou provoquant d'appeler à l'élaboration d'une psychologie de la communication. Cependant, lorsqu'on examine les recherches menées dans ce domaine, on constate un hiatus et un clivage. On a d'un côté des travaux centrés sur la dimension interactionnelle de la communication (comme ceux inspirés de la pragmatique linguistique, de l'analyse conversationnelle ou de l'approche systémique...), travaux qui tendent à négliger le sujet communiquant ; de l'autre, des travaux axés sur le fonctionnement psychologique du sujet (de la psychanalyse au cognitivisme) mais qui traitent de la communication comme d'une activité parmi d'autres, sans prendre en compte sa spécificité (1). Pour les premiers, l'unité de base est l'interaction ; pour les seconds, le psychisme individuel (2). Le programme d'une psychologie de la communication serait alors l'articulation de ces deux perspectives, sans réduction ou absorption de l'une par l'autre.

---

* Professeur de psychologie à l'université Paris-X-Nanterre. Il a publié plusieurs ouvrages sur la communication : *L'Interaction sociale*, Puf, 1996 (avec Dominique Picard) ; *Identité et communication*, Puf, 1992.

** Ce texte est tiré de l'intervention d'Edmond Marc Lipiansky au forum « La communication : état des savoirs », organisé les 22 et 23 mai 1997 par Demos Formation et *Sciences Humaines*. Il a été publié dans les actes du forum : *La Communication appliquée aux organisations et à la formation*, Demos, 1998.

1. Ramenée par la psychanalyse à la notion de relation d'objet et pour l'approche cognitive à celle de traitement de l'information.

2. Voir E.M. Lipiansky, « Théorie de la communication et conception du sujet » dans D. Véronique et R. Vion, *Modèles de l'interaction verbale*, Publications de l'Université de Provence, 1995.

Plus précisément, il s'agit de mettre en relation trois niveaux :
– le niveau intrapsychique des mécanismes impliqués dans la communication (motivations, affects, représentations, mécanismes de défense, mécanismes cognitifs d'attribution, d'interprétation...) ;
– le niveau interactionnel de la structure relationnelle, des fonctions et de la dynamique des communications ;
– le niveau social des types de situations, des normes, des rituels, des statuts et des rôles.

Quant à l'articulation des deux premiers niveaux, une hypothèse s'est peu à peu dégagée de mes recherches, hypothèse que je peux résumer dans la formule suivante : *« L'intrapsychique est de l'interactionnel intériorisé ; l'interactionnel est de l'intrapsychique projeté. »* Ce qui signifie que les structures et les mécanismes intrapsychiques se constituent dans un contexte interactionnel ; mais qu'une fois constitués, ils influent sur le mode de relation et de communication (le mécanisme de « transfert » en est une bonne illustration).

Puisque j'évoque mes propres travaux, j'indiquerai rapidement sur quelles démarches méthodologiques ils s'appuient. Il s'agit d'abord de l'observation empirique de situations « naturelles » quotidiennes (ces situations se distinguent d'expériences de laboratoire qui comportent toujours le risque d'une certaine artificialité). Il s'agit aussi de l'enregistrement (au magnétophone ou à la vidéo) de séquences de communications ; cela permet une objectivation du matériel et une analyse précise des processus mis en œuvre. En dernier lieu, il s'agit d'une approche de type phénoménologique visant l'exploration de la subjectivité et de l'intersubjectivité des sujets communiquant (3).

Il est bien sûr impossible d'évoquer ici toutes les dimensions d'une psychologie de la communication. J'aborderai donc un seul aspect qui me semble tout à fait central, bien qu'il puisse paraître souvent négligé : la dimension motivationnelle de la communication (pourquoi communiquons-nous ?). Elle renvoie au fait que nous ne communiquons pas seulement pour transmettre ou recevoir des informations, mais aussi parce que nous sommes poussés par certains motifs, désireux d'atteindre certains buts et, plus largement, pour maîtriser certains enjeux psychologiques. Après avoir étudié ces enjeux, j'essaierai de montrer la manière dont ils influent sur le processus même de communication.

Les enjeux psychosociaux de la communication

Comme Pierre Bourdieu l'a souligné, tout *« comportement communicatif s'inscrit dans un jeu (social) nécessairement porteur d'enjeux »* (4).

Mais le jeu n'est pas seulement social ; il est aussi psychologique. Les enjeux qui sous-tendent la communication sont extrêmement nombreux et ren-

3. Ces deux dernières démarches peuvent être pratiquées dans le cadre privilégié du « groupe de rencontre » (C. Rogers). Ce cadre permet à la fois l'enregistrement des interactions et la métacommunication sur le vécu subjectif des relations. Par ailleurs, il met au second plan la dimension strictement opératoire de la communication et permet de se centrer sur des aspects symboliques et psychologiques.
4. P. Bourdieu, *Ce que parler veut dire*, Fayard, 1982.

voient aux raisons psychologiques qui la motivent. On peut les ramener cependant à quelques grandes catégories. Pour ma part, j'en retiendrai quatre :
– les enjeux identitaires ;
– les enjeux territoriaux ;
– les enjeux relationnels ;
– les enjeux conatifs (dans le sens d'agir sur, de vouloir influencer).
Bien entendu, ils sont souvent liés les uns aux autres dans la réalité, et c'est par souci d'analyse et de clarté que je les traiterai séparément.

Les enjeux identitaires. L'observation montre que l'identité est à la fois la condition, l'enjeu et la résultante de nombreuses communications (5).
La condition parce que toute parole est émise d'une certaine « place » (liée aux statuts, aux rôles, aux appartenances), place qui définit donc l'identité situationnelle du locuteur qu'il va actualiser dans la relation. En même temps, elle assigne à l'interlocuteur une place corrélative. Si, par exemple, une mère dit à son fils : *« Avant que tu regardes la télé, je voudrais savoir si tu as fini tes devoirs »*, c'est bien en tant que mère (éducatrice) qu'elle adresse ce message ; le fils peut entériner la place où elle le situe en acquiesçant ou la contester s'il réplique : *« Je suis assez grand pour savoir ce que j'ai à faire. »* L'identité situationnelle du locuteur est repérable dans l'énonciation et l'énoncé, à travers un certain nombre de « marqueurs identitaires », indicateurs de l'identité personnelle et sociale du locuteur : style expressif, choix d'un vocabulaire, usage d'un code propre à un groupe, accent et intonation (le parler des banlieues, l'accent « XVIe », la « langue de bois » des politiciens, le langage des psy...).
Mais l'identité est aussi un enjeu. Car une part importante des communications interpersonnelles est animée par le désir de produire une certaine image de soi et de la faire confirmer par autrui – je rejoins ici la notion de « face » développée par Erving Goffman (6). Il s'agit le plus souvent d'un enjeu implicite dont les sujets peuvent ne pas être conscients ; mais qui peut aussi être explicité à travers des questions comme *« quelle image as-tu de moi ? »*, *« comment me vois-tu ? »*...
L'image que nous voulons donner a besoin d'être entérinée par autrui. Si l'interlocuteur ne la confirme pas, cela produit un malaise et un sentiment d'ébranlement identitaire. La quête de reconnaissance qui sous-tend bien des communications obéit à une motivation fondamentale qui est la *recherche de valorisation* (exister aux yeux d'autrui, être apprécié, être accepté comme un interlocuteur valable, être reconnu dans son individualité...). Cet enjeu implique bien entendu un risque : celui de « perdre la face », de ne pas « être à la hauteur », de se trouver dévalorisé. C'est parce que la communication comporte un risque d'infirmation ou de dévalorisation que certaines personnes préfèrent rester silencieuses dans un

5. Voir mon ouvrage *Identité et communication*, Puf, 1992.
6. E. Goffman définit la « face » comme la valeur sociale positive qu'une personne revendique dans une interaction particulière. Cette face fait l'objet d'une mise en scène, d'une « figuration » qui tend à construire une certaine image de soi pour autrui (voir *La Mise en scène de la vie quotidienne*, Editions de Minuit, 1973).

groupe : elles redoutent le jugement d'autrui, ont peur d'être trouvées inintéressantes ou ternes…
Une autre motivation fondamentale de la quête identitaire est de préserver le sentiment d'intégration et d'unité du soi et sa continuité dans le temps. C'est pourquoi, tout ce qui risque d'induire une conflictualité ou une discordance interne (comme la dissonance cognitive ou affective) est généralement évité dans la communication : de même une fonction essentielle des rituels d'interaction est de préserver l'intégrité de la face et les sentiments de consistance, d'équilibre et de continuité des acteurs (7).
Mais si l'identité est un enjeu de la communication, elle en est aussi la résultante. C'est au travers des interactions quotidiennes et des images qu'elles nous renvoient que se construit peu à peu l'image que nous nous faisons de nous : la représentation et l'estime de soi découlent pour une large part du «miroir d'autrui», des retours aux messages que nous envoyons. L'approche systémique a mis notamment en lumière l'importance fondatrice des interactions familiales dans la construction de l'identité (8).

Les enjeux territoriaux. La communication avec autrui est quelque chose qui est à la fois désiré et redouté. La peur est ici celle de l'intrusion d'autrui dans son territoire personnel, la violation de son intimité. Ce territoire est d'abord un espace physique que l'on a appelé l'« espace personnel ». Il s'agit d'une sorte de bulle aux frontières invisibles qui entoure le corps d'une personne : si quelqu'un pénètre les limites de cette bulle sans l'accord de l'intéressé, cela est ressenti comme une intrusion justifiant des réactions de défense. Les relations entre espace et communication se marquent dans la « distance interpersonnelle » adoptée par les interactants et leur disposition dans le champ spatial (9). Mais le territoire personnel est aussi un espace psychique (le moi intime) dans lequel l'incursion d'autrui ne peut se faire qu'avec l'autorisation de l'intéressé. C'est ce que E. Goffman appelle les «réserves du moi» (vie privée, sujets intimes, secrets, affaires personnelles…). Une des règles de la conversation est qu'il faut faire preuve de tact et de discrétion, c'est-à-dire qu'il ne faut toucher autrui (au propre comme au figuré) qu'avec précaution et lorsqu'il y a une ouverture de sa part.
La barrière entre soi et autrui, pour être invisible, n'en est pas moins présente dans la communication ; elle ne peut être franchie qu'à certaines conditions rituelles (interconnaissance, degré d'intimité, motivations…) ; par exemple, il est souvent délicat d'adresser la parole à un inconnu en dehors d'un motif instrumental (demander son chemin, l'heure ou une autre information).
Cette première barrière est redoublée par une seconde, interne au sujet, qui sépare le moi social et le moi intime ; le moi social est celui qui s'exprime et s'affiche dans les interactions, qui tombe sous le regard d'autrui ; le moi intime

7. Voir D. Picard, *Les Rituels du savoir-vivre*, Seuil, 1995.
8. Voir E. Marc et D. Picard, *L'Ecole de Palo Alto*, Retz, 1998.
9. Voir notamment E.T. Hall, *La Dimension cachée*, Seuil, 1971 ; E. Marc et D. Picard, *L'Interaction sociale*, Puf, 1996.

est celui qui reste le plus souvent caché. Là aussi, comme pour le contact, s'instaure un conflit entre désir et défense : entre le désir de s'exprimer, de s'affirmer, de défendre ses convictions profondes et la défense de sa vie privée, de ses réserves, de son intimité contre l'intrusion et le jugement d'autrui (ce qu'exprime bien une jeune femme en s'exclamant : «*Je suis comme ça; tant que je ne dis pas quelque chose de moi, je ne suis pas à l'aise; j'ai besoin de me montrer comme je suis, et en même temps, j'ai souvent peur de le faire, peur d'être critiquée, d'être rejetée, de ne pas être comprise.*»)
Cette double barrière se traduit dans la communication par des «mécanismes de défense communicationnels» sur lesquels je reviendrai un peu plus loin.

Les enjeux relationnels. La communication est le passage obligé pour entrer en relation avec autrui, quelles que soient les motivations pour le faire (sociales, professionnelles, affectives, utilitaires…).
Or, pour les raisons que l'on vient de voir et qui ont trait aux enjeux identitaires et territoriaux, le contact avec autrui est quelque chose de problématique qui comporte des risques psychosociaux importants. Ces risques sont d'autant plus forts subjectivement que les besoins relationnels auxquels ils sont liés sont fondamentaux au niveau existentiel : besoin de se sentir relié et intégré, besoin de soutien, de compréhension et de gratification (besoin de «caresses» dirait Eric Berne), besoin de reconnaissance, besoin d'amour…
Quelques points sont particulièrement sensibles. Il s'agit, par exemple, de l'ouverture et de la fermeture de la communication, moments délicats et, de ce fait, particulièrement ritualisés de l'interaction (10). L'ouverture comporte le risque d'intrusion, de non-réponse, de non-maîtrise du déroulement de l'interaction qui, une fois engagée, échappe pour une part à l'emprise de chaque protagoniste; la fermeture peut faire résonance avec l'abandon et il faut rassurer l'interlocuteur sur le fait qu'il n'en est rien : mais il y a aussi le risque, une fois la conversation engagée, d'avoir de la peine à l'arrêter (tout le monde connaît ces bavards dont aucune stratégie n'arrive à stopper le flot de paroles).
Un autre aspect délicat est le réglage de la distance dont dépend le degré de proximité qui va être induit par la communication. La distance subjective souhaitée n'est pas nécessairement la même pour chaque interlocuteur, ce qui entraîne une négociation implicite. Là aussi, elle se marque par certains indicateurs verbaux et non-verbaux (termes d'adresse, usage du «tu» ou du «vous», intonation, degré de familiarité du langage, thèmes abordés, distance interpersonnelle, regards, contacts physiques…).

La recherche d'influence. Beaucoup de communications ont pour visée d'influencer autrui; de le convaincre, de le pousser à agir dans tel ou tel sens, de le commander, de le séduire, de le menacer… Ces enjeux peuvent s'ordonner selon deux grandes stratégies :

10. Voir D. Picard, *op. cit.*

> Les différents enjeux psychosociaux de la communication apparaissent bien dans le témoignage de Cécile, participante d'un « groupe de rencontre ».
> « *Cette expérience m'a fait prendre conscience de toutes les défenses que je mets en œuvre dans la communication. Je me sens souvent sur la réserve ; je me protège des autres ; je vois bien que j'ai peur de m'exprimer par crainte d'être jugée, de donner une mauvaise image de moi-même ; par crainte aussi de me perdre si je ne pose pas de limites aux autres. Alors je m'enferme souvent dans ma bulle où je me sens en sécurité mais où je suis aussi frustrée car je reste un peu à l'écart des discussions ; ce qui ne me permet pas d'influer sur le cours des échanges et d'être reconnue par les autres.* »

– les stratégies de pouvoir qui instaurent un rapport de force entre les interlocuteurs : elles se marquent par la pression, l'antagonisme, l'affrontement, l'intimidation, l'effort de convaincre… ;
– les stratégies de séduction qui recherchent un rapport de complicité, d'attirance, de sympathic, dc pcrsuasion, d'assimilation, de proximité entre les locuteurs.

Ayant analysé les enjeux qui sous-tendent les relations interpersonnelles, je voudrais montrer comment ces enjeux influent sur les processus de communication.

Les processus psychologiques de la communication

Les processus de communication, même si on les ramène à leurs dimensions psychologiques, sont extrêmement complexes. Là encore, faute de pouvoir aborder tous les aspects qui constituent cette complexité, je privilégierai quelques mécanismes fondamentaux que j'analyserai à travers trois notions :

– du côté de l'émetteur, la notion d'*anticipation* ;
– du côté du message, celle de *compromis* ;
– du côté du récepteur, celle d'*interprétation*.

L'anticipation. En fonction des enjeux de la communication et des visées qui sont les siennes, le locuteur opère une sorte de « calcul anticipatif » de ce qui peut être dit ; ce calcul intègre aussi la façon dont le locuteur perçoit et situe l'interlocuteur.

Ce calcul anticipatif s'appuie sur plusieurs éléments de la situation ; il se déploie pour une part dans l'« imaginaire » (dans le sens où le locuteur se fait une image de ces éléments dont il n'est pas toujours à même d'évaluer le degré de réalité).

Il s'agit d'abord de la représentation d'autrui composée à la fois d'éléments perceptifs (accrochés à la réalité de l'interlocuteur et de ses comportements) et d'éléments projectifs (en fonction de l'image que l'on se fait de lui, image construite à partir des mécanismes cognitifs et affectifs comme la catégorisation, l'attribution, et – dans une perspective psychanalytique – la projection, l'identification ou le transfert...). Cette image influe directement sur le contenu et le style de la communication (Sophie : *« Je ne me sens pas très à l'aise avec Jacques ; il me donne l'impression d'être très sûr de lui, très ironique, un peu macho quoi... Comme je n'ai déjà pas très confiance en moi, j'ai pas envie qu'il se moque de moi ; alors souvent je préfère ne rien dire. »*)

Cette image d'autrui comporte aussi une représentation de ses attentes (auxquelles le locuteur peut vouloir se conformer ou au contraire ne pas répondre), et une anticipation de ses réactions possibles au message intentionné (*« Comment va-t-il prendre ce que je veux lui dire ? »*).

Mais l'anticipation s'appuie aussi sur la connaissance de soi du locuteur ; de ses attentes et motivations, de ses désirs, de ses peurs et angoisses, de ses « zones de sensibilité » ou de fragilité (André : *« Je supporte très mal les conflits ; alors je fais tout pour les éviter, j'essaie toujours d'être arrangeant, de caresser les gens dans le sens du poil ; mais après, je ne suis pas très content de moi, car je n'ai pas dit ce que j'avais envie de dire ; j'ai un peu l'impression de me marcher dessus. »*).

Chaque expression est émise à partir d'une certaine conscience de soi, d'une certaine place identitaire ; en même temps qu'elle assigne à l'interlocuteur une place corrélative. Ce « rapport de place » peut résulter des statuts et des rôles dans lesquels sont situés les interlocuteurs : mais il découle aussi de schèmes subjectifs – comme celui du timide qui s'attribue une position « basse » et place autrui en position « haute » (11).

Enfin, le calcul anticipatif fait intervenir une représentation des enjeux de la communication projetée en termes de risques et de bénéfices (*« Qu'est-ce que je risque à dire ce que je veux dire et quels bénéfices pourrais-je en tirer ? »*). Il inspire différentes stratégies qui, selon le « courage » du locuteur, vont de la maximisation des gains (la personne qui affirme, par exemple, avec force ses attentes en espérant que l'interlocuteur y répondra) à la minimisation des risques (celle qui préfère demander peu de peur d'essuyer un refus).

Le message comme formation de compromis. Le calcul anticipatif (qui, soulignons-le, n'est pas nécessairement volontaire et conscient) oriente le contenu et la forme du message. Celui-ci peut apparaître comme une « formation de compromis » entre un mouvement expressif (qui pousse à dire) sous-tendu par des motivations, des intentions, des visées ; et un mouvement répressif (qui pousse à taire et contrôler ses propos) entraînant l'inhibition, la censure, la déformation de l'intention communicative ou le non-dit.

On peut appeler « mécanismes de défense communicationnels » les manifestations observables de ces mouvements répressifs. Observables, car leur détection ne résulte pas de l'interprétation d'éléments latents mais de la lecture

11. Voir E.M. Lipiansky, « Le rapport de places », *Connexions*, n° 68, 1997.

de marques manifestes dans la forme même du message ; ils peuvent intéresser aussi bien la dimension corporelle, émotionnelle ou discursive de l'expression (12).

Ainsi, au niveau du discours, on peut repérer plusieurs indicateurs de ces mécanismes de défense : l'autocorrection, qui constitue une sorte de raturage du discours pour en effacer, par exemple, les traces d'agressivité et qui s'apparente à l'annulation rétroactive (13) ; l'euphémisation, qui consiste à atténuer son propos pour le rendre plus acceptable (*« Je suis un peu surpris que tu puisses penser une chose pareille »*) ; la précaution (*« Surtout ne prends pas mal ce que je vais dire »*... *« Je ne voudrais pas que tu l'interprètes de travers »*...) ; l'élidation et la suspension, qui font qu'un mot attendu et qui pourrait choquer n'est pas prononcé ou qu'une phrase reste en suspens ; l'ambiguïté, qui amène à rendre le message suffisamment flou pour autoriser plusieurs interprétations (comme cette réflexion adressée à une personne plutôt bavarde : *« C'est formidable, on est vraiment bercé par ta voix... »* qui peut être prise pour un compliment ou exprimer le fait qu'elle endort l'auditoire) ; l'anonymisation, qui est une forme de désubjectivation du discours (dire « on » à la place de « je ») ; le déni (*« Ce n'est pas ce que je voulais dire »*... *« Je ne suis pas en colère, contrairement à ce que tu pourrais croire »*...) ; la désaffectivisation, qui consiste à gommer toute marque affective dans le discours, etc.

Le message exprime donc à la fois l'intention communicative du locuteur et les défenses que cette intention suscite en lui à partir du calcul anticipatif incluant l'image de l'interlocuteur et de ses réactions possibles. Le compromis expressif qui en résulte se double d'une coupure plus radicale entre le dit et le non-dit.

Lorsque l'on analyse ce qui motive les réactions défensives, on constate qu'elles sont en relation avec les grands enjeux de la communication : la défense de la face et du territoire, les risques relationnels (liés aux mouvements pulsionnels, affectifs et émotionnels suscités par la relation), les problèmes d'influence (désir de pouvoir et défenses contre ce désir, peur d'être influencé, soumission et réactance...). On retrouve un peu ces différents éléments dans le témoignage de Claude : *« L'attitude de Claire qui dévoile si spontanément ses sentiments et ce qu'elle pense provoque en moi des réactions contradictoires. D'un côté ça me touche et j'admire son naturel et son ouverture ; de l'autre, elle me fait peur : je trouve qu'elle se dévoile trop ; elle me met dans une position de voyeur que je n'apprécie guère. Et puis je trouve que c'est une sorte de pression pour que les autres fassent pareil. Personnellement, je n'y suis pas prêt : parler de moi me met mal à l'aise ; c'est une sorte de viol de mon intimité. »*

12. M. Pagès a particulièrement étudié, à partir de la communication thérapeutique, le niveau émotionnel de ces manifestations défensives. Voir notamment *Trace ou sens, le système émotionnel*, Hommes et groupes, 1986.

13. Il y a bien entendu une relation entre les mécanismes de défense communicationnels et les mécanismes de défense intrapsychiques tels que les a étudiés la psychanalyse ; mais ils ne se superposent pas car les premiers opèrent dans le champ relationnel alors que les seconds sont à l'œuvre dans l'économie interne du sujet.

On voit que le compromis expressif résulte aussi des réactions que provoque la réception du message d'autrui.

Réception et interprétation. Du côté du récepteur opère un processus d'*interprétation.* En effet, la compréhension d'un message n'est pas seulement une opération de décodage ; c'est aussi une opération d'inférence (14). Ce processus inférentiel se fait à partir d'un univers de représentations et de significations partagées ; mais aussi à partir d'une grille interprétative propre au récepteur. Comme le souligne P. Bourdieu : *« Chaque récepteur contribue à produire le message qu'il perçoit et apprécie, en y important tout ce qui fait son expérience singulière et collective. »* (15) L'usage du verbe « apprécier » est ici particulièrement judicieux car l'interprétation est une opération d'évaluation égocentrée, c'est-à-dire d'attribution de significations et d'intentions en fonction des motivations profondes du récepteur. Ces motivations peuvent être ramenées schématiquement à deux grandes catégories : ce que le sujet désire et ce qu'il redoute ; on entend souvent ce que l'on veut entendre ou ce que l'on a peur d'entendre.

A partir de là opèrent des mécanismes de sélection, d'accentuation, de déformation et d'inférence (si, par exemple, j'ai peur du jugement d'autrui, je retiendrai de ses paroles tout ce qui peut être perçu comme une critique et je les interpréterai dans ce sens en accentuant cette signification possible).

Ces mécanismes ne sont pas seulement des biais cognitifs, ce à quoi on a peut-être tendance à les réduire ; ce sont des mécanismes actifs d'appropriation motivée et d'interprétation, liés aux fonctionnements cognitifs, affectifs et pulsionnels du sujet. Prenons l'exemple de cet échange entre Paul et Nadine :

« Paul : — *Peut-être n'as-tu pas bien saisi ce que je voulais dire...*

Nadine : — *Vas-y, dis tout de suite que je suis idiote... Bien sûr, je n'ai pas la haute intelligence de Monsieur !* »

Nadine n'a pas très confiance en elle et en ses capacités intellectuelles. Elle perçoit la remarque de Paul – qui voulait s'assurer qu'elle avait bien compris – comme un jugement implicite négatif en fonction de ce qu'elle redoute d'entendre ; on peut dire qu'elle projette sur la remarque de Paul son propre jugement motivé par une faible estime d'elle-même, ce qui la conduit à une interprétation déformée de sa question.

Ainsi, la réception d'un message ne se réduit pas au décodage de son sens linguistique, mais convoque tout un ensemble de significations liées aux représentations, aux résonances émotionnelles, aux implications affectives et aux réactions défensives qu'il suscite chez le récepteur en fonction du rapport de places qu'il entretient avec l'émetteur.

Ce processus interprétatif explique que le message reçu diffère le plus souvent du message émis. On peut comprendre de la sorte que le « malentendu » ne soit pas un accident de la communication mais qu'il en constitue plutôt la norme.

14. Voir E. Marc et D. Picard, « Interaction et production du sens », *Connexions*, n° 57, 1991.
15. *Op. cit.*

Alex Mucchielli*

LES MODÈLES DE LA COMMUNICATION**

Les chercheurs ont produit divers modèles pour expliquer la communication. Chaque modèle – lié à un contexte, à une époque et à un projet scientifique différents – agit comme un mécanisme perceptif et cognitif qui transforme la réalité en représentation. Il permet ainsi d'en voir certains aspects mais, obligatoirement, en occulte d'autres.

MON BUT PREMIER est de vous présenter les «modèles» de la communication, dans leur ordre d'apparition historique, pour montrer la variabilité des définitions de «la communication». Ces modèles, représentés par des schémas, sont des concrétisations de référents théoriques. Ils servent de guide et orientent l'analyse du phénomène de la communication. Ces modèles sont fortement tributaires des préoccupations des chercheurs qui les ont élaborés. Aucun modèle n'est mauvais ou bon en soi. Les préoccupations des chercheurs étant différentes, il est normal que leurs modèles d'étude soient différents.

Aucun d'entre eux ne peut prétendre à l'exclusivité et donc à la «vérité». Chacun apporte un éclairage spécifique. Tous les modèles, c'est-à-dire ces assemblages de théories, de principes et de pratiques mis sous la forme de schémas, fonctionnent comme des lunettes qui nous permettent d'envisager la communication sous différents angles.

Le premier schéma que je vous propose ici s'intitule *Positionnement des modèles*. Il montre la diversité des points de vue sur un même objet. Mais attention, il est

---

* Professeur de sciences de l'information et de la communication à l'université Montpellier-III. Auteur de nombreux ouvrages consacrés à la communication : *Psychologie de la communication*, Puf, 1995 ; *Les Sciences de l'information et de la communication*, Hachette, 1995 ; il a dirigé le *Dictionnaire des méthodes qualitatives en sciences humaines sociales*, Armand Colin, 1996.

** Ce texte est tiré de l'intervention d'Alex Mucchielli au forum «La communication : état des savoirs», organisé les 22 et 23 mai 1997 par Demos Formation et *Sciences Humaines*. Il a été publié dans les actes du forum : *La Communication appliquée aux organisations et à la formation*, Demos, 1998.

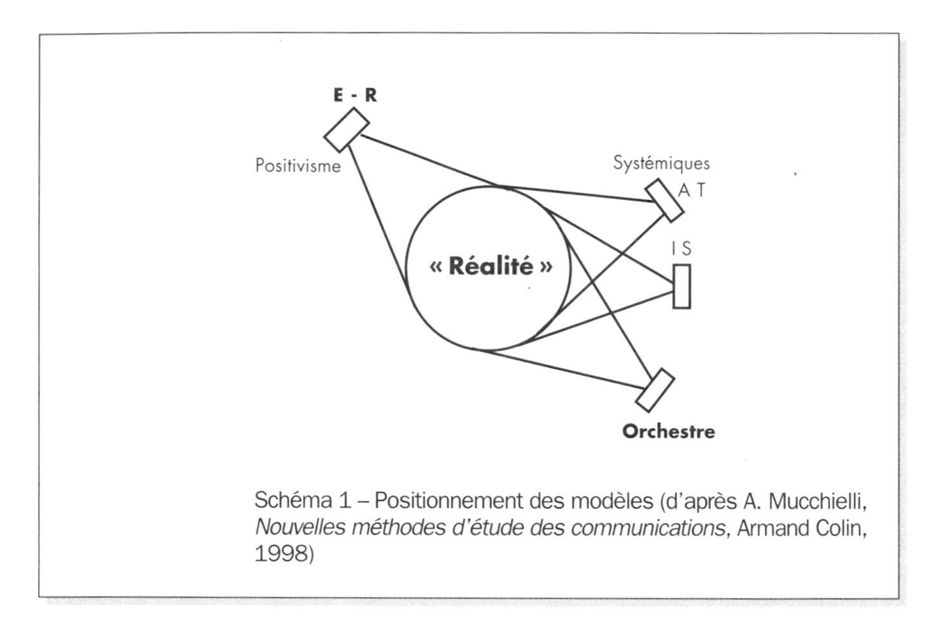

Schéma 1 – Positionnement des modèles (d'après A. Mucchielli, *Nouvelles méthodes d'étude des communications*, Armand Colin, 1998)

faux car il met sur le même plan épistémologique des modèles qui ne le sont pas. Ils ne sont pas dans la même dimension et chacun perçoit la « planète communication » d'un point de vue différent. En vous présentant ce schéma, je me place donc dans une épistémologie relativiste et constructiviste. La « réalité » – ici la « communication » – est quelque chose que l'on construit scientifiquement.

Un modèle agit donc comme un mécanisme perceptif et cognitif, il transforme une réalité en représentation. Cette lunette permet de voir certaines choses et en laisse obligatoirement d'autres dans l'ombre.

Les modèles que nous allons parcourir ensemble sont le produit des efforts des chercheurs en communication depuis les années 40 pour expliciter ce qu'est cette « communication ».

Les modèles positivistes

Le modèle de la théorie de l'information. Le premier de ces modèles est le très célèbre modèle : « émetteur-récepteur ». Il a été mis au point par les mathématiciens Claude Shannon et Warren Weaver (1945), lesquels s'intéressaient à la transmission des informations à travers les lignes téléphoniques. Nous avons tous appris à penser avec ce modèle linéaire, même s'il est inapproprié pour penser la communication. Ce modèle « émetteur-récepteur » renvoie à la métaphore du télégraphe. Un émetteur envoie un message. Il est codé au départ, puis transmis sur la ligne télégraphique. A l'autre bout, le « récepteur » reçoit et décode le message. Ce modèle est donc centré sur le contenu et le transfert de l'information. La préoccupation des hommes qui pensaient

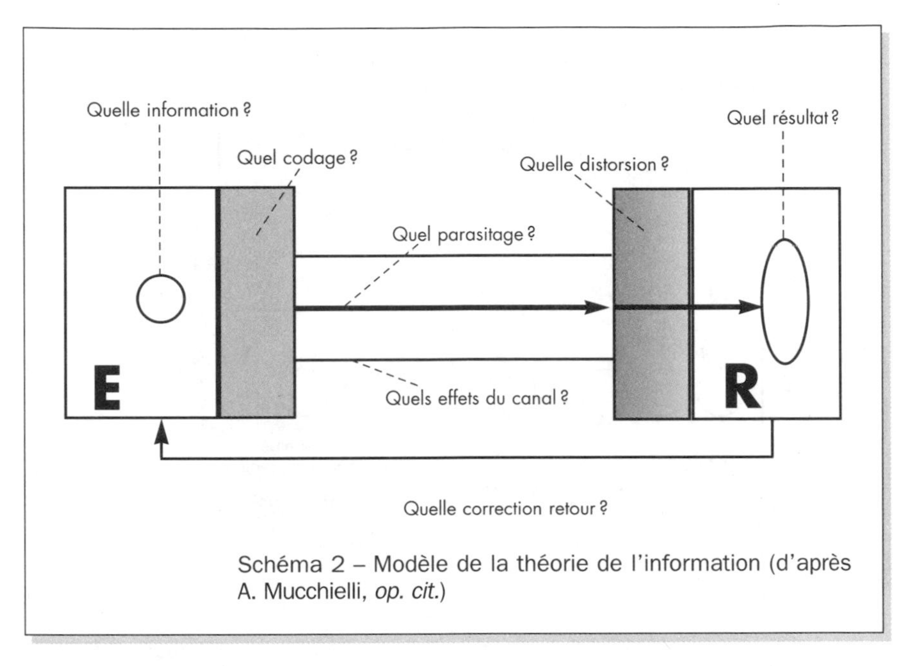

Schéma 2 – Modèle de la théorie de l'information (d'après A. Mucchielli, *op. cit.*)

avec ce modèle était que la signification du message de départ subisse le moins de déformations possibles lors de la transmission et de la réception.

Lorsque l'on utilise un tel modèle comme grille de lecture, on va évidemment se poser les questions qui figurent sur le schéma : quelles sont les informations de départ ? quel est le codage de l'information ? l'information est-elle parasitée ? quel décodage, quelle distorsion, quel résultat parviennent au récepteur ?

Le modèle de la communication à deux niveaux. Un deuxième modèle est apparu dans les années 50. C'est le modèle de la « diffusion en deux étapes ».

Il est le produit des études menées à cette époque, aux Etats-Unis, sur les médias (radio, télévision). Ce modèle est très daté historiquement. Il renvoie aux préoccupations des militaires qui étaient confrontés, pendant la guerre, à la propagande. Par la suite, il fut développé à l'occasion des premières campagnes télévisées et radiodiffusées pour les élections américaines.

Il s'agissait d'étudier l'influence que les médias peuvent exercer sur leur public. Au début, l'objectif était de soustraire le public aux manipulations de la propagande ; ensuite, le problème a été de chercher à accroître l'efficacité des campagnes électorales.

Ce schéma suppose deux étapes de réception d'une communication mass-médiatée. Pourquoi ces deux étapes ? Parce que les recherches mettent en évidence que le média n'agit pas directement sur le public cible final. L'influence du média passe par l'intermédiaire de

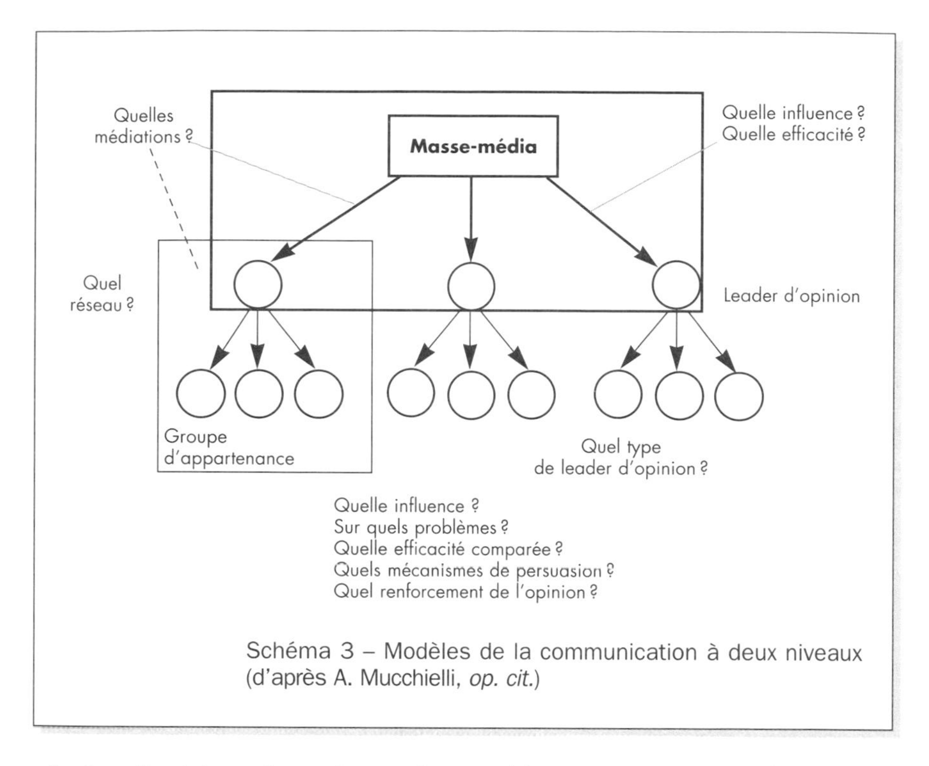

Schéma 3 – Modèles de la communication à deux niveaux (d'après A. Mucchielli, *op. cit.*)

« leaders d'opinion », lesquels sont des « relais » auprès des individus de leurs « groupes d'appartenance ».

Lorsque l'on utilise ce modèle, on se pose des questions du type : quelle est l'influence du média ? qui sont les leaders d'opinion ayant une réelle influence ? quels sont les groupes d'appartenance des leaders d'opinion ? comment agissent-ils dans leur groupe d'appartenance ?, etc.

Ce schéma est utilisé en publicité. Il arrive, par exemple, que le leader d'opinion dans une famille soit l'enfant. C'est lui qui sera le plus sensible à tel message et qui encouragera ensuite ses parents à acheter tel ou tel produit. Une fois qu'il a repéré ce « leader d'opinion », le publicitaire va intervenir directement sur cette cible privilégiée. Ce modèle de la diffusion à deux niveaux définit la communication comme un processus d'influence. Ce qui est étudié, c'est donc l'influence des masses-médias et des supports de communication sur les opinions des individus et des groupes.

Le modèle « marketing ». Il existe un autre modèle, que j'appelle « modèle marketing », parce qu'il est très présent dans les enseignements de marketing et de gestion. Il apparaît sous une forme très standardisée et normalisée de procédure d'action. J'en propose une représentation dans le schéma 4.

Dans l'entreprise, pour remédier à une

situation problématique, le consultant est obligé de vendre aux dirigeants quelque chose d'immédiatement opérationnel et de facilement compréhensible en termes d'actions et d'objectifs visés. Tout d'abord, il fait un audit afin de définir ce qui pose problème. Puis, compte tenu des moyens dont il dispose, il fait des propositions et élabore une stratégie. Cette stratégie propose des actions de communication orientées suivant quelques grands axes et destinées à des cibles précises. Les actions sont précisément pilotées et leur efficacité est évaluée. Tout cela est réalisé en fonction du cadre éthique et politique de l'organisation en question.

En utilisant un tel schéma, on définit la communication comme une « opération » à piloter. Dans ce modèle marketing, la résolution d'un problème est donc la préoccupation principale de la communication.

Ces trois premiers modèles participent d'une même épistémologie. Ils sont essentiellement « positivistes », c'est-à-dire qu'ils raisonnent dans une linéarité cause-effet :

– dans le modèle émetteur-récepteur, le sens du message est une donnée, et ce message (la cause) parcourt le canal et va produire un effet chez le récepteur ;
– dans le modèle de la diffusion à deux étapes, la cause de l'influence finale est l'émission radiophonique ou télévisée ;
– dans le modèle marketing, la cause est un problème de communication à résoudre ou un message à transmettre, et l'effet visé est la transformation de la situation de départ.

Ces trois modèles datent des années 50. Le modèle marketing, comme le modèle

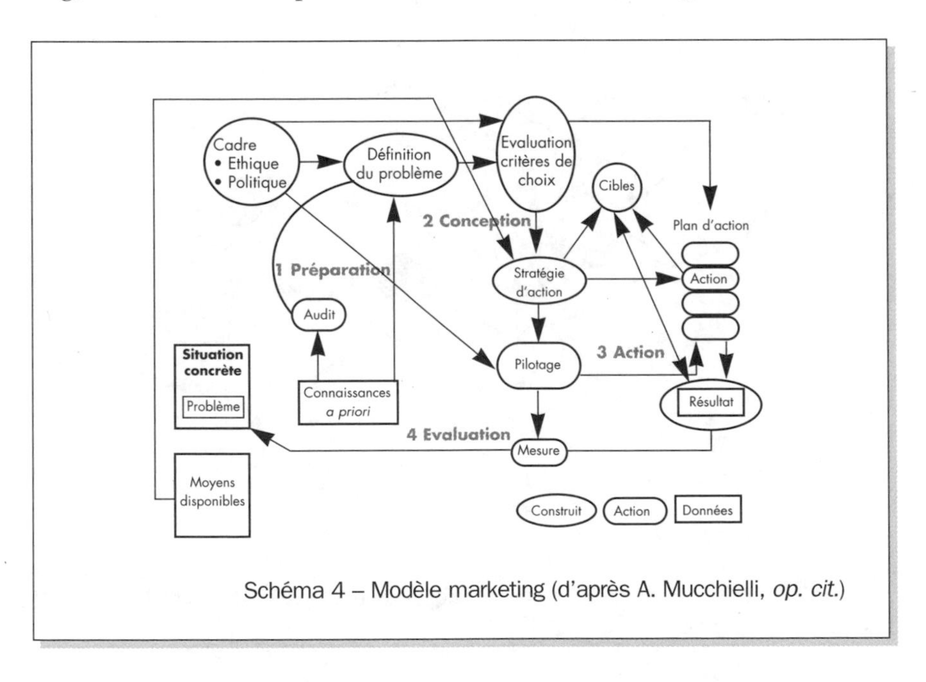

Schéma 4 – Modèle marketing (d'après A. Mucchielli, *op. cit.*)

émetteur-récepteur, est encore tout à fait d'actualité et le plus largement enseigné.

Les modèles systémiques

Le modèle sociométrique. En 1954, avec la parution en français du livre de Jacob L. Moreno, *Les Fondements de la sociométrie*, un nouveau modèle apparaît : le modèle sociométrique (*voir schéma 5*).

Ce modèle présente graphiquement le réseau dessiné par les relations «informelles» dans un groupe. Les affinités (sympathie ou antipathie) entre individus sont identifiées par des flèches. Ainsi se dessine une structure des relations socio-affectives du groupe.

Par exemple, quand on crée un nouvel atelier, on interroge chaque personne du groupe pour savoir avec qui elle souhaite et ne souhaite pas travailler. On recueille les choix positifs et les rejets, et on les traduit sur un diagramme appelé «sociogramme».

C'est le début d'une rupture épistémologique avec les modèles précédents. Pour la première fois émerge une «structure» où apparaît la notion de «relation». Les précédents modèles étaient centrés sur le contenu du message et sur sa diffusion dans un cadre linéaire. Ce modèle est le premier à être partiellement systémique. La communication y est définie comme une relation d'affinités (positive ou négative, sympathie, antipathie) mais, en même temps aussi, comme un canal support privilégié du transport de l'information.

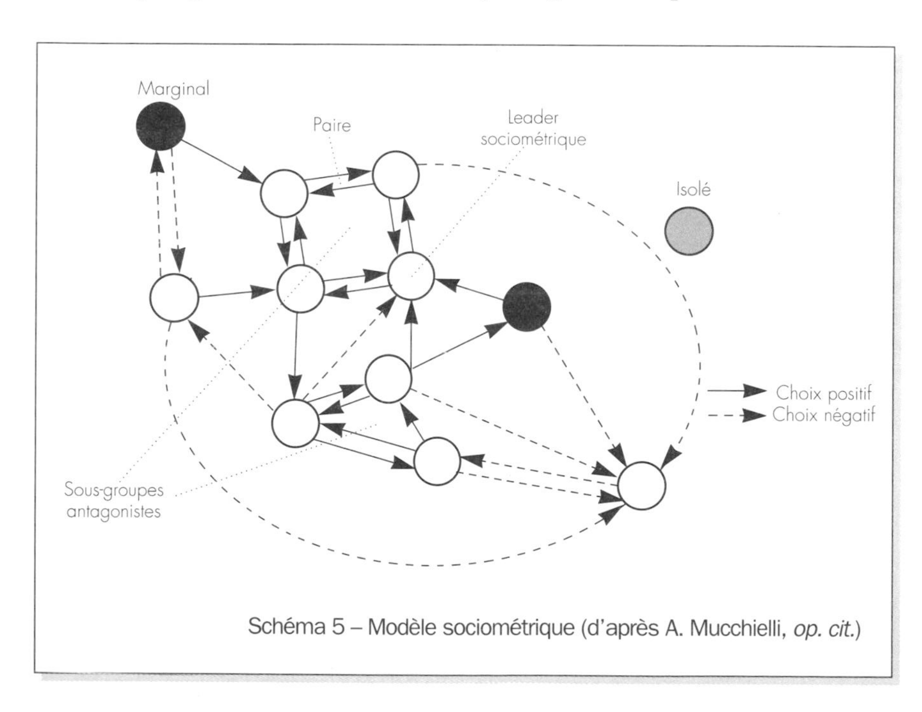

Schéma 5 – Modèle sociométrique (d'après A. Mucchielli, *op. cit.*)

En effet, la structure informelle du groupe va faciliter ou non le passage des informations. Si l'on se réfère au schéma 5, il est évident que l'individu «marginal» et l'individu «rejeté» par exemple, recevront peu de messages.
La problématique principale des chercheurs de cette époque (les années 50-60) est centrée sur la «structure affective» des groupes et sur les «places» occupées par les membres du groupe. La question principale qui sous-tend ce modèle est donc : *«Quel changement opérer pour améliorer la forme et la structure du réseau des échanges ?»*

Le modèle transactionnel. Chaque époque connaît une mode et l'invasion d'un modèle. Le modèle à la mode dans les années 70 fut celui de «l'analyse transactionnelle». C'est un modèle systémique. Il est à l'origine d'une autre rupture épistémologique dans l'analyse des communications. En effet, pour la première fois, on ne s'occupe plus du contenu du message mais de sa forme générale (1).
Eric Berne est le père de l'analyse transactionnelle. Son intérêt s'est porté sur les jeux de relations et les types de communication implicite qui s'établissent dans les relations interpersonnelles. Pour comprendre cela, prenons le jeu conjugal du «sans toi», identifié par E. Berne en 1975. Ce jeu met en présence M. et Mme Leblanc.
M. Leblanc : — *«Demain, tu iras chercher ma voiture.*
Mme Leblanc : — *Oh là là ! Franchement, j'avais prévu d'aller au cinéma avec mes amies.*
M. Leblanc : — *N'oublie pas de passer chez le marchand de journaux pour me réserver le hors série du magazine X.*
Mme Leblanc : — *Oh là, là ! Sans toi, j'aurais pu voir mes amies.»*
Ainsi, sous des contenus différents, existe une même forme d'échanges, un même canevas général d'interactions. A chaque fois, la structure est identique : il y a une instruction donnée par l'un des protagonistes (M. Leblanc) et une acceptation-protestation en réponse de la part de sa partenaire. E. Berne constate que lorsque ce rituel se met en place, il est possible de formuler une «règle du jeu» qui permet de prévoir ce qui va se passer la fois suivante. L'analyse transactionnelle permet le repérage de ces systèmes d'interactions en boucle qui fonctionnent comme des «jeux répétitifs».
Cette notion de règle du jeu ou de système itératif se retrouvera dans l'analyse systémique de Paul Watzlawick. Ce jeu apporte des bénéfices psychologiques aux deux acteurs. La femme peut, entre autres choses, justifier sa propre inactivité en accusant son mari de l'empêcher d'avoir des activités extérieures (*«Sans toi, je pourrais faire ceci ou cela...»*). De son côté, le mari peut contraindre son épouse à obéir sans qu'il y ait confrontation. Dans le jeu du «sans toi», il y a donc une transaction visible et une transaction cachée : Mme Leblanc se plaint des exigences de son mari, mais elle a besoin de ces contraintes pour être protégée d'une liberté qui lui fait peur. E. Berne tentera de résoudre le problème de ce couple en demandant à

1. Pour une présentation plus détaillée de l'analyse transactionnelle, voir l'article de J.-Y. Fournier dans cet ouvrage, p. 221.

Mme Leblanc d'aller au cinéma, d'aller danser. Elle s'apercevra alors qu'elle a une angoisse terrible chaque fois qu'elle est seule au cinéma ou sur une piste de danse ! Sa protestation visible était : « *Tu m'empêches...* », mais la demande cachée est : « *Empêche-moi.* » C'est l'Ecole de Palo Alto qui explicitera la notion de communication paradoxale.

De plus, ce modèle de l'analyse transactionnelle fait référence à la psychologie en permettant d'observer la communication à plusieurs niveaux : le niveau normatif (parental), le niveau rationnel (adulte) et le niveau émotif (l'enfant). Dans la communication, ce modèle met en évidence l'existence de transactions visibles, socialement acceptables, et celle de transactions cachées, liées à des motivations individuelles profondes.

Les champs d'investigation et les questions posées par ce modèle de communication interpersonnelle figurent sur le schéma 6.

On peut d'ores et déjà constater que nous disposons de nombreux modèles pour appréhender le phénomène communication. Chacun d'eux présente une problématique principale. La mise en contexte historique montre que chaque époque a ses préoccupations sur la communication. Elles apparaissent sur les modèles épistémologiques utilisés pour appréhender la communication. Pour chacun de ces modèles, il y a une lecture historique et sociologique à faire.

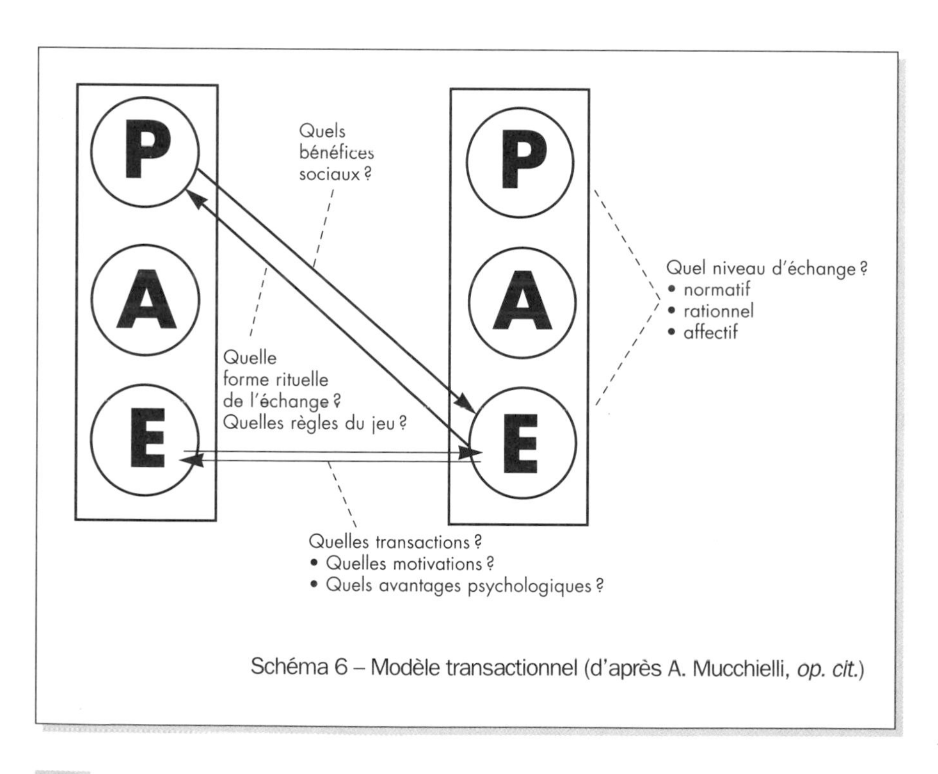

Schéma 6 – Modèle transactionnel (d'après A. Mucchielli, *op. cit.*)

Le modèle interactionniste et systémique. Le modèle interactionniste et systémique est principalement issu des travaux de l'école de Palo Alto.

En schématisant les théories de Palo Alto, on peut dire que ce modèle apporte une définition nouvelle de la communication. Elle est envisagée comme la participation d'un individu à un système d'interactions qui le relie aux autres. Les chercheurs de Palo Alto se sont intéressés au système des échanges et aux communications paradoxales. Pour illustrer ce modèle, j'utiliserai l'analyse du « jeu bureaucratique à la française » analysé par le sociologue Michel Crozier. Son analyse décrit le système des relations entre les individus dans le cas de deux administrations.

Dans un modèle interactionniste systémique, tout se passe comme dans un jeu d'échecs. Il y a des règles (les contraintes du système) qui régissent les coups. Dans le jeu bureaucratique à la française, un des acteurs de l'organisation se plaint à un autre : « *On n'a pas les moyens.* » Ce dernier fait remonter à son supérieur une demande majorée. Cette demande signifie : « *Ils ne peuvent pas travailler.* » Le dirigeant répond : « *Vous n'aurez que ça.* » Les salariés peuvent alors justifier leur attentisme : « *Vous voyez bien, on ne nous donne pas les moyens de travailler correctement.* » Cette relation crée une sorte de jeu réciproque qui a un sens profond si on le comprend dans sa totalité.

Ce jeu évite d'abord au dirigeant intermédiaire de faire un management de proximité, c'est-à-dire, d'aller voir quelles sont les difficultés de travail rencontrées par ceux qui sont sur le terrain,

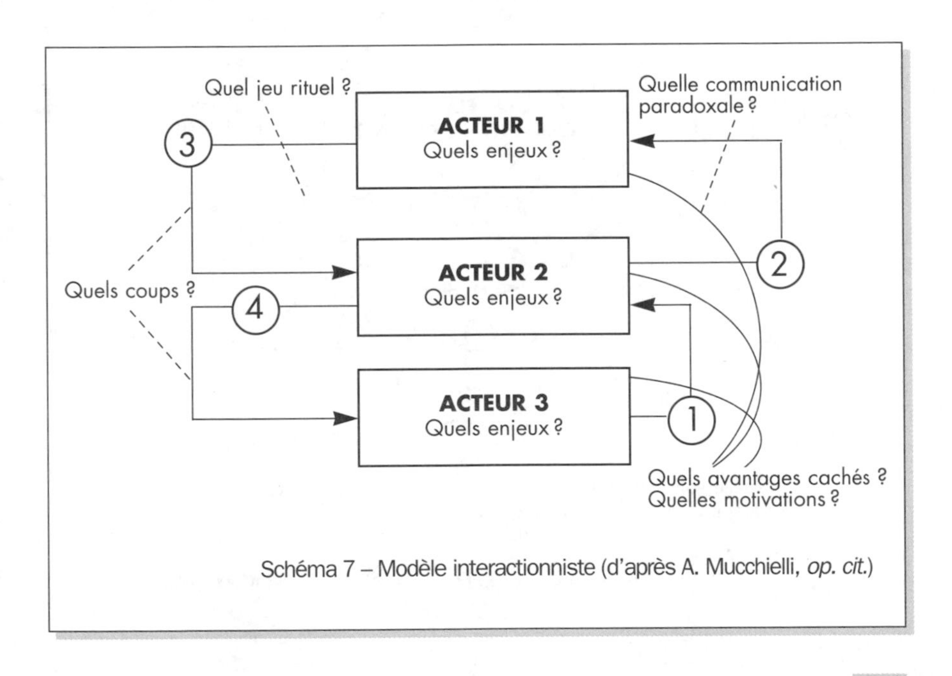

Schéma 7 – Modèle interactionniste (d'après A. Mucchielli, *op. cit.*)

d'organiser le travail autrement, puisque, de toute façon, on est dans un système de pénurie de moyens. Cela évite aussi au supérieur d'aller voir pourquoi les cadres intermédiaires gonflent systématiquement la demande de moyens supplémentaires; cela évite d'avoir une discussion franche sur cette majoration des moyens demandés et d'essayer de gérer autrement les choses. De son côté, le supérieur préfère rester dans son bureau et gérer de loin. Le jeu a une motivation profonde. M. Crozier l'a formulé ainsi : «*Le jeu sert aux Français à éviter le face-à-face.*» En France, subordonnés et supérieurs ont peur de l'explication franche. Chacun campe sur ses positions : les bénéfices secondaires sont considérables, car tous les acteurs du jeu peuvent se plaindre du système, le dénoncer tout en disant que, sans eux, rien ne fonctionnerait, etc. C'est le jeu tout entier qui a un sens profond pour les acteurs.

Le modèle de l'orchestre. Le «modèle de l'orchestre» a été introduit par Yves Winkin dans son ouvrage *La Nouvelle*

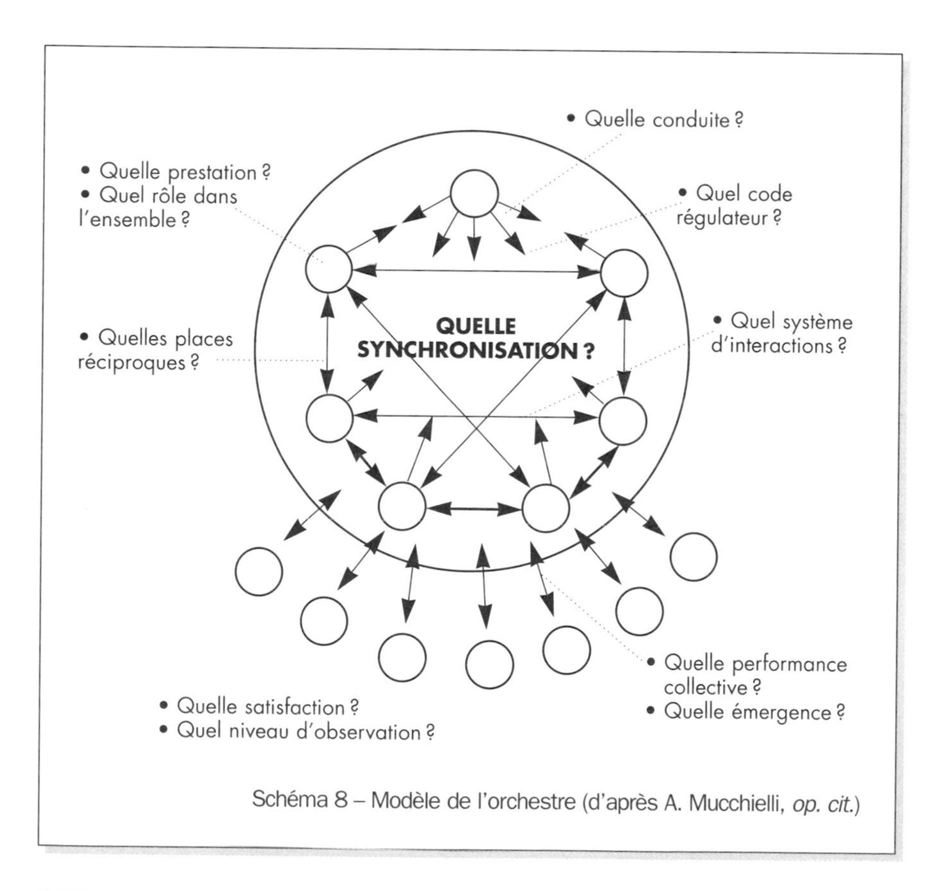

Schéma 8 – Modèle de l'orchestre (d'après A. Mucchielli, *op. cit.*)

Communication (2). Il n'en existe pas de représentation graphique, mais je prends le risque d'en proposer une ci contre. Avec ce modèle, la communication est définie comme une production collective d'un groupe qui travaille sous la conduite d'un leader. La problématique principale est la suivante : comment se passe l'articulation des jeux individuels pour que, finalement, cela aboutisse à une production collective ?
Lorsque l'on utilise ce modèle comme grille de lecture, on privilégie les questions figurant sur le schéma : quelle est la conduite des acteurs ? quel est le code régulateur ? quelle est la prestation de chacun ?
Il est intéressant de noter que les spectateurs font partie du système et que l'orchestre est en interaction avec eux. La communication est ici une production collective car ni la partition ni le jeu d'un violoniste ne donnent à eux seuls une symphonie. Il y a une intégration des prestations de chaque musicien dans l'expression collective finale.

Les modèles constructivistes

Le modèle de l'hypertexte. Le modèle de l'hypertexte repose, comme celui de l'orchestre, sur une métaphore.
Quel en est le principe ? Il est désormais familier aux utilisateurs de CD-Roms et d'Internet : dans le texte qui apparaît sur l'écran de l'ordinateur, on peut cliquer sur un mot pour faire apparaître des explications et des commentaires qui vont s'inscrire sur l'écran. Ainsi, un hypertexte (c'est-à-dire le réseau des explications et commentaires des éléments du texte initial) est accolé au texte et en définit le sens final.
Ce modèle de l'hypertexte est de type « constructiviste ». Il considère la communication comme un débat (un texte) « latent », « caché », qui a lieu entre des acteurs liés dans une structure sociale. Le sens du débat n'est pas donné au départ, mais il découlera de la lecture d'un certain nombre d'interprétations sur ce débat.
Une application concrète de ce modèle a été réalisée lors de la mise en route d'une expérience de visiophonie dans des collèges de l'Education nationale. L'analyse des discours des acteurs (professeurs, administration, élèves, Inspection académique) révèle comment se structure le débat institutionnel suscité par l'introduction des nouvelles technologies dans l'Education nationale. Quand, dans un lycée, l'appareil visiophonique ne sert qu'une demi-heure par semaine et dans des conditions rigoureusement définies, cette règle d'utilisation de l'appareil est déjà un commentaire significatif sur l'introduction de cette technologie dans le lycée. Ce commentaire, amalgamé avec tous les autres commentaires qui sont faits à l'intérieur de l'institution, va permettre de saisir le débat interne qui est le débat de l'Education nationale au sujet de l'introduction des nouvelles technologies.
Ce modèle de l'hypertexte pose des questions du type : *« Quel est le débat implicite que l'on peut faire émerger des commentaires faits ? comment chacun interprète-t-il et retraduit-il le message initial (celui de l'administration de l'Education nationale), etc. ? »*

2. Y. Winkin, *La Nouvelle Communication*, Seuil, 1981.

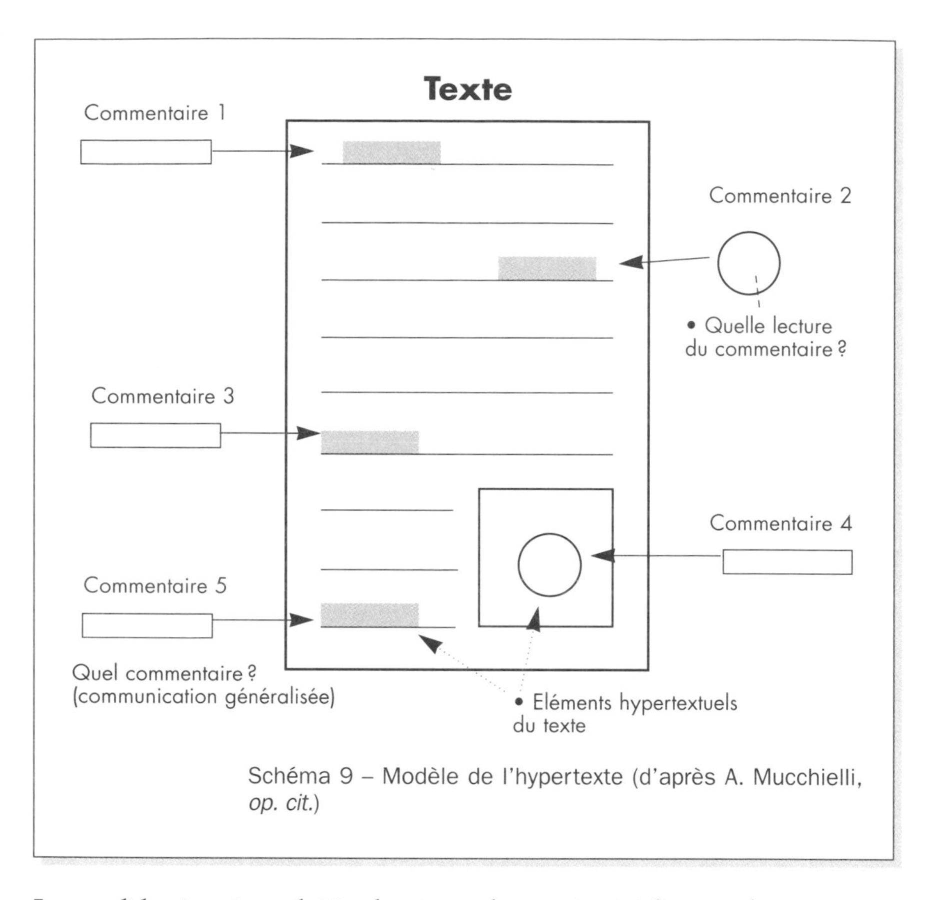

Schéma 9 – Modèle de l'hypertexte (d'après A. Mucchielli, *op. cit.*)

Le modèle situationnel. Un dernier modèle peut être qualifié de situationnel. Il envisage la communication en termes de « processus ». Les chercheurs n'ont pas encore produit de schéma mais j'en propose un ci-dessus.

Ce modèle consiste à faire apparaître les différents contextes (ou dimensions de toute situation) dans lesquels toute communication fonctionne nécessairement. Par exemple, ma communication se situe dans le contexte culturel français, dans le contexte de la disposition spatiale de ce colloque, dans le contexte de ce qui a été dit précédemment, etc. Pour que l'échange ait du sens, il faut qu'il soit mis en relation avec les contextes dans lesquels il se déroule. Ces contextes sont d'ailleurs nombreux : le contexte des positionnements relatifs, celui des intentionnalités, celui des actions structurantes, des contraintes situationnelles, du contexte temporel, des enjeux des acteurs, etc.

Le sens final de la communication en question est une synthèse des différentes significations apparues à travers les mises en contextes. Je dirai égale-

ment que le contexte aide à construire le sens de l'échange et que le sens et le contexte se construisent à travers l'échange. L'interprétation du phénomène de communication observé a des racines dans les processus de contextualisation différents, les situations de référence étant plurielles, les significations de l'échange le seront également et le «sens partagé» sera à découvrir.
Le chercheur qui étudie la communication dans ce cadre de référence se posera par exemple la question de la contextualisation spatiale et temporelle des échanges : comment les acteurs en présence évoquent-ils des éléments qui définissent le contexte temporel ? comment interviennent les différentes contraintes temporelles dans la situation ?
Puis, il s'interrogera sur les processus d'appel et de construction des normes qui président à toute situation idiomatique et normativement connue. Tous ces processus servent à construire le sens final de la communication qui se déroule dans ces contextes.

L'usage des modèles

Cette palette de modèles destinés à analyser la communication ne recouvre

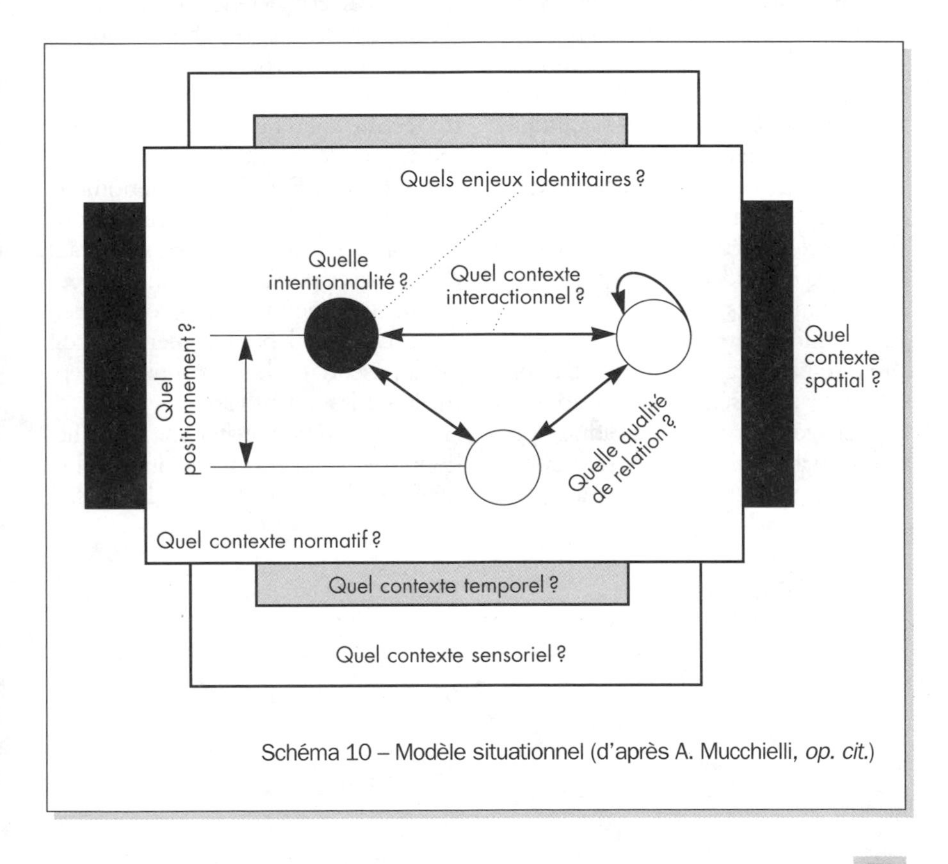

Schéma 10 – Modèle situationnel (d'après A. Mucchielli, *op. cit.*)

que les plus importants ! Il en existe d'autres…

A travers cet exposé, on peut constater que les définitions de la communication ont changé et que les problématiques principales ont varié. Un des éléments de ma démonstration consiste justement à souligner que les théories sont liées à des préoccupations historiques et sociales, et donc à des enjeux de la communication qui ont varié, eux aussi, au cours du temps. L'enjeu des modèles positivistes est l'analyse des effets de la communication et de son efficacité. Les modèles systémiques visent à analyser la permanence et le changement des systèmes de communication. On retrouve cette préoccupation dans le modèle sociométrique et dans l'analyse transactionnelle ou dans l'analyse systémique. Les préoccupations communes des deux modèles constructivistes portent sur la construction du « sens partagé » par les acteurs. La question qui se pose après cela est évidemment : que faire de tous ces modèles ?

La première chose à faire pour comprendre un phénomène, c'est d'abord de l'isoler précisément. Il y a donc un découpage de la réalité, un cadrage pertinent qu'il est nécessaire de réaliser. Les modèles permettent d'aider à cadrer l'analyse : cerner les acteurs, les enjeux, les dimensions du phénomène. Une fois le cadrage réalisé, apparaissent les éléments à étudier ; il faut alors les mettre en relation. Si l'on se sert de plusieurs modèles à la fois, on aboutit au brouillage et à la confusion à travers l'idée que tout est également valable. Chaque approche, par un modèle, cherche à donner une intelligibilité, c'est-à-dire un sens au phénomène. Si toutes les significations du phénomène sont à la fois possibles par l'utilisation de tous les modèles, la signification est brouillée. On a perdu la finalité scientifique qui est la cohérence et la recherche d'une signification pertinente sous un certain point de vue.

Je conclurai donc en disant qu'une grille de lecture marche toujours. Chaque modèle parle essentiellement de celui qui s'en sert. Penser un phénomène suppose de réduire les significations possibles qu'il peut avoir en se servant des modèles pertinents, à un moment donné, en fonction d'un projet spécifique. L'essentiel, pour le chercheur, est de disposer d'une boîte à outils conceptuelle suffisamment variée.

A ce prix, on peut éviter soit le réductionnisme, soit l'éclectisme qui conduit quant à lui au brouillage intellectuel.

Françoise Tristani-Potteaux*

LES MÉTIERS DE LA COMMUNICATION**

Journaliste, dircom, producteur, publicitaire : les professionnels de la communication suscitent à la fois fascination, défiance et sarcasmes. La réalité de ces métiers reste pourtant mal connue. Françoise Tristani-Potteaux présente leurs principales caractéristiques et leurs évolutions récentes.

Comment définir les métiers de la communication ? Peu de métiers se pratiquent en l'absence totale de toute communication : le médecin communique, de même que le professeur, le commerçant, l'acteur, l'avocat ou le chef d'entreprise. Et les créateurs les plus solitaires – le peintre, l'écrivain – entament dans leur isolement un processus de communication qui, pour être différé, n'en est pas moins réel. En fait, toute activité sociale, voire asociale, est liée à une action ou à un désir de communication.

Pour définir les métiers de la communication, nous nous limiterons aux professions dont la vocation première est d'assurer une communication médiatisée vers un public important, aux communicateurs professionnels ayant un accès privilégié à l'information, disposant d'un support technique et de moyens de diffusion et atteignant une large audience (1).

Les métiers de la communication sont aussi, pour certains du moins, des métiers de l'information. L'information étant à la communication ce que le contenu est au contenant, ce que l'intelligible est au sensible, la démonstration à la monstration, l'énoncé à l'énonciation, bref ce que l'âme est au corps.

* Maître de conférences à l'Institut français de presse, université Panthéon-Assas-Paris-II. Elle a publié : *L'Information malade de ses stars*, Jean-Jacques Pauvert, 1983 ; *Les Journalistes scientifiques, médiateurs des savoirs*, Economica, 1997.

** Texte inédit.

1. Sur ces définitions, voir R. Rieffel, « Notions et modèles », dans *Médias ; Introduction à la presse, la radio et la télévision*, ouvrage collectif dirigé par C.-J. Bertrand, Ellipses, 1995.

Leur étroite et mystérieuse articulation n'a pas fini de susciter des analyses passionnées et contradictoires.
L'information, après avoir longtemps tenu seule le devant de la scène, a été pendant un temps supplantée par *« l'explosive communication »* (2), plus conviviale et plus enveloppante, qui a suscité un engouement général et prolongé. Puis les excès et les paillettes de la nouvelle venue, ses erreurs et ses dérives, sa tendance à ne brasser que du vent (il est significatif que le verbe « communiquer » soit devenu intransitif...) et ses liens de plus en plus évidents avec les pouvoirs économiques ont entraîné un reflux qui tend à faire de l'information l'ultime repaire de la vertu et de la rigueur. Ainsi, les journalistes se réclament de l'information et affichent une grande méfiance à l'égard de la communication : *« L'information dérange, la communication arrange »*, résume Edwy Plenel (3).
Pourtant, les sœurs ennemies peuvent difficilement exister l'une sans l'autre. Une communication totalement dépourvue de contenu ne peut pas exister, une information désincarnée non plus : pour être perçue, elle doit obligatoirement faire quelques concessions aux techniques de séduction pratiquées par sa rivale. Un article de journal, aussi dépouillé soit-il, aura son titre (accrocheur si possible), son espace dans la maquette, sa signature souvent illustre, une photo parfois... autant de parures incitant à la lecture. Un journaliste de l'audiovisuel utilisera le timbre de sa voix, la force de sa conviction ou la chaleur de son regard, qui sont autant d'outils de séduction.

Les différents métiers de la communication se situent ainsi sur une ligne qui va, selon les termes de Daniel Bougnoux (4), du symbolique à l'iconique puis à l'indiciel, c'est-à-dire du mode purement discursif au mode sensible, voire affectif – avec de nombreuses combinaisons possibles entre ces trois modes.
Si les journalistes privilégient l'information, d'autres acteurs des « métiers de la communication » ont moins de réticences à se servir des techniques de persuasion douce qu'offre la communication. Et font ostensiblement assaut de talent, de brio et de créativité.
Les directeurs de la communication (dircoms) fournissent, certes, de l'information, mais la traduisent, l'adaptent, la formatent, la ciblent et l'enjolivent, autrement dit la transforment en communication, ce qui est d'ailleurs le propre de leur fonction. Les producteurs et réalisateurs de télévision transforment un concept en fiction, ont recours à la dramaturgie et à la mise en scène pour faire passer leur message. Les publicitaires, enfin, surfent sur l'imaginaire, suscitent le rêve et tentent de percer nos mécanismes cognitifs les plus secrets pour créer le slogan efficace.
Informer, valoriser, mettre en scène, séduire, tels sont les repères qui vont guider ce bref tour d'horizon sur les métiers de la communication.

2. P. Breton et S. Proulx, *L'Explosion de la communication*, La Découverte, 1993.
3. E. Plenel, « La vérité bête », *Le Nouvel Observateur*, 25 avril 1996.
4. D. Bougnoux, « La communication contre l'information », *Etudes*, mars 1992.

Le journaliste : les nouveaux défis de l'information

Qui peut se dire journaliste ? *« Le journaliste professionnel est celui qui a pour occupation principale, régulière et rétribuée, l'exercice de sa profession dans une ou plusieurs publications quotidiennes ou périodiques, ou dans une ou plusieurs agences de presse et qui en tire le principal de ses ressources. »* Telle est la définition pour le moins tautologique que donne la loi de 1935 qui fonde le statut du « journaliste professionnel » (art. 761-2 du code du travail) et confie à la CCIJP (Commission de la carte d'identité professionnelle des journalistes) le soin de délivrer une carte professionnelle à ceux qui remplissent les conditions exigées.

Autrement dit, pour obtenir une carte de journaliste, il faut et il suffit d'être journaliste, c'est-à-dire tirer l'essentiel de ses revenus de cette activité et l'exercer dans un support reconnu par la CPPAP (Commission paritaire des publications et agences de presse).

Ils sont actuellement un peu moins de 30 000 en France (29 442 en 1997) à être titulaires d'une carte de presse, leur principal et très convoité signe distinctif. Le métier est attractif : depuis la création de la carte en 1936, les effectifs n'ont cessé de croître. Ils ont connu une augmentation spectaculaire entre 1980 et 1990, passant de 16 619 à 26 614 journalistes, augmentation qui s'est fortement ralentie par la suite.

La principale analyse sur la profession a été conduite par l'Institut français de presse en 1991 (5) et a permis de dessiner les grandes tendances de l'évolution du métier : tendance au rajeunissement (près de 75 % ont moins de 45 ans) ; à la féminisation, avec 37 % de journalistes femmes (le pourcentage était de 24 % en 1981) ; à la précarisation avec 17 % de pigistes (6) ; la profession est surtout parisienne (plus de 60 %) et de plus en plus diplômée (près de 70 % des journalistes ont fait des études supérieures : lettres, droit, histoire ou Sciences-po, la voie royale). Cette importance du niveau d'études est encore plus nette pour certaines catégories de journalistes : ainsi les journalistes scientifiques sont à 96 % diplômés de l'enseignement supérieur et près de 50 % d'entre eux détiennent un doctorat ou un diplôme d'ingénieur (7). La plupart des journalistes se sont formés « sur le tas » : seuls 15 % en 1990 étaient passés par des écoles de journalisme, mais cette proportion tend à augmenter régulièrement (*voir encadré page suivante*).

• Des pratiques diversifiées

Si le fondement même du métier de journaliste est bien de rechercher l'information, de la vérifier, de la hiérarchiser, de la mettre en forme et de la diffuser, dans les faits les pratiques peuvent varier sensiblement d'une entreprise à une autre, d'un poste à un autre. Qu'y a-t-il de commun entre un présentateur du journal télévisé et un localier, entre un journaliste sportif et un critique littéraire, entre un grand reporter et un rédacteur d'une revue d'informatique ?

5. IFP, « Les journalistes français en 1990, radiographie d'une profession », *La Documentation française*, 1991.
6. Ces deux derniers chiffres sont pour 1997.
7. F. Tristani-Potteaux, *Les Journalistes scientifiques, médiateurs des savoirs*, Economica, 1997.

Journalistes : huit filières reconnues

Si près de 80 % des journalistes aujourd'hui en activité n'ont pas suivi de formation spécifique mais un cursus universitaire, la tendance actuelle étant de recruter des diplômés spécialisés. Huit écoles sont reconnues par la convention collective nationale des journalistes.

Trois sont privées :
– le CFPJ (Centre de formation et de perfectionnement des journalistes), Paris (1) ;
– l'IPJ (Institut pratique de journalisme), Paris ;
– l'ESJ (Ecole supérieure de journalisme de Lille).

Cinq sont publiques :
– le CUEJ (Centre universitaire d'enseignement du journalisme) rattaché à l'université Strasbourg-III ;
– le CELSA (Ecole des hautes études en sciences de l'information et de la communication), rattaché à l'université Paris-IV ;
l'EJCM (Ecole de journalisme et de communication de Marseille), université d'Aix-Marseille-II ;
– l'IUT de Bordeaux ;
– l'IUT de Tours.

Ces écoles proposent une formation en deux ans : techniques de base du journalisme, puis spécialisation en presse écrite, radio ou télévision.

Par ailleurs, plusieurs universités proposent des seconds cycles d'information et de communication qui, sans être axés sur un apprentissage strictement professionnel, offrent une approche pluridisciplinaire (sociologie, linguistique, droit, histoire, économie) du monde des médias, éventuellement complétée par une initiation aux pratiques professionnelles et par des stages en entreprise. Ce second cycle universitaire peut déboucher en troisième cycle sur l'un des DESS (diplômes d'études supérieures spécialisées) qu'offrent les universités. Exemple : le DESS de Techniques de l'information et du journalisme de l'IFP (Institut français de presse) de Paris-II qui prépare aux carrières de la communication et du journalisme.

1. Le récent dépôt de bilan du CFPJ risque de modifier le paysage actuel de ces formations.

Jean-Marie Charon (8) distingue quatre types de pratiques :
– le journaliste d'information politique et générale : « l'ancêtre de référence », caractérisé par sa capacité à exercer une fonction critique à l'égard du pouvoir ;
– le journaliste d'audiovisuel, un généraliste qui doit à la fois soigner sa notoriété et cultiver le lien qui l'unit au public ;
– le journaliste localier, le « cousin de province » qui court d'un sujet à l'autre et subit le poids des sources de proximité ;
– le journaliste spécialisé qui privilégie la vulgarisation et la pédagogie, et qui connaît le risque de naviguer dans un univers de spécialistes, d'informateurs et de lecteurs confondus.

On peut ajouter aux catégories de J.-M. Charon bien d'autres types de pratiques : le journaliste d'agence, qu'il soit au *desk* ou en poste à l'étranger, le photographe qui traque les princesses pour la presse *people*, l'éditorialiste qui donne le ton de la rédaction par ses talentueuses analyses quotidiennes sans lesquelles *« l'intelligence des abonnés maigrirait »* (9), le très courtisé critique littéraire ou cinématographique, le journaliste écrivain – souvent un enquêteur à qui sa rédaction ne donne pas assez de temps pour chercher, ni assez d'espace pour publier, et qui se tourne alors vers l'édition –, enfin, le journaliste de l'audiovisuel aspiré par les professions voisines qui devient producteur ou animateur d'une émission en ayant parfois du mal, en raison de ses nouveaux revenus, à conserver sa précieuse carte de presse...

• Un territoire aux contours mal dessinés

Pourquoi parle-t-on de « journaliste professionnel » alors qu'on ne dit jamais médecin professionnel ni architecte professionnel ? Cette habitude procède certes d'une réalité juridique (la loi de 1935 porte sur le statut du journaliste professionnel), mais elle souligne également que le professionnalisme est un argument souvent invoqué par les journalistes, en particulier chaque fois qu'un débat s'engage à leur propos.

Le journalisme s'est construit peu à peu contre l'amateurisme en éliminant les politiques, les fonctionnaires, les diplomates, les professeurs et autres parlementaires qui lui faisaient une concurrence déloyale. Il s'est également dégagé de la tradition littéraire du XIXe siècle dont il est issu, tout en en gardant le goût du récit, devenu reportage, et de l'analyse, spécificité bien française opposée à la préférence anglo-saxonne pour les faits. En dépit de l'émergence de signes identitaires (création d'un syndicat et élaboration d'une Charte des devoirs professionnels des journalistes en 1918, fondation de la première école de journalisme en 1924 à Lille), la profession a gardé des limites imprécises. Ce qui a conduit Denis Ruellan à lui attribuer un *« professionnalisme du flou »* (10).

Ces frontières floues favorisent une proximité avec un certain nombre d'autres professions : l'historien (*« Le*

8. J.-M. Charon, *Cartes de presse*, Stock, 1993.
9. H. de Balzac, *Monographie de la presse parisienne*, Jean-Jacques Pauvert, 1965.
10. D. Ruellan, « Le professionnalisme du flou », *Réseaux*, n° 51, janvier 1992.

journaliste est l'historien de l'instant», disait Albert Camus) ; le sociologue (les terrains de recherche sont souvent voisins, même si les méthodes ne le sont pas) ; proximité, complicité parfois, avec le juge ou le policier, pour ceux qui ignoreraient le dernier article de la charte de 1918 (*«Un journaliste digne de ce nom ne confond pas son rôle avec celui du policier.»)* ; proximité surtout avec les intellectuels (11) – la fonction d'interpellation qui caractérisait les intellectuels semble se transférer depuis quelque temps sur les acteurs du monde médiatique. Les journalistes sont devenus des intellectuels par une sorte de contagion : en 1989, un hit-parade du pouvoir intellectuel proposé par *L'Evénement du jeudi* donnait premiers *ex aequo* Claude Lévi-Strauss et Bernard Pivot.

Une perméabilité des frontières qui risque de connaître un nouvel avatar avec Internet : l'affaire Clinton-Monica Lewinsky a été lancée par un site du Web, le *Drudge Report*, *«qui ne se considère lié par aucune des règles de déontologie classique»* (12), alors que le journaliste de *Newsweek* qui avait eu le scoop prenait le temps, en bon «professionnel», de vérifier l'information avant de la publier. La profession va devoir se positionner face à cet éclatement des sources, se protéger contre ces nouveaux amateurs. C'est un premier défi.

• L'enjeu de l'indépendance

Le journalisme est une profession mythifiée, par les grands noms qui l'ont incarnée et par les clichés qui l'accompagnent : le grand reporter qui parcourt le monde au péril de sa vie, le chroniqueur reçu dans tous les salons parisiens, celui qui dîne avec des ministres, des savants ou des vedettes de cinéma... Les stéréotypes liés à la profession lui confèrent une aura particulière, génératrice de vocations mais aussi de jalousies et de violentes critiques.

Au quotidien, la réalité est moins romantique : la puissance apparente du journaliste, son pouvoir de diffusion et de dissémination masquent en réalité un certain nombre de dépendances et de lourdes contraintes (13) :

– contraintes économiques : le journaliste se trouve au confluent d'un certain nombre d'intérêts croisés : ceux du groupe industriel principal actionnaire de son journal, ceux de son rédacteur en chef, friand de titres accrocheurs, ceux parfois d'un service de publicité soucieux de ménager ses annonceurs. Enfin, il est dépendant de la demande d'un public «exigeant, volatil, blasé», qui attend de son journal certes des informations, mais aussi du plaisir, une distraction sans cesse renouvelée. *«J'essaie d'apporter aux gens ce qu'ils veulent, c'est un dur travail»*, fait dire le romancier Henry James à l'un de ses personnages (14), un jeune journaliste ambitieux, sympathique et sans scrupule ;

– contraintes politiques : elles ont changé de nature mais n'ont pas disparu. Les journalistes de télévision n'ont plus à être «la voix de la France» comme le

11. R. Rieffel, «Journalistes et intellectuels, une nouvelle configuration culturelle ?», *Réseaux, op. cit.*
12. S. Kaufmann, «L'étrange itinéraire médiatique d'un scandale», *Le Monde*, 25 janvier 1998.
13. D. Wolton, *Penser la communication*, Flammarion, 1997.
14. H. James, *Reverberator*, La Différence, 1991.

leur demandait Georges Pompidou, mais le président de la République ne se gêne pas pour choisir les journalistes qui vont l'interviewer, au grand effarement des confrères étrangers. Entre le journaliste et ses (indispensables) informateurs, le jeu a changé. Aux pressions directes ont succédé des stratégies plus subtiles, plus enveloppantes : des liens d'amitié, des intérêts communs. Qui en sort gagnant ? Le journaliste dispose certes du pouvoir d'expression, mais la défense de son indépendance requiert une vigilance sans relâche sous peine de voir son « omnipotence » apparente se transformer en « impotence », selon les termes de Jean-Louis Missika (15) ;

– contraintes techniques : les coordonnées espace-temps se sont modifiées.

L'information se joue désormais sur une scène mondiale, ce qui a au moins deux conséquences :

– une pression accrue de la concurrence. Il faut faire vite et mieux. Pour Isabelle Veyrat-Masson, la place extraordinaire prise par la télévision a bouleversé l'équilibre des médias : *« Dorénavant l'ensemble des médias y compris la presse écrite vit au rythme de la télévision et de la concurrence. »* (16) ;

– une réduction, voire une disparition, du temps de l'analyse et de la réflexion. Au risque que quelqu'un d'autre fasse ce travail à sa place : *« Il n'y a plus de distance entre l'événement et l'information*, écrit D. Wolton, *le rêve du direct, devenu réalité, vire au cauchemar. Ce n'est pas forcément en étant le nez sur l'événement que l'on fait une meilleure information. »* (17)

Course au scoop, pression des sources, tout se conjugue pour empêcher le journaliste de faire son travail de recherche, pour lui ôter l'indispensable recul critique. Est-ce enquêter que de retranscrire un dossier fourni par un juge, un rapport élaboré par une organisation internationale ? Le journaliste doit réhabiliter l'enquête, réinvestir le champ de la recherche, qui est accaparé par d'autres acteurs, et en faire le centre de son travail. C'est le deuxième défi qui se présente à lui.

• Retrouver la confiance du public

Le troisième défi repose sur un problème de... communication. En raison de sa forte visibilité, du pouvoir important qu'il est censé exercer, le journaliste est exposé à de violentes critiques, certaines émanant de la profession, d'autres venant de l'extérieur – ce qui est très bien pour la démocratie, mais calamiteux pour l'image de la profession.

On a beaucoup écrit sur les différents dérapages médiatiques : fausses interviews, émission « bidonnées », « ménages » richement rétribués, corruptions en tous genres, manquements à la plus élémentaire déontologie... D'où une crise de confiance quasi permanente que traduisent notamment les sondages annuels Sofrès-*Télérama*. Le succès du livre de Serge Halimi (18) montre bien l'intérêt que le public porte à ses « médiateurs », mais montre également

15. J.-L. Missika, « La république des médias », *Pouvoirs*, n° 68, 1994.
16. I. Veyrat-Masson, « Les journalistes, libertés et contraintes », *Etudes*, mai 1992.
17. D. Wolton, *op. cit.*
18. S. Halimi, *Les Nouveaux Chiens de garde*, Liber Raisons d'agir, 1997.

que la profession souffre d'être représentée par une minorité non représentative, *« ces trente, inévitables, volubiles »* qui, *« loin de se faire concurrence, ne cessent de troquer des complicités »*, laissant dans l'ombre le minutieux et souvent remarquable travail accompli par des journalistes moins prestigieux.

Pour regagner la confiance du public, la profession doit mieux faire connaître ses pratiques et sa diversité, refuser d'être assimilée aux quelques stars qui tiennent le devant de la scène et casser son apparente unité. *« Tant que les journalistes n'arriveront pas à casser cette fausse unité, le public restera sceptique à leur égard »*, estime D. Wolton (19).

Le goût de la stratégie : le dircom

Ce n'est sans doute pas un hasard si l'un des premiers « redresseurs d'image » a été un ancien officier de cavalerie : en 1970, le CNPF fait appel à Michel Frois (20), un ancien colonel à qui l'armée avait enseigné les vertus de l'information, pour améliorer la très mauvaise image dont souffraient alors les patrons, les entreprises et l'économie en général. Ce qu'il fera pendant vingt ans, créant notamment le Festival du film d'entreprise de Biarritz, et incitant les grandes sociétés à s'inspirer de ses techniques de communication et de relations presse.

• Un métier récent

Le poste de « dircom » – c'est Patrice Legendre (21) qui a inventé ce diminutif en 1985 – est le poste phare de la communication d'une entreprise ou d'une institution. Un poste important et convoité : le directeur de la communication est membre, en principe, du comité de direction, il « coiffe » et anime une équipe importante (attachés de presse, rédacteur en chef du journal interne, responsable du service audiovisuel, attaché parlementaire, chargé des expositions ou des colloques, éventuellement consultant extérieur...). C'est un homme orchestre qui doit connaître – souvent pour les avoir pratiquées – les techniques utilisées par ses principaux collaborateurs (22).

La fonction a explosé dans les années 80, favorisée par le contexte politique (un gouvernement de gauche parvenant à réconcilier les Français avec leur industrie), et recouvre bien entendu des réalités diverses : sur les 3 000 « décideurs de la communication », ils ne seraient que 400 à 500, selon *Entreprises et Médias* (association de directeurs de la communication) à remplir cette fonction dans son entière responsabilité, c'est-à-dire à jouer un véritable rôle stratégique dans leur entreprise.

Qui sont les directeurs de la communication ? Plusieurs études ont été réalisées sur ces nouveaux gourous (23). Ils sont jeunes, sans être des débutants (âge moyen : 43 ans). La profession se féminise : en 1988, il n'y avait que 30 % de femmes, en 1995, 48 %. Ils et elles ont généralement fait des études supérieures : 51 % viennent de l'université, 38 % d'une grande école. Les forma-

19. *Op. cit.*
20. A. Faujas, « Michel Frois, l'ex-cadre noir du CNPF », *Le Monde*, 17 septembre 1996.
21. Directeur de l'*Expression d'entreprise*, revue destinée à la profession.
22. Sur la description de ces fonctions, voir *Le Guide de l'étudiant*, « Débuter dans la communication et la publicité », juin 1997.
23. D. Chaise et R. Tixier-Guichard, *Les Dircoms*, Seuil, 1993.

tions spécialisées commencent à percer : quasiment absentes en 1988, elles apparaissent à hauteur de 22 % en 1995 (24).

Le dircom n'a pas surgi *ex nihilo* : sa fonction découle de celle, plus ancienne, de l'attaché de presse, qu'il a enrichie en grignotant des fonctions déjà existantes (la publicité gérée par le directeur de marketing et l'information interne, chasse gardée du DRH), en en créant de nouvelles et surtout en devenant un directeur à part entière.

Ce changement d'échelle procède de trois phénomènes :

– le déclin de l'importance relative de la presse écrite : l'attaché de presse des années 60-70 travaillait essentiellement pour la presse écrite, avec des moyens légers, un ou deux collaborateurs et un téléphone, l'objectif étant d'obtenir des articles et des éditoriaux favorables ;

– l'explosion de l'audiovisuel et le développement des techniques de communication et de publicité : le dircom investi de la responsabilité de la « *corporate image* » de l'entreprise doit faire face à une multiplication des médias et des cibles et s'adapter aux contraintes de la communication institutionnelle : la cohérence et la durée. C'est en cela qu'il doit se montrer fin stratège, capable de concilier les objectifs du long terme et ceux, envahissants, du court terme, de veiller sans relâche à la cohérence des messages et de faire face à des situations de crise, fréquentes dans le métier et fort dangereuses pour le capital image. Ce travail inscrit dans la continuité ne pouvait se satisfaire de la position marginale de l'attaché de presse, sorte d'électron libre, certes très proche de son ministre ou de son P.-D.G., mais dépourvu de toute légitimité interne ;

– une filiation parfois encombrante : le métier d'attaché(e) de presse souffrant, à tort ou à raison, d'une connotation de mondanité, de superficialité, et étant de plus exercé en majorité par des jeunes femmes, ces défauts ont été naturellement attendus chez les dircoms. Sans doute est-ce en partie pour surmonter ce handicap que la profession a été majoritairement masculine à ses débuts.

• De la séduction à la professionnalisation

Les dircoms ont deux origines : soit ils sont « *les fils légitimes de l'entreprise* » et se retrouvent dans ce poste atypique en ayant tout à apprendre de la communication, soit ils sont des « *professionnels adoptés* » (25), anciens journalistes, anciens attachés de presse de cabinets ministériels, et ils ont tout à apprendre de leur nouvelle maison. Même s'ils se sentent culturellement plus proches de leur ancien milieu (journalisme, monde politique), ils doivent adopter les valeurs du nouveau sous peine de fonctionnement acrobatique ou schizophrénique.

Quelle que soit son origine, le dircom est souvent un *go-between*, il doit servir de tampon entre deux mondes qui se connaissent mal et en obtenir une double reconnaissance fondée sur le professionnalisme :

– une reconnaissance externe : pour

24. Sondage UDA 1995, dans *Le Guide de l'étudiant*, *op. cit.*

25. L. Messika, « Dircoms et journaliste ; une convergence du flou », *Réseaux*, n° 64, mars 1994.

être crédible, il doit connaître les attentes de ses interlocuteurs (journalistes, réalisateurs, graphistes, imprimeurs, etc.), mais surtout connaître son organisme, ce qu'on y fait et ce qui s'y passe : *« Un journaliste peut vous apprendre une fois ce qui se passe chez vous, mais si cela se reproduit, vous perdez votre crédibilité »*, remarque un dircom. D'où la nécessité d'une permanente investigation interne et d'un réseau efficace d'informateurs ;

– une reconnaissance interne : le dircom va s'efforcer de conquérir et de maintenir une légitimité qui sera remise en question au premier faux pas, à la première incohérence, de délimiter et de protéger son territoire. La communication étant la chose au monde la mieux partagée, tous les salariés de l'entreprise auront tendance à s'en mêler et il devra *« dépenser une énergie considérable à démontrer l'utilité de la communication en général et la pertinence de sa stratégie en particulier »* (26).

Moyennant quoi il aura une chance d'exercer ses multiples fonctions (27) :

1. De formateur (faire comprendre à son P.-D.G que ce n'est pas si facile de le faire passer au JT le soir même) ;
2. De régulateur veillant à la cohérence entre les diverses actions ;
3. De porte-parole (parfois transformé en fusible) ;
4. D'observateur de l'opinion par des études et des sondages, mais aussi par une activité personnelle de veille permanente ;
5. De gestionnaire des différents services qu'il dirige ;
6. D'animateur au service des différents départements de son organisme ;
7. De rédacteur : ce talent est sous-estimé, mais décisif : une bonne plume, efficace et rapide est recommandée pour tenir son rang de « journaliste maison » et pour se rendre indispensable à son président en lui préparant ses discours, ses tribunes et ses petites phrases...

• La tentation du repli ?

Dans les années 90, marquées par le chômage, les faillites et les scandales financiers, l'engouement pour la communication décline : assimilée à un phénomène de mode, elle apparaît comme un caprice du patron, et suscite de fortes réactions, surtout quand il y a décalage entre des bons résultats glorieusement affichés et des licenciements ou des blocages de salaires en interne.

Le culte de la transparence à tout prix se dissipe : on ne peut pas tout mettre sur la place publique. Même si un discours démagogique a affirmé le contraire, la communication n'est pas la priorité : la priorité, c'est de se développer, de créer des emplois, de gagner des parts de marché.

Le dircom en est-il pour autant menacé ? P. Legendre n'en croit rien : *« Le métier de dircom a un bel avenir devant lui. La reconnaissance de la fonction s'accroît dans l'entreprise. »* Certes, le temps est passé des directions pléthoriques aux budgets insolents, aux messages triomphalistes. On communique à côté, sur le social, l'humanitaire, l'institutionnel. La fonction devient plus pédagogique, se transforme sans régresser et se développe dans des secteurs nouveaux : les

26. L. Messika, *op. cit.*
27. M.-H. Westphalen, *Le Communicator*, Dunod, 1994.

administrations, les collectivités locales… Les paillettes se font plus rares mais l'activité de conseil, de matière grise, s'est définitivement imposée (28).

Du concept à l'écran : le producteur

En dépit d'un cliché tenace qui lui prête un gros cigare, des voitures de luxe et une vie dissolue, le producteur reste un inconnu, comme le clame avec désespoir Dustin Hoffman, dans le rôle d'un producteur frustré de reconnaissance (29).

« *Même sous le soleil du Midi*, écrit Jérôme Garcin, *les producteurs restent des ombres grises, d'étonnants fantômes. Ils font le cinéma et pourtant personne ne les connaît. Avec le temps, le grand public a appris à distinguer le chef opérateur du monteur, le preneur de son de l'éclairagiste, mais il ne sait toujours pas qui sont les producteurs.* » (30) Leur métier ? Transformer une œuvre de l'esprit en un produit matériel fait de pellicule, d'images et de sons. Cette œuvre immatérielle peut être une idée, une histoire, un discours ; elle peut être empruntée à un autre ou germer dans le cerveau du producteur. Si elle n'est pas de lui, il achète à un individu ou à une institution le droit d'adaptation, de reproduction et de diffusion. Alors seulement, il engage le processus de transformation et pour cela s'entoure de quatre types de professionnels :

– des scénaristes, dialoguistes, spécialistes de l'adaptation qui vont s'attaquer à la réécriture ;

– un réalisateur : c'est la pièce maîtresse du dispositif. Le producteur lui délègue la fonction de chef d'équipe, mais le tandem doit travailler en bonne intelligence. Le réalisateur sera assisté d'un directeur de production et de techniciens (preneur de son, opérateur…) et engagera le reste de l'équipe ;

– des interprètes : acteurs, musiciens ;

– des ouvriers : il s'agit de monter une mini-usine, avec des machinistes, des coursiers, des secrétaires…

Le processus de transformation peut alors commencer, sous le contrôle étroit du producteur qui va veiller à faire respecter sa ligne éditoriale.

Mais, auparavant, il aura fallu acheter l'idée, et le producteur aura la double responsabilité de sentir les tendances du marché et de procéder au montage financier, d'être à la fois un artiste doué d'intuition et un habile négociateur capable de mobiliser banquiers, diffuseurs, investisseurs. Le tour de table peut prendre des mois, parfois des années.

« *Actuellement*, explique Michel Pinard, P.-D.G. de Kayenta Production (31), *le financement est international. Il m'a été plus facile de trouver 35 millions de francs pour monter* Calamity Jane *avec un cofinancement Canal+ et Warner Bros Network, que d'obtenir 500 000 francs pour un simple documentaire de 52 minutes.* » (32)

Le producteur de télévision doit obtenir avant toute fabrication l'accord d'une chaîne qui va accepter de diffuser

28. Voir le dossier « Les communications de l'entreprise », *Médiaspouvoirs*, octobre 1996.
29. Dans *Des hommes d'influence*, de Barry Levinson, 1998.
30. « Profession producteur », *Nouvel Observateur*, spécial Cannes, mai 1998.
31. Société spécialisée dans les programmes pour les jeunes.
32. Entretiens personnels.

son produit. «*Amener à une chaîne un film tout fait est suicidaire*, estime Georges Campana, fondateur et dirigeant du Sabre, *cela revient à priver le programmateur de son droit d'intervention, aussi bien sur le thème que sur la réalisation et le casting.*» (33)
Comment devient-on producteur? Là encore, il n'y a ni école, ni filière particulière. On se forme souvent au métier en étant technicien, acteur (Robert de Niro, Alain Delon), réalisateur (Luc Besson), animateur (Nagui, Christophe Dechavanne) ou journaliste (Mireille Dumas, Michel Field), et en apprenant ensuite à être chef d'entreprise.
Les animateurs exercent-ils un «abus de pouvoir» en devenant producteurs de leurs propres émissions? «*Un journaliste produisant et animant un magazine d'information, un animateur créant sa boîte de production pour monter l'émission de variété qu'il anime, cela ne manque pas de logique : il fait partie de son propre concept*», estime M. Pinard. La pratique du métier dépend ensuite de la personnalité : le producteur peut déléguer largement, surtout s'il mène plusieurs projets de front, ou se comporter en tyran. «*Je suis responsable de tout*», disait David O. Selznick. Pour produire *Autant en emporte le vent*, il épuisa quatre réalisateurs, vola Clark Gable à la MGM, mobilisa l'opinion américaine pour trouver une Scarlett introuvable, qu'il dénicha *in extremis* et imposa même la réplique finale du film, accédant ainsi à la postérité.

L'art de séduire : le publicitaire

En 1801, la parution de *L'Atala* de Chateaubriand est accompagnée de promotion par des «*produits dérivés; gravures, figurines de cire*» (34). En 1836, quand Emile de Girardin lance *La Presse*, il a recours à la publicité pour vendre son journal à un prix inférieur au prix de revient. En 1898, Georges Mélies écrit : «*Le cinéma, quel merveilleux véhicule de propagande!*», et il tourne ses premiers «spots» pour la moutarde Bornibus et le chocolat Poulain (35).
La publicité est une pratique fort ancienne et trouve un nouveau souffle chaque fois qu'un nouveau média de masse apparaît. Succédant à la «réclame», la publicité trouve sa consécration à l'Exposition universelle de Paris en 1937 où elle s'affirme comme une activité à part entière (36). Le métier s'est progressivement constitué depuis le début du siècle avec la création de l'Ecole technique de publicité et une professionnalisation qui prend deux aspects : le courtier («*échange d'espace publicitaire au service d'un organe de presse*») et le conseil («*une technique au service d'un annonceur*»). Actuellement la publicité se définit comme «*l'ensemble des moyens destinés à faire connaître un produit ou un service et inciter le public à l'acquérir par un moyen de communication de masse*».

• Les acteurs

«*Au générique de l'acte publicitaire*, écrit

33. *Idem.*
34. F. Barbier et C. Bertho-Lavenir, *Histoire des médias, de Diderot à Internet*, Armand Colin, 1996.
35. A. Mattelart, *La Publicité*, La Découverte Repères, 1990.
36. M.-E. Chessel, *La Publicité, naissance d'une profession*, CNRS Editions, 1998.

Comment devenir publicitaire ?

• Formation par les grandes écoles de commerce (HEC par exemple).
• Formation par les professionnels : RSCG campus, Institut supérieur de publicité soutenu par Eurocom. La doyenne : l'Ecole supérieure de publicité fondée en 1927.
• A côté de ces formations (payantes), signalons les filières des BTS et des DUT et les filières universitaires conduisant aux métiers de la communication (CELSA).

Source : A. Mattelart, *op. cit.*

Armand Mattelart, *figurent trois acteurs professionnels : l'annonceur, l'agence, le support. Le premier déclenche le processus en commandant un service à la deuxième qui le conseille, conçoit le message et l'oriente vers le troisième. Cette trilogie de l'interprofession publicitaire est universelle depuis que la publicité mérite ce nom.* » Tous ces acteurs visent un objectif commun : la cible « métaphore balistique » qui désigne le public. Les annonceurs sont les entreprises *« qui veulent faire connaître ou valoriser leurs produits ou leurs services auprès des consommateurs potentiels »* (37). Il peut aussi s'agir d'organismes publics ou privés soucieux de promouvoir leur image. En France, les plus gros annonceurs sont des sociétés automobiles et agroalimentaires (*voir encadré ci-dessus*).

Environ 20 000 professionnels travaillent dans les agences, dont les plus connues sont Publicis, Euro RSCG et BDDP. Elles constituent l'élément phare de la profession et un indispensable relais entre l'annonceur et le support. Le travail se répartit entre :
– des commerciaux (directeurs de clientèle, chefs de publicité) qui assurent les relations avec l'annonceur, veillent à ses priorités, à ses impératifs budgétaires ;
– des créatifs qui conçoivent les textes et les visuels des campagnes ;
– un département études qui prend en charge analyses et enquêtes pour connaître les attentes et les comportements des consommateurs ; ces études peuvent être sous-traitées et confiées à des sociétés spécialisées comme le CCA ou la Cofremca ;
– le service médias qui choisit les supports les mieux adaptés (presse écrite, télévision, radio, affichage, cinéma), établit le média-planning et négocie l'achat d'espace, qui constitue le poste le plus coûteux d'une campagne.

Ce négoce a suscité la création de centrales d'achat qui, en achetant en gros, obtiennent des tarifs plus avantageux et constituent de redoutables concurrentes pour les agences classiques, d'autant

37. J.-P. Marhuenda, « La publicité et les médias », *Médias, op. cit.*

plus qu'elles ont développé également une activité de conseil-média.

• De la publicité à la communication
En décembre 1988, l'Association des agences conseils en publicité (AACP) s'est métamorphosée en Association des agences conseils en communication (AACC) : « *Une opération de chirurgie esthétique loin d'être innocente*, écrit A. Mattelart. *En s'appropriant le vocable communication, l'industrie publicitaire signale l'élasticité de son nouveau champ professionnel.* »
En effet, le territoire de la publicité s'est considérablement élargi et ses frontières avec la communication sont mouvantes. La publicité de marque, de produit (*brand image*), fief des directeurs de marketing, a été concurrencée par la publicité institutionnelle (*corporate image*), gérée par les dircoms et étroitement surveillée par les P.-D.G.
La publicité ne sert plus seulement à vendre des savons ou des yaourts, elle contribue à positionner l'image d'une

Palmarès des dix premiers annonceurs

Les relevés quotidiens des insertions publicitaires dans la presse, à la radio et à la télévision par la Société d'études de la consommation, de la distribution et de la publicité (Secodip) permettent d'établir le palmarès des plus gros annonceurs.

Entreprise	Investissements en millions de francs	Evolution 1995/1994
Nestlé France	1 227	+ 4 %
Renault automobiles	1 029	– 3 %
Renault automobiles	1 029	– 3 %
Peugeot automobiles	919	+ 14 %
Citroën automobiles	815	– 4 %
Procter & Gamble	726	– 4 %
Polygram	618	+ 35 %
France Télécom	586	+ 46 %
Kraft Jacobs Suchard	529	– 4 %
Ford France	492	+ 21 %
Henkel France	457	+ 4 %

Source : *La Structure du marché publicitaire*, Secodip, 1995.

institution, à lancer un homme politique, à lutter contre le tabagisme. Les agences passent avec dextérité d'un combat à un autre : Euro RSCG est embauchée par Gnassingbé Eyadema, président du Togo, pour rafraîchir son image avant les prochaines élections. Le SIG (Service d'information du gouvernement), qui consacre chaque année des sommes importantes (312 millions de francs pour 74 campagnes en 1996) pour faire connaître l'action gouvernementale en matière d'emploi des jeunes, de prévention du sida, de lutte contre la vitesse au volant, fait appel aux mêmes agences que les annonceurs commerciaux traditionnels. C'est un « fils de pub », Jacques Seguela, qui a eu l'idée du slogan « La force tranquille », élément décisif dit-on de la victoire de François Mitterrand en 1981, et un autre, Jacques Pilhan, qui a mis sa créativité au service de la communication présidentielle pendant plusieurs années, pour F. Mitterrand d'abord, puis pour Jacques Chirac. J. Pilhan racontait volontiers que c'était son goût pour la sociologie qui l'avait conduit à entrer dans la publicité, *« Les budgets de Coca-Cola ou de General Food pour étudier le comportement des consommateurs étant plus confortables que ceux du CNRS. »* (38)

• Les chemins de la persuasion

Symbole de la société industrielle et du culte de la consommation, omniprésente et supposée redoutablement efficace, la publicité a fait l'objet de violentes critiques. *« Intoxication, manipulation, lavage de cerveaux »*, clamaient étudiants, partis de gauche et associations de consommateurs, alors que linguistes et sémiologues se penchaient sur la valeur symbolique du discours publicitaire. Roland Barthes (39) n'hésite pas à distinguer l'imagerie d'Omo (la saleté représentée comme un petit ennemi qui s'enfuit) de celle de Persil (comparative, fondée sur la vanité, le paraître social), ou à s'interroger sur le thème de la profondeur dans les publicités de détergents ou de crèmes de beauté.

Dans les années 70, la conception manipulatoire du pouvoir de la publicité connaît une rupture épistémologique grâce à un détour par le consommateur, acteur jusque-là ignoré *« aussi bien par la linguistique structurale... que par les analystes du conditionnement de l'acheteur »* (40). Le consommateur se dégage peu à peu du rôle d'objet pour celui de partenaire. D'où une complexification croissante du discours et des dramaturgies. La technique du martèlement (*« Dop, dop, dop, tout le monde adopte Dop. »*), principe élémentaire de la propagande, fait place à l'ambiguïté, au jeu de mot, au jeu tout court. Une linguiste, Blanche Grunig, a fait passer au gril des sciences du langage quelque 1400 slogans qui bercent notre environnement quotidien (41). Dans le travail des créatifs, elle distingue des isotopies, des morphèmes et des praxéogrammes, probablement ignorés de leurs auteurs mais décisifs pour l'efficacité, ou pour la non-efficacité du slogan.

38. J. Pilhan, « L'écriture médiatique », *Le Débat*, n° 87, octobre 1995.
39. R. Barthes, *Mythologies*, Seuil, 1957.
40. A. Mattelart, citant les travaux de Michel de Certeau.
41. B. Grunig, *Les Mots de la publicité*, CNRS Editions, 1998.

C'est par sa *« compatibilité avec des opérations mentales privilégiées, fondamentales, majeures »* que le slogan, brièvement rencontré, sera capable de laisser en nous les « traces mémorielles » sans lesquelles *« l'effort publicitaire aura été inutile »*. Clin d'œil, ambiguïté, rupture de logique (*« Ça ne change rien et c'est ça qui change tout. »* – Canderel), choc des contraires, répétitions de sons, les astuces du slogan ne sont efficaces que si le défi est relevé par le récepteur, aidé en cela par l'image (la fin des pompes funèbres prenant son sens grâce à de superbes chaussures). En mettant subtilement en œuvre, pour les respecter ou les violer, les puissantes lois de la langue, le slogan publicitaire instaure un dialogue avec le récepteur-partenaire et se veut avant tout objet de plaisir : plaisir du texte, du rythme, du décodage ; éventuellement – mais pas obligatoirement –, plaisir anticipé de la consommation du produit évoqué.

Sélection bibliographique

Cours de médiologie générale
Régis Debray

L'Utopie de la communication
Philippe Breton

La Communication contre l'information
Daniel Bougnoux

Anthropologie de la communication
De la théorie au terrain
Yves Winkin

Penser la communication
Dominique Wolton

COURS DE MÉDIOLOGIE GÉNÉRALE
Régis Debray, Gallimard, 1991, 400 p.

A l'instar d'Auguste Comte donnant naissance à la sociologie dans son *Cours de philosophie positive*, Régis Debray veut poser dans ce *Cours de médiologie générale* les premières pierres d'une nouvelle discipline : la médiologie. A la différence de la sociologie de la communication ou de l'histoire des mentalités, dont l'horizon est plus restreint, les questions auxquelles veut s'attaquer la nouvelle discipline visent large : *« Quel est le poids des idées dans l'histoire, comment une pensée en vient-elle à soulever des masses, comment une vision du monde peut-elle agir ou rétroagir sur un état du monde ?, pourquoi telle idée triomphe-t-elle plutôt que telle autre ? »* Fondamentale pour la compréhension de l'histoire humaine, l'interrogation méritait à tout le moins une discipline nouvelle.

De l'assise millénaire du christianisme, de la naissance et la mort du socialisme, du succès foudroyant de la télévision… R. Debray tire un certain nombre d'enseignements « médiologiques ». Pour qu'une idée s'empare des masses, il lui faut répondre à certains critères. Première condition : proposer des solutions aux tourments de la vie. Le message doit adopter une structure simple : 1. Constat d'un mal ; 2. Découverte des causes ; 3. Solution. Voilà le secret de la réussite de Jésus, de Marx, de Lacan ou de Rika Zaraï.

Seconde condition : le discours doit adopter la forme du récit vivant plutôt que celle du discours savant. *« Un mythe frappe plus fort qu'un concept. Si vous voulez toucher les gens, ne leur proposez pas un théorème, racontez-leur une histoire. »*

Troisième leçon : pour se répandre et être efficace, une idée doit s'appuyer sur une organisation. Sans école, sans parti, la meilleure des théories est condamnée. Voilà pourquoi Marx a supplanté Proudhon, Freud a terrassé Janet et les autres psychologues de son temps. Quatrième grande leçon : à chaque doctrine correspond un média adapté. Les idées de la Révolution française n'ont pu se diffuser dans le corps social que par le biais des salons et de l'imprimerie. A chaque époque, à chaque pensée dominante correspond une « médiasphère », un ensemble de moyens de diffusion plus ou moins propices. Les idées n'ont de poids que si elles trouvent un média ajusté. Que tous ceux qui ont des choses à faire connaître en tirent la leçon…

Derrière les longs développements académiques, allégés par l'aisance du style, l'humour et la dérision, R. Debray dégage finalement les recettes assez simples du succès des idées. Simples et parfois même caricaturales. Le marxisme serait une sorte de religion du livre ; il devrait sa chute à l'audiovisuel. Les régimes de l'Est ne pouvaient survivre face aux images venues de l'Ouest. *« L'éternelle jeunesse des buveuses de Coca-Cola et la virilité du cow-boy Marlboro, déstabilisation fondamentale car sensorielle, ont peut-être plus fait pour renverser le communisme en Europe de l'Est que les samizdats de Soljenitsyne ou les manifestes de Havel. »* De lumineuses analyses, des pistes de réflexion très fertiles viennent heureusement contrebalancer ces propos sommaires.

Ainsi ce constat : avec le progrès technologique, la masse, l'étendue et la vitesse de diffusion des messages sont inversement proportionnelles à leur durée de vie.

Pour finir, retenons cette belle leçon adressée par le fondateur de la médiologie à ses « frères en messagerie » : *« O vous qui voulez transmettre, écoutez mes conseils ! Racontez des histoires, et ne donnez pas de leçon. Faites court, avec un t, et portable. Soyez positifs, affirmatifs, optimistes. Trouvez-nous de belles images, plutôt que de vilains mots. Pas de théorèmes, des paraboles. Un clip vaut mieux qu'un laïus. Et surtout, j'y viens, regroupez-vous. Ne restez pas seuls. Faites réseau, cercle, école, secte, tribu, bande. Organisez-vous. Là est la clef. »*

JEAN-FRANÇOIS DORTIER

L'UTOPIE DE LA COMMUNICATION
Philippe Breton, La Découverte, 1992, 152 p.

Vous avez des problèmes dans votre couple ? Dans votre entreprise ? Dans votre élection ? Dans votre vie en général ? Un seul problème : la communication !

Pourquoi ce mot creux et passe-partout a-t-il envahi nos vies, nos écrans, nos facultés ? Il s'agit à l'évidence de bien plus qu'un mot. C'est un véritable système d'idées et de valeurs dont l'auteur tente de retracer l'histoire. L'origine première, il la situe avec précision dans son lieu (les Etats-Unis), sa date (1942 et au-delà) et ses acteurs (Norbert Wiener et les inventeurs de la cybernétique). A partir de là, on voit comment s'élabore un nouveau paradigme qui décrit l'homme comme fondamentalement définissable par la somme des relations qu'il entretient, des informations qu'il échange. Mais, au-delà de la théorie scientifique, c'est bien une utopie, au sens fort du terme, dont il s'agit : c'est une véritable vision de l'homme et de la société que ces auteurs proposaient sur fond de génocide nazi et d'anéantissement nucléaire de villes japonaises. La « société de communication » et l'*Homo Communicans*, que décrit N. Wiener bien avant Marshall McLuhan, constituent une réaction contre les idées de nature sur lesquelles ont fleuri aux XIXe et XXe siècles toutes les idéologies de l'exclusion. C'est une nouvelle espérance rationaliste et universaliste, la valeur refuge d'une morale occidentale à la dérive.

Quels sont l'impact exact et les contours précis de cette nouvelle utopie ? Voilà ce que l'auteur ne peut pas dire, tant les questions qu'il soulève sont vastes et son essai bref. Il attire toutefois l'attention sur l'étroite parenté entre l'utopie rationnelle de la communication dans le discours des scientifiques et les sociétés décrites dans tout un courant de science-fiction américaine. Il insiste sur l'imaginaire de l'ordinateur et l'idéologie de la technique. Enfin, il n'hésite pas à désigner des *« effets pervers »* de l'utopie. Sans excès ni facilité de langage, il montre d'abord que les prétendues « sciences de la communication » n'ont aucune unité et que leurs applications (telle la programmation neurolinguistique) n'ont guère de fondement scientifique. Il consacre ensuite de trop courtes pages à la fonction et à l'usage intellectuellement et éthiquement stérilisant des médias et de leur culture du consensus. Il conclut sur les dangers de l'absence persistante de projets d'avenir dans nos sociétés. Certes, l'auteur pose plus de problèmes qu'il n'en résout, mais son essai n'en demeure pas moins extrêmement stimulant.

LAURENT MUCCHIELLI

LA COMMUNICATION CONTRE L'INFORMATION

Daniel Bougnoux, Hachette, 1996, 144 p.

Sixième titre d'une collection toute neuve («Questions de société»), ce livre de Daniel Bougnoux illustre bien ce nouveau style d'essai associant étroitement l'argumentation scientifique au débat d'opinion. D. Bougnoux entend d'abord montrer qu'information et communication ne sont pas seulement dans un rapport de contenu à contenant, mais des «sœurs ennemies», à la fois indissociables et contraires l'une à l'autre. On opposera, par exemple, un théorème de géométrie à un bulletin de propagande électorale : le premier ne peut être que vrai ou faux (et dans le monde entier), le second n'a pas d'autre critère que de faire agir l'électeur d'une certaine manière, à une époque et en un lieu donnés, en jouant d'ailleurs sur ses sentiments plutôt que sur ses connaissances. Mais, montre D. Bougnoux, les formes pures ne sont pas celles qui nous influencent tous les jours : *«... l'individu n'a pas l'information pour valeur dominante. Il faut d'abord vivre, et vivre c'est être relié...»*. Relations communautaires, conditions d'énonciation et communication «indicielle» (image, geste ou symbole) pèsent sur le message et jouent sur les pulsions, les réponses réflexes et le non-explicite. Ce constat de fond ouvre ensuite sur une analyse plus enlevée de la pratique des médias. Plusieurs thèmes s'entrecroisent : celui de la distinction entre publicité et information, celui de l'indépendance de la presse, celui de l'information «à chaud» et du *«zapping»* médiatique. L'avertissement s'adresse entre autres aux journalistes : ce que l'on gagne en «chaleur», on le perd en information. Il n'y a pas de recette parfaite, mais un équilibre. Construit sur les apports des linguistiques modernes, cet essai présente des qualités rares dans le genre, notamment d'aller au-delà de la sempiternelle question de l'objectivité des médias. Il développe fondamentalement une défense de l'information contre la communication envahissante, tout en reconnaissant que la vie en commun ne saurait se passer de cette dernière. Inextricable problème.

NICOLAS JOURNET

ANTHROPOLOGIE DE LA COMMUNICATION

De la théorie au terrain

Yves Winkin, De Boeck Université, 1996, 240 p.

Yves Winkin a conçu ce recueil pour servir de manuel aux étudiants en communication et «faire le point» sur sa propre trajectoire intellectuelle. De fait, le livre se compose de deux parties assez distinctes. D'abord, il présente un rappel concis des étapes essentielles du développement de la théorie de la communication : théorie de l'information, études d'influence, Ecole de Palo Alto. Les idées de Gregory Bateson, de Ray L. Birdwhistell et de Dell Hymes sur les rapports entre message, contexte et

culture sont exposées et retenues comme base de travail. En y ajoutant un élément essentiel – l'observation microsociologique d'Erving Goffman –, Y. Winkin passe ensuite à la définition de son style d'anthropologie. L'objet : les interactions quotidiennes, verbales et gestuelles. Le cadre : la ville, les lieux publics ou semi-publics, là où des normes sociales sont à l'œuvre, sans être énoncées ni régies par un code explicite. La méthode : l'observation directe et la description fine, sans autre outil qu'un crayon et un papier.
En seconde partie, Y. Winkin donne plusieurs échantillons des résultats qu'il a obtenus par cette méthode. On y apprend, par exemple, pourquoi les coiffeurs parlent plutôt de la pluie et du beau temps avec leurs clients : l'intimité du contact suppose une ritualisation élevée du propos et un évitement systématique des sujets contradictoires. On apprend à observer de quelle manière, à la sortie d'un colloque, un simple rétrécissement du chemin permet à chacun de se défaire d'un interlocuteur imposé par le hasard ou la politesse. On voit émerger d'un journal de voyage la description fine des illusions nécessaires à la félicité du touriste. En quoi cela mène-t-il à une « anthropologie de la communication » ? Y. Winkin s'en explique à la fin : la communication n'est pas un objet particulier, mais un cadre, une façon de décrire la totalité des interactions humaines comme des « performances » culturellement pertinentes. La définition fait-elle peur ? Y. Winkin souligne qu'en pratique, il s'agit surtout d'apprendre à faire de l'ethnographie au quotidien, « d'aller voir comment ça se passe » sur le terrain et d'être capable de décrire ce que l'on voit. Y. Winkin le fait très bien, y prend plaisir, et cela se sent. Il est clair cependant que la connaissance des théoriciens de la communication ne saurait être remplacée par un pur et simple bain de foule.

NICOLAS JOURNET

PENSER LA COMMUNICATION
Dominique Wolton, Flammarion, 1997, 408 p.

Spécialiste des médias de masse, Dominique Wolton livre les fruits de vingt ans de réflexion et de travaux sur la communication dans ses différentes dimensions (fonctionnelle ou normative) mais aussi sur le traitement de l'information, de l'opinion publique, du statut des journalistes, de leur rapport avec les politiques, etc. Trois idées guident sa réflexion. D'une part, la communication ne se réduit pas à des techniques, elle impliquerait aussi des valeurs, celles de la modernité occidentale (liberté, individualisme, égalité...) sans lesquelles elle n'aurait pu connaître l'essor que l'on sait. D'autre part, prenant appui sur les développements récents, D. Wolton part du principe que les auditeurs comme les téléspectateurs ne sont pas des récepteurs passifs. Enfin, dans les sociétés contemporaines, seuls les médias de masse et principalement la télévision généraliste seraient en mesure de maintenir le lien social.
C'est dire à la fois l'importance de l'enjeu que représente la communication et son statut particulier : pour D. Wolton, elle n'est en effet ni un objet, ni une discipline comme les autres. Omniprésente,

elle exige une approche pluridisciplinaire, laquelle ne s'est imposée que récemment, du moins en France, à la faveur de la création de revues spécialisées, mais aussi à celle du lancement au milieu des années 80 d'un vaste programme de recherches sous la houlette de D. Wolton.

Pourtant, malgré le savoir accumulé au cours de ces dernières décennies, la demande sociale en connaissances scientifiques resterait aujourd'hui encore insuffisante, concurrencée qu'elle est par une pluralité de discours enclins au catastrophisme ou simplement utopiques : celui des politiques, celui des entrepreneurs, celui, enfin, des journalistes et des médias. Or, il est des connaissances bien établies qui mériteraient d'être plus amplement diffusées, notamment celle qui sert de véritable fil conducteur à l'ouvrage : contrairement à ce que laisse entendre l'idéologie de la communication associée aux nouvelles technologies, plus de moyens de communication ne signifient pas plus de transparence, ni plus de compréhension mutuelle. Car *« Plus l'autre est présent, et aujourd'hui omniprésent, par l'intermédiaire des techniques, plus il faut respecter certaines règles, pour éviter que cette proximité soit source de conflits. »*

SYLVAIN ALLEMAND

DEUXIÈME PARTIE

LA COMMUNICATION INTERPERSONNELLE

AU COMMENCEMENT de la communication se trouve l'interaction directe entre deux individus. Les recherches en sciences humaines ont montré que cette interaction ne saurait se réduire à la transmission d'un message. Comme le montre Edmond Marc, la relation de face à face obéit à toute une grammaire de règles et de procédures sans lesquelles la communication n'est pas possible. Les échanges interpersonnels n'ont pas seulement une visée instrumentale ; ils sont aussi animés par un besoin de reconnaissance, des enjeux de positionnement, de pouvoir, d'identité, etc. En outre, ils sont loin de s'exprimer par la seule parole : Jacques Cosnier montre comment les gestes, les postures, les regards (ce que l'on appelle la « communication non verbale ») sont un constituant essentiel à la compréhension : pour accompagner ou piloter la discussion, pour exprimer ou partager les émotions.
On doit à l'Ecole de Palo Alto et à ses principaux représentants (Gregory Bateson, Edward T. Hall, Don Jackson et Paul Watzlawick) d'avoir posé ces principes fondamentaux de la communication interpersonnelle, notamment en mettant au jour des phénomènes aussi importants que la double contrainte, la notion de distance, le poids du contexte… (*voir les articles de Jean-Baptiste Fages et d'Edmond Marc*). Cette approche a aussi des vertus thérapeutiques, car la plupart des pathologies mentales peuvent être considérées comme des dysfonctionnements de la communication : Paul Watzlawick nous en donne quelques exemples (*voir son entretien*).
Autre caractéristique majeure du regard neuf apporté par ce courant : l'approche ethnographique. Le projet de construire une véritable anthropologie de la communication, exposé par Yves Winkin, conduit alors à considérer la communication non plus comme un phénomène spécifique et limité, mais comme un concept intégrateur permettant de penser les relations entre individu et société.
En fait, l'étude de la communication interpersonnelle se trouve au carrefour de nombreuses disciplines : anthropologie, sociologie, sociolinguistique, pragmatique, kinésique, proxémique, psychosociologie, linguistique.
Les sciences du langage ont été d'un apport décisif pour mieux comprendre les logiques à l'œuvre dans le déroulement d'une conversation : Catherine Kerbrat-Orecchioni montre comment toute discussion s'opère au moyen d'une série de négociations, d'ajustements mutuels, de positionnements identitaires, de gestion des tours de parole, etc. De même, lorsqu'un individu cherche à en convaincre d'autres, il mobilisera un ensemble de stratégies et

d'enchaînements logiques, plus ou moins efficaces selon son habileté, le contexte, les dispositions de son auditoire... (*voir l'article de Philippe Breton*). Les interactions obéissent à des règles très précises, qui permettent de fixer un cadre et de faciliter la compréhension. C'est tout particulièrement le cas des rituels de savoir-vivre : ainsi, souligne Dominique Picard, la politesse fonctionne comme une sorte de défense collective (contre l'embarras, l'imprévu, le changement) et comme un langage qui permet une communication immédiate et univoque.
L'Américain Erving Goffman a été le pionnier des recherches sur les rites d'interaction et des relations quotidiennes : il a analysé ces dernières comme une sorte de théâtre où les individus doivent se mettre en scène, tenir des rôles (différents selon la scène), « sauver la face » et permettre aux autres d'en faire de même. L'étude des formes de sociabilité permet d'aller encore plus en amont dans l'analyse des interactions « ordinaires ».
Alain Degenne et Michel Forsé, sur la base de nombreuses enquêtes, montrent le poids des déterminismes sociaux dans le choix des amis et des proches et dans la structuration des réseaux de relations de chacun d'entre nous.

Les fondements de la communication interpersonnelle

POINTS DE REPÈRE : THÉORIES ET MODÈLES

L'Ecole de Palo Alto *(voir p. 131)*

Cette expression vient du nom d'une petite ville californienne où ont été menées de multiples études originales sur la communication interpersonnelle. Deux auteurs ont particulièrement nourri cette approche.

Gregory Bateson (1904-1980) a exercé ses talents dans divers domaines, en particulier l'anthropologie et la psychiatrie. Il a notamment développé le concept de « double contrainte » ou « double lien », processus caractérisant une communication « paradoxale », c'est-à-dire comportant des messages contradictoires. C'est le cas lorsqu'un individu lance à un autre : *« Sois spontané ! »* ou lorsqu'un mari irrité dit à son épouse : *« Mais bien sûr que je t'aime ! »* Selon G. Bateson, le comportement du schizophrène est une forme d'adaptation aux doubles liens répétitifs délivrés par son entourage.

Paul Watzlawick (*voir entretien p. 135*) reprend divers concepts de G. Bateson et en élabore d'autres, montrant ainsi qu'il existe une véritable « logique de la communication », composée de différentes règles, par exemple :
– l'impossibilité de ne pas communiquer, puisque même le refus de la communication constitue un message ;
– la différence entre contenu et relation ; toute communication contient une double information, d'une part sur le contenu du message, d'autre part sur la manière dont ce message est émis.

P. Watzlawick a tiré des implications thérapeutiques de ses analyses théoriques.

Erving Goffman *(voir p. 176)*

Le sociologue Erving Goffman (1922-1982) est l'un des principaux représentants du courant visant à décrire et à analyser des situations concrètes de la vie quotidienne. Selon E. Goffman, une fonction importante de la communication est le maintien de la « face », c'est-à-dire l'image positive de soi que l'on tente de présenter aux autres, que ce soit à travers le langage, les postures, l'habillement, etc. Cet auteur assimile le monde social à la scène d'un théâtre où nous sommes tout à la fois acteurs et spectateurs. Chacun joue ainsi un rôle et confirme ou rejette le rôle joué par autrui. E. Goffman a notamment analysé les « rituels d'interaction », tels que les rituels d'accès (salutations et adieux) ou de réparation (présentations d'excuses après un incident).

Roman Jakobson

Le linguiste russe Roman Jakobson (1896-1982) attribue six fonctions au langage :
– la fonction émotive ou « expressive » (centrée sur l'émetteur) : le langage permet d'exprimer des désirs ;

– la fonction référentielle : le langage permet de donner des informations ;
– la fonction conative (centrée sur le récepteur) : le langage permet d'agir sur autrui ;
– la fonction poétique (centrée sur le message) : le langage peut exprimer des qualités esthétiques ;
– la fonction phatique (centrée sur le canal) : le langage permet d'établir, prolonger ou interrompre une communication (par exemple : « *allo !* ») ;
– la fonction métalinguistique (centrée sur le code) : le langage permet de parler sur lui-même (par exemple : « *autrement dit...* »).

La pragmatique

Selon cette approche linguistique, représentée surtout par deux philosophes du langage, John L. Austin (1911-1960) et John R. Searle (né en 1932), le langage n'a pas seulement pour fonction de dire, mais aussi de faire. Leurs travaux portent notamment sur les verbes « performatifs », c'est-à-dire qui ont pour caractéristique d'effectuer une action par le seul fait d'être prononcés (« *je déclare* », « *je te baptise* », « *je promets* », « *j'ordonne* »).

L'analyse transactionnelle (*voir p. 221*)

Cette théorie de la communication, élaborée par le psychologue Eric Berne (1910-1970), utilise divers concepts dont le plus important est celui des états du Moi. Chacun de nous est composé de trois états psychologiques : le parent (autorité ou réconfort), l'adulte (analyse objective), l'enfant (humour, soumission). La communication entre deux personnes est tissée de « transactions » entre les états de leurs moi respectifs à tel moment. L'« analyse transactionnelle » (AT) a pour but de décoder ces processus de communication, voire de les modifier s'ils ne sont pas satisfaisants.

L'analyse de conversation (*voir p. 153*)

Ce nouveau champ de recherche qui a pris son essor dans les années 70 renvoie en fait à une multitude d'approches :
– l'ethnographie de la conversation (D. Hymes, J. Gumperz) ;
– l'ethnométhodologie (H. Garfinkel, puis H. Sacks et E. Schegloff) ;
– la sociolinguistique (W. Labov, J.A. Fishman) ;
– l'anthropologie de la communication (E. Goffman), les nouvelles théories de l'argumentation (N. Perelman, O. Ducrot) ; la linguistique pragmatique (J. Austin), et les approches proprement linguistiques (C. Kerbrat-Orecchioni).

L'analyse de conversation étudie les conversations en situation réelle. Elle montre que le langage courant est loin de correspondre aux règles de la grammaire formelle. Qu'il existe beaucoup de différences dans l'expression selon les milieux sociaux, les situations ; que le sens des mots et des expressions dépend beaucoup du contexte, des intonations et des expressions faciales qui les accompagnent. Que la conversation comporte beaucoup d'implicite (et donc suppose une culture commune entre les interlocuteurs), que la conversation est fortement ritualisée (tour de parole), etc.

Le sourire adoucit les mœurs

Le sourire est un important mode de communication non verbal. Il a pour principal effet de faire connaître à autrui l'état interne d'une personne (les dispositions psychiques). Dans toutes les cultures où il a été étudié, le sourire est d'abord censé exprimer la joie. Mais pas uniquement. Le psychologue Paul Ekman a recensé 19 sens différents du sourire ! On peut en effet sourire sous l'empire de la peur, ou par mépris et ironie. Dans ce dernier cas, le sourire est sensiblement différent : une partie de la bouche est plus déformée que l'autre...

Une deuxième fonction du sourire est de susciter chez autrui des attitudes positives. Des chercheurs ont ainsi constaté qu'au cours d'un jugement, si le délit est mineur, l'accusé souriant est jugé moins sévèrement. On comprend dès lors le caractère apparemment paradoxal des résultats d'une autre étude, menée en laboratoire. Les sujets ont eu tendance à sourire plus fréquemment à un partenaire d'expérience, à la fois quand on les a prévenus que celui-ci était amical ou quand on leur a dit qu'il était plutôt désagréable, comparativement aux sujets à qui aucune précision de ce type n'a été fournie. Une interprétation possible est que, face à une personne amicale, les sujets ont souri spontanément, tandis que face à une personne hostile, ils ont souri volontairement, afin de convaincre cette personne de leur ouverture d'esprit.

Le sourire est contagieux. Une étude menée sur des hommes politiques américains montre que lorsque ceux-ci sourient, ils induisent généralement un comportement identique chez le téléspectateur, quelle que soit l'orientation politique de ce dernier. Par ailleurs, un sourire suivi de réciprocité persiste nettement plus longtemps.

Last but not least, des études sur le sourire : les femmes sourient beaucoup plus que les hommes. Ce qui se constate même dans les publicités !

Bella M. DePaulo, « Nonverbal Behavior and Self-presentation », *Psychological Bulletin*, vol. 11, n° 2, mars 1992.

Fidèle à soi-même ou agréable aux autres ?

Quel comportement adoptons-nous face aux attentes d'autrui ? Le psychologue Mark Snyder a élaboré le concept de « *self-monitoring* » qui permet de répartir les individus en deux grandes catégories. Les individus à fort *self-monitoring* ont tendance à ajuster leur comportement en fonction des attentes du milieu social, tandis que ceux à faible *self-monitoring* agissent plus souvent conformément à ce qu'ils pensent ou ressentent. Evidemment, tout le monde se situe quelque part entre les deux extrêmes de ce comportement.

Un questionnaire permet de distinguer entre ces tendances. On y trouve des items tels que « *je peux paraître amical à l'égard de gens que je n'aime pas* » (caractéristique des personnes à fort *self-monitoring*) ou « *je trouve difficile d'imiter le comportement des autres* » (plus fréquemment coché par les personnes à faible *self-monitoring*).

Les individus à fort *self-monitoring* sont plus extravertis, s'efforcent de mieux comprendre les autres et ont plus tendance à résoudre les conflits grâce au compromis. Mais, revers de la médaille, ils sont plutôt pragmatiques et utilitaires dans leurs relations avec les autres et adoptent généralement des positions éthiques relativistes. Quant aux individus à faible *self-monitoring*, ils manifestent plus de cohérence entre leurs idées et leurs comportements et investissent plus émotionnellement dans leurs relations personnelles.

M. Snyder,
« Self-monitoring of expressive behavior », *Journal of Personality and Social Psychology*, 1974.

Yves Winkin*

VERS UNE ANTHROPOLOGIE DE LA COMMUNICATION ?**

La communication ne passe pas uniquement par la parole mais aussi par des gestes, des postures, des façons d'occuper l'espace... le tout dans un contexte donné. Tel est le regard de l'anthropologie de la communication, domaine d'étude prometteur mais encore assez peu exploité.

En 1967, l'anthropologue et linguiste américain Dell Hymes publiait un texte intitulé « L'anthropologie de la communication » (1). Il ne proposait pas la fondation d'une nouvelle discipline. Il voulait seulement rappeler que l'anthropologie se devait de prendre en considération les définitions « locales » de la communication. Dans les sociétés modernes, la « communication » désigne soit l'échange d'informations entre deux personnes, soit la transmission de messages par les médias. Mais qu'en est-il dans d'autres contextes ?

Dans la culture des Indiens Ojibwa, par exemple, il est admis que les dieux parlent aux hommes par l'intermédiaire des coups de tonnerre ; que les pierres sont des signes disposés par les dieux dans le désert pour aider les hommes à le traverser. Les vieux Zuni qui écoutent les coyotes aboyer à la nuit tombante disent qu'ils peuvent « retraduire » leurs « conversations » à l'intention des plus jeunes.

Selon D. Hymes, si tous ces faits relèvent de la communication, alors il faut insérer dans l'« économie communicative » d'une société tous les acteurs auxquels ses membres attribuent des intentions de communication (les dieux, les morts, les animaux, etc.) ainsi que tous

* Professeur d'anthropologie de la communication à l'université de Liège, Belgique. Auteur de *L'Anthropologie de la communication, de la théorie au terrain*, De Boeck université, 1996.

** *Sciences Humaines*, hors série n° 16, mars/avril 1997.

1. D. Hymes, « The Anthropology of Communication », dans FEX Dance (ed.), *Human Communication Theory : Original Essays*, Holt, Rinehort and Winston, 1967.

les moyens dont ces êtres disposent (éclairs, pierres, aboiements, etc.) pour parler aux hommes ou se parler entre eux. « *Dans toute culture ou communauté*, écrit-il, *le comportement et les objets en tant que produits (par fabrication et vocation) du comportement sont sélectivement organisés, utilisés, fréquentés et interprétés pour leur valeur communicative. Tout comportement et tout objet peuvent être communicatifs, et l'éventail des possibilités communicatives est bien plus large et plus significatif que notre attention courante à la parole ne le révèle.* » (2)

Bien sûr, le répertoire des comportements et des objets à valeur communicative varie d'une société à l'autre. C'est à l'anthropologue de reconstituer peu à peu le « territoire » de la communication dans la communauté qu'il étudie. Cette tâche n'a jamais été réalisée jusqu'au bout pour quelque société que ce soit. Mais l'appel de D. Hymes reste fondamental, pour trois raisons.

Il a, tout d'abord, ouvert la définition de la communication en y incluant l'intention attribuée à l'émetteur par le récepteur. Du coup l'émetteur peut être un dieu, et son message peut être une pierre.

Il a ensuite rappelé aux chercheurs en communication que l'anthropologie pouvait leur fournir des approches théoriques et méthodologiques très différentes de celles auxquelles ils sont habitués (tout particulièrement l'analyse de contenu appliquée aux messages médiatiques).

Enfin, il a balisé un nouveau champ de recherche qui mériterait d'être inséré au sein des sciences de l'information et de la communication. C'est l'objectif que se donnent aujourd'hui nombre de chercheurs en France et ailleurs, en redéployant la définition de la communication et, partant, des lieux où l'observer et des méthodes pour l'investir. On n'en finit jamais de redéfinir ce qu'est la « communication », car on en revient toujours à la même alternative, entre une vision restreinte de la communication et une autre plus globale.

La culture comme communication

La première définition est commode et classique : elle isole la communication comme l'ensemble des modalités spécifiques et explicites de transmission d'informations. Dans la vie de tous les jours, on parle de la communication comme d'un phénomène d'envoi et de réception de paroles, de lettres, de signaux, d'images, etc. La recherche spécialisée sur la communication s'inscrit majoritairement dans cette perspective : la sociologie des médias, la psychologie des interactions, la prospective sur les nouvelles technologies ne cessent d'utiliser, à la fois dans leurs travaux théoriques de construction de « modèles » et dans leurs analyses, une définition « télégraphique » de la communication, soit : un émetteur A envoie un message X à un récepteur B, grâce au support Z, etc. Les termes peuvent changer, le schéma de base reste.

Elargir ce schéma, c'est opter pour la difficulté, aussi bien parce que le sens commun s'en trouve chahuté que parce que la recherche ne s'est guère engagée

2. D. Hymes, *op. cit.*

dans cette voie. Il s'agit de concevoir la communication non comme un phénomène spécifique et limité, mais comme un concept intégrateur, permettant de penser autrement les rapports entre l'individu et la société, entre la société et la culture.

Dans cette perspective beaucoup plus large, on définira la communication comme l'ensemble des actes qui, au jour le jour, mettent en œuvre les « structures » qui fondent une société, c'est-à-dire sa culture. L'ensemble des actualisations de la culture dans les mille et un gestes de la vie quotidienne constitue la « communication ».

Le chercheur qui se risque dans cette refondation doit rapidement lever un obstacle majeur : la communication comme « performance de la culture » est une définition abstraite. On perçoit mal quel est son rapport à la multitude de faits particuliers qui la constituent. Elle risque dès lors d'être rejetée, autant par les pairs que par les lecteurs.

Il faut dès lors se reporter aux fondateurs de la notion de communication élargie : les chercheurs du « Collège invisible » de la Nouvelle communication, ou encore les membres de l'Ecole de Palo Alto, dont la formule emblématique (« On ne peut pas ne pas communiquer ») est devenue célèbre en France. Elle signifie que n'importe quel élément de temps, de lieu, de cadre présent dans notre vie est susceptible d'être un élément de communication. L'anthropologue Ray Birdwhistell illustrait cela d'un exemple frappant : *« Tout étudiant qui a jamais attendu un coup de fil dans son dortoir un soir sait combien un téléphone silencieux peut être bruyant. »* Il faisait allusion à la pratique généralisée sur les campus américains du rendez-vous (galant) du vendredi entre étudiants. Dans ce cadre, le téléphone qui ne sonne pas est un message effectif. Son idée est de montrer que la communication ne se limite pas à la transmission intentionnelle d'informations verbales. La culture comporte certaines attentes, et si celles-ci ne se réalisent pas, cela signifie quelque chose. Cette remarque ouvre sur une conception quasiment sans limites de ce qui est susceptible d'être une composante de communication. Si un téléphone muet est capable de « dire » quelque chose, alors beaucoup d'autres choses le peuvent aussi. La communication ne se limite donc pas chez R. Birdwhistell au message, ni même à l'échange, à l'interaction ; elle inclut aussi le système, le contexte qui les rend possibles et qui peut charger la non occurrence d'une valeur informative équivalente à un message explicitement délivré. On remarquera cependant que, dans la pratique, la réflexion du groupe de Palo Alto a porté essentiellement sur la dynamique du couple et de la famille, même si Gregory Bateson, qui a fondé intellectuellement le mouvement, pensait en termes plus généraux, en sa qualité d'anthropologue des systèmes humains.

Sans aboutir à une définition exhaustive, cette vision élargie de la communication peut être caractérisée à partir de cinq principes. :

– **la communication est un phénomène social.** Chaque acte de transmission de message est intégré à une matrice beaucoup plus vaste, comparable dans son extension à la culture. C'est cette matrice qui reçoit le nom de communication sociale. Elle constitue l'ensemble des codes et des règles qui rendent possibles et maintiennent dans la régularité et la prévisibilité les interactions et les relations entre les membres d'une même culture. L'individu est vu comme un acteur social, comme un participant à une unité qui le subsume ;

– **la participation à la communication.** Elle s'opère selon de multiples modes, verbaux et non verbaux, qui peuvent faire l'objet d'approches spécifiques : paralinguistique, proxémique, kinésique, haptique (3). La plupart du temps, les activités communicatives sont des activités de contrôle, de confirmation, d'intégration, où la redondance joue un rôle important. C'est donc moins le contenu que le contexte, l'information que la signification que le chercheur en communication sociale cherche à cerner ;

– **l'intentionnalité ne détermine pas la communication.** Lorsque deux personnes parlent dans une langue donnée, elles participent à un système qui était là avant elles, et qui leur survivra. En d'autres termes, l'acte réalisé dans l'ici et le maintenant de l'interaction n'est qu'un moment dans un mouvement beaucoup plus vaste : celui de la culture comme flux d'informations ;

– **la communication sociale se laisse appréhender par l'image de l'orchestre.** Les membres d'une culture participent à la communication comme les musiciens participent à l'orchestre. Mais il n'y a pas de chef et pas de partition : ils se guident mutuellement les uns les autres ;

– **l'observateur fait nécessairement partie de l'orchestre.** Même s'il vient d'une autre société. Du coup, la seule façon d'étudier la communication en actes est l'observation participante, à la façon des anthropologues.

Terrain, journal et données

L'anthropologie de la communication s'est dotée d'une définition terriblement ambitieuse : la communication est coextensive à la culture. Comment opérationnaliser une telle perspective ? Réponse : en travaillant très finement de petits terrains bien circonscrits, qu'il s'agisse de lieux publics (un quai de gare), semi-publics (une terrasse de café) ou privés (le salon familial) ; ou encore de lieux de travail (un studio de TV), de résidence (une maison de retraite) ou de loisir (un club de vacances). Il faudra observer les comportements qui s'y déroulent et les décrire aussi minutieusement que possible dans son journal de bord. On parlera de démarche ethnographique pour caractériser cette approche. Associée à l'anthropologie de la communication, la démarche ethnographique repose sur trois savoirs ou compétences : savoir voir, savoir être (avec les autres), savoir écrire. Cette triple compétence peut s'exercer sur n'importe quel « terrain », n'importe quel lieu, n'importe quel groupe social. L'anthropologie contemporaine ne se définit plus par ses objets, mais par le regard qu'elle porte sur les objets qu'elle décide d'investir, par les rapports qu'elle entretient avec les acteurs sociaux, par l'écriture qu'elle utilise pour rendre l'expérience vécue.

3. Voir mots clés en fin d'ouvrage.

L'anthropologie de la communication participe pleinement de cette attitude à la fois modeste et ambitieuse. Modeste, parce que tout part et tout revient à des données, que l'on collecte presque sans le savoir, en écrivant tous les jours son journal, où l'on transcrit ses observations, ses réflexions, ses émotions. Ambitieuse, parce que l'objectif final est celui d'une contribution scientifique à l'étude de la culture en acte, quelles que soient les dimensions du terrain que l'on se donne. En effet, il est posé que « l'universel est au cœur du particulier » : plus l'étude sera fine, et plus elle permettra de démonter les *patterns* de la culture, les régularités qui sous-tendent la production quotidienne de la société. Ainsi, Natacha Adam s'est glissée pendant un an dans une école primaire multiculturelle de Liège (avec l'accord des enseignants, bien sûr). Du fond d'une classe, toujours la même, elle observait les interactions entre les enfants et leur institutrice et, sur le temps de midi, elle « surveillait » la cour de récréation. Tous les soirs, elle écrivait les petits événements de la journée dans son journal. Sa question de base : comment la communication interculturelle fonctionne-t-elle au jour le jour ?
Quelles sont les modalités verbales et non verbales que les enfants utilisent pour construire la différence ? (4) Dans son livre, elle décrit les injures que les enfants lancent (« tu pues ! »), mais aussi les danses « zoulou » dans lesquelles de petites Africaines entraînent leurs copains et copines, au grand effarement des institutrices. Ce qu'elle a vécu à Liège, N. Adam aurait pu le connaître ailleurs en Europe, sinon aux Etats-Unis. Certes, chaque pays connaît une idéologie multiculturaliste différente (l'attitude de l'école « intégratrice » française en serait un exemple particulièrement net). Mais N. Adam retrouve ainsi certains résultats des études (américaines) de Tracy Kidder (5), ou de S. Brice Heath, (6). Son travail se situe dans l'ici et maintenant d'une petite école liégeoise mais il permet de réfléchir aux relations interculturelles enfantines d'une manière beaucoup plus générale.

Une anthropologie OVNI ?

Ce pari de la généralisation, l'anthropologie de la communication le fait comme toute anthropologie. Le travail se fait par coups et par touches, mais l'objectif final est d'offrir aux lecteurs un savoir global. Ce pari est ambitieux dans le cas de l'anthropologie de la communication parce qu'elle doit faire face à un bien étrange constat : elle veut fonctionner à partir d'objets non identifiés.
En effet, l'anthropologie de la communication proposée par D. Hymes se donnait pour objet l'économie communicationnelle de chaque société. Vaste programme, jamais réalisé. Mais au moins pouvait-on comprendre d'emblée ce que cette anthropologie cherchait à étudier. Dans le cas de l'anthropologie de la communication « élargie »,

4. N. Adam, *Comment le racisme vient aux enfants*, De Boeck, à paraître.
5. T. Kidder, *Among Schoolchildren*, Houghton Mifflin, 1989.
6. S. Brice Heath, *Ways with Words. Language, Life and Work in Communities and Classrooms*, Cambridge University Press, 1983.

où la communication devient la performance de la culture, il n'y a plus d'objet concret à investir. Cette anthropologie de la communication risque-t-elle dès lors de se dissoudre dans l'éther des théories trop pures ? Non, pour trois raisons. Tout d'abord, elle reste très concrète grâce à son appui sur la démarche ethnographique. L'anthropologie de la communication se fonde sur des lieux vivants, des situations réelles, des expériences personnelles, dont elle tire des enseignements sur les modes d'accomplissement de la culture dans la quotidienneté. Ensuite, parce que l'anthropologie de la communication se définit non comme une discipline, mais comme un cadre, une perspective, une forme, permettant de travailler avec quelque cohérence théorique et méthodologique. C'est une anthropologie communicationnelle, comme il y a une anthropologie visuelle, cognitive ou sémiotique. Elle veut offrir aux chercheurs en communication les moyens d'investir d'autres objets que les médias, elle leur donne les moyens de construire « communicationnellement » tout objet qui les interpelle. Aux chercheurs de comprendre que cette liberté théorique n'est pas une nouvelle licence pour écrire n'importe quoi au nom de la communication. La vigueur de la méthode ethnographique à laquelle s'associe l'anthropologie de la communication devrait d'ailleurs décourager plus d'un dilettante.

Mais – et c'est la troisième raison de croire que l'anthropologie de la communication ne risque pas de s'évaporer dès son apparition à l'air libre – la redécouverte au sein des sciences de l'information et de la communication que les chercheurs sont responsables de leur objet, que celui-là n'est donc pas *a priori* constitué par les médias et les nouvelles technologies, peut amener un vigoureux courant d'air frais dans un univers scientifique qui a trop tendance à toujours utiliser les mêmes modèles et à formuler les mêmes interrogations à propos des mêmes objets.

Avec l'arrivée de cette perspective « ovni », de nouvelles têtes risquent d'apparaître, de nouveaux projets de circuler et des certitudes de tomber. Ne fût-ce que pour cette dernière raison, l'aventure intellectuelle de l'anthropologie de la communication vaudrait la peine d'être tentée en France.

Autour d'un colloque : comment s'ignorer poliment

La communication interpersonnelle n'est pas seulement faite de mots : regards, expressions faciales, gestes, attitudes, déplacements du corps sont susceptibles d'agir comme des signes et d'intervenir dans la régulation des activités humaines. D'où l'importance des pratiques d'observation, qu'elles soient directes ou médiatisées par des films, des photographies, des croquis. La kinésique, la proxémique, souvent limitées à l'analyse de conversation, s'appliquent également aux interactions collectives. Yves Winkin en donne un exemple à partir de photographies prises lors d'un colloque scientifique qui se passait dans un château, à la campagne, en 1984 (1).
Dans ce genre de réunion, en dehors des moments formels – les conférences, où l'attention est obligatoirement centrée sur une personne –, les interactions entre les participants ne sont réglées par aucun plan explicite, ne répondent apparemment à aucune règle collective, et peuvent prendre des formes assez variées. Erving Goffman les qualifie de « diffuses ». Y. Winkin montre comment on peut extraire de ces situations des images révélatrices de structures de comportement assez générales. Par exemple, un des problèmes des interactions « diffuses » est, comme l'a analysé E. Goffman, la gestion de l'engagement de soi vis-à-vis des autres : il s'agit de se rencontrer et de se quitter sans risquer de désagrément majeur.

« Les participants viennent de sortir du château et chacun attend que quelque chose se passe. Cette silhouette reflète donc une situation d'entre-deux très temporaire et indécise. En se positionnant en ligne, les membres de cette interaction diffuse se donnent la possibilité soit d'engager la conversation, soit de se retirer pour rejoindre une autre personne ou un autre groupe : il suffit de sortir de l'alignement sans croiser les regards. Les interactants n'ont nul besoin de déployer l'arsenal de rupture des engagements ("excuse-moi" – "je vous en prie" – "je vais..." – "allez-y"). C'est une forme de mise à disposition des acteurs sociaux dans nombre de situations de transit. »

« Les participants viennent d'être invités à rentrer au château ; quelques-uns restent assis sur le parapet du pont qui surplombe les douves, surveillant les rentrées. La distance entre les deux murets est telle qu'elle permet de ne pas engager de conversation avec les vis-à-vis éventuels. Lorsqu'ils ont repéré quelqu'un d'intéressant, ils l'accostent d'un mot ou lui emboîtent le pas et engagent la conversation : ils sont ainsi assurés de se retrouver assis à côté de cette personne dans la salle. La procédure est quelque peu plus risquée que dans la situation précédente, car il faut parfois rompre très rapidement une conversation en cours, et la rupture peut ne pas se produire : le membre qu'on veut délaisser peut très bien ne pas (vouloir) comprendre et emboîter le pas à son tour. La porte d'entrée offrira une autre possibilité de délestage : on laissera passer devant soi la personne que l'on veut encadrer et, tout en lui parlant, on se faufilera derrière elle, en constituant un pare-engagement contre la troisième personne. La grammaire interactionnelle qu'exige cette situation est relativement complexe – mais la vie ordinaire est ainsi faite qu'un déploiement de règles ne sont vraiment efficaces que lorsqu'elles restent parfaitement invisibles. »

1. Voir Y. Winkin, « La maîtrise visuelle de l'ordinaire », *Anthropologie de la communication, de la théorie au terrain*, De Boeck Université, 1996.

Edmond Marc*

LE FACE-À-FACE ET SES ENJEUX**

On définit souvent la communication comme une transmission d'informations. Mais cette vision est beaucoup trop étroite. Nous communiquons aussi pour nouer des relations, pour partager des émotions et des sentiments, pour agir sur autrui, pour conforter notre identité ou celle des autres.

La communication comporte le plus souvent deux visées distinctes : faire passer un contenu et définir la relation entre les interlocuteurs (1). En effet, tout message transmet d'abord un contenu (informations, opinions, jugements, sentiments, attentes...) ; mais en même temps, il tend à instaurer, plus ou moins directement, une certaine relation entre les interlocuteurs.

Si, par exemple, un homme dans un café demande à une jeune femme solitaire à une table voisine : *« Avez-vous l'heure ? »*, le contenu est clairement une demande d'information, mais le sens implicite est peut-être : *« Je souhaiterais entrer en relation avec vous. »*

Notre « place » détermine notre communication

La définition de la relation résulte pour une large part d'un « rapport de places » qui structure la communication. Ce rapport peut être préalable au contact. Si je vais, par exemple, chez le médecin, la place et l'identité situationnelle de chacun sont clairement définies : je suis là en tant que patient, et mon interlocuteur va interagir avec moi en tant que médecin. C'est pourquoi la nudité et le toucher vont être considérés comme

---

* Professeur de psychologie à l'université Paris-X-Nanterre. A notamment publié *L'Interaction sociale*, Puf, 1996 (avec D. Picard).

** *Sciences Humaines*, hors série n° 16, mars/avril 1997.

1. Cette distinction a été introduite par l'approche systémique de la communication. Voir E. Marc et D. Picard, *L'Ecole de Palo Alto*, Retz, 1984.

« normaux » alors qu'ils ne le seraient pas dans un autre type de rapport. Un grand nombre de rapports sociaux (maître/élève, client/vendeur, parent/enfant, patron/employé...) sont des rapports préétablis, fixant par avance l'identité sociale, les rôles et le style de communication des protagonistes. Mais d'autres sont plus ouverts : si je rencontre une inconnue dans une soirée, la place à partir de laquelle nous allons communiquer n'est pas déterminée par avance. Ainsi, je peux découvrir que nous avons la même profession et discuter en tant que « collègues » ; ou bien m'apercevoir que nous avons des enfants du même âge et parler en tant que « parents » ; ou encore, si je la trouve attirante, me situer comme homme face à une femme en adoptant une attitude séductrice...

Le rapport de places peut être défini par référence à trois grands axes, chacun d'eux s'inscrivant dans une polarité antagonique. Le premier a trait à la *symétrie* ou l'*asymétrie*. Dans le rapport symétrique, les interlocuteurs se situent comme pairs ; ils ont des positions semblables qui se marquent par des messages en miroir (c'est le cas des relations entre amis ou entre collègues de même statut). A l'inverse, dans le rapport asymétrique, les positions, attitudes et messages sont différents (comme dans une relation parent/enfant ou acheteur/vendeur). Cette asymétrie peut elle-même être analysée selon l'axe *hiérarchie/complémentarité*. Dans le rapport hiérarchique (ou vertical), il existe une « position haute » et une « position basse » (qu'elles résultent d'une situation objective, comme dans le cas de la relation patron/subordonné, ou d'une position subjective : sentiment de supériorité/sentiment d'infériorité). Dans le rapport complémentaire, les positions s'ajustent mutuellement sans impliquer de hiérarchie et de relation de pouvoir (comme entre le vendeur et son client). Il est vrai qu'une relation complémentaire peut glisser vers la relation hiérarchique (comme cela a été souvent le cas dans les relations hommes/femmes).

Un deuxième axe, que l'on peut qualifier d'horizontal, définit le degré de familiarité entre les protagonistes de la relation. Il s'inscrit dans une polarité *distance/proximité*. La proximité caractérise les relations de familiarité, de solidarité, d'intimité. A l'inverse, la distance marque la relation aux inconnus, aux étrangers et à ceux dont l'écart de statut est important (le simple citoyen face à un dignitaire de l'Etat).

Un troisième axe traduit le degré de *convergence* ou de *divergence* entre les protagonistes. Cette polarité peut s'exercer au niveau des opinions (accord/désaccord), des intérêts (coopération/compétition), des positions (consensus/conflit), des affinités (attirance/répulsion) et des sentiments (sympathie, amour/antipathie, haine)...

Chaque rapport peut être défini par la position de la relation sur ces trois axes : ainsi la relation entre amis est le plus souvent une relation symétrique, non hiérarchique, proche et convergente. Mais bien entendu, une position n'est pas forcément stable, figée ou exempte d'ambivalence : ainsi le rapport parent/enfant qui est souvent un rapport asymétrique, hiérarchique, proche et convergent évolue avec l'âge de l'enfant ; l'adolescent, par exemple, peut contester le caractère hiérarchique du rapport ou prendre plus de distance affective à l'égard de ses parents.

Lorsque l'identité et le rapport de places entre les interlocuteurs sont clairement définis, la communication l'est généralement aussi. S'il y a ambiguïté, la communication peut être plus complexe et source éventuelle d'embarras. Il peut alors y avoir négociation implicite pour redéfinir la relation et « remettre chacun à sa place ».

A travers la notion de rapport de places, nous avons vu un des aspects selon lequel se structure la communication interpersonnelle. Cependant, cette approche laisse échapper en grande partie le sens et la valeur affective que revêt la relation pour ceux qui y sont engagés. Et c'est donc cette dimension intersubjective de la communication qu'il faut maintenant évoquer.

Affinités et processus inconscients

Elle renvoie aux mouvements affinitaires et pulsionnels qui constituent le ressort fondamental de toute relation où intervient une part de choix (la camaraderie, l'amitié, l'attachement, l'amour… et leurs contraires).

Selon Jean Maisonneuve, les affinités sont d'abord *« un certain vécu lié à l'attrait (et à l'attachement) actuel et mutuel entre des personnes qui s'appellent et se répondent, depuis le signe d'accord le plus fugitif jusqu'au partage le plus confiant »* (2).

Mais la relation intersubjective est marquée aussi par des mécanismes inconscients que la psychanalyse a bien mis en lumière : la projection et l'introjection, l'identification, le transfert, etc. Par la *projection*, j'attribue à autrui des sentiments, des motivations et des attitudes qui découlent de mon propre fonctionnement psychique. Je projette sur lui mes peurs, mes angoisses ou mes attentes (ainsi le timide peut projeter sur autrui une image parentale dont il redoute le jugement). A l'inverse, dans l'*introjection*, ce sont des caractéristiques d'autrui ou de la relation à autrui qui sont intériorisées par le sujet. Ces mécanismes sous-tendent l'*identification*, processus par lequel une personne se perçoit, au niveau imaginaire, identique à une autre par rapport à un trait, une attitude ou de façon globale. L'affinité et la sympathie découlent en partie de l'identification qui intervient comme un facteur important dans l'amitié ou la solidarité groupale.

Enfin, la psychanalyse a souligné l'importance du *transfert*, qui se manifeste dans la cure mais qui, plus largement, marque les relations affectives dans le sens où elles tendent à répéter des prototypes relationnels de l'enfance. Ainsi, nous avons tendance à « transférer » sur certaines personnes le type de relations qui nous unissait enfant à notre entourage familial : ces personnes viennent dans l'imaginaire prendre la place des parents ou de frères et sœurs (ainsi un étudiant peut avoir, face à un professeur, la même attitude de soumission ou de révolte latente qu'il avait face à son père).

Jeux et stratégies

On a vu comment la communication interpersonnelle répond à un rapport

2. J. Maisonneuve et L. Lamy, *Psychosociologie de l'amitié*, Puf, 1993.

de places qui la structure, comment elle est sous-tendue par des mouvements affectifs et des mécanismes inconscients. Il faut aussi aborder sa dynamique qui résulte des enjeux qui l'animent (3).

Les enjeux peuvent être opératoires et instrumentaux, et donc viser un effet au niveau de la réalité. Mais ils sont aussi d'ordre symbolique. Les interactions sociales impliquent presque toujours, ainsi que l'a montré Erving Goffman (4), une « représentation » de soi où l'acteur cherche à produire, à imposer ou à défendre une image valorisée de lui-même face à autrui (faire « bonne figure » ou ne pas « perdre la face »). La définition la plus large de l'enjeu peut donc être la recherche d'une satisfaction, d'un gain ou d'un profit (réel ou symbolique).

On peut distinguer, à ce niveau, deux types de stratégies : l'une tend à maximiser les profits et l'autre à minimiser les risques (la première peut être illustrée par le comportement de celui qui, dans une conversation, cherche à briller ; la seconde par le comportement de celui qui garde une certaine réserve prudente pour ne pas commettre d'impairs).

La recherche d'une satisfaction ou d'un gain peut se spécifier aussi selon des modes relationnels divers, dont certains cependant semblent occuper une place dominante : les rapports de pouvoir et les rapports de séduction.

Le rapport de pouvoir définit un jeu compétitif où chacun essaye de l'emporter sur l'interlocuteur (avoir raison, avoir le dernier mot, donner une meilleure image, être le plus fort...). Le rapport de séduction instaure un jeu coopératif où s'expriment la reconnaissance réciproque, l'affinité, la valorisation mutuelle. Dans la réalité, bien sûr, ces deux rapports peuvent alterner ou même se combiner (la recherche de pouvoir pouvant utiliser la séduction, et la séduction comporter une visée de pouvoir).

L'auditeur produit le message

Au niveau des acteurs, les enjeux influencent les processus d'expression et de communication. Du côté du locuteur, le discours tenu peut apparaître comme une sorte de *compromis* entre un mouvement expressif (intérêt, motivation, intention...) qui le pousse à parler, et une force de répression (inhibition, censure, précaution...) qui l'amène à contrôler ses propos et qui se traduit par des « mécanismes de défense communicationnels ».

De ce conflit résultent le partage entre le dit et le non-dit et certaines modalités sémantiques et syntaxiques du discours. Du côté de l'auditeur, opère un processus d'*interprétation* qui conduit celui-là à mettre en œuvre, en raison de sa position, des mécanismes de sélection et d'inférence qui sont autant des réactions à l'intention du locuteur qu'à la façon dont il perçoit celle-ci à travers le prisme de sa subjectivité. Ainsi, *« chaque récepteur contribue à produire le message qu'il perçoit, et l'apprécie en y important tout ce qui fait son expérience singulière et collective ».* (5)

---

3. Voir dans ce même ouvrage, « Pour une psychologie de la communication », p. 55.
4. Voir notamment E. Goffman, *Les Rites d'interaction*, Editions de Minuit, 1974.
5. P. Bourdieu, *Ce que parler veut dire*, Fayard, 1992.

En tant qu'elle cherche à atteindre certains buts, la communication interpersonnelle répond donc à certaines stratégies. Celles-là peuvent s'analyser à la lumière de la notion de jeu, telle que l'a élaborée notamment « l'analyse transactionnelle » fondée par le psychiatre américain Eric Berne (6). Le jeu est pour lui un schéma de conduite (une sorte de scénario) que la personne suit de façon répétitive dans ses relations à autrui (par exemple, la personne qui se situe toujours en victime et place autrui dans la position de persécuteur ou de sauveur).
Une autre dimension des stratégies interlocutoires est de produire, de faire reconnaître et de défendre une certaine image de soi ; on peut parler dans ce sens de « stratégies identitaires » (7), lesquelles, en partie inconscientes, sous-tendent une part importante des communications.

La quête de reconnaissance

En effet, les communications interpersonnelles, au-delà de leurs visées instrumentales, sont animées par une quête de reconnaissance dont dépend dans une large mesure la perception de soi.
On peut constater d'ailleurs que la plupart des rituels d'interaction qui régulent les relations quotidiennes (et qui constituent ce qu'on appelle la politesse ou le savoir-vivre) tendent à manifester la reconnaissance d'autrui, à valoriser les interlocuteurs, à ménager leur susceptibilité, à faire que la communication interpersonnelle stabilise et soutienne le rôle, l'image et l'identité de chacun (8).
La demande de reconnaissance suit, dans son expression, les lignes de force de différents besoins identitaires à travers lesquels elle se spécifie et se manifeste :
– il y a d'abord le *besoin d'existence* et de considération (être visible aux yeux d'autrui, être connu par son nom, être pris en compte, être respecté...) ;
– le *besoin d'intégration* (être inclus dans un groupe ou dans une communauté, y avoir une place reconnue, être considéré comme semblable ou égal aux autres...) ;
– le *besoin de valorisation* (être jugé positivement, donner une bonne image de soi, être apprécié...) ;
– le *besoin de contrôle* (pouvoir maîtriser l'expression et l'image que l'on donne de soi, l'accès d'autrui à sa sphère d'intimité) ;
– le *besoin d'individuation* (être distingué des autres, affirmer sa personnalité propre, pouvoir être soi-même et accepté comme tel) (9).
On peut avancer que la quête de reconnaissance est à la fois l'un des moteurs inconscients de la communication et l'un des processus fondamentaux à travers lesquels se construit l'identité personnelle. En effet, cette identité reste toujours largement dépendante du rapport aux autres et du regard d'autrui. Ce regard, réel ou imaginaire, perçu ou anticipé, est un miroir dans lequel je recherche constamment ma propre

6. E. Berne, *Des jeux et des hommes*, Stock, 1975.
7. Voir C. Camilleri et al., *Stratégies identitaires*, Puf, 1990.
8. Voir D. Picard, *Les Rituels du savoir-vivre*, Seuil, 1995, et l'article de D. Picard dans cet ouvrage, p. 169.
9. Voir E. Marc Lipiansky, *Identité et Communication*, Puf, 1992.

image : « *Il suffit qu'autrui me regarde,* comme l'a écrit Sartre, *pour que je sois ce que je suis.* » C'est-à-dire pour que je sois renvoyé à une perception de moi-même qui n'est pas une perception étrangère, mais qui fait partie de mon identité la plus intime.

Le regard d'autrui (comme réalité concrète, comme projection des expériences passées et comme anticipation imaginaire) est à la fois redouté et recherché ; car j'ai besoin des autres, du miroir qu'ils me tendent, pour me confirmer et évaluer ma propre image ; comme le souligne Ronald Laing : « *Toute "identité" requiert l'existence d'un autre : de quelqu'un d'autre, dans une relation grâce à laquelle s'actualise l'identité de soi.* » (10) Mais ces identités « situationnelles » ou « circonstancielles » qui se forgent dans les communications interpersonnelles ne sont pas de simples rôles qu'on endosserait comme un vêtement et qu'on laisserait ensuite au vestiaire. Elles affectent plus ou moins profondément l'identité personnelle selon le degré d'implication dans ces rôles et l'importance existentielle de l'interlocuteur. C'est dans ce sens que la communication interpersonnelle influe constamment sur la conscience de soi, comme l'identité et la place des interlocuteurs influent sur la communication.

10. R. Laing, *Soi et les autres*, Gallimard, 1971.

Jean-Baptiste Fages*

LE « COLLÈGE INVISIBLE »**

Les préoccupations et les travaux de Gregory Bateson, Paul Watzlawick ou Erving Goffman n'ont, semble-t-il, rien en commun. Le premier, anthropologue, a tout d'abord étudié les sociétés de Bali, le second est psychothérapeute et philosophe ; le dernier est sociologue et a étudié les rites d'interaction dans les rencontres. Pourtant, un fil conducteur unit ces auteurs – et quelques autres – en un « collège invisible ».

Au cours des années 50-80, les membres de ce « collège », travaillant dans divers centres universitaires à travers les Etats-Unis, mènent un ensemble de recherches pluridisciplinaires sur les phénomènes de communication interindividuelle, sur la communication de groupe, sur les symboles, les rites, etc. Or, bien qu'ils n'aient pas disposé d'un pôle institutionnel unique, ces chercheurs issus d'horizons différents, se retrouvent autour d'un certain nombre de concepts – *double bind*, kinésique, proxémique, signalétique… (1) – et présentent finalement entre eux une très grande parenté méthodologique, compte tenu des rapports qu'ils entretiennent régulièrement. On a souvent entendu parler de l'Ecole de Palo Alto, mais il paraît plus juste *« pour mieux faire ressortir le caractère à la fois personnel (non institutionnel) et intellectuel de ce réseau »* de reprendre la métaphore de *« collège invisible »* proposée par Yves Winkin (2).

Gregory Bateson : *double bind* et communication paradoxale

S'il est un chercheur à qui le qualificatif « pluridisciplinaire » convient particulièrement, c'est bien à cet anthropologue – époux de Margaret Mead – qui mène des enquêtes ethnologiques sur les

* Auteur de nombreux ouvrages de vulgarisation en sciences humaines.

** *Sciences Humaines*, n° 4, mars 1991.

1. Voir mots clés en fin d'ouvrage.

2. Y. Winkin, *La Nouvelle Communication*, Points Seuil, 1981.

rituels en Nouvelle-Guinée, entreprend des travaux sur l'apprentissage et « l'autocorrection » et s'intéresse à la sociologie et à la psychiatrie. Il propose des thérapies et des théories sur l'alcoolisme et la schizophrénie tout en menant une réflexion épistémologique sur les terrains qu'il parcourt ainsi que sur la cybernétique ou la théorie des systèmes (3). Sans être psychanalyste, il a fourni aux héritiers de Freud deux concepts stimulants : le *double bind* et la communication paradoxale.

Le *double bind*, c'est la contrainte double, ou plus précisément, la double injonction contradictoire. Soit l'ordre : *« soyez spontané ! »* L'impératif annule la teneur du message : lui obéir, c'est s'exclure de la spontanéité ; ne pas obéir, c'est refuser le message. Ces relations intenses et contradictoires s'établissent en amitié, amour, captivité, relations de dépendance, etc. Celui qui reçoit le message est contraint de réagir, mais sa réaction, critique ou repli sur soi, n'est pas appropriée. Soit la relation entre un enfant et une mère hostile : celle-ci se retire si l'enfant approche, puis stimule une approche ; retour alors de l'enfant et nouveau retrait de la mère... Dès lors, l'enfant est « coincé ».

En 1956, G. Bateson interprète le *double bind* comme une duperie dans laquelle l'enfant est « puni ». Il est puni parce qu'il interprète tantôt correctement (le contexte, la duperie), tantôt de travers (le message apparent de l'affection). Mais cette première interprétation sera revue en 1963 ; la double contrainte est alors conçue *« non dans les termes d'un bourreau (*binder*) et de sa victime, mais en termes de personnes prises dans un système permanent qui produit des définitions conflictuelles de la relation »* (4). La lecture va alors s'inverser, G. Bateson n'analyse plus *« la double contrainte au sein du système familial, mais le système familial au sein de la double contrainte »* (5).

Face au *double bind*, l'individu pourra se lancer dans une quête obsessionnelle des indices de solution, fussent-ils les plus invraisemblables ; il peut obéir mécaniquement à tout et à son contraire ; ou encore se retirer du jeu... Que faire pour se libérer ? G. Bateson a lancé le concept de communication paradoxale ; tour à tour, on peut alors jouer la contradiction ou la déjouer. On pense au paradoxe du comédien dans le premier cas. Et dans le second, à de multiples ruses dont peuvent être capables les interlocuteurs, par exemple le faux serment ou la fausse promesse qu'invalide la contrainte ; l'humour qui procède par antiphrases, etc.

Ces observations conduisent G. Bateson à établir une hiérarchie dans les apprentissages : percevoir le signal, réagir par « réflexe conditionné », apprendre à apprendre, accéder au système global qui ordonne l'ensemble. Pour comprendre la connaissance elle-même (épistémologie), il tient compte aussi bien des codes digitaux fondés sur des oppositions (par exemple l'informatique) que des codes analogiques (images visuelles) ; univers hiérarchisé dans le premier cas (*creatura*), univers de correspondance (*pleroma*) dans le second. En tout état de cause, l'homme

3. Voir mots clés en fin d'ouvrage.
4. *Op. cit.*
5. *Op. cit.*

moderne doit se libérer des frénésies d'individualisme dominateur (*hubris*) pour jouer le jeu social, écologique, voire poétique, de toutes les interconnections.

L'Ecole de Palo Alto

Palo Alto est une petite ville de la banlieue de San Francisco, proche de l'Université de Stanford. L'équipe de Palo Alto va capter de nouveaux chercheurs audacieux, dont le psychiatre et analyste Don Jackson, venu du Maryland. Celui-ci fonda à Palo Alto le Mental Research Institute (1959) pour des recherches et des traitements de psychothérapie.

L'idée de système va prévaloir. La première hypothèse et le premier champ d'application de D. Jackson consiste à traiter le patient individuel dans son ensemble familial et à considérer la famille comme un système homéostatique régi par un ensemble de règles. Ainsi, la famille peut se donner un équilibre ayant besoin de la maladie d'un de ses membres. C'est donc à un nouvel équilibre global qu'il faut procéder. D. Jackson reprend alors le principe du *double bind* : le patient se trouve vis-à-vis du psychiatre dans une relation analogue à celle de l'enfant vis-à-vis de la mère; obéir au praticien, c'est contredire ses propres plaintes (du genre : *« c'est plus fort que moi »*) ; lui désobéir, c'est se comporter en non-malade. La solution à trouver est donc celle d'un nouveau type de jeu, avec de nouvelles règles.

D. Jackson meurt prématurément en 1968. Les équipes se renouvellent à un rythme rapide; mais la réputation internationale de Palo Alto comme centre d'innovation et de formation s'étoffe. Innovateurs et chercheurs plus classiques mettent en perspective le modèle anglo-saxon et protestant de la famille, et analysent des modèles différents.

Dans l'équipe de D. Jackson, Paul Watzlawick va entraîner les travaux vers une logique de la communication. Cet Autrichien, formé à la philosophie en Italie, à la psychanalyse en Suisse, se passionne pour les recherches modernes de logique et de philosophie du langage. Il enseigne en Amérique latine et finit par rejoindre les équipes de Palo Alto. Il va saisir et formuler la logique des démarches et pratiques de G. Bateson, D. Jackson et des tenants de l'antipsychiatrie.

Alors que se développent en France les analyses structurales des textes littéraires (Roland Barthes, Gérard Genette), P. Watzlawick soumet une pièce d'Edward Albée : *Qui a peur de Virginia Woolf ?* à une critique selon la logique des systèmes ouverts, en interaction continue. L'exemple est pertinent : il propose à partir de la fameuse scène de ménage du film l'analyse d'un dialogue conflictuel en escalade symétrique; *« tout jeu comporte une tactique; le style de George et celui de Martha sont très différents (...) mais leurs tactiques respectives s'enclenchent adroitement, chacun évite d'employer la tactique de l'autre. L'escalade, tout au long de la pièce, aboutit à un éclatement du système et cette rupture ouvre sur un système "d'échelle supérieure". »* (6)

Sur le terrain des thérapies, il tente de

6. P. Watzlawick, J.H. Beavin et D.D. Jackson, *Une logique de la communication*, Seuil, 1972.

systématiser le fonctionnement du paradoxe. Passer du changement 1 (améliorer le « système »), au changement 2 (transformer tout le système) ; sortir par exemple de la spirale de la violence, utiliser ses infirmités au lieu de les cacher. De fil en aiguille, P. Watzlawick relie une logique du changement à celle de la communication. Au lieu d'imposer son propre langage, son propre système, il s'agit de s'insérer dans celui du patient en vue d'une transformation intérieure.

Philadelphie : Ray Birdwhistell et la kinésique

De Palo Alto, nous passons à Philadelphie pour rencontrer R. Birdwhistell et ses disciples. Sudiste d'origine, il mène ses recherches sur le terrain et enseigne aux universités de Philadelphie, de Washington et de Toronto. Influencé par M. Mead, il entreprend divers travaux ethnologiques aux Etats-Unis, dans lesquels la tenue du corps et la gestuelle deviennent des objets privilégiés. Il s'intègre à l'équipe pluridisciplinaire de Palo Alto et devient célèbre par une étude minutieuse d'une séquence de neuf secondes du film *La Cigarette de Doris*. Cette analyse exemplaire illustre une thèse : gestes, langage parlé, touché, odorat, espace et temps représentent autant de modes d'un même système de communication. Aussi le chercheur est-il en étroit contact avec les linguistes dont il reprend et adapte les instruments.

Son *Introduction to kinesics*, dès 1952, représente la première grande étude systématique des faits gestuels. Aux phonèmes (7) de l'alphabet correspondent les kinèmes, petites unités du geste ou de la mimique : par exemple « l'œil gauche fermé ». Aux monèmes du lexique correspondent les kinémorphèmes, par exemple : « clin d'œil ». La kinésique devient une grammaire des gestes. Là-dessus se met en place une parakinésique, tout à la fois prosodie et poétique des gestes : intensité, durée, étendue, mais aussi rythmes constants, flux global, etc. Cette dimension plus large s'intègre à un contexte psychologique, social et culturel. Les « accents » gestuels expriment des particularités : région par région, milieu par milieu, à l'instar de ceux de la langue. Au demeurant, R. Birdwhistell ne cesse de confronter les « marqueurs » gestuels à ceux de la parole.

A Philadelphie, Albert Scheflen, psychiatre et thérapeute de formation, s'intéresse aux travaux de R. Birdwhistell. Il aborde les rapports entre gestes, postures et langage parlé. De surcroît, il étudie non seulement un état donné de la communication (synchronie) mais ses règles d'évolution (diachronie). Trois niveaux de communication corporelle se dégagent : le point, moment donné d'une situation (quelques secondes) ; la position ou posture générale du corps ; la présentation ou ensemble de la prestation. Pour en finir avec Philadelphie, signalons encore les études de Stuart Sigiman, né en 1955, qui représente la troisième génération (D. Jackson, E. Goffman appartenant à la deuxième). Il va plus particulièrement travailler sur l'analyse conversationnelle.

7. Voir mots clés en fin d'ouvrage.

Edward T. Hall et l'espace comme langage

Deux chercheurs, de mouvance différente, vont se rattacher au collège invisible. Tous deux entretiennent déjà des relations avec R. Birdwhistell et A. Scheflen à Philadelphie, et font naturellement référence à G. Bateson.

L'influence d'E.T. Hall tient, à certains égards, à des effets de mode. Deux de ses ouvrages, *La Dimension cachée* et *Au-delà de la culture*, connaissent de nombreuses traductions.

Sa carrière est particulièrement éclectique : docteur en anthropologie à Columbia (New York), il participe à plusieurs expéditions d'archéologie, d'anthropologie, devient formateur de diplomates, d'architectes, de psychiatres, d'anthropologues et, dans les années 70-80, enseignant dans diverses universités. Son nom se rattache plus particulièrement à la notion de proxémique où l'espace est compris comme un langage.

Son premier ouvrage de large diffusion, *Le Langage silencieux* (8) vulgarise les recherches et concepts des recherches américaines des années 50-60 sur la communication non linguistique : conception sociale du temps, organisation de l'espace d'interaction, changement social, etc. Mais déjà, il étage avec une ingéniosité classificatrice les « notes isolées », les « séries » (*sets*) et les « schémas » (*patterns*) et tend à définir la culture comme un ensemble de codes.

Cette codification, il va l'exercer dans son ouvrage le plus célèbre : *La Dimension cachée* (9), véritable grammaire de l'espace. Ainsi le monde nord-occidental communique selon quatre distances : intime/personnelle/sociale/publique. Là-dessus, des nuances se feront jour comme autant de dialectes entre Américains, Allemands, Français. Si nous passons aux pays arabes, aux Japonais, d'autres langages de l'espace sont structurés.

Autre classification, celle des espaces : ceux à organisation fixe de l'habitat nord-occidental depuis le XVIIIe siècle (cuisine, chambre, bureau, etc.) ; ceux à organisation semi-fixe (palais traditionnels, salles modernes d'attente) ; ceux à organisation variable comme en Extrême-Orient. Dans *Au-delà de la culture* (10), E.T. Hall conteste les prétentions de certains modernes à une architecture universelle (Le Corbusier) ; il plaide pour les particularités culturelles. Ici encore, il capte un courant actuel, post-moderne : la quête des relations de proximité à l'encontre de la généralisation universalisante.

Questions pour un bilan

Ce « collège » est-il une « accolade d'affinités » ou un réseau pertinent de méthodes et de travaux ? Une brève confrontation avec le structuralisme (11) français dans la même période vient activer la réponse. N'oublions pas que les chercheurs évoqués se réfèrent peu ou prou à ce courant français de méthodologie scientifique : parler de « système » était pour eux en consonance avec « structures ». La référence la plus

8. E.T. Hall, *Le Langage silencieux* (1959), trad. Mame, 1973.
9. E.T. Hall, *La Dimension cachée* (1966), trad. Seuil, 1971 et Points Seuil, 1979.
10. E.T. Hall, *Au-delà de la culture* (1976), Seuil, 1979.
11. Voir mots clés en fin d'ouvrage.

constante allait (à juste titre) vers Claude Lévi-Strauss. Mais la démarche structurale décrite par C. Lévi-Strauss est foncièrement déductive. Le chercheur construit son modèle, le plonge dans les faits (de langues, de récits, de données ethnographiques, etc.) pour découvrir des structures profondes. Et cette plongée va jusqu'à un inconscient culturel.

Dans un contexte américain empirique, pragmatique – et porté à réduire l'inconscient, à le ramener prestement à jour –, les positions radicales du structuralisme français risquaient de trouver plus de curiosité que d'influence. Ce qui caractérise tous ces chercheurs, c'est leur pluridisciplinarité, tant individuelle que collective : dans les domaines du psychisme, du social, du culturel, des langages et de l'espace… La rigueur affichée des Français pour la « pertinence » des méthodes impliquait une spécialisation. Or, qui dit « collège » dit pour le moins va-et-vient sur des terrains contigus mais différents.

Malgré tout, les hommes du collège invisible se caractérisent tous par le recours à une démarche de système : construire à un moment donné des concepts et des schémas ; relier les instruments par une logique interne et les appliquer aux faits. Cela vaut pour G. Bateson (*double bind*) comme pour D. Jackson (système familial) et, *a fortiori*, pour tous ceux qui se réclament de R. Birdwhistell. Quant à P. Watzlawick, il se rattache aussi à la logique moderne de l'Ecole de Vienne (12). Dans un contexte américain, ce collège invisible est le courant qui aura le plus poussé en avant la culture logique et déductive.

Il aura aussi inventé ses propres démarches et fait œuvre provocante de retour. Ce Collège n'est pas une « école » au sens rigoureux, européen, du terme : avec fondateurs et disciples. Il n'est pas un simple club d'affinités. Il est – il fut entre 1950 et 1980 – un milieu fécond d'échanges, de confrontations, de filiations, rétroactions. Exemple assez rare dans l'histoire de la culture de par la souplesse dans des interférences fortes. On pourrait évoquer le cas des encyclopédistes du XVIIIe siècle français.

12. Voir mots clés en fin d'ouvrage.

Edmond Marc*

PALO ALTO : L'ÉCOLE DE LA COMMUNICATION**

L'« Ecole de Palo Alto » est un courant de pensée réunissant des anthropologues, des psychologues, des thérapeutes, qui a renouvelé l'analyse des conduites humaines, en mettant l'accent sur les systèmes de relations plutôt que sur les individus. Ses recherches ont suscité une nouvelle approche thérapeutique - la « thérapie familiale » -, mais ont aussi influencé l'analyse de la communication et des processus de changement.

L'« ECOLE DE PALO ALTO » (du nom d'une petite ville californienne) désigne un courant de recherche pluridisciplinaire qui, dans les années 50, s'est intéressé à la problématique de la communication et à ses applications à la pathologie mentale. Ce qui a réuni les différents membres de cette école, c'est le recours à la démarche systémique comme référence commune. Un premier groupe constitué autour de Gregory Bateson, véritable inspirateur du mouvement, s'est surtout orienté vers la recherche; un second, animé par le psychiatre Don D. Jackson, a fondé en 1958 le MRI (Mental Research Institute) tourné vers la thérapie.

Né en 1904 en Angleterre, Gregory Bateson a suivi des études de sciences naturelles avant de se tourner vers l'ethnologie. Marié à l'anthropologue américaine Margaret Mead, il mène avec elle plusieurs enquêtes de terrain sur les cultures primitives.

La rencontre des sciences sociales et de la cybernétique

Son premier ouvrage, *Naven*, est un événement dans les sciences sociales. G. Bateson y relate les faits de la vie courante des tribus étudiées, mais manifeste surtout un double souci de théorisation et d'interdisciplinarité. D'une part, il tente d'élaborer une théorie transculturelle cohérente dont les concepts pourraient être appliqués à

* Professeur de psychologie à l'université Paris-X-Nanterre. A notamment publié, avec D. Picard, *L'Interaction sociale*, Puf, 1996.

** *Sciences Humaines*, n° 32, octobre 1993.

d'autres types de sociétés. *Naven* se présente comme une réflexion sur les processus dynamiques expliquant les changements sociaux. D'autre part, G. Bateson étaye son étude aussi bien sur les découvertes de la psychologie sociale, de la psychiatrie et des sciences politiques que sur celles de l'anthropologie.

En 1942, dans son ouvrage *Balinese Character : a Photographic Analysis*, il étudie la culture balinaise à travers une analyse minutieuse et attentive des interactions entre individus et notamment de leur dimension non verbale. Cette publication marque la fin de la période ethnologique de G. Bateson, qui va de plus en plus se plonger dans l'étude de la communication.

En 1942, en effet, G. Bateson découvre au cours d'un colloque les principes de la démarche systémique et comprend immédiatement tout le parti qu'il peut en tirer dans ses recherches. Jusqu'à présent, la communication était exclusivement considérée sous l'angle de la dynamique des forces et des rapports de causalité. G. Bateson va désormais l'envisager comme un système de messages fonctionnant sous forme de « boucles » dans lesquelles l'énergie de la réponse est fournie par le récepteur et non par l'impact de l'élément déclencheur (d'où l'importance de la notion de *feed-back*). Il va donc appliquer les principes de la démarche systémique aux sciences sociales, notamment à l'étude des communications. Cette approche s'oppose à une conception linéaire – et en quelque sorte déterministe – de la succession des actions et des réactions entre des objets isolés. Elle lui substitue une perspective fondée sur l'idée de causalité circulaire.

En 1956, il publie, avec l'équipe qu'il a constituée, la célèbre théorie du « *double bind* » (double contrainte) montrant que le comportement du schizophrène est une forme d'adaptation à une communication paradoxale (comportant des messages contradictoires). Ces recherches suscitent la création du Mental Research Institute, qui tente d'appliquer la démarche systémique au domaine de la psychothérapie. En 1961, Paul Watzlawick rejoint cet organisme dans lequel il va jouer un rôle important, notamment en ce qui concerne les applications thérapeutiques.

L'Ecole de Palo Alto a donc été marquante dans trois domaines : en proposant une théorie nouvelle de la communication ; en développant une méthodologie originale du changement ; en suscitant une pratique thérapeutique profondément novatrice.

Une approche systémique de la communication

Les premiers modèles de la communication considéraient celle-là comme un transfert d'informations (constituant un message) d'un émetteur vers un récepteur à partir d'un code commun. L'approche systémique va complexifier ce modèle en s'appuyant sur quelques principes fondamentaux :

1. La communication est un phénomène interactionnel, dans lequel l'unité de base est moins l'individu (comme le postule la psychologie traditionnelle) que la relation qui se noue entre les individus. Chaque intervention d'un

membre d'un système (famille, équipe, organisation, etc.) est une réponse à l'intervention de l'autre, mais constitue à son tour un stimulus auquel l'autre va réagir, et ainsi de suite. La communication est donc un processus circulaire dans lequel chaque message provoque un *feed-back* de l'interlocuteur.
2. La communication ne se réduit pas au message verbal, car *tout comportement social a une valeur communicative.* En situation d'interaction, « on ne peut pas ne pas communiquer » : les mimiques, les gestes, les attitudes mais aussi les conduites transmettent un message (même le silence peut exprimer la timidité, la réserve, le blocage ou la bouderie).
3. *La communication est déterminée par le contexte dans lequel elle s'inscrit.* Ce contexte concerne les rapports qui relient les personnes qui communiquent (rapports entre inconnus, entre collègues de travail, entre parents et enfants...), le cadre dans lequel se situe l'interaction et la situation qui met en relation les protagonistes. Le contexte est un cadre symbolique porteur de normes, de règles, de modèles et de rituels d'interaction.
4. *Tout message comporte deux niveaux de signification.* Il transmet non seulement un contenu informatif (faits, opinions, sentiments ou expériences du locuteur) mais exprime aussi quelque chose sur la relation qui lie les interlocuteurs. Ainsi un homme disant à une femme : « *Tu as une jolie robe* » transmet une opinion, mais peut également suggérer une relation de séduction entre eux.
5. *La relation entre interlocuteurs se structure selon deux grands modèles :* le modèle symétrique et le modèle complémentaire. Dans le premier, la relation est définie comme égalitaire et les protagonistes ont des comportements en miroir. Dans le second, les protagonistes adoptent des comportements contrastés s'ajustant l'un à l'autre. Une relation complémentaire peut être hiérarchique, c'est-à-dire comporter une position « haute » et une position « basse » (comme dans la relation entre un patron et son employé).
6. Une dernière hypothèse fondamentale est que la plupart des formes de pathologie mentale peuvent être ramenées à des perturbations et des dysfonctionnements de la communication. D'où l'importance de la métacommunication, qui est une façon de communiquer sur les différents aspects de la communication.

Une conception du changement

Les systèmes humains, comme la famille, ont une tendance à l'homéostasie, c'est-à-dire au maintien d'un certain équilibre dans les rapports entre ses membres. Cette homéostasie est nécessaire mais peut rendre difficiles les changements provoqués par des facteurs internes (les enfants grandissent) ou externes (comme le chômage).
L'Ecole de Palo Alto distingue deux types de changement : celui qui a lieu à l'intérieur d'un système qui reste lui-même stable (changement 1), et celui qui modifie le fonctionnement d'un système (changement 2). Lorsqu'un système produit des effets pathologiques, c'est un changement 2 qu'il faut provoquer ; par exemple, face à un adolescent

qui se révolte contre leur autorité, les parents peuvent réagir par plus de sévérité, ce qui entraînera probablement plus de révolte, etc., (changement 1) ; mais ils peuvent essayer de modifier la relation avec leur enfant et le contexte qui a engendré ces réactions (changement 2). La plupart des démarches psychothérapeutiques considèrent que les problèmes relationnels d'un individu proviennent de sa personnalité et de son fonctionnement intrapsychique.

Une pratique thérapeutique novatrice

L'Ecole de Palo Alto inverse radicalement cette perspective : ce sont les troubles relationnels (qui sont des troubles de la communication) qui peuvent expliquer les manifestations pathologiques de l'individu : l'intrapsychique est subordonné à l'interactionnel. Dès lors, si l'on veut agir sur ces troubles, il faut modifier le contexte relationnel qui les a engendrés. L'objet de l'action thérapeutique n'est plus l'individu porteur du symptôme, mais le système (le plus souvent la famille) qui en est responsable. C'est ainsi qu'est née l'idée de « thérapie familiale » qui a connu une rapide extension et un très large succès. Elle consiste à réunir l'ensemble de la famille face à un thérapeute (ou plus souvent un couple de thérapeutes) pour essayer de provoquer un « changement 2 » dans le système de communication familiale.

En conclusion, l'étendue des recherches de l'Ecole de Palo Alto en fait certainement l'un des courants les plus novateurs et les plus féconds dans l'évolution récente des sciences humaines.

A lire sur le sujet...

- E. Marc et D. Picard, *L'Ecole de Palo Alto*, Retz, dernière édition 1997.

Principaux ouvrages de l'Ecole de Palo Alto :

- G. Bateson, *Vers une écologie de l'esprit*, 2 vol., Seuil, 1977 et 1978.
- G. Bateson et J. Ruesch, *Communication et société*, Seuil, 1988.
- P. Watzlawick, J.H. Beavin et D.D. Jackson, *Une logique de la communication*, Seuil, 1972.
- P. Watzlawick, J. Weakland et R. Fish, *Changements, paradoxes et psychothérapie*, Seuil, 1975.
- P. Watzlawick, *Le Langage du changement*, Seuil, 1980.
- Collectif, *La Nouvelle Communication*, Seuil, coll. « Points », 1991.

« LA RÉALITÉ EST UNE CONSTRUCTION »

ENTRETIEN AVEC PAUL WATZLAWICK*

Spécialiste mondialement reconnu de la thérapie familiale, Paul Watzlawick base ses réflexions et son activité thérapeutique sur le constructivisme radical, qui postule que ce qui nous apparaît comme la réalité est une création de l'esprit.

***Sciences Humaines :* Pouvez-vous retracer votre itinéraire intellectuel et professionnel ?**

Paul Watzlawick : Après avoir passé mon doctorat en psychologie à Venise, en 1949, j'ai suivi une formation à l'institut Jung de Zurich, où j'ai obtenu le diplôme de psychothérapeute, après quatre ans d'études. Mon premier travail professionnel fut d'enseigner à la chaire de psychothérapie de l'université nationale du Salvador, en Amérique centrale. Trois ans après, je suis allé à l'université de Temple à Philadelphie. J'étais très intéressé par l'approche systémique en psychothérapie, bien qu'étant toujours d'orientation analytique, et tout en ayant conscience que ces deux démarches étaient contradictoires. J'ai rencontré Don Jackson (1), qui avait fondé le Mental Research Institute à Palo Alto et qui était en relation très étroite avec le groupe de Gregory Bateson (2). Le MRI faisait notamment des recherches en thérapie familiale, domaine très novateur à l'époque. J'y suis allé pour étudier pendant un an, et cela fait maintenant trente-trois ans que j'y travaille, parallèlement aux postes d'enseignant que j'assure dans les universités de Stanford et de Lugano.

***SH :* Pourquoi avez-vous cessé de pratiquer la thérapie jungienne ?**

P.W. : Selon l'épistémologue Karl Popper, on pourrait dire que la psychanalyse est une théorie auto-immunisante, c'est-à-dire une conception dont l'exactitude est démontrée quel que soit le résultat, positif ou non, de l'application pratique. Si, à la suite de l'analyse des causes dans le passé, on observe des résultats favorables, cela démontre la valeur de la technique. Si, au contraire, on n'observe pas de modification positive, cela démontre que la recherche des causes dans le passé n'a pas été poussée suffisamment loin. Il est clair que les propositions auto-immunisantes sont des postulats pseudoscientifiques.

* *Psychothérapeute, membre du MRI (Mental Research Institute) de Palo Alto, professeur émérite à l'Université de Stanford.*

***SH :* Le fondement théorique de votre orientation thérapeutique est aujourd'hui le constructivisme. Pouvez-vous expliquer le sens que vous donnez à ce terme ?**

P.W. : Le constructivisme radical est l'analyse des processus à travers lesquels nous créons des réalités, qu'elles soient individuelles, familiales, sociales, internationales, idéologiques, scientifiques, etc. J'emploie le mot radical au sens étymologique, c'est-à-dire « qui va aux racines ».

Chaque être humain est convaincu que sa construction de la réalité est la réalité réelle. En fait, il y a deux niveaux de réalité, du premier et du deuxième ordre. Par exemple, si nous voyons un homme se jeter à l'eau et ramener quelqu'un qui se noyait, cette observation est une réalité du premier ordre, parfaitement objective. En revanche, il est illusoire et dangereux de chercher à fournir une interprétation des motivations de cet homme. Agir ainsi, c'est construire une réalité du second ordre, qui n'existe pas et n'est que le fruit de notre imagination. Nous devons donc abandonner l'idée qu'il existe une réalité « réelle » du deuxième ordre. L'histoire populaire de la bouteille à moitié pleine de l'optimiste ou à moitié vide du pessimiste illustre bien ce phénomène. L'état de la bouteille est une réalité du premier ordre. L'interprétation donnée à cet état est une réalité du deuxième ordre. De nombreux philosophes ont mis en évidence ce principe : Epictète, Vico, Hume, Kant, Schopenhauer, Wittgenstein. Par exemple, Epictète disait dès le premier siècle de notre ère que *« ce ne sont pas les choses qui nous préoccupent mais les opinions que nous avons des choses »*.

Il faut mentionner aussi Jean Piaget, qui a écrit un ouvrage intitulé *La Construction du réel chez l'enfant*. Le parent, en faisant comprendre au petit enfant qui il est, qui nous sommes, etc., génère un processus à travers lequel se forme une construction de la réalité dans la tête de chaque enfant.

***SH :* La construction de la réalité que nous opérons a-t-elle des conséquences pratiques importantes ?**

P.W. : Une démonstration particulièrement intéressante des effets de la construction de la réalité est fournie par ce qu'on appelle les prophéties autoréalisatrices. Dans une des premières expériences qui a été effectuée sur le sujet (3), douze étudiants en psychologie assistent à un cours sur les différences de performances réalisées par des rats selon la lignée géné-

tique. Six étudiants reçoivent trente rats présentés comme particulièrement performants et les six autres reçoivent trente rats dont on affirme les limites cognitives, pour des raisons génétiques. En réalité, les soixante rats sont de la même variété. Pourtant, les rats présentés aux étudiants comme plus intelligents atteignent des performances largement supérieures à celles des autres animaux.
Par la suite, les étudiants qui pensent avoir travaillé avec des rats inintelligents font un rapport négatif, tandis que les autres qualifient leurs rats d'amicaux, d'intelligents, d'ingénieux, et ajoutent qu'ils les ont souvent caressés et ont même joué avec eux.
Le processus de prophétie autoréalisatrice a été pareillement mis en évidence dans le domaine de l'enseignement auprès d'élèves et peut se révéler dans de multiples situations.
Ainsi, le psychologue américain Gordon Allport a décrit le cas d'un homme en train de mourir dans un hôpital autrichien. L'équipe médicale lui a dit qu'elle ne pouvait le soigner tant que l'on n'avait pas diagnostiqué sa maladie, en précisant qu'un célèbre professeur de médecine allait bientôt venir à l'hôpital et que le malade lui serait présenté. Quelques jours plus tard, celui-là arrive et murmure « *moribundus* » en constatant l'état du patient. Quelques années plus tard, le patient appelle ce médecin et lui dit : « *Je voulais vous remercier d'avoir identifié ma maladie. Dès que vous avez dit* "moribundus"*, j'ai su que je guérirai.* » Il est parfois utile de méconnaître le latin…
Autre exemple : le directeur d'un programme télévisé humoristique américain a annoncé à l'écran une pénurie imminente de papier hygiénique. Dès le lendemain matin, des milliers de personnes se sont présentées aux magasins pour en acheter, entraînant par là même une pénurie réelle.

***SH :* Quel est l'intérêt du constructivisme en psychiatrie ?**

P.W. : Il permet, par exemple, de comprendre que les termes diagnostics en psychiatrie sont des constructions de la réalité. Il n'y a de la schizophrénie que parce que ce terme a été créé un jour et que nous croyons que lorsqu'un nom existe, alors la chose nommée doit également exister. L'association américaine de psychiatrie publie un célèbre manuel de diagnostic, DSM, mis à jour tous les deux ou trois ans. Lors de la préparation de la troisième édition, les psychiatres ont cédé à la pression sociale et éliminé d'un coup de plume l'homosexualité de la liste des

maladies mentales. C'est vraiment le plus grand succès thérapeutique qui ait jamais existé parce qu'on a soudainement « guéri » des millions de personnes de leur « maladie » !
J'évite donc personnellement de poser des diagnostics, parce que cela crée une réalité. Il n'existe pas de définition claire et généralement acceptée de la santé mentale, ce qui implique qu'il est également impossible de définir clairement ce qu'est la pathologie.

***SH :* Vos propos semblent très proches de ceux de l'antipsychiatre Ronald Laing, qui affirmait que la maladie psychiatrique n'existe pas.**

P.W. : Il y a des comportements qui n'entrent pas dans le cadre de ce que l'on considère normal au sein d'une culture. Par exemple, quand j'étais à Bombay, j'ai été présenté à des swamis, qui sont des hommes considérés là-bas comme des saints, des sages, alors qu'en Occident, ils seraient étiquetés comme schizophrènes catatoniques. C'est purement une question d'adéquation aux valeurs d'une société.
Je me rapproche donc d'une certaine manière de l'antipsychiatrie, mais je m'en écarte également. En effet, les antipsychiatres ont commis l'erreur inverse de leurs prédécesseurs en disant que c'est la société qui était folle et rendait les gens fous. Ils ont seulement bouleversé l'ordre de la causalité.

***SH :* Un psychiatre doit pourtant savoir faire la différence entre un individu normal et un malade mental.**

P.W. : Je vais vous montrer, à travers deux exemples, que ce n'est pas aussi évident que cela. En 1973, le psychologue américain Rosenhan a publié une étude retentissante, *Etre sain dans un environnement malade* (4), qui présente le bilan d'une expérience réalisée en milieu psychiatrique. Huit de ses collaborateurs ont demandé à être admis dans des hôpitaux psychiatriques pour suivre un traitement parce qu'ils entendaient des voix. Aussitôt après leur admission, ils ont déclaré ne plus entendre de voix et ont eu un comportement qui aurait été considéré comme normal en dehors de l'hôpital psychiatrique. Le « traitement » de ces faux patients a duré de sept à cinquante-deux jours et ils sont tous sortis avec le diagnostic de schizophrénie en rémission. Pas un seul n'a été identifié comme étant un faux patient ; au contraire, chacun de leur comportement – par exemple, le fait de prendre de nombreuses notes – a été considéré comme une preuve supplémentaire de la justesse du diagnostic établi. Au lieu d'être avant tout le reflet de faits observables, le diagnostic a créé une réalité justifiant toutes les mesures cliniques prises à l'égard des « patients ». Les seuls qui n'ont pas participé à cette création d'une réalité ont été les vrais patients qui faisaient souvent des remarques telles que *« Tu n'es pas fou ; tu es journaliste ou professeur. »*

Le second exemple que j'aimerais mentionner n'a rien d'expérimental. Il s'agit du cas d'une femme napolitaine qui en 1989, lors d'une visite dans la petite ville de Grosseto, dut être admise à l'hôpital local dans un état schizophrénique aigu. Comme il n'y avait pas de place pour elle dans la section de psychiatrie, on décida de la renvoyer à Naples pour qu'elle y reçoive les soins appropriés. Lorsque les ambulanciers sont arrivés à l'hôpital, on leur a indiqué la chambre où se trouvait la patiente. En entrant, ils ont trouvé celle-ci habillée et prête à partir. Mais lorsqu'ils l'ont invitée à descendre avec eux, elle a immédiatement décompensé en présentant un comportement irrationnel, belliqueux et des signes de dépersonnalisation. Il fut donc nécessaire de lui administrer de force des tranquillisants et de la transporter jusqu'à l'ambulance. Le personnel de l'hôpital s'est ensuite rendu compte qu'il y avait eu une erreur ; la femme n'était pas la patiente, mais une habitante venue voir un parent hospitalisé. Dans la réalité créée par cette erreur, tout comportement de cette femme, même le plus approprié, devenait forcément une preuve de plus de sa psychose, et en particulier le fait qu'elle soutenait être quelqu'un d'autre.

***SH* : Quelle application thérapeutique peut-on faire du constructivisme ?**

P.W. : Les personnes qui viennent pour être aidées souffrent de leur construction de la réalité. Les plus graves conflits dans les relations humaines sont basés sur des interprétations différentes de la réalité dans laquelle chacun vit. Le thérapeute constructiviste cherche donc à remplacer cette construction par une autre, tout en gardant présent à l'esprit que ce nouveau regard n'est qu'une construction et non la « vérité ». Malheureusement, la plupart des psychiatres et des psychologues pensent encore que la santé mentale est caractérisée par l'adaptation à la réalité. Ils pensent que les personnes saines voient la réalité telle qu'elle est vraiment, tandis que les fous ont une vision déformée de la réalité. Leur objectif thérapeutique est de faire arriver le soi-disant patient à une compréhension exacte de cette « réalité ». Or, il n'est pas possible de poser la réalité comme un *a priori.*

SH : La forme de communication utilisée avec le patient a-t-elle de l'importance ?

P.W. : Un élément essentiel est qu'il faut parler le langage du patient si l'on veut être entendu de lui. Par exemple, la réaction habituelle face à une femme qui manifeste un comportement hyperprotecteur avec son fils est de lui dire : « *Ne faites pas cela, il doit se rendre responsable et indépendant.* » Mais ces propos n'auront pas d'effet car elle ne comprend que le langage du sacrifice maternel. En revanche, si je dis : « *Madame, je vois que vous avez fait beaucoup de sacrifices pour votre enfant, mais je crois que vous allez devoir en faire encore beaucoup plus* », cette femme peut devenir attentive à mes propos. Ce que je viens de dire est à la base de la thérapie paradoxale que nous pratiquons. Ainsi, au cours d'une technique intitulée « prescription de symptômes », le thérapeute enjoint le patient d'agir en conformité avec son trouble mental. Nous nous basons sur le principe *Similia similibus curantur*, en considérant que ce qui a rendu quelqu'un fou doit être également utilisable pour le rendre sain d'esprit.

Pour illustrer cette technique, j'aimerais vous citer un cas remarquable de situation thérapeutique qu'a vécue mon ami Don Jackson.

Un patient se prenait pour Dieu. D. Jackson lui dit, après avoir vainement tenté d'établir un contact avec lui : « *Si vous n'êtes pas Dieu, votre situation est très dangereuse, car vous risquez de vous bercer par un sentiment erroné d'omniscience et d'omnipotence. Dans ce cas, vous n'arriverez pas à faire suffisamment attention à tout ce qui se passe autour de vous et à vous tenir sur vos gardes.* » Puis, il s'est mis à genoux et lui a présenté la clef du service psychiatrique en disant que s'il était vraiment Dieu, il avait plus droit que lui-même à cette clef. Le patient s'est alors adressé à Jackson en disant : « *Homme, l'un de nous deux est fou.* »

D. Jackson a toujours dit qu'il n'y a pas de cas sans espoir, mais seulement des thérapeutes qui n'arrivent pas à aider. Si je n'ai pas de résultat, c'est ma compréhension de ce cas qui est insuffisante, non la méthode elle-même.

SH : Comment peut-on articuler le changement indult par le pouvoir du thérapeute et le respect de la liberté du patient ?

P.W. : On reproche parfois à la thérapie paradoxale d'être manipulatrice. Or, je n'ai encore jamais pu obtenir de réponse à la demande que j'ai formulée à plusieurs reprises : « *Donnez-moi un seul exemple d'aide qui ne soit pas manipulatrice.* » Aider veut dire manipuler, mais dans un sens positif, avec pour but la réduction, voire la disparition, de la souffrance d'une personne. Le chirurgien manipule, le sauveteur qui ramène une personne qui se noie manipule. Mais ce genre de manipulations n'a évidemment rien à voir avec ce que nous pouvons observer dans la publicité ou la politique.

***SH :* Vous avez écrit deux grandes catégories de livres. Certains sont des ouvrages théoriques très charpentés et argumentés, comme *Une logique de la communication*, d'autres ont un caractère plutôt distrayant, comme *Faites vous-mêmes votre malheur* ou *Comment réussir à échouer* (5). Pourquoi avez-vous choisi deux modes d'expression aussi différents ?**

P.W. : Pourquoi pas ? *Faites vous-même votre malheur* est un ouvrage amusant à lire mais constitue également une démarche thérapeutique, puisqu'il s'agit typiquement d'une prescription de symptômes. J'ai reçu de nombreuses lettres me montrant que j'avais atteint mon but, avec des propos tels que : « *Depuis que j'ai lu votre livre, il m'est beaucoup plus difficile d'être dépressif.* »

***SH :* Certains estiment que la thérapie paradoxale n'est qu'une variante de la thérapie comportementale, car elle consiste généralement à placer les gens dans la situation qui est à l'origine de leurs troubles.**

P.W. : Malgré d'évidents parallélismes entre notre approche et la thérapie comportementale, une différence fondamentale est que cette dernière se base sur la notion de causalité linéaire, qui va du passé au présent : la personne a appris un comportement qui est devenu source de souffrance. La conception systémique postule au contraire que si l'on veut changer quelque chose dans le présent, il n'est pas nécessaire d'analyser les causes passées mais de comprendre le fonctionnement actuel du système. Chaque système est sa propre meilleure explication. De plus, nous considérons que le patient n'est pas une personne, mais une relation.

***SH :* Ce dernier propos paraît assez surprenant.**

P.W. : Deux exemples habituels permettent de le comprendre aisément. Un fils schizophrène revient de l'hôpital psychiatrique et présente un comportement qui devrait donner toute satisfaction à sa famille. On constate que les parents divorcent peu après. La focalisation sur le trouble du fils avait masqué l'absence de relations véritables entre les époux. Second exemple : une femme se démène pendant des années pour que son mari alcoolique arrête de boire. Un jour, ses efforts sont enfin couronnés de succès, mais elle tombe bientôt en dépression. En effet, l'unique lien qui existait entre eux était l'effort de la femme pour faire cesser son mari de boire.

***SH :* La psychothérapie et l'approche biochimique vous semblent-elles contradictoires ou complémentaires ?**

P.W. : Les vogues thérapeutiques passent d'un extrême à l'autre, de la croyance en la valeur suprême de la psychanalyse à la foi dans les vertus puissantes des processus biochimiques. Certains pensent même qu'on va découvrir les causes biochimiques de l'amour et de la créativité. Je ne crois pas à une causalité linéaire de ce type (les molécules déterminent notre psychisme) mais à une causalité circulaire. Il y a influence réciproque entre les processus biochimiques et les expériences que nous vivons, les événements extérieurs qui nous surviennent.

Propos recueillis par
JACQUES LECOMTE
(*Sciences Humaines*, n° 32, octobre 1993)

---

1. Voir dans cet ouvrage les articles de J.-B. Fages, « Le collège invisible », et de E. Marc, « Palo Alto, l'école de la communication ».
2. *Idem.*
3. R. Rosenthal et L. Jacobson, *Pygmalion à l'école*, Casterman, 1971.
4. D.L. Rosenhan, « On being sane in insane places », *Science*, n° 179, 1973.
5. Tous trois aux éditions du Seuil.

Jacques Cosnier*

LES GESTES DU DIALOGUE**

La communication non verbale fait partie intégrante du système d'interaction qui s'instaure entre des individus qui dialoguent. Jacques Cosnier montre comment regards, mimiques et expressions faciales, gestes et postures corporelles jouent un rôle essentiel dans l'accompagnement des paroles, dans la conduite de la conversation, et dans l'expression des affects.

L'INTÉRÊT DES CHERCHEURS pour le « dialogue », la conversation, l'interaction verbale, s'est précisé depuis une dizaine d'années et alimente des disciplines diverses telles que l'ethnométhodologie, la sociolinguistique interactionniste, l'analyse de conversation, l'interactionnisme symbolique, l'éthologie du langage... De tous ces travaux ressortent deux caractères importants des communications interpersonnelles ou de « face à face » : la multicanalité et l'interactivité.

L'interactivité signifie que les énoncés sont coproduits par les interactants : ils sont le résultat des activités conjointes de l'émetteur et du récepteur. La multicanalité signifie pour sa part que les énoncés sont un mélange à proportions variables de verbal et de non verbal, ce dernier comprenant à la fois le vocal et le mimogestuel. Cependant, bien que les chercheurs soient unanimement d'accord pour admettre ces données de l'observation quotidienne, le statut de la communication non verbale reste souvent marginal et mal défini.

A première vue, cela est dû à deux ordres principaux de difficultés. L'un correspond à un problème purement technique : travailler sur le non-verbal gestuel (la « kinésique ») nécessite l'utilisation d'enregistrements vidéo, certes aujourd'hui banalisés, mais cependant difficiles à pratiquer dans certaines

* Professeur émérite à l'université Louis-Lumière-Lyon-II, Laboratoire d'éthologie des communications.

** Cet article est paru dans la *Revue de psychologie de la motivation*, n° 21, premier semestre 1996. Revu par l'auteur, mai 1998.

situations. L'autre est lié à un problème plus théorique : celui de la définition des observables. Si les unités verbales sont faciles à définir, voire à transcrire, on en est loin, tant s'en faut, en ce qui concerne les unités gestuelles. On sait d'ailleurs depuis Kenneth Pike que plusieurs approches en sont possibles, « etic » ou « emic », « gestétique » ou « gestémique », selon que l'on étudie ce qui bouge ou ce qui signifie (*« il contracte ses zygomatiques »* ou *« il sourit »*).

On sait aussi que, comme le « canal verbal », le « canal kinésique » va être impliqué dans l'expression d'un « contenu », autrement dit dans une activité référentielle, mais peut-être plus encore dans la manifestation d'une « relation », autrement dit dans une activité « interactionnelle », pour reprendre la dichotomie quelque peu schématique mais pratique proposée par l'Ecole de Palo Alto. Ainsi, une interaction de face à face se réalise par la synergie de deux voies concomitantes : l'une discursive par laquelle est acheminé l'aspect signifiant de l'énoncé, et l'autre pragmatique qui en assure la maintenance et la régulation par ce que j'ai appelé le *processus de co-pilotage*.

Je présenterai tour à tour, et succinctement ces deux aspects aujourd'hui relativement classiques pour déboucher sur une troisième voie, celle de l'empathie, jusqu'à présent pratiquement ignorée des recherches interactionnistes (1).

Les gestes pour accompagner le discours

Je désignerai ainsi l'activité mimo-gestuelle qui est liée à la constitution de l'énoncé auquel elle s'intègre : en premier lieu par la gestualité déictique (2) ou désignante ; comment donner sens à cette phrase *« c'est celui-ci qui me plaît le plus »* si un geste de pointage n'est pas présent pour la contextualiser ?

A cette gestualité nécessaire, et prévue par la forme même de l'expression verbale, s'ajoute la gestualité illustrative qui mime l'action, ou figure dans l'espace certaines caractéristiques de l'objet référent. Ce type de gestes est particulièrement abondant dans les descriptions de lieux. On ne peut guère évoquer l'espace sans s'appuyer sur des figurations corporelles (c'est le fameux « escalier en colimaçon » dont les enfants s'amusent à demander la définition aux adultes complaisants). Ces « spatiographiques » et les déictiques montrent à quel point le corps sert de repères spatio-temporels à l'organisation de la pensée, et de matrice à la formation du discours. Ces faits ont d'ailleurs servi à formuler la « loi de désignation du référent présent » : la mention dans le discours d'un référent présent s'accompagne obligatoirement de sa désignation (soit par le pointage digital, soit au moins par le regard). Par exemple : *« Il était sans cravate »* sera associé à un geste du parleur en direction de son propre col. *« J'avais le cœur qui battait très fort »* sera associé à la main posée sur la poitrine gauche. Avec *« Si vous voulez mon opinion »*, le « mon » sera accompagné d'un geste auto-centré, etc. (3)

Enfin, il faut évidemment mentionner

1. Voir l'article « Empathie et communication » dans cet ouvrage.
2. Voir mots clés en fin d'ouvrage.
3. Voir J. Cosnier et J. Vaysse, « Sémiotique des gestes communicatifs », *Nouveaux Actes sémiotiques*, n° 54, 1997.

les gestes quasi linguistiques qui sont des équivalents de paroles et sont parfaitement conventionnalisés selon les cultures. Ainsi le fameux *« ras-le-bol »* très spécifiquement français.

On sait que ces signes peuvent être élaborés en système assez complexe pour donner des langues avec leur répertoire et leur syntaxe ; les langages gestuels des communautés de sourds en sont des exemples aujourd'hui bien connus.

Les gestes pour piloter l'interaction

Cependant dans le dialogue, la gestualité participe largement et efficacement à une autre fonction qui soutient la précédente, c'est la *fonction coordinatrice*. Il ne s'agit en effet pas seulement d'émettre des énoncés, encore faut-il s'assurer qu'ils sont reçus, évaluer la façon dont l'interlocuteur les comprend et les interprète, et partager avec lui le temps de parole. Pour assurer mutuellement l'échange, existe un dispositif d'interaction auquel s'ajoute un dispositif de partage et de maintenance de la parole. Ces dispositifs sont très largement mimo-gestuels et utilisent en particulier les hochements de tête et la mobilité des regards. Ils donnent lieu à ce que l'on appelle la « synchronie interactionnelle » décrite en 1966 par W.S. Condon et W.D. Ogston qui constitue aujourd'hui une notion devenue classique (4).

Par un ingénieux dispositif, W.S. Condon a analysé image par image des fragments d'interaction filmée. Il a pu ainsi mettre en rapport les mouvements segmentaires relevés avec le tracé oscillographique de l'émission parolière des deux interactants. Cela lui a permis de décrire les phénomènes d'autosynchronie et d'hétérosynchronie.

L'*autosynchronie* désigne la synergie chez le locuteur des événements paroliers et des mouvements des divers segments corporels enregistrés. L'*hétérosynchronie* désigne la synergie chez l'allocutaire d'activités segmentaires synchrones des événements paroliers produits par son partenaire-locuteur. Ces phénomènes réalisent une « danse des interlocuteurs » selon une métaphore très évocatrice.

Un des aspects importants et très étudiés de la coordination est l'*« alternance des tours »* de parole qui caractérise le dialogue. Ce phénomène mérite deux remarques. En premier lieu, l'alternance des tours n'est pas une règle conventionnelle de nature sociale, mais simplement la conséquence d'une nécessité physiologique : les activités énonciatives sont incompatibles avec les activités réceptives. *On ne peut pas parler et écouter en même temps*. En second lieu, en revanche, le droit à la parole est déterminé socialement, de même que le droit de la conserver, en cas de chevauchement. Dans les cas de situation égalitaire, le « gagnant du tour » s'affirmera le plus souvent en utilisant des procédés non verbaux.

Ceux-ci ont été très bien décrits par S. Duncan et P.W. Fiske (5). Le parleur proposera le changement en émettant un ensemble d'indices : verbaux

4. W.S. Condon et W.D. Ogston, « Sound film analysis of normal and pathological behavior patterns », *Journal of Nervous and Mental Disease*, 143, 338-347, 1966.
5. S. Duncan et P.W. Fiske, *Face to Face Interaction Research*, Hillsdale, 1977.

(complétude grammaticale, syntagmes conclusifs : *voyez-vous, bien, n'est-ce pas…*), vocaux (intonation descendante, syllabe prolongée) et kinésiques (regard vers le partenaire, absence de geste illustratif, éventuellement geste déictique vers l'allocataire désigné).
L'écouteur de son côté peut envoyer des indices de candidature à la parole : détournement du regard, mouvements de tête, raclement de gorge et inspirations préparatoires à la parole, geste de la main à la fois « bâton » et déictique, changement de posture, etc.
En fait, ce système de passage des tours est étroitement lié au système de maintenance des tours. Sous ce terme, nous désignons le processus sous-jacent aux échanges verbaux qui permet à chaque locuteur de gérer au mieux sa participation, c'est-à-dire d'accéder à la *« félicité interactionnelle »* : pouvoir expliciter sa pensée, la faire comprendre et au-delà être approuvé, partager un point de vue, faire réaliser une action, persuader etc. Pour ce, le parleur s'efforce d'être informé sur quatre points, que nous avons appelé les *« quatre questions du parleur »* :
– Est-ce qu'on m'entend ?
– Est-ce qu'on m'écoute ?
– Est-ce qu'on me comprend ?
– Qu'est-ce qu'on en pense ?

Le rôle essentiel du regard

Or, la réponse à ces questions nécessite, d'une part, au minimum un regard du receveur et, d'autre part, des indices rétroactifs sous forme d'émissions voco-verbales et/ou kinésiques du receveur. Ce système interactif qui sert à la régulation de l'échange se décompose ainsi en émissions du parleur (*activité « phatique »*), et en émissions du receveur (*activité « régulatrice »*).
Du côté phatique, le regard constitue un des éléments majeurs de ce système d'inter-régulation et va constituer un « signal intra-tour » selon l'expression de S. Duncan et P.W. Fiske (*« Speaker within turn signal »*). Le parleur en effet, ne regarde pas en permanence le receveur, ce qui donne à son regard, quand il se produit, une valeur de signal. Il l'utilise à certains moments précis de son discours, souvent à un point de complétude vocale et sémantique ou lors d'une pause brève. Ce signal intratour se doit d'être bref pour ne pas être pris pour une proposition de passage de tour. Il peut s'appuyer sur un signal gestuel : geste ou maintien de la main dans une position active qui indique que le tour n'est pas fini.
Le signal phatique intratour va provoquer les signaux rétroactifs ou régulateurs du receveur (*« back-channel signal »* de S. Duncan et P.W. Fiske) qui peuvent être de plusieurs formes :
– brèves émissions verbales ou vocales : *« Hum-Hum, oui, d'accord, je vois, non ? »*, etc. ;
– complétudes propositionnelles : *« il était, comment dire… – perplexe ? – oui, perplexe… »* et reformulations ;
– demandes de clarification : *« Comment ça ?… »*, *« tu veux dire que ?… »* ;
– mouvements de tête : très souvent « hochement », singulier ou pluriel ;
– mimiques faciales : le sourire en est un exemple fréquent, mais il n'est pas rare d'observer des mimiques de « perplexité » ou de « doute », voire de

« réprobation » dont on suppose aisément qu'elles vont influencer la suite discursive du parleur.
Ce rôle essentiel du regard dans ce système régulateur a été précisé par C. Goodwin (6), qui en a fait une étude très complète et a souligné son rôle dans l'« organisation conversationnelle ». Le parleur a besoin du regard du receveur et met en œuvre des techniques subtiles pour le provoquer. Le regard est utilisé aussi pour marquer l'engagement et le désengagement et ainsi permettre la suspension ou la reprise de la conversation. Il l'est aussi pour la désignation de l'allocutaire quand l'interaction se fait à plus de deux personnes.

Une troisième voie : l'empathie et l'analyseur corporel

Les notions précédentes, système des tours de parole et procédure de maintenance, nous ont permis de mettre en relief quelques aspects fondamentaux de la participation des gestes à l'interaction. Mais la quatrième question du parleur (*« qu'est-ce qu'il en pense ? »*) mérite d'être mieux explicitée car elle nous pousse à aborder les problèmes d'empathie et de communication affective, problèmes jusqu'ici peu abordés par les conversationnalistes, probablement parce qu'ils font justement trop appel au non verbal qui nous intéresse ici.
En effet, dans tout dialogue se poursuit, en lien direct avec les opérations mentionnées ci-dessus, un travail sur les affects : travail d'attribution d'affects à autrui et travail d'exposition de ses propres affects. En situation d'interaction, les locuteurs vont donc, selon les règles de cadrage affectif, gérer leurs propres sentiments, gérer l'expression de ces sentiments réels ou affichés, et s'efforcer de percevoir les mouvements analogues en cours chez leur partenaire. L'échange informationnel et opératoire se doublera donc d'un échange d'indices et d'indicateurs émotionnels.
La participation kinésique y est très importante dans un cas comme dans l'autre. Les mimiques faciales, en particulier, sont considérées comme les supports expressifs privilégiés des diverses émotions, elles indiqueraient la « qualité » de l'émotion, tandis que les autres indices corporels, gestes, postures, révéleraient plutôt l'intensité émotionnelle, ou les affects toniques (aspect figé du déprimé, expressif de l'excité...).
Mais au-delà de cet échange de signaux affectifs, nous avons été amenés à décrire un autre mécanisme qui relève plus du partage et utilise des processus d'identification corporelle qui peuvent parfois se repérer dans des phénomènes d'échoïsation ou de synchronie mimétique.
Ces phénomènes d'échoïsation plus ou moins manifestes constituent un procédé d'accordage affectif et permettent des inférences émotionnelles. Il y aurait ainsi par le biais d'une échoïsation corporelle, parfois visible, mais souvent subliminaire, une facilitation à la perception des affects d'autrui.

Après le cotexte, le contexte

Nous avons examiné les événements moteurs et leur participation à la gestion de l'interaction dialogique. Nous

6. C. Goodwin, *Conversational organization*, Academic Press, 1981.

avons proposé de les considérer comme « cotextuels » (7), c'est-à-dire intégrés à l'« énoncé total », au même titre que les unités verbales et vocales.

Mais il est d'autres éléments non verbaux qui vont intervenir dans l'interaction (« attitudes » posturales, intensité et amplitude des gestes et des mimiques) qui, associés aux caractères physiques (âge-sexe) et vestimentaires, créent un « climat contextuel ». Certains de ces éléments font partie du « décor » et restent permanents au cours de la rencontre. Mais d'autres traduisent l'accommodation situationnelle. Ce sont eux qui nous intéressent ici, en particulier les indicateurs de relation et les paramètres kinésiques du contrôle social.

Par contrôle social, on désigne le processus mis en œuvre pour réaliser une action finalisée ou/et pour influencer les réactions d'autrui dans un sens déterminé. On quitte donc ici la situation égalitaire et informelle du dialogue idéal pour aborder les situations asymétriques, telles les interactions de sites qui obéissent à des scénarios préalablement définis avec des distributions de rôles contraignantes, mais aussi les interactions faussement conversationnelles : repas d'affaires, diverses situations de séduction, de persuasion, etc.

Dans ces situations de contrôle social, on retrouvera bien sûr les différents éléments de base décrits plus haut, mais ils seront ici modalisés en fonction des statuts, de la dominance et des objectifs explicites ou cryptiques, « ouverts » ou « couverts » de la relation. Ainsi peut-on observer les techniques de prise de contact et d'ouverture de l'interaction avec divers modes d'adresses verbales d'échanges gestuels, mimiques et tactiles : baisers, poignées de main, accolades selon la catégorie de partenaires et les statuts réciproques.

Durant la période de déroulement de la rencontre, le regard joue un rôle majeur dans la différenciation des statuts dominant-dominé : dans les interactions ordinaires homme-homme, le fait de porter des regards prolongés est jugé plus dominant que des regards rares ou furtifs. C'est l'asymétrie de l'utilisation des regards, fréquence et durée, qui est significative.

Le toucher constitue aussi un signe indicateur spécial qui peut manifester l'intimité de la relation, mais aussi l'emprise et la dominance (il n'y a pas dans ce cas de réciprocité). Le toucher est plus souvent initié par les hommes que par les femmes, par les plus âgés que par les plus jeunes, par les socio-économiquement plus nantis. Il en va sensiblement de même pour les sourcils froncés et la bouche non souriante.

Cependant, plusieurs de ces indicateurs de dominance ont plus une fonction de « rappel » que de conquête : ils confirment un statut déjà établi par d'autres moyens, ou inhérent à la situation. Ils peuvent aussi servir d'« affiche » et assurer deux fonctions destinées au public éventuel : affiche de relation servant à l'ostention de l'intimité aux tiers (par exemple exagération du rapprocher, des rires, du contact), affiche d'opinion, servant à exprimer au tiers l'approbation ou la désapprobation des propos

7. J. Cosnier et A. Brossard, *La Communication non verbale*, Delachaux et Niestlé, 1984.

émis par le partenaire (par exemple, en cas d'approbation, hochement de la tête ample et répétitif avec le regard non posé sur le parleur).
Ces diverses accommodations liées au contrôle social seront aussi dépendantes de ce que l'on pourrait appeler l'homéostasie de la relation : maintien d'un équilibre adéquat, c'est-à-dire supportable sinon confortable entre les deux tendances contradictoires, approche et évitement, mises en jeu dans tout rapport interindividuel.

L'équilibre de l'intimité

M. Argyle et J. Dean en avaient fourni en 1965 un modèle dit de l'équilibre de l'intimité (*Intimacy-Equilibrium Model*) (8) : les forces qui poussent un partenaire vers l'autre ou l'en écartent tendent à maintenir un état d'équilibre. Si cet équilibre est perturbé par une intimité trop grande, par exemple regards trop appuyés, il se rétablit par une diminution sur une autre dimension, par exemple une augmentation de la distance interindividuelle. Un détournement du regard quand l'autre fixe trop longtemps est aussi un moyen fréquent de maintenir l'équilibre. Mais la restauration de l'équilibre peut aussi se faire par un changement de position (retrait du buste, ou rapprochement) et au niveau du canal verbal par un éventuel changement de thème.
Ce modèle a fait l'objet de plusieurs vérifications. Ainsi, plus la distance interpersonnelle est faible, plus le contact oculaire diminue et moins l'orientation du corps est directe. M.L. Patterson l'a complété (9) en intégrant la prise de contact, le changement de degré d'intimité selon les deux alternatives : réaction émotive positive ou réaction négative.
Ces modèles sont intéressants dans la mesure où ils montrent la synergie entre les différentes activités énonciatives, et la recherche d'un équilibre consensuel à la fois compatible avec l'état affectif propre à chaque interactant, la régulation des échanges en cours et les accommodations aux contraintes contextuelles. Mais ces dernières restent déterminantes pour l'interprétation des phénomènes observés.
Je conclurai ce schématique survol par quelques remarques qui pourraient orienter de futures recherches.
1. La mise en évidence de règles de cadrage affectif aux côtés des règles de cadrage cognitif, ainsi que les notions de travail émotionnel et de contrôle social, ouvrent des pistes intéressantes en permettant de mieux situer la participation des éléments non verbaux dans le déroulement des interactions sociales. Cette participation paraît fondamentale dans les phénomènes décrits sous les termes divers de synchronisation, d'accordage, d'accommodation, de pilotage relationnel, et permet d'introduire sous une forme concrète la notion d'empathie.
2. Reconnaître l'importance du système de coordination devrait avoir quelques conséquences pratiques :
– en pédagogie, où l'on a déjà souvent souligné combien le savoir enseigné nécessite le savoir enseigner ;

8. M. Argyle et J. Dean, « Eye-contact, Distance and Affiliation », *Sociometry*, n° 28, 1965.
9. M.L. Patterson, « An Arousal Model of Interpersonal Intimacy », *Psychological Review*, n° 83, 1976.

– de même en formation et en psychothérapie, où la pragmatique de la relation est un moteur essentiel de l'évolution et s'accomplit très largement par les canaux vocaux et kinésiques, bien souvent à l'insu des protagonistes ;
– enfin, dans les relations interculturelles, car chaque culture ayant dans ce domaine ses propres prescriptions et proscriptions, les malentendus-malvus y trouvent un terrain des plus propices à leur éclosion.

A lire sur le sujet...

- J. Cosnier, *La Psychologie des émotions et des sentiments*, Retz, 1994.
- J. Cosnier, *Le Retour de Psyché*, Desclée de Brouwer, 1998.
- P. Feyereisen et J. de Lannoy, *La Psychologie du geste*, Mardaga, 1985.
- C. Goodwin, *Conversational Organization*, Academic Press, 1981.
- C. Kerbrat-Orecchioni, *Les Interactions verbales*, Armand Colin, 1991.
- E.M. Lipiansky et D. Picard, *L'Interaction sociale*, Puf, 1989.

Vidéo : *Les Gestes du dialogue*, ARCI, 5, avenue Mendès-France, 69500 Bron.

Argumentation, conversation, langage

CATHERINE KERBRAT-ORECCHIONI*

L'ANALYSE DES CONVERSATIONS**

Les conversations quotidiennes se conforment à des « règles » préétablies, et impliquent une série de négociations entre les partenaires, portant sur l'alternance des prises de parole, la gestion des thèmes, la relation interpersonnelle... Ces règles peuvent varier sensiblement selon les cultures.

NÉE AUX ETATS-UNIS au début des années 70, adoptée plus récemment en France, l'analyse des conversations – qu'il serait plus juste d'appeler « analyse des interactions verbales » – a pour objectif de décrire les règles qui sous-tendent le fonctionnement des diverses formes d'échanges communicatifs qui s'observent dans nos sociétés.

Les conversations au sens strict constituent sans doute la forme la plus commune d'interaction verbale, mais il en existe bien d'autres, comme les échanges médiatiques ou les interactions de service (commerces, banques, bureaux de poste, guichets de métro...). On peut également mentionner les échanges à finalité didactique, les consultations médicales et les entretiens thérapeutiques ; les entretiens d'embauche, les échanges en situation de travail ; les débats parlementaires, ainsi que les formes de communication liées aux technologies nouvelles (dialogues homme-machine, Minitel, courrier électronique, etc.).

Ces différentes pratiques communicatives, y compris les conversations familières, sont des conduites « ordonnées », se déroulant selon certains schémas préétablis : lorsque je croise et salue un collègue dans la rue, que je discute entre

* Professeur de sciences du langage à l'université Louis-Lumière-Lyon-II. Directeur du Groupe de recherches sur les interactions communicatives (CNRS/Lyon-II). Auteur, notamment, de *La Conversation*, Seuil, 1996, et de *Les Interactions verbales* (3 vol.), Armand Colin, 1990, 1992, 1994.

** *Sciences Humaines*, hors série n° 16, mars/avril 1997.

amis autour d'une table, ou que je fais mes emplettes à l'épicerie du coin, je me conforme à certaines « règles » conversationnelles, elles-mêmes fort diverses et pouvant relever de différents niveaux de fonctionnement : alternance des prises de parole, enchaînement des répliques, gestion des thèmes, ou de la relation interpersonnelle... Ces règles sont relativement souples et fortement solidaires du contexte. Dans cette mesure, l'analyse des interactions verbales relève de la « pragmatique » (1), puisqu'il ne s'agit pas dans cette perspective de décrire des phrases abstraites, mais d'étudier des propos réellement tenus (enregistrés puis transcrits par le chercheur), à partir desquels sont effectuées les généralisations. Elle relève également de « l'analyse du discours », mais s'intéresse exclusivement au discours dialogué, c'est-à-dire échangé et construit à plusieurs. Telle est en effet l'idée force qui sous-tend l'ensemble de la réflexion menée dans ce domaine : toute conversation est une « construction collective » ; c'est le résultat d'un « travail collaboratif », qui exige que les participants ajustent en permanence leurs comportements respectifs et « négocient », au cours de l'échange, l'ensemble des ingrédients dont sont faites les conversations.

Toute conversation implique une série de négociations

« H. — *Alors j'vais t'poser une première question : qu'est-ce que tu penses de la mode actuelle ?*
F. — *Quelle mode ?*
H. — *Euh ben !, la mode vestimentel... vestimentaire plutôt sur... euh !, la façon de s'habiller des filles... parce que ça te concerne plus que moi.*
F. — *Tu crois ? Justement moi j'crois que y a... les garçons font exa- très très attention à la façon dont ils s'habillent.*
H. — *Oui ?*
F. — *Exactement comme les filles.* »

C'est ainsi que s'ouvre un échange entre deux étudiants auxquels il a été demandé de s'entretenir librement sur le thème de « la mode chez les jeunes » (2). Or, on constate que ce début de conversation comporte l'amorce d'un certain nombre de négociations plus ou moins imbriquées :

– négociation sur le sens du mot « mode » : H (le jeune homme) admet implicitement que la mode est toujours vestimentaire, alors que F (la jeune fille) donne à ce mot un sens plus large, et demande donc à H des précisions (« *Quelle mode ?* »), tout en lui reprochant implicitement de n'avoir pas été exhaustif dans la formulation de sa première question (ce qui désarçonne quelque peu H, ainsi qu'en témoigne le lapsus de la réplique suivante) ;
– en fait, la conception que se fait H de l'objet « mode » est plus restreinte encore, dans la mesure où il considère que c'est essentiellement une affaire de filles (« *Ça te concerne plus que moi.* »), idée que conteste aussitôt F, engageant ainsi la « négociation d'une opinion », qui se poursuivra tout au long de l'échange ;
– autre source d'un conflit larvé entre

1. Voir mots clés en fin d'ouvrage.
2. Corpus analysé dans un ouvrage collectif produit par notre équipe de recherches, voir J. Cosnier et C. Kerbrat-Orecchioni (dir.), *Décrire la conversation*, Presses universitaires de Lyon, 1987.

les interlocuteurs : par son comportement inaugural (*« Alors j'vais t'poser une première question. »*), H tend en quelque sorte à F un micro invisible, et tente de fixer tout à la fois le genre de l'échange (une interview, alors que la consigne est de « s'entretenir librement »), et la distribution des rôles (je serai l'interviewer, et toi l'interviewée). Mais cela ne fait pas l'affaire de F, qui tout au long de l'entretien s'emploiera à briser le carcan que H tente d'imposer à l'échange conversationnel : elle retourne les questions, glisse subrepticement d'un thème à l'autre, et produit un discours à méandres qui déborde de toutes parts le cadre bien discipliné des questions-réponses ;

– corrélativement, on assiste tout au long de la conversation à une négociation des « places » interactionnelles, dans la mesure où F conteste dès le début à H le rôle de principal gestionnaire de l'échange, et la position dominante qu'il tente d'accaparer en s'autoproclamant interviewer.

On voit par cet exemple que les négociations conversationnelles peuvent se rencontrer à tous les niveaux de fonctionnement de l'interaction. Les interactants peuvent ainsi négocier : le « contrat communicatif » et le « genre » de l'échange dans lequel ils sont engagés ; son scénario global, son organisation locale, l'alternance des tours de parole, les sujets de conversation, l'adéquation des signes produits, la signification des mots et des énoncés, les opinions émises de part et d'autre, et les divers aspects de la relation interpersonnelle.

Ces différentes négociations peuvent être menées explicitement, ou plus fréquemment, sur le mode implicite : s'agissant, par exemple, de la négociation de la « distance interpersonnelle » à l'aide du tutoiement, on peut ainsi opposer la technique qui emprunte les voies d'une proposition ouverte (*« Et si on se tutoyait ? »*) à celle qui consiste à glisser subrepticement un « tu » dans son discours, en espérant que le partenaire adoptera un comportement similaire ; ou bien encore, en cas de conflit pour la prise de parole, la négociation explicite consistera à recourir à un énoncé tel que *« Laisse-moi parler s'il te plaît. »*, tandis que la négociation implicite prendra la forme d'un chevauchement de parole qui se prolongera jusqu'à ce que de guerre lasse (en fait, au bout de quelques secondes), l'un des deux compétiteurs abandonne la place à son partenaire plus tenace.

« Qui suis-je pour toi ? » « Qui es-tu pour moi ? »

L'issue de ces négociations est évidemment variable : certaines d'entre elles vont aboutir, et d'autres échouer, ce qui ne sera pas nécessairement fatal à la poursuite de l'échange. Les conversations authentiques s'opposent d'ailleurs à cet égard aux dialogues homme-machine. Prenons par exemple le cas d'un autre type de négociation conversationnelle, qui concerne les différents aspects constitutifs de l'identité des personnes en présence, et prend initialement la forme, explicite ou implicite, de l'un ou l'autre des énoncés suivants :

1. Voici qui je suis/comment je me vois ;
2. Qui suis-je pour toi ?/comment me vois-tu ? ;

3. Voici qui tu es pour moi/comment je te vois ;
4. Qui es-tu ?/comment te vois-tu ?
La proposition d'identité effectuée par l'un des participants sur lui-même ou sur son partenaire peut être ratifiée par ce dernier, ou au contraire contestée, ce qui va enclencher le processus négociatif.
Dans l'extrait, par exemple, de la pièce d'Alfred de Musset *Un caprice* (qui relève du cas de figure 4), la négociation n'a pas lieu, pour cause d'accord apparent des participants :
« Mathilde. — *Qu'est-ce que vous croyez donc être, monsieur, quand vous oubliez que vous êtes mon mari ?*
Chavigny. — *Ton amant, ma belle ; est-ce que je me trompe ?*
Mathilde. — *Amant et ami, tu ne te trompes pas.* »
En d'autres termes, Mathilde (L1) demande à Chavigny (L2) de définir sa propre identité (« *Qui es-tu* [dans ta relation à moi] *?* »). L2 obtempère, et L1 ratifie (en ajoutant toutefois un petit grain de sel : « et ami », qui prêtera ultérieurement à négociation). Mais le même type d'échange peut se dérouler dans la relation homme-machine.
C'est, par exemple, le cas lors de l'accès à un distributeur automatique de billets de banque : la machine (L1) demande à l'utilisateur (L2) de préciser son identité (« *Tapez votre code secret.* ») ; celui-là ayant obtempéré, de deux choses l'une : ou la machine ratifie la proposition de L2, et la transaction peut se poursuivre ; ou elle refuse cette proposition, et en demande une nouvelle : « *Code secret erroné. Recomposez votre code.* » Une négociation s'engage alors entre L1 et L2, telle qu'au bout de trois propositions de l'utilisateur refusées par la machine, celle-là éjecte son interlocuteur du système, mettant ainsi brutalement fin au cycle « demande d'identification/proposition/non-ratification ».
On voit donc en quoi consistent, dans ce type de situation communicative, les caractéristiques du dialogue homme-machine par rapport au dialogue homme/homme : il n'y a pas d'alternance des rôles, la négociation est limitée dans le temps, et l'échec de la négociation entraîne automatiquement la fin de l'interaction.
A l'inverse, le dialogue humain se caractérise par la réciprocité de principe et la souplesse des mécanismes négociatifs.

La variation culturelle des règles conversationnelles

Si les mécanismes généraux qui sous-tendent le fonctionnement des échanges sont les mêmes dans toutes les sociétés humaines, il apparaît, dès lors que l'on cherche à décrire en détail le fonctionnement des règles conversationnelles, que celles-ci varient considérablement d'une société à l'autre. Nombreuses sont aujourd'hui les études relevant de la « pragmatique contrastive », dont l'objectif est précisément de comparer les pratiques communicatives en vigueur dans différentes sociétés. La variation peut affecter tous les aspects du fonctionnement des interactions : comportements paraverbaux (débit, intensité vocale, hauteur de la voix, intonations) et non verbaux (postures, gestes et regards) ; fonctionnement des tours de parole (mécanisme de l'alternance, gestion des pauses et des silences, des interruptions et des chevauchements de parole) ; système de l'adresse (pronoms et appellatifs, procédés « honorifiques » et « humiliatifs »), et autres marqueurs de la relation interpersonnelle ; formulation des actes de langage, fonctionnement des rituels, et conception de la politesse.

J'illustrerai, pour terminer, ces variations par quelques exemples :

– les comportements « proxémiques » : les conceptions de la « bonne distance » à adopter vis-à-vis de son partenaire d'interaction dans une situation donnée divergent d'une culture à l'autre, et parfois considérablement, comme l'ont montré Edward T. Hall et ses collaborateurs (ainsi : du simple au double, selon que les partenaires en présence sont anglo-saxons ou cubains) (3).

Conséquence : en situation interculturelle, lorsque se trouvent face à face un locuteur L1 dont les normes proxémiques impliquent une distance plus réduite que celles qu'a de son côté intériorisées L2, le premier tentera de se rapprocher du second, lequel tentera de s'éloigner du premier, d'où un malaise mutuel, L1 se sentant rejeté par L2, et L2 agressé par L1... ;

– les règles qui sous-tendent l'orientation des regards sont elles aussi variables culturellement. Par exemple, il est impoli, dans bien des sociétés, de fixer son partenaire, surtout s'il s'agit d'un supérieur hiérarchique. Une étude récente a ainsi montré qu'au cours d'une négociation commerciale, les Japonais ont établi un contact oculaire pendant 13 % en moyenne de la durée de l'interaction, les Américains et les Coréens pendant 33 %, et les Brésiliens pendant 52 % de cette même durée. D'autres travaux ont établi que les Blancs d'Amérique du Nord regardent leur partenaire d'interaction de façon intermittente lorsqu'ils parlent, et presque continûment lorsqu'ils écoutent ; mais le schéma s'inverse dans la communauté noire... ;

– le remerciement : si cet acte rituel est attesté dans la plupart des sociétés, les façons de le réaliser varient bien sûr d'une société à l'autre. Au Japon, par exemple, certaines formules d'excuse, signifiant littéralement « je suis désolé » ou « je me sens coupable », s'emploient souvent là où nous attendrions un remerciement. C'est que le sentiment de gratitude est au Japon indissociable de celui de culpabilité : en acceptant un cadeau ou un service, vous acceptez du même coup de léser le territoire d'autrui, et c'est votre propre face qui en pâtit, puisque vous vous trouvez en position de débiteur, donc de coupable. Ce comportement rituel s'enracine donc profondément dans « l'ethos » (4) japonais, particulièrement « sensible à la dette ».

Mais varient aussi les situations où il convient de remercier. En effet, dans bien des sociétés, le remerciement est exclu dans les situations suivantes, où il a cours chez nous. C'est le cas des échanges entre proches (voir encadré page suivante), et des relations commerciales : dans bien des sociétés, asiatiques en particulier, à partir du moment où le vendeur a obtenu une compensation financière pour le service

3. E.T. Hall, *La Dimension cachée*, Points Seuil, 1978.

4. Ce terme est employé ici pour décrire les principales caractéristiques du comportement communicatif des membres d'une société donnée, en relation avec la conception de la communication « idéale » qui prévaut dans cette société.

« Lève la tête et dis merci ! »

En Inde, en Corée, au Japon, au Zaïre, etc., le remerciement explicite est proscrit entre amis ou membres de la même famille, pouvant même être perçu dans ce type de relation comme insultant.

L'exemple suivant illustre de façon impressionnante les problèmes que peut poser la diversité culturelle des règles de communication. Une jeune fille d'origine coréenne, adoptée à l'âge de dix ans par une famille française, se souvient de ce cuisant épisode (la scène se passe peu après son arrivée en France) : *« Un jour, maman m'a fait une faveur. Elle attendait, comme le font tous les autres Français, le remerciement de ma part. A cette époque, je ne le savais pas. Elle m'a demandé de lui dire merci. Je me disais : "*Pourquoi ? On dit merci à maman ?*" Je n'ai rien dit. J'avais l'impression qu'elle était un peu fâchée. Elle m'a pressée de répondre. Je n'ai toujours rien dit. Comment aurais-je pu prononcer le mot* "merci" *à maman ? Ça ne m'était jamais arrivé avant. Enfin, elle s'est mise en colère. J'avais vraiment peur. Mais je ne savais pas pourquoi elle était si nerveuse. J'ai baissé la tête parce que je n'avais pas le courage de la regarder en face. Elle m'a dit de lever la tête et de la regarder. J'ai fini par fondre en larmes. Je sentais qu'elle me considérait comme une "enfant terrible". »*

rendu, le client n'a pas à lui exprimer de gratitude particulière. Il va de soi que de telles divergences peuvent entraîner de nombreux malentendus dans les échanges interculturels. Seule une prise de conscience de ces « évidences invisibles » (5), et de la relativité des règles qui sous-tendent nos comportements communicatifs, peut permettre de lutter contre un ethnocentrisme encore tenace, et contre des réflexes xénophobes qui, bien souvent, proviennent d'une grave méconnaissance de la diversité culturelle des normes interactionnelles.

A lire sur le sujet...

Pour une présentation des principes et méthodes de l'analyse des conversations, voir aussi parmi les ouvrages en français (car la littérature sur la question, aujourd'hui fort abondante, est essentiellement en anglais) :

- D. André-Larochebouvy, *La Conversation quotidienne*, Didier-Credif, 1984.
- E. Goffman, *La Mise en scène de la vie quotidienne* (2 vol.), Editions de Minuit, 1973 ; *Les Rites d'interaction*, Editions de Minuit, 1974.
- C. Kerbrat-Orecchioni, *Les Interactions verbales* (3 vol.), Armand Colin, 1990, 1992, 1994 ; *La Conversation*, Seuil, coll. « Mémo », 1996.
- V. Traverso, *La Conversation familière*, Presses universitaires de Lyon, 1996.

5. R. Carroll, *Evidences invisibles, Américains et Français au quotidien*, Seuil, 1987.

PHILIPPE BRETON*

L'ARGUMENTATION**

ENTRE INFORMATION ET MANIPULATION

Communiquer c'est, au minimum, donner une information. Argumenter c'est, au pire, travestir la vérité. Ni pure information, ni manipulation, l'art de faire partager ses opinions, lorsqu'il repose sur la discussion, occupe une place essentielle dans nos échanges : en ce sens, l'argumentation appartient à l'espace de la communication.

« *LA DROGUE, mesdames, messieurs, enchaîne ceux qui s'y adonnent régulièrement, elle fait perdre toute volonté. On est entièrement soumis à son emprise, c'est elle qui commande, on ne peut plus s'en passer. C'est l'enfer de la dépendance…* » Il est courant qu'un conférencier parle de cette manière : phrases redondantes, adjectifs presque synonymes, bref, beaucoup de redites. Pour quoi en va-t-il ainsi ? Toute l'information n'est-elle pas donnée dès la première phrase ? A quoi bon en ajouter d'autres ? Pourtant, il est clair que l'effet n'est pas le même. L'accumulation des propositions brosse un tableau plus vivant et probablement plus efficace que si l'on n'avait gardé qu'une seule d'entre elles. Ce procédé, bien connu des Anciens, est appelé « expolition » : il consiste à mettre en valeur un argument en le répétant sous des formes identiques ou voisines. Il fait partie de la panoplie des techniques de l'éloquence classique, et entre aujourd'hui dans le cadre de ce que l'on appelle les modalités de l'argumentation.

Argumenter, c'est tenter de convaincre autrui en lui offrant de « bonnes raisons » d'adhérer à l'opinion qu'on lui propose. Mais peut-on vraiment dire que lorsqu'on argumente, on communique ? Les thèses traditionnelles ne se préoccupent en effet que de la nature

* Chercheur au CNRS, auteur de *L'Argumentation dans la communication*, La Découverte, coll. « Repères », 1996.

** *Sciences Humaines*, hors série n° 16, mars/avril 1997.

du message et de son efficacité propre, sans tenir compte de la dimension interactive de la situation. D'autre part, l'argumentation a longtemps été pensée, sous l'influence de la philosophie, comme l'ensemble des techniques permettant d'établir la vérité intrinsèque d'une proposition, indépendamment de tout auditoire. Cette perspective laisse peu de place à la communication.

L'importance sociale de l'argumentation

Les sciences de la communication ne peuvent ignorer cependant que l'argumentation est liée à l'échange de paroles, au dialogue. Aux origines de notre monde moderne et des conceptions de la sociabilité qui sont les nôtres aujourd'hui, il y a cette rupture essentielle, inaugurée par le monde grec, qui donne à la parole, comme le rappelle Jean-Pierre Vernant, *« une extraordinaire prééminence [...] sur tous les autres instruments de pouvoir »,* parole qui n'est plus *« le mot rituel, la formule juste, mais le débat contradictoire, la discussion, l'argumentation »* (1).
Est-ce à dire qu'aujourd'hui la parole, notamment argumentative, est partout ? Certes non, mais elle constitue la référence autour de laquelle le lien social tourne, y compris lorsque nous évoquons les pratiques actuellement dominantes de détournement de la parole au profit du dogme ou au nom d'une rhétorique de l'efficacité. Ces pratiques s'appellent désinformation, propagande et manipulation. La compréhension des phénomènes argumentatifs comme réalité, comme norme et comme source de déviance, paraît être aujourd'hui une des clefs pour l'analyse du monde moderne.
Les fondateurs de la rhétorique ont en réalité tenu compte du fait que l'argumentation nouait ensemble un orateur et un auditoire, l'argument défendu formant un message. Commentant à sa manière les trois volumes de la *Rhétorique* d'Aristote (2), Roland Barthes (3) voyait dans l'*ethos* une prise en compte de l'« émetteur », dans le *pathos* une prise en compte du « récepteur » et dans le *logos* la dimension du « message ».

Un catalogue de figures de style

Pour Aristote, il était évident que l'acte de convaincre s'adressait à un destinataire. Ultérieurement, cependant, on a attribué l'*ethos* (c'est-à-dire le style de celui qui parle) et le *pathos* (les sentiments de ceux qui l'écoutent) à la littérature, et le *logos* aux scientifiques, oubliant ainsi que l'essentiel de notre vie quotidienne ne doit finalement que peu de choses aux lettres et aux sciences.
L'argumentation, pour les rhéteurs, s'est rapidement cantonnée au catalogue des raisonnements et des figures de style (surtout des figures, d'ailleurs). On a considéré le message non plus comme une réalité circulant entre des êtres mais comme un texte à analyser et à commenter pour lui même. Il s'agissait de « dégager ses principaux arguments » pour les classer dans le catalogue des

1. J.-P. Vernant, *Les Origines de la pensée grecque*, Puf, 1962.
2. Aristote, *Rhétorique*, tomes I, II et III, trad. M. Dufour, Les Belles Lettres, 1967.
3. R. Barthes, « L'ancienne rhétorique », *Communications*, « Recherches rhétoriques », n° 16, Seuil, 1970.

formes rhétoriques. Bref, la vie est devenue pur exercice d'école, et l'école s'est coupée de la vie. On sortira de cette impasse théorique en redéfinissant le processus d'argumentation comme la mise en forme d'une opinion en fonction d'un « contexte de réception de l'auditoire ». Dans cette perspective, l'analyse argumentative rejoint ce qu'il est convenu d'appeler les théories de la « réception active », qui partent de l'idée simple que tout message n'existe, finalement, qu'à partir du moment où il est reçu et interprété (4).

Les deux étapes de l'argumentation

Une fois opérée cette mise en schéma communicationnel de l'argumentation, les vraies difficultés commencent. La théorie doit en effet rendre compte du fait qu'un argument puisse être effectivement convaincant, phénomène qui reste, pour une grande part, obscur. La question est donc : comment est-ce que ça marche ? Comment fait-on pour convaincre ? Les plus cyniques diront, à cette étape du raisonnement, qu'on y parvient généralement sans argumenter, mais en séduisant, en imposant, en manipulant ou, suprême ironie, en faisant croire qu'on argumente. Il nous faut donc, en plus, montrer qu'on peut être convaincu par de véritables arguments. Dans cette perspective, nous avons proposé d'opposer à une conception statique de la taxinomie des arguments une description qui en restitue la dynamique tout au long de la chaîne communicationnelle (5). La notion de « double détente argumentative » est une première piste qui permet, sans rejeter l'héritage de la rhétorique, de redisposer les arguments d'une façon plus satisfaisante. Ainsi, on peut dire que l'acte d'argumenter comporte deux étapes successives :

- une première étape, où l'orateur modifie le contexte de réception de l'auditoire, dans le but de le préparer à recevoir l'opinion proposée ;
- une seconde étape, où l'orateur tisse un lien privilégié entre le contexte de réception ainsi modifié et l'opinion proposée.

Classiquement, c'est sur cette seconde étape que l'étude de l'argumentation se focalise, en insistant sur ses mécanismes logiques (induction, déduction). A nos yeux, elle n'est pas la plus importante. Selon nous, un argument est toujours reçu et interprété au sein d'un univers de signification : celui de l'auditoire. Si l'on ne tient pas compte des phénomènes de réception, on risque fort de ne pas comprendre comment fonctionne une argumentation, qu'elle ait convaincu ou non.

Préparer l'auditoire

Le premier temps s'appuie spécifiquement sur des arguments destinés à intervenir sur le contexte de réception. Ils sont faits pour « ouvrir un espace » à l'opinion. On les appelle « arguments de cadrage », qui sont de trois sortes : l'appel aux présupposés communs, le recadrage du réel et le recours à l'autorité. L'appel aux présupposés consiste, par exemple, à activer une valeur présente

4. D. Dayan, « Les mystères de la réception », *Le Débat*, n° 71, 1992.
5. P. Breton, *L'Argumentation dans la communication*, La Découverte, « Repères », 1996.

chez l'auditeur. Ainsi, la campagne contre la violence à l'école en France, telle qu'elle a été conçue par des lycéens eux-mêmes, argumente ce refus de la violence sur une valeur largement répandue dans la jeunesse : le respect de soi et des autres (6).

Cette notion de présupposés fait apparaître l'existence de « lieux » argumentatifs, tels que la quantité, la qualité, l'unité. Par exemple, considérons la déclaration suivante, qui concerne une situation de grève prolongée : *« Ce qui compte, ce n'est pas le temps qu'on met à s'en sortir, mais la façon dont on s'en sort. »* Cette phrase, prononcée par le ministre Nicolas Sarkozy en 1994, oppose typiquement le « lieu » de la qualité à celui de la quantité.

Le recadrage du réel consiste à modifier la situation sur laquelle on argumente pour la rapprocher de l'opinion qu'on veut faire partager. Il existe plusieurs façons d'induire ce résultat, la plus évidente consistant à redéfinir le sens des mots. Exemple : dans un livre d'entretiens avec Jean-Louis Remilleux, l'avocat Jacques Vergès, se voyant reprocher ses *« sympathies pour des gens qui posent des bombes »*, répond à son interlocuteur que *« terroriste est un mot inventé par les Allemands sous l'Occupation »*. Par cette simple allusion historique, il « recadre » radicalement le sens du mot et lui enlève la charge négative dont il est ordinairement porteur.

Le recours à l'autorité est le troisième procédé de cadrage possible. Il ne se limite pas à la désignation d'un expert ou d'une autorité morale, comme dans la phrase : *« Ce n'est pas moi qui le dis, c'est l'INSEE. »* Affirmer : *« Je sais de quoi je parle, ça m'est déjà arrivé »* est un argument d'autorité qui fait appel à la notion d'expérience personnelle. Les appels au témoignage direct (*« Elle y était, pas toi »*), ou à l'innocence supposée du locuteur (*« Je n'y connais pas grand-chose, mais enfin... »*) sont des procédés de la même famille.

Faire passer une opinion

Une fois l'accord préalable obtenu, l'usage d'arguments dits « de lien » permet, dans un deuxième temps, de relier le contexte de réception à l'opinion proposée. Ces mécanismes d'argumentation, très étudiés par la rhétorique classique, font appels à deux grands types de liens logiques : la déduction et l'analogie.

Les arguments déductifs sont des arguments qui font découler la nécessité de l'opinion proposée de la situation recadrée. Leur ressort consiste, selon Chaïm Perelman, à *« passer de ce qui est admis à ce que l'on veut faire admettre »*. Ce sont des arguments qui reposent, entre autres procédures, sur l'implication logique, la règle de réciprocité et les relations de cause à effet. Exemples :

– implication : *« Si vous êtes pour le respect de soi et de l'autre, alors vous ne pouvez pas être violent avec autrui. »* ;

– réciprocité : *« Comment la mendicité peut-elle être un délit dans une société où la charité est une vertu ? »* ;

6. *Le Monde*, 5 novembre 1996, p. 11. L'appel à cette valeur pose d'ailleurs une question intéressante car on part en fait ici d'une valeur individualiste (le respect de soi) pour l'enchaîner ensuite sur une valeur plus solidaire (le respect de l'autre). Où l'on voit que l'individualisme progresse dans la jeunesse...

– causalité : *« L'école est une bonne chose, puisque ceux qui en sortent trouvent du travail. »*

Les arguments analogiques tissent un autre type de lien : ils transfèrent l'accord obtenu sur la situation recadrée à un terme ou à une opinion au nom d'une ressemblance. L'exemple donné par Aristote, dans sa *Rhétorique*, est très clair. Il met en scène un philosophe qui veut convaincre l'assemblée que les magistrats de la Cité (c'est-à-dire les jurys de tribunaux) devraient être choisis en fonction de leur compétence, et non tirés au sort (comme cela se faisait à Athènes). L'orateur rappelle que les joueurs des équipes sportives qui représentent la Cité sont choisis pour leur compétence et non tirés au sort parmi ses habitants (cadrage préalable). Puis (argument analogique), il s'étonne qu'il n'en aille pas de même pour les magistrats.

Il existe plusieurs figures d'argumentation par l'analogie : la métaphore, la comparaison, etc. L'argument par l'exemple est un des plus utilisés. Si je veux faire passer l'opinion qu'aux Etats-Unis, *« tout le monde a sa chance de réussir »*, j'ajouterai avec profit : *« Voyez ce qui est arrivé à Steve Jobs et à Bill Gates : ce sont des jeunes gens partis de rien et qui sont maintenant milliardaires. »* L'argument met en œuvre une analogie (au sens large) entre « tout le monde en Amérique » et « deux personnes particulières ».

Une des conséquences majeures de cette conception à double détente de l'acte argumentatif est que, pour une même opinion, différentes formes argumentatives sont possibles, en fonction des auditoires. Par exemple, admettons que je veuille convaincre le maximum de gens qu'il ne faut pas rétablir la peine de mort. J'ai avantage à ne pas cadrer de la même façon mes arguments selon que je suis face à des enseignants ou à des policiers.

J'insisterai, devant les premiers, sur le caractère fondamentalement barbare et antihumaniste de cette coutume. Devant les seconds, j'argumenterai sur l'inefficacité dissuasive d'une telle mesure, et sur le fait que son instauration ne fait pas baisser les statistiques du crime. L'opinion est la même dans les deux cas, l'argument diffère selon le contexte de réception. Le « colis » est le même, seules les modalités du transport changent. L'acte d'argumenter apparaît donc ainsi que le proposait Robert Escarpit, comme *« un cas particulier du transport »* (7).

Seules les opinions se discutent

Cette description est évidemment plus exigeante que celle qui se contente de classer les arguments, sans s'interroger sur leurs effets concrets. Elle désigne l'argumentation comme un fait de communication.

Cette affirmation, et les innombrables pistes de recherche qu'elle ouvre, rencontre toutefois un deuxième obstacle, élevé par la tradition philosophique. Celle-ci fait en effet planer, depuis deux mille cinq cents ans, le soupçon que tout discours s'adressant à un public particulier plutôt qu'à un auditoire

7. R. Escarpit, *Théorie générale de l'information et de la communication*, Hachette Université, 1976.

universel est démagogique et forcément éloigné de la vérité. Même Chaïm Perelman (8), qui a renouvelé dans les années 60 la théorie de l'argumentation, reste fasciné par cette idée : l'argu ment légitime doit, selon lui, pouvoir convaincre tout le monde, c'est-à-dire ne s'adresser à personne en particulier. Il est vrai que la démagogie s'appuie sur une pratique extrêmement courante de nos jours. Elle consiste, pour un orateur, à faire croire à des publics différents qu'il partage leur opinion, même si – ce qui est souvent le cas – ces opinions sont contradictoires entre elles. Cette pratique relève en effet de la pathologie de la communication et n'est en rien argumentative. Mais, à l'inverse, l'obsession de la philosophie pour la recherche de la vérité l'a finalement conduite à invalider toute procédure de discussion. *«Ce que l'on peut discuter est forcément faux»*, écrivait Descartes en ouverture de son *Discours de la méthode*.

Il est temps pour nous de renoncer à l'alternative trompeuse entre le vrai et le faux, et de revenir à la distinction plus raisonnable faite par Aristote entre le *vraisemblable* et le *certain*. Une opinion que l'on discute n'est en effet pas une vérité. On n'argumente donc que ce qui est vraisemblable, et non ce qui est certain. Pour prendre un exemple : aussi fortement que nous adhérions à cette conviction, il est seulement vraisemblable que la peine de mort soit une mesure inhumaine. Le domaine savant qui décrit les phénomènes d'argumentation n'est donc pas tant la philosophie (qu'on laissera sur ce point se débattre avec la question de la vérité) que les sciences de la communication. Celles-là ne se réapproprieront cette région importante des interactions humaines qu'en réfléchissant aussi aux normes qui séparent l'argumentation de la démagogie, de la manipulation, de la propagande, tout comme, sur un autre plan, elles s'interrogent sur les limites qui séparent l'information de la désinformation.

Les pistes de recherche désormais ouvertes au sein des sciences de la communication sont donc à la fois descriptives, à la recherche d'un savoir positif sur cet objet étrange qu'est l'argumentation, et normatives, pour distinguer l'argumentation à la fois de la dogmatique de la vérité et de la tentation démagogique, c'est-à-dire, en dernière instance, pour réhabiliter l'opinion.

8. C. Perelman et L. Olbrechts-Tyteca, *Traité de l'argumentation, la nouvelle rhétorique*, éditions de l'Université de Bruxelles, 1970.

Communiquer ou manipuler ?

L'argumentation, qui a pour objectif de persuader un auditoire ou des lecteurs, peut-elle être distinguée de la rhétorique, voire de la pure et simple technique de désinformation ? *A priori*, cela ne semble pas facile. Pourtant, une différence peut apparaître si l'on considère qu'argumenter est une façon de communiquer, et non pas seulement de manipuler. Communiquer consiste à faire partager à autrui le contenu d'une opinion et par là même à lui donner les moyens de remettre en cause cette opinion. Manipuler consiste à faire adhérer autrui à une opinion dont le contenu peut être ambigu ou obscur, de sorte qu'aucune réponse n'est possible.

Prenons un exemple, cité par Philippe Breton : opposer les *« Français de cœur »* aux *« Français de ventre »*, comme le fait un billettiste dans les colonnes du *Figaro* (1), pour distinguer les « bons immigrés » des « mauvais », est-il un mode d'argumentation ? En fait, il s'agit plutôt d'une figure de style, reposant sur une symétrie de construction. L'argument de fond, qui s'appuie sur des métaphores conventionnelles du corps humain, n'a pas de contenu propositionnel clair, si ce n'est qu'il évoque une opposition entre le « noble » (le cœur, les sentiments) et « l'ignoble » (le ventre, l'intérêt). Tout est dans la connotation : si le lecteur adhère à cette formulation, il ne sait rien de plus, sinon que le monde des immigrés est divisé en deux classes, l'une bonne, l'autre mauvaise. On voit mal quelle sorte de réponses pourraient appeler cette formule, mis à part quelques propos aigres. En revanche, lorsque le même billet affirme plus loin que les mesures d'encadrement des banlieues constituent des « différences de traitement » qui risquent d'accentuer l'« allogénéité » de leurs habitants, il fait appel à une valeur bien cotée des Français – l'égalité – dont il suggère qu'elle serait bafouée par ces mesures. Il s'agit cette fois d'un mode d'argumentation par « appel aux valeurs », qui peut donner lieu à la formation d'une opinion et à sa discussion. « Argumenter », au sens communicationnel, ne veut donc pas dire faire de l'éloquence, séduire par des sous-entendus ou écraser tout dialogue possible par une rhétorique bien appliquée, mais mettre en relation le contenu d'une opinion avec le monde des auditeurs. En politique, les deux procédés sont couramment utilisés, mais à des dosages variés.

NICOLAS JOURNET

1. *Le Figaro*, 6 novembre 1995, « Opinions ».

Rituels et sociabilités

Dominique Picard*

LES RÈGLES DU SAVOIR-VIVRE**

Les rites de politesse ne sont pas de vieilles survivances inutiles. Ils répondent à des besoins précis des situations quotidiennes.

La politesse est-elle une conduite dépassée ? Non, si l'on en juge par les résultats de plusieurs sondages. Celui de la Sofres, par exemple (*Madame Figaro* du 7 octobre 1995), indiquait que 73 % des personnes interrogées estiment qu'*« il faut être poli dans toutes les circonstances car c'est une règle de vie en société »*.

La « politesse » (qu'on appelle encore le « savoir-vivre », les « usages » ou la « bienséance ») consiste en un ensemble de modèles comportementaux et de prescriptions régissant les interactions sociales. Elle constitue la norme la plus quotidienne, et sans doute la plus pratiquée, des rituels sociaux. Si les trois quarts de la population française la plébiscitent, c'est que, contrairement à certaines idées reçues, elle ne se contente pas de refléter l'idéologie d'un milieu spécifique (généralement qualifié de « bourgeois ») ; mais elle tend à systématiser, sous forme d'injonctions et de préceptes, les valeurs essentielles de la culture en matière d'éthique, d'esthétique ou d'hygiène. Parfois assimilée à une certaine forme d'étiquette hypocrite ou décriée au nom de la spontanéité, elle s'avère néanmoins un fondement indispensable des relations humaines. Les règles de politesse ou de savoir-vivre, comme celle de salut par exemple, sont communes et nécessaires dans toutes les sociétés. Bien entendu, elles varient selon les milieux et les

---

* Professeur de psychologie sociale à l'université Paris-XIII-Villetaneuse. A publié *Les Rituels du savoir-vivre*, Seuil, 1995.

** *Sciences Humaines*, n° 58, février 1996.

époques. Certaines règles de bienséance imposées hier pourront paraître désuètes aujourd'hui. Il n'empêche, si les formes des rites de savoir-vivre varient, leur existence, elle, est universelle.

Une autre preuve de l'actualité de la politesse est le succès que continuent d'obtenir les traités de savoir-vivre, ouvrages qui donnent les règles de politesse et expliquent comment on doit se comporter dans toutes les circonstances de la vie sociale. Il en paraît un nouveau chaque année, souvent même en édition de poche, ce qui suppose une grande diffusion. Par une analyse de ces traités, il est possible de saisir les règles sous-jacentes aux interactions sociales quotidiennes. En effet, celles-ci répondent à une certaine structure, assument certaines fonctions et obéissent à certaines régulations. Elles apparaissent ainsi comme une sorte de « langage social » dont les règles de politesse (ou de savoir-vivre) forment en quelque sorte la grammaire (1).

Vu sous cet angle, les « Bonjour-merci-s'il vous plaît », « Mouche ton nez », « Tiens-toi droit » et autres injonctions ne sont pas des principes arbitraires mais répondent en fait à des besoins fondamentaux de la sociabilité. Analyser les rituels de politesse, saisir ce qui les sous-tend, découvrir leurs fonctions, c'est pénétrer au cœur même de notre culture, et comprendre la logique profonde qui préside aux relations humaines.

A quoi sert donc la politesse ? Outre son rôle de renforcement de l'ordre social et de la cohésion d'un groupe, en prônant des valeurs favorables à la sociabilité, elle assume essentiellement deux fonctions : une fonction « psychologique » de protection de soi, et une fonction « communicationnelle » de facilitation des contacts sociaux.

Valeurs et enjeux des règles

Lorsqu'on entre en relation avec les autres, on prend le risque d'être accepté ou rejeté, apprécié ou déprécié. Une des visées fondamentales de la communication est de se voir confirmer une image valorisée de soi-même (ce que, depuis les travaux du sociologue américain Erving Goffman, on appelle la « face »). Cela implique de se présenter favorablement (pour « garder la face ») et de traiter les autres avec considération (pour qu'ils ne « perdent pas la face ») : « *L'image que vous donnez de vous-même et le comportement que vous adoptez,* affirme un traité de savoir-vivre, *sont la marque du respect réciproque que vous souhaitez établir.* » (2)

Bien se présenter et bien traiter les autres découlent donc du principe de respect de soi et d'autrui.

Le respect de soi consiste à avoir une bonne tenue : être soigné, porter des vêtements propres et de bon goût, être attentif à son maintien, maîtriser son langage... Tout cela n'a que peu de rapport avec le narcissisme et la fatuité. C'est quasiment une règle éthique : « *Une entorse aux règles de l'élégance ou simplement de l'hygiène (qui niera l'excellence d'une douche quotidienne et ses incommensurables mérites ?), cette petite entorse en entraîne vite d'autres : moins*

1. La mise en perspective des règles profondes et des comportements de surface est l'objet de mon ouvrage *Les Rituels du savoir-vivre, op. cit.*
2. *Le Savoir-vivre aujourd'hui*, Larousse, 1981.

de rigueur dans la sélection de vos vêtements ou de vos chaussures et voilà moins de rigueur dans celui de vos amis et, surtout, de votre moralité. » (3) La bonne tenue a en grande partie une fonction sociale ; elle est une façon de montrer qu'on est une personne digne de considération ; elle est donc une façon d'aider les autres à vous respecter. L'idée qu'on ne respecte que les gens qui se respectent eux-mêmes est d'ailleurs assez fortement ancrée dans les mentalités. On parle en effet d'une « personne respectable » pour qualifier celle dont la tenue est irréprochable. On dit également qu'il est difficile de *« respecter quelqu'un qui ne se respecte pas lui-même »*. J'ai personnellement entendu cet aphorisme dans des occasions diverses : sur l'alcoolisme de certains cadres ou dirigeants politiques ; à l'évocation du laisser-aller qui s'empare de certains chômeurs de longue durée, etc.

Respecter les autres, c'est leur donner la place et la considération qui leur reviennent et ne pas s'imposer à eux. Cela se traduit par des marques de déférence et de tact.

Toute la politesse est parcourue par des marques de déférence. Très tôt, par exemple, on apprend aux enfants à saluer les gens selon leur qualité : on ne dit pas « Bonjour », mais « Bonjour madame ». Plus tard on apprend les subtilités vis-à-vis d'un maire ou d'un député, on lui donne son titre et on se situe dans une place inférieure à la sienne : la lettre commencera par « Monsieur le maire » et non « Monsieur » ; on terminera par des « respects » et non de la simple « considération ».

Les relations hommes/femmes donnent de la déférence un exemple significatif. Un homme doit en chaque occasion marquer un certain respect envers les femmes : il ne peut s'asseoir qu'après elles, ne peut fumer qu'avec leur autorisation ; sa conversation doit leur plaire ; il doit veiller à leur confort, les aider à mettre ou enlever leur manteau, leur ouvrir les portes, repousser leur chaise, leur laisser les meilleures places au théâtre, la banquette au restaurant, les raccompagner, leur laisser le haut du pavé… et régler les additions.

Quant au tact, il est souvent considéré comme « le raffinement de la politesse ». Avoir du tact, c'est aider les autres à faire bonne impression en société ; comme, par exemple, ignorer les fautes et les impairs commis près de soi (il vaut mieux, par exemple, ne pas souligner un éternuement d'un jovial « A vos souhaits »).

La protection du territoire

Mais avoir du tact, c'est aussi, d'un point de vue pratique, respecter le bien, la propriété et le territoire d'autrui : ne pas emprunter un objet sans en demander la permission ; ne pas se servir du téléphone de ses hôtes ; ne pas entrer dans un bureau sans frapper ; ne pas « visiter » la cuisine et les chambres d'un appartement où l'on pénètre pour la première fois… A un niveau plus symbolique, le tact se traduit également par le respect de la sphère personnelle, de l'intimité et des secrets des autres : *« Pas de curiosité indiscrète. N'obligez jamais*

3. *Le Bonheur de séduire, l'art de réussir. Savoir-vivre aujourd'hui*, Fixot, 1991.

quelqu'un à vous parler de ses gains, de ses dépenses ou à vous dévoiler une part de son intimité. » (4) En un mot : ayons de la « réserve », principe qui régule la « bonne » distance à autrui. Ni trop proche (on le gêne, ou on risque de se faire envahir), ni trop lointaine, car la réserve ne doit pas être synonyme de rejet ou de mépris : « *Armez-vous de réserve vis-à-vis des personnes indiscrètes, exubérantes, mais ne vous croyez pas obligé de "faire une tête de pôle Nord" ; vous pouvez sourire, croyez-moi. Si les gens paraissent vous prendre d'assaut (...) ayez l'air de ne pas comprendre, de ne pas entendre, détournez tout doucement ce courant trop rapide de sympathie.* » (5)

Autrefois, le savoir-vivre proposait toute une série de signes codifiés permettant de signaler qu'on était prêt ou non à ouvrir son habitation. Ainsi, chaque maîtresse de maison avait « son jour » où les visiteurs savaient la trouver disponible (ce qui laissait entendre qu'on ne pouvait pas arriver à l'improviste à un autre moment). Ou bien, lorsqu'on voulait répondre courtoisement à une visite sans engager de relation, on déposait simplement une carte de visite « cornée » au domicile de la personne... qui comprenait alors qu'on en resterait là. Aujourd'hui, seule une réserve savamment dosée peut permettre d'engager une relation ou de se débarrasser d'éventuels importuns.

Le respect des faces et des territoires joue ainsi le rôle d'une défense identitaire et relationnelle. La politesse peut, sous cet angle, être considérée comme un système hautement protecteur puisque non seulement elle édicte des règles qui permettent de se présenter sous son meilleur jour et de circonscrire un territoire intime sans être grossier, mais, en plus, elle interdit de remarquer tout aspect négatif chez les autres, de même qu'elle proscrit toute intrusion dans le territoire d'autrui.

Mais ce n'est pas tout. Entrer en relation avec quelqu'un, ce n'est pas seulement se défendre contre lui ; c'est aussi pouvoir communiquer avec lui. Au niveau de la communication, la politesse est également un code qui permet et facilite le contact dans les conditions optimales : en maximisant les gains et en minimisant les risques. Sous cet angle, elle apparaît donc comme un code stratégique.

Rencontrer les autres est, on vient de le voir, une situation que l'on peut qualifier de « problématique ». Or, lorsqu'on est confronté à ce genre de situation, on cherche à adopter un comportement visant à prévenir, ou contourner les risques potentiels. Autrement dit, on déploie des stratégies de défense et de protection. Celles-ci peuvent être différentes d'un individu à un autre. Mais lorsqu'elles prennent une forme stable pour devenir, dans certains cas, une conduite quasi obligatoire, elles constituent alors des « rituels ».

Dans la vie sociale, les situations problématiques sont essentiellement celles qui peuvent menacer les faces ou entraîner des violations territoriales. Elles sont nombreuses et variées : quand on doit évoluer dans un milieu qui n'est pas le sien ; quand il faut faire face à une gaffe

4. *Le Nouveau Savoir-vivre en 10 leçons*, Hachette, 1975.

5. Baronne Staffe, *Usages du monde. Règles du savoir-vivre dans la société moderne*, 1899.

ou à une transgression ; quand il faut organiser une cérémonie ; quand on doit rencontrer une personne qu'on ne connaît pas…
Dans ce dernier cas, une question se pose avec acuité : quel comportement adopter ? Symboliquement, entrer en contact avec quelqu'un, c'est pénétrer sur son territoire : trop de familiarité, et il peut se sentir envahi (on commettrait alors une « offense territoriale ») ; trop de distance et on peut lui paraître froid et rejetant (ce qui serait une offense à sa face). De plus, on court le risque de paraître gauche ou mal élevé, ce qui, cette fois, blesserait notre propre face. La situation n'est pas simple… Comme en témoigne ce dialogue entre un jeune homme et une jeune fille qu'il va présenter à sa mère : *« Tu crois que je dois l'embrasser ? Quelqu'un que je n'ai jamais vu ? — Mais oui. Si tu lui serres la main, elle va se vexer. »*
Le rôle de la politesse, c'est aussi de parer à la gêne et à l'embarras en société. A cet effet, elle a prévu une sorte de répertoire des situations délicates ainsi que des stratégies pour y faire face. Dans certains cas, il ne s'agit que de conseils donnés d'un ton plus ou moins ferme : *« On ne doit jamais employer le terme "bonjour, Monsieur Dupont" (…), on dit "Monsieur". »* (6) *« Il est recommandé de réserver les cadeaux personnels (lingerie, parfum) aux gens que l'on connaît bien. »* (7)
Cependant, plus on s'éloigne de l'univers quotidien, plus on a affaire à des événements ayant de lourds enjeux symboliques (la vie, le sexe, le pouvoir, la mort…), et plus les conduites deviennent ritualisées. C'est le cas, notamment, des naissances, des mariages et des enterrements qui marquent des étapes fondamentales dans la vie des individus et des groupes. Les rituels sociaux apparaissent donc comme un moyen symbolique de canaliser les émotions, de réguler les comportements, de conjurer tout ce qui peut perturber les petits et les grands moments de l'existence.

Les différents types de rituels de politesse

Les rituels de politesse obéissent tous à de grandes lois. Par exemple, celle de l'échange et de la réciprocité : personne ne peut ni uniquement recevoir, ni uniquement donner et toute forme de relation (même la plus hiérarchique) doit tendre vers un certain équilibre. Cependant, ces lois se spécifient selon le domaine où elles s'appliquent : ouvrir ou fermer la communication, confirmer les rôles sociaux, assurer le passage d'un statut à un autre.
Les « rituels d'accès » gèrent la communication et la façon dont nous entrons en relation avec les autres : *« Pardonnez-moi, je ne vous dérange pas ? — Je vous en prie, de quoi s'agit-il ? »* Deux répliques conventionnelles : des excuses préventives pour une offense (territoriale) virtuelle ; une réponse rassurante (il n'y a pas eu offense). Vu sous cet angle, les rituels d'accès peuvent être perçus comme des rituels de prévention et d'apaisement. Mais ce n'est pas leur seule fonction. Ouvrant une relation, ils doivent aussi

6. *Guide Marabout du savoir-vivre*, 1951.
7. *Le Savoir-vivre aujourd'hui*, Larousse, 1981.

la définir en termes de places, de statuts ou d'identités (ou en rappeler la définition si elle préexiste au contact).
Ainsi, les « présentations » qui servent à initier une rencontre doivent permettre aux partenaires de s'identifier mutuellement et d'identifier leurs positions sociales respectives. C'est pour cela qu'une règle indique un ordre de présentation : on nomme toujours en premier la personne dont la position est la plus basse. Ainsi, chacun sait comment se situer (8). Les « saluts », eux, sont la forme la plus courante des rituels d'accès. Ils sont également placés sous le signe des préséances puisque la personne en position basse doit toujours saluer la première. Mais ils se modulent en fonction de certains paramètres comme le degré d'intimité (on ne salue pas le collègue qui partage son bureau et le concierge de l'entrée de la même façon) ou le lieu où l'on se trouve : dans un appartement privé, on peut se livrer à de grandes effusions, mais dans la rue on se contente de *« faire de loin un petit geste de la main » (9)*.
Les « rituels de confirmation » servent essentiellement à préserver les faces et à soutenir les identités des acteurs. Ce sont notamment toutes les marques qu'on appelle de « déférence », qui ont pour fonction de manifester à une personne le respect qu'on lui doit : la faire passer devant soi, lui céder sa place dans le métro, lui donner une place d'honneur à table, etc.
Cependant, la confirmation peut également porter sur la relation qu'on entretient avec son partenaire. Là aussi, la politesse engendre quelques obligations, comme envoyer ses vœux chaque année (et répondre à ceux qu'on reçoit), se rendre visite et s'inviter à intervalles réguliers, offrir un cadeau d'anniversaire à ses proches…
Quant aux « rites de passage », ils facilitent la transformation des rôles et l'évolution des statuts dans le temps. Ils prennent l'aspect de véritables célébrations associant généralement le religieux et le mondain. Ils marquent les principales étapes de la vie : les cadeaux de naissance et de baptême fêtent l'entrée du nouveau-né dans la communauté ; le mariage la fondation d'une famille ; les obsèques célèbrent l'ultime passage…
Des similitudes se retrouvent dans toutes ces étapes. A chaque fois, on doit donner à l'événement un large écho (sous forme d'annonces et de faire-part). Les cérémonies revêtent un certain décorum très ritualisé (tenue de cérémonie, cortèges, compliments – ou condoléances – de rigueur…). Et, surtout, chaque rite de passage associe étroitement l'individu fêté et le groupe auquel il appartient. Par exemple, lors du mariage, on célèbre non seulement l'union de deux êtres, mais aussi celle de deux familles. Les deux couples de parents annoncent ensemble la cérémonie sur le même faire-part ; dans le cortège, les couples sont toujours composés d'un membre de chaque famille ; les tables sont présidées de la même façon, etc. C'est que les grands événements sont moins conçus dans leur

8. L'univers de la politesse est en effet très hiérarchisé. Les acteurs y sont répertoriés dans des catégories binaires dans lesquelles l'un des éléments est toujours supérieur à l'autre : patron/employé ; vieux/jeunes ; femme/homme…
9. *A.B.C. du savoir-vivre*, Nathan, 1967.

résonance personnelle (le changement de statut d'un individu) que dans leurs effets sociaux. On change de place au sein d'un système qui nous inclut et nous dépasse. Les grandes cérémonies sont ainsi l'occasion de rappeler à la communauté, au moment où elle doit entériner les changements, que les règles qui la guident et les principes qui la soudent restent stables. On retrouve dans ce cas une des fonctions essentielles des rituels : consolider l'unité d'un groupe.

Ainsi, la ritualité dans la politesse apparaît comme une sorte de mécanisme de défense collectif (contre l'embarras, l'imprévu, le changement...). Mais il ne faut pas oublier que c'est aussi un langage, composé d'actes et de formules stéréotypés, qui permet une communication immédiate et univoque. Ce sont autant de marques qui aident à s'assurer que l'interlocuteur est un membre autorisé du groupe : quelqu'un de fréquentable, de « comme il faut », dont on sait d'avance qu'il « jouera le jeu ». En fait, celui qui ne se conforme pas au rituel s'exclut des relations sociales. Cela justifie l'importance que chacun, quel que soit son milieu, accorde à certaines formes de politesse.

A lire sur le sujet...

- E. Goffman, *Les Rites d'interaction*, Editions de Minuit, 1974.
- J. Maisonneuve, *Les Conduites rituelles*, Puf, coll. « Que sais-je ? », 1995.
- D. Picard, *Les Rituels du savoir-vivre*, Seuil, 1995.
- D. Picard, *Politesse, savoir-vivre et relations sociales*, Puf, coll. « Que sais-je ? », 1998.
- C. Rivière, *Les Rites profanes*, Puf, 1995.

Erving Goffman (1922-1982)

En analysant les subtiles interactions entre acteurs sociaux, Erving Goffman a profondément renouvelé l'étude de la communication sociale.

La vie

E. Goffman est né en 1922 au Canada anglophone dans une famille juive d'origine russe. Il suit des études de sociologie à Chicago et approfondit notamment l'œuvre de Mead, Freud, Weber, Radcliffe-Brown, Durkheim et Simmel (dont il retiendra l'approche microsociologique). Il soutient sa thèse en 1953 : *Mode de communication au sein d'une communauté îlienne*, fruit d'une observation participante d'un an aux îles Shetland sur les formes de sociabilité entre les habitants. Puis il enseigne un peu (sans enthousiasme, dit-on) à Berkeley et à Philadelphie. En fait, il est surtout attiré par la recherche et, jusqu'à sa mort en 1982, sa pensée ne cessera de se développer.

L'œuvre

La communication est le thème constant des travaux de E. Goffman. Il analyse les interactions sociales, les rites de politesse, les conversations, tout ce qui fait la trame des relations quotidiennes. L'interaction y est vue comme un système par lequel se fonde la culture. Ce système possède des normes, des mécanismes de régulation. C'est le cas, par exemple, de l'« obligation d'engagement », règle sociale qui stipule que toute personne entrant en conversation avec une autre doit manifester un engagement suffisant dans cette activité : « *En tant que foyer d'attention principal, la conversation a un caractère unique, car elle crée pour celui qui y prend part un monde et une réalité où d'autres participent également.* »

• Les « rituels d'interaction » sont autant d'occasions d'affirmer l'ordre moral et social. Dans une rencontre, chaque acteur cherche à donner une image valorisée de lui-même, la « face » ou « *valeur sociale positive qu'une personne revendique effectivement à travers la ligne d'action que les autres supposent qu'elle a adoptée au cours d'un contact particulier* ». L'un des enjeux essentiels de l'interaction est de « faire bonne figure » (« ne pas perdre la face »). Pour cela, il convient que tout le monde coopère dans une sorte d'« accord de surface » et selon un mode de conduite tacite (les « règles cérémonielles »).

• *La Présentation de soi* (1956) est le premier ouvrage d'E. Goffman. Il assimile le monde à la scène d'un théâtre où les individus sont des « acteurs » qui tiennent des « rôles » et les relations sociales des « représentations » soumises à des règles précises. L'une des questions essentielles qui se pose à l'acteur (dans la vie comme au théâtre) est de créer chez autrui une « impression de réalité » pour faire croire à l'image qu'il veut donner de lui-même. Pour cela, il doit adapter sa présentation (sa « façade personnelle ») à son rôle et « dramatiser » celui-ci, c'est-à-dire incorporer à son activité des signes qui donneront de l'éclat et du relief à certains de ses comportements (comme l'arbitre qui décide toujours très vite pour paraître infaillible). Filant la métaphore théâtrale, E. Goffman divise les lieux sociaux en plusieurs régions. Les « régions antérieures » (la « scène ») sont celles où se déroulent les représentations : les acteurs y sont confrontés au « public » et doivent y tenir leurs rôles sociaux (comme le professeur dans sa classe ou le boute-en-train dans une sortie). Les « régions postérieures » (ou « coulisses ») sont fermées au public et l'acteur peut donc y relâcher son contrôle ou préparer sa future prestation (le professeur avoue son ignorance en révisant son cours, le boute-en-train laisse percer sa tristesse...). De la même façon qu'il classe les « régions », E. Goffman dresse un inventaire des « rôles » que l'on peut tenir : les rôles francs (comme ceux d'« acteur « ou de » public ») mais aussi d'autres plus subtils (qu'il appelle « contradictoires ») comme celui du « comparse » qui appartient à l'équipe des acteurs mais fait semblant de faire partie du public (la femme qui s'esclaffe quand son mari raconte dans une soirée une histoire drôle qu'elle a déjà entendue vingt fois) ou la « non-personne » qui est présente pendant l'interaction mais considérée comme absente et vers laquelle la représentation n'est pas dirigée (le chauffeur de taxi dont la présence n'empêche pas la femme de se remaquiller ou un couple de se disputer).

• L'« observation participante », technique par laquelle le chercheur s'immerge dans une culture afin d'en comprendre le vécu et les règles internes, a été à l'origine d'*Asiles*, l'un des ouvrages les plus célèbres de E. Goffman. Pendant un an il a vécu à l'hôpital Ste Elizabeth de Washington, s'est mêlé aux malades et y a mené la vie d'un « reclus ». Il traite de l'hôpital psychiatrique comme d'un établissement social spécialisé dans le « gardiennage » des hommes, sans aborder particulièrement la spécificité de la maladie mentale. Il décrit méticuleusement la vie quotidienne des « reclus » (soignés et soignants), mais en cherchant à comprendre la cohérence des comportements à partir des contraintes organisationnelles. Il adopte pour cela le point de vue des internés, montrant ainsi que les comportements peuvent être soumis à plusieurs lectures : une lecture « extérieure », médicale et « psychologisante », qui interprète l'attitude des patients comme des symptômes d'inadaptation à la société et à la vie normale ; une lecture « intérieure », montrant que ces mêmes attitudes résultent d'une adaptation tout à fait rationnelle au contexte hospitalier et à ses contraintes. En fait, E. Goffman adopte vis-à-vis des malades mentaux le regard que l'ethnologue porte sur une tribu lointaine, en se distanciant des jugements conventionnels et en tentant d'intérioriser ses valeurs et sa logique. Ce regard « ethnologique » traverse toute son œuvre.

Dans *Stigmate* (1963), il aborde les handicaps psychiques ou physiques et analyse les interactions « faussées » entre « normaux » et « stigmatisés ». Dans *Les Cadres de l'expérience* (1974), il effectue une sorte d'analyse « syntaxique » des structures de la communication. Il isole *« quelques cadres fondamentaux qui dans notre société, nous permettent de comprendre les événements »*.

Dans son dernier ouvrage, *Façons de parler* (1981), il apporte une vision « interactionniste » à l'analyse des conversations (opposée à l'approche purement linguistique). Il souligne l'importance du contexte social de la communication non verbale. Par exemple, *« Tu viens ! »* est radicalement différent de *« Tu viens ? »*. Dans l'analyse des conversations comme dans l'étude de toute forme d'interaction, E. Goffman a toujours cherché à appréhender les phénomènes dans leur totalité. C'est là que résident son originalité et son intérêt. C'est aussi ce qui l'a marginalisé, face aux sociologues ou aux linguistes campés sur leur discipline.

En France, il a fallu attendre la traduction d'*Asiles* en 1968 pour qu'il atteigne une certaine notoriété. Ceux qui le lirent alors reçurent une sorte de choc tant la force et l'originalité de l'ouvrage s'imposaient. L'œuvre d'E. Goffman a suscité un intérêt grandissant au cours des dernières années.

Dominique Picard

A lire...

Ouvrages d'Erving Goffman :
- *Asiles, études sur la condition sociale des malades mentaux*, Editions de Minuit, 1968.
- *La Mise en scène de la vie quotidienne*, 2 tomes, Editions de Minuit, 1973.
- *Les Rites d'interaction*, Editions de Minuit, 1974.
- *Stigmate : les usages sociaux des handicaps*, Editions de Minuit, 1976.
- *Façons de parler*, Editions de Minuit, 1987.
- *Les Moments et leurs hommes*, Seuil/Editions de Minuit, 1988 (textes recueillis et présentés par Y. Winkin).
- *Les Cadres de l'expérience*, Editions de Minuit, 1991.

Ouvrages principaux non encore traduits en français :
- *Encounters : two studies in the Sociology of Interaction*, Bobbs-Merill, 1961.
- *Strategic interaction*, University of Pennsylvania Press, 1969.
- *Gender Advertisements*, Harper and Row, 1979.

Ouvrage sur Erving Goffman :
- *Le Parler frais d'Erving Goffman*, Editions de Minuit, 1989, actes du colloque : « Lecture de Goffman en France » de Cerisy-La-Salle, juin 1987.

Jacques Cosnier*

EMPATHIE ET COMMUNICATION**

PARTAGER LES ÉMOTIONS D'AUTRUI

Des recherches récentes montrent que les émotions jouent un rôle essentiel dans les relations interpersonnelles et dans la communication affective avec autrui.

Le terme « émotion » a, dans le langage courant d'aujourd'hui, la place des « passions » au XVIIe siècle, c'est-à-dire qu'il désigne, au sens large, l'ensemble des états affectifs, quelle que soit leur intensité ou leur durée. Dans un sens restreint, les « émotions de base » correspondent à des états caractérisés, selon Paul Ekman, par neuf critères dont les trois suivants sont limitatifs : le déclenchement rapide lié à un événement spécifique, la durée limitée, la survenue involontaire. La joie, la tristesse, la colère, la peur, la surprise, le dégoût, répondent à ces critères (1). Cela les différencie des « sentiments », tels l'amour ou la jalousie, qui s'établissent progressivement et sont plus durables, ainsi que des « humeurs », nettement polarisées (bonnes ou mauvaises, excitées ou déprimées). Il est donc préférable d'utiliser le terme d'« affect » pour parler d'émotion dans le sens large, et celui d'émotion pour le sens restreint. C'est ce que nous ferons dans la suite de ce texte.

Beaucoup de recherches sur les émotions utilisent des questionnaires, des interviews, des témoignages. C'est par exemple le cas de l'étude européenne « *Experiencing Emotion* » (2). Cette étude, menée au début des années 80,

* Professeur émérite à l'université Louis-Lumière-Lyon-II. Auteur de *Psychologie des émotions et des sentiments*, Retz, 1994.
** *Sciences Humaines*, n° 68, janvier 1997.
1. P. Ekman, « An argument for basic emotion », *Cognition and Emotion*, 1992.
2. K.R. Scherer, H.G. Walbott et H.G. Summerfield (eds.), *Experiencing Emotion : a Cross-cultural Study*, MSH/Cambridge University Press, 1986.

avait pour objectif de préciser la nature des événements déclenchant les réactions et les modes de contrôle et de résolution de quatre émotions : la colère, la joie, la tristesse et la peur.
Le questionnaire fut administré à 780 sujets de sept pays européens. Il a mis en évidence que la survenue de grandes émotions est un phénomène relativement rare. Ainsi, les trois quarts des sujets seulement ont déclaré avoir éprouvé de la joie ou de la colère, au cours du mois précédent, et un tiers de la tristesse et de la peur. Pas plus de 10 % ont dit avoir vécu une émotion notable le jour même ou la veille du questionnaire.

Nous ressentons certaines émotions sans même le savoir

Ces résultats d'enquête sur la rareté des émotions peuvent sembler surprenants, car nous pensons généralement que nos journées en sont riches. Dès lors, une autre méthode d'étude s'avère utile : l'observation directe des interactions en situation naturelle (caméra cachée) ou semi-naturelle (milieu contrôlé). Dans ce dernier cas, on use parfois de techniques de mesure du rythme cardiaque, de la pression artérielle, des réactions électrodermales (variations de la résistance électrique de la peau, provoquées par une émotion). Cette méthode d'observation permet de constater les faits suivants.
Au cours d'une conversation, nombreux sont les moments où se manifestent des réactions de type affectif, comme en témoignent les modifications de processus physiologiques (variation du rythme cardiaque, etc.). Ces moments émotionnels apparaissent souvent en courtes phases (on les appelle pour cela « *affects phasiques* ») et sont accompagnés de paroles, de gestes et de mimiques (sourire, par exemple). Cependant, si l'on demande ensuite aux sujets de signaler les moments « affectivés », ils ne mentionnent spontanément que les moments « forts » et ne semblent pas se souvenir de ces micro-affects. En revanche, ils les reconnaissent parfois si on leur présente en différé l'enregistrement vidéo de la conversation. Il semble que ces micro-affects ne soient pas de simples modèles réduits des émotions de base, mais des émergences affectivo-végétatives très fugaces.
Ces études ont également mis en évidence un autre phénomène : certains états affectifs comme la gêne, l'hostilité, l'émoi érotique se prolongent de façon continue pendant de longues périodes. Ces affects plus durables et plus conscients sont dits « toniques » car ils sont constitutifs d'un tonus affectif de base. Ils peuvent varier à certains moments de l'interaction sous l'influence répétée des affects phasiques : par exemple, une personne initialement méfiante ou gênée peut se trouver détendue à la fin de l'entretien. Enfin, on observe assez fréquemment entre les partenaires d'une interaction une synchronisation des réactions micro-affectives.

Deux manières de percevoir les émotions d'autrui

Dans une interaction de face à face, celui qui parle se pose en permanence quatre questions : « Est-ce qu'il m'entend ? » ;

« Est-ce qu'il m'écoute ? » ; « Est-ce qu'il me comprend ? » ; « qu'est-ce qu'il en pense ? ». De son côté, l'auditeur se demande : « Qu'est-ce qu'il veut dire ? » ; « Qu'est-ce qu'il fait en disant cela ? » ; « Qu'est-ce qu'il en pense ? »

Les trois premières questions du parleur et les deux premières du receveur sont gérées par un système de régulation de la conversation bien connu, très largement basé sur des signaux non verbaux : regards, hochements de tête, mimiques, éventuellement émissions verbales du genre « Hm Hm », « Ah oui ? », « Non ? » (3).

Mais les mécanismes de la dernière question intérieurement formulée de part et d'autre (« Que pense mon partenaire ? »), question évaluative sur l'état affectif d'autrui, sont bien moins connus. Pourtant, la plupart des chercheurs estiment que ces mécanismes sont très importants car ils sont une condition nécessaire de la compréhension réciproque. Les « A quoi penses-tu ? » ou « Est-ce que tu m'aimes ? » des amoureux illustrent bien ce fait.

On appelle empathie le partage simultané d'états psychocorporels, c'est-à-dire le fait qu'au même instant, les partenaires de l'interaction vivent et éprouvent un état semblable. Les phénomènes empathiques sont nombreux dans toute interaction et prennent parfois des formes évidentes, par exemple dans les phénomènes de contagion du fou-rire et des pleurs, mais aussi plus discrètement dans tous les petits mouvements « en miroir ».

Par quels processus percevons-nous l'état affectif d'autrui ? Deux types de mécanismes peuvent être décrits. L'individu peut déduire cet état à partir des indices émis par son partenaire, en particulier ses mimiques faciales et son attitude corporelle.

Il peut également utiliser « l'analyseur corporel », modalité de partage empathique qui ne passe pas par le classique système d'échanges de signaux précédemment décrit, mais utilise une identification corporelle massive et non consciente (4). Le corps fait alors écho à celui du partenaire en s'identifiant globalement à lui (ainsi qu'éventuellement à sa voix), ce qui est parfois visible avec des mimiques, gestes et postures « en miroir ». Par exemple, au cours d'une discussion, une personne place sa main sous le menton, imitant ainsi à son insu son interlocuteur.

Or, de nombreuses expériences ont montré que l'adoption par le corps de certaines configurations posturo-mimo-gestuelles induit des affects spécifiques (5). L'« échoïsation » corporelle du corps de l'autre permet donc à l'échoïsant d'induire en lui un état affectif apparenté à celui du partenaire. Le corps sert ainsi d'instrument d'analyse

3. S. Duncan et W.F. Fiske, *Face to Face interaction*, John Wiley, 1977. J. Cosnier, « Les tours et le copilotage dans les interactions conversationnelles », dans I. Joseph (dir.), *Le Parler frais d'Erving Goffman*, Editions de Minuit, 1989.

4. J. Cosnier, *Psychologie des émotions et des sentiments*, Retz, 1994. J. Cosnier et M.L. Brunel, « Empathy, micro-affects and conversational interactions », dans N.H. Frijda, *Proceedings of the VIIIth conference of the international society for research on emotions*, ISRE Publications, 1994.

5. S. Bloch, « Emotion ressentie, émotion recréée », *Science et vie*, 1989. G.H. Walbott, « Recognition of emotion from facial expression via emotion ? Some evidence for a old theory », *British journal of social psychology*, 1991. P. Ekman, R. Levenson et W.V. Friesen, « Automatic nervous system activity distinguishes between emotions », *Science*, 1983.

des affects d'autrui. L'utilité de ce partage se constate dans les conversations à bâtons rompus, conversations d'allure souvent inessentielle, mais indispensables au maintien des liens affectifs du tissu social quotidien. Ces phénomènes prennent une importance accrue en cas de crise. On a constaté que le partage possible d'affects (6) survenus dans des circonstances particulièrement éprouvantes (tremblement de terre, accident aérien, bombardement) et la possibilité de leur expression verbale constituent une excellente prophylaxie des conséquences psychophysiologiques secondaires éventuelles. Cette importance du « support social » est d'ailleurs aujourd'hui systématiquement utilisée par des équipes spécialement formées à ce genre d'interventions. Dans les heures qui suivent l'événement traumatique, on réunit les survivants et on les invite à parler afin qu'ils puissent se décharger de leurs émotions. Il ressort de tout ce qui précède que deux types de mécanismes contribuent à l'intersubjectivité : le premier, plus « conventionnalisable » et donc plus culturalisé, est basé sur l'échange de signaux ; le second, moins contrôlable et plus spontané, est basé sur le partage des affects.

Ces deux processus fonctionnent en parallèle et ne sont généralement pas opposés. Il peut cependant arriver qu'ils fournissent des informations mutuellement contradictoires : par exemple, le partenaire est souriant (système d'échange de signaux), mais on le ressent profondément hostile (analyseur corporel).

Percevoir et partager les affects d'autrui est d'autant plus facile que ces derniers sont agréables, mais ce n'est pas toujours le cas. Des difficultés peuvent en effet surgir lorsque ces affects sont difficiles à supporter (souffrance, désespoir, etc.). C'est le cas, par exemple, des soignants en hôpitaux, qui peuvent donner l'impression d'éviter toute relation personnalisée avec les patients (*« Va voir ce que veut la chambre 5 ! »*) parce qu'il est difficile de partager, toute la journée, les affects d'inquiétude et de douleur de maladies organiques graves. Il est également difficile de percevoir et de partager les affects d'autrui lorsqu'ils réveillent chez l'individu des problématiques indésirables et généralement refoulées ou réprimées. Ces processus peuvent déboucher sur différentes tentatives de réaccordage : négociation, compromis, disqualification affective, et aboutir, en cas d'échec, au conflit ouvert allant de la dispute au combat ou à la fuite.

Enfin, ajoutons que l'échoïsation peut provoquer la symétrie ou la complémentarité : la tristesse peut induire la tristesse, mais aussi la compassion.

La contagion émotionnelle des foules

Cette présence parallèle de deux processus, l'un basé sur l'échange de signaux, l'autre sur le partage des affects, montre la vanité des anciens débats sur la préséance de l'émotion vécue sur le comportement, ou au contraire, du comportement ou de la cognition sur l'émotion. En effet,

6. B. Rime, « Le partage social des émotions », dans B. Rimé et K. Scherer (dir.), *Les Emotions*, Delachaux et Niestlé, 1989.

des représentations sont capables de provoquer des affects (tout lecteur ou spectateur le sait bien), mais des comportements en sont aussi capables. Inversement, l'induction de certains affects provoque des représentations.

Les différents points que nous avons abordés contribuent à expliquer les réactions des foules (7).

Placés dans une situation génératrice d'affects, les individus d'une foule vont se potentialiser mutuellement, par le mécanisme d'échoïsation et d'analyseur corporel. Ainsi, assistera-t-on aux enthousiasmes frénétiques ou aux paniques dont la synchronisation collective et la force d'entraînement émotionnel paraissent parfois aussi irrésistibles qu'irrationnelles. Les affects les plus prégnants et les plus contagieux sont la joie, la colère, la peur et la tristesse.

Si l'on admet que des représentations mentales peuvent être génératrices d'affects, alors dans une époque où les médias diffusent des représentations qui alimentent quotidiennement la plateforme communicative commune de populations entières, on peut s'attendre à ce qu'en résulte cette communauté d'affects considérée par Freud comme essentielle à la cohésion sociale (8). Reste à savoir si ce levier d'empathie généralisée n'est pas en même temps un formidable moyen de manipulation psychoaffective des dites populations…

---

7. E. Hatfield, J.T. Cacioppo et R.L. Rapson, *Emotional Contagion*, MSH/Cambridge University Press, 1994.
8. S. Freud et A. Einstein, *Warum Krieg ?*, Internationales Institut für Geistige Zusammeenarbeit, 1933.

Alain Degenne et Michel Forsé*

COMMENT ON TROUVE SES AMIS**

ENQUÊTE SUR LA SOCIABILITÉ DES FRANÇAIS

Du cercle des amis au choix du conjoint, les relations sociales ne sont pas guidées par les affinités, mais révèlent des déterminismes sociaux.

Quatre hommes jouent aux boules sous le soleil de Provence ; un couple en invite un autre à dîner ; des grands-parents gardent leurs petits enfants pendant que les parents sont au cinéma ; deux voisins discutent par-dessus la haie ; les membres d'une association de protection de la nature préparent ensemble une exposition : autant de manifestations quotidiennes de la sociabilité.

Qu'est-ce que cette sociabilité ? Comment se tissent les liens quotidiens avec nos semblables ? Qui choisissons-nous préférentiellement comme ami(e)s ou comme conjoint(e) ? Les relations humaines sont-elles meilleures en ville ou à la campagne ? C'est le sociologue allemand Georg Simmel (1858-1918) qui a introduit, au début du XXe siècle, cette notion de sociabilité. Il a tenté de repérer les constantes dans la forme des relations entre personnes (politesse, courtoisie, etc.), indépendamment du contenu lui-même. De multiples domaines de la sociologie se sont depuis intéressés plus ou moins directement à ce sujet. En France, Georges Gurvitch a proposé de considérer la sociabilité comme un « phénomène social total » pouvant constituer un objet autonome,

* A. Degenne est directeur de recherche au CNRS (Laboratoire d'analyse secondaire et de méthodes appliquées à la sociologie), et M. Forsé professeur de sociologie à l'université Lille-I. Ils ont écrit ensemble *Les Réseaux sociaux. Une analyse structurale en sociologie*, Armand Colin, 1994.

** *Sciences Humaines*, hors série n° 5, mai/juin 1994. Cet article est un résumé du chapitre II de l'ouvrage d'A. Degenne et M. Forsé, *Les Réseaux sociaux. Une analyse structurale en sociologie*, copyright Armand Colin, 1994.

susceptible d'expliquer de multiples problèmes sociaux (1).

La sociabilité peut s'étudier sous divers angles. On peut s'interroger, globalement, sur la façon dont les relations constituent une société locale. Dans cette perspective, deux notions sont principalement utilisées par les chercheurs : la communauté, qui désigne une société locale unifiée (surtout présente en milieu rural et dans les villes ouvrières) et le cercle, qui constitue une extension du lien interpersonnel (prédominant en ville). Mais de nombreuses recherches, abordant la sociabilité réellement pour elle-même, portent sur les réseaux personnels, décrits au travers de pratiques telles que les sorties, la vie associative, les conversations, etc.

Les interviewés à qui l'on demande, au cours d'une enquête, de définir l'amitié insistent sur quelques dimensions essentielles. Relation égalitaire, l'amitié est incompatible avec l'autorité ou la hiérarchie ; réciproque, elle demande des échanges mutuels ; librement consentie, elle ne saurait prendre une forme coercitive.

Qui se ressemble s'assemble

Certains conçoivent l'amitié comme un lien de solidarité plutôt instrumental : l'ami est celui sur lequel on peut compter en cas de problème, et inversement. Comme le résume un proverbe anglais : « *A friend in need is a friend indeed.* » (« *Un ami dans le besoin est un véritable ami.* »). D'autres conçoivent l'amitié comme un lien de solidarité plutôt expressive : l'ami est celui à qui l'on peut se confier intimement. Bien entendu, une même personne peut réunir ces deux aspects. Cependant, les individus issus de milieux populaires mettent plutôt l'accent sur la dimension instrumentale, tandis que les femmes ou ceux qui appartiennent aux catégories moyennes ou supérieures insistent davantage sur l'aspect expressif (2).

Les recherches confirment largement le proverbe « Qui se ressemble s'assemble. » ; on parle à ce propos d'« homophilie », lorsqu'il s'agit de liens amicaux, et d'« homogamie », lorsqu'il s'agit de relations amoureuses ou entre époux (*voir encadré ci contre*). Deux enquêtes réalisées en 1960 et 1990 par le psychosociologue Jean Maisonneuve confirment que l'on choisit des amis qui nous ressemblent (3). Elles permettent également de constater quelques évolutions : l'homophilie selon la profession s'est globalement affaiblie en trente ans ; l'homophilie selon les ressources économiques s'est au contraire renforcée ; l'homophilie selon le niveau d'éducation a évolué de façon plus complexe : elle est stable chez les cadres, en baisse chez les ouvriers et en hausse chez les employés. Les conditions dans lesquelles s'effectuent le choix du conjoint et le choix des amis se renforcent réciproquement (4). En d'autres termes, un cadre a plus de chances de trouver ses amis et donc son conjoint parmi les cadres, un employé parmi les employés, etc. (*voir tableau ci-contre*). De fait, les réseaux

1. G. Simmel, *The Sociology of Georg Simmel*, Free Press of Glencoe, 1950.
2. G. Allan, *Friendship : Developping a Sociological Perspective*, Harvester Wheatsheaf, 1989.
3. J. Maisonneuve, *Psychosociologie des affinités*, Puf, 1966 ; J. Maisonneuve et L. Lamy, *Psychosociologie de l'amitié*, Puf, 1993.
4. A. Girard, *Le Choix du conjoint*, Puf, 1964 ; M. Bozon et F. Héran, « La découverte du conjoint », *Population*, n° 6, 1987.

Pourcentage d'homophilie selon la profession, le revenu et l'instruction

ont des amis	1960	1990	1960	1990	1960	1990	1960	1990
Ouvriers	50	40	15	5	2	2	22	16
Techniciens	6	14	2,5	13	3	11	4	13
Commerçants, artisans	7	9	6	10	5	6	6	8
Employés	17	19	53	41	8	8	26	23
Cadres moyens	4	8	8	17	9	18	7	14
Cadres supérieurs	1,5	5	4	5	45	41	17	17
Professions libérales	1	1,5	1,5	3	8	8	3	4
Ruraux	2	0	2,5	2	1	2	2	2
Sans profession, autres	11,5	3,5	7,5	3	19	4	13	3
De même aisance	71	91	67	72	73	76	70	79
Plus aisés	25	9	27	23	14	5	22	11
Moins aisés	4	0	6	5	13	19	8	10
De même instruction	74	60	52	61	64	62	64	61
Plus instruits	14	26	20	13	3	6	11	14
Moins instruits	12	14	28	26	33	32	25	25

Les orientations culturelles, les attitudes et les valeurs des personnes de même statut social ont de fortes chances d'être similaires, ce qui facilite la création de liens. Par ailleurs, la similitude sociale et la proximité spatiale se renforcent l'une l'autre : on choisit ses amis dans le voisinage parce que celui-ci offre des occasions de rencontre, et les amis tendent à vivre dans des lieux proches pour pouvoir se fréquenter. Un autre élément à prendre en compte est le fait que la division moderne du travail favorise bien plus les contacts entre pairs qu'entre actifs appartenant à des niveaux hiérarchiques ou des métiers différents.

Source : J. Maisonneuve et L. Lamy, *Psychosociologie de l'amitié*, Puf, 1993.
Lecture : pour chacune des trois variables en ligne, la somme des pourcentages fait 100 en colonne.

personnels de chaque conjoint présentent généralement des caractéristiques socio-démographiques communes.

Les enfants naissent, les sorties cessent

Les enquêtes sur les loisirs réalisées par l'INSEE ont permis de définir la sociabilité à partir d'un ensemble de pratiques (5) : le sport, les sorties, la vie associative, les réceptions chez soi, les visites chez autrui, la fréquentation des cafés, le jeu de cartes, la danse. Toutes ces enquêtes montrent de grandes régularités :
– la sociabilité diminue avec l'âge, surtout à partir de 40 ans. Les contacts avec les relations de travail disparaissent pratiquement entre 60 et 70 ans ;
– elle croît avec le statut social (6). Les cadres et professions libérales ont le plus grand nombre de relations hors parenté et le plus petit nombre de relations au sein de la parenté. Le phénomène est inverse pour les ouvriers ;
– la sociabilité ouvrière reste très en deçà de celle des couches sociales supérieures. L'image communément admise d'une sociabilité ouvrière foisonnante, correspondant à une véritable culture ouvrière, ne résiste donc pas à l'examen (7) ;
– les jeunes ont une sociabilité largement tournée vers l'extérieur, faite de sorties entre amis, de pratique du sport, etc. Ces comportements décroissent avec la création du foyer, l'installation du couple et surtout la naissance des enfants. Ils sont remplacés par les réceptions à domicile ou au domicile des amis, la fréquentation des restaurants, l'adhésion à certaines associations. Chez les personnes âgées, la sociabilité se centre sur le voisinage, les relations avec la parentèle et les associations religieuses (8).

• **Le voisinage.** On entretient sensiblement plus de relations humaines en milieu rural et dans les petites villes que dans les villes moyennes ou grandes. Si l'on sépare les réponses à un questionnaire en deux catégories (« relations de voisinage, quelles qu'elles soient », et « pas de relations de voisinage »), on constate que les personnes habitant à la campagne ont un taux de relations nettement supérieur à la moyenne, alors que c'est le contraire pour les habitants de la région parisienne. Ce phénomène est très stable puisque des résultats quasiment identiques ont été obtenus dans les années 70 (9). Mais cela ne signifie pas pour autant que les urbains souffrent de plus de problèmes relationnels que les ruraux (*voir encadré ci-contre*).

• **Les sorties.** L'analyse des sorties avec des amis est un autre moyen d'évaluer le type de sociabilité. On range sous ce terme de « sorties » des activités très différentes, comme le fait d'assister à un spectacle, d'aller au restaurant ou de pratiquer un sport. Olivier Choquet a montré, à partir de l'enquête *Contacts entre les personnes* de l'INSEE, que les ouvriers sortent plus souvent avec quelqu'un d'extérieur au ménage que les cadres et professions intermédiaires (10).

5. Y. Lemel et C. Paradeise, *La Sociabilité*, INSEE, 1976.
6. F. Héran, « La sociabilité, une pratique culturelle », *Economie et statistique*, n° 216, 1988.
7. C. Paradeise, « Sociabilité et culture de classe », *Revue française de sociologie*, n° 54, 1980.
8. M. Forsé, « La sociabilité », *Economie et statistique*, n° 132, 1981.
9. *Idem*.

Les relations humaines sont-elles meilleures en ville ou à la campagne ?

Le mode de relation sociale entretenu à la campagne est-il ou non préférable, pour le bien-être psychologique, à celui qui a cours en ville ? De multiples recherches ont tenté de répondre à cette question. Elles puisent une grande partie de leur inspiration chez le sociologue allemand Georg Simmel (1858-1918). Ce dernier voit dans l'urbanisation une généralisation des rapports abstraits, c'est-à-dire des relations dans lesquelles les personnes s'engagent peu. L'habitant des grandes villes serait ainsi beaucoup moins tributaire des autres et de ce fait plus libre, ce qui ne veut pas dire plus heureux.

L'Ecole de Chicago (1) a repris ce thème du mode de vie déstructuré des grandes villes (2). La communauté rurale typique est de petite taille. Tout le monde connaît tout le monde et les échanges sont fréquents, mais en même temps tout le monde surveille tout le monde. En ville, au contraire, chacun, libre de « passer d'un milieu moral à un autre », peut arbitrer entre différents codes normatifs et y trouver le fondement de son autonomie. L'interdépendance étroite entre les personnes est remplacée par l'usage de relations codifiées, formelles et superficielles, qui n'engagent pas la personne et sont également un facteur d'autonomie. Mais cette autonomie a pour contrepartie le risque de solitude, la difficulté d'avoir un véritable soutien relationnel. La ville serait alors un facteur de risque moral, voire d'instabilité mentale pour ses habitants.

Le sociologue Claude Fisher a émis des doutes à l'égard de cette thèse (3). Il pensait que les réseaux denses, tels que ceux que l'on prête aux communautés traditionnelles, n'ont pas que des avantages pour l'équilibre individuel. Bon nombre des personnes interviewées dans son enquête affirment que certaines de leurs relations leur « empoisonnent l'existence » plus qu'elles ne leur apportent de l'aide. Une ville, mosaïque de petits univers, est plus hétérogène qu'une petite communauté, mais il s'y crée des sous-cultures, et il n'y a donc aucune raison pour que les urbains souffrent d'un manque de relations personnelles.

En France, Hugues Lagrange et Sébastian Roché ont étudié le sentiment d'insécurité (4). Parmi les variables qu'ils considèrent, figure la « multiplexité » du réseau personnel. Ce terme exprime le fait qu'une même relation n'est pas spécialisée, qu'elle est utilisée à différentes fins (travail, loisirs, relations familiales…).

Par exemple, le réseau d'un ménage est d'autant plus « multiplexe » que le nombre d'échanges rapporté au nombre de partenaires est plus grand. A l'inverse, une relation uniplexe est hautement spécialisée.

Deux enquêtes ont été menées dans une grande et une petite ville : Grenoble et Tullins. Le réseau était dans les deux cas exploré à partir de la sociabilité dans six « sphères » : la famille, les voisins, les collègues, les partenaires associatifs, les partenaires de sortie, les amis.

A Grenoble, la peur et la préoccupation sécuritaire sont en lien direct avec la « multiplexité » du réseau. La situation est inverse à Tullins, où la peur et la préoccupation sécuritaire sont associées avec un réseau peu « multiplexe ». L'indicateur de « multiplexité » n'a donc pas de signification universelle.

Les recherches conduites en 1968 par Barry Wellman dans une banlieue de Toronto l'amènent à conclure que les systèmes denses de liens sociaux bien intégrés peuvent avoir des effets inverses selon les circonstances (5). Un soutien relationnel trop fort peut être facteur de déséquilibre. Les réseaux étroits que B. Wellman et ses collègues ont observés jouent le rôle assumé autrefois par les communautés (sentiment d'être reconnu, sentiment d'appartenance, soutien émotionnel, petits services, contrôle social) mais ce ne sont plus les mêmes communautés. Ils parlent de *« communautés personnelles »* (6).

L'idée simple *« plus = mieux »* (plus on a de relations, meilleure est la situation dans laquelle on se trouve) n'est donc pas confirmée par les différentes recherches. La grande ville a fait naître de nouvelles formes de sociabilité qui donnent plus d'autonomie à l'individu.

---

1. Ecole de Chicago : groupe de chercheurs constituant un pôle important de la sociologie américaine du début et du milieu du XXe siècle. Ils se sont particulièrement intéressés à la vie urbaine en réalisant de minutieuses enquêtes de terrain.
2. Y. Grafmeyer et I. Joseph, *L'Ecole de Chicago*, éditions du Champ urbain, 1979.
3. C. Fisher, *To dwell among friens*, Chicago University Press, 1948, 2e édition, 1982.
4. H. Lagrange, « Appréhension et préoccupation sécuritaire », *Déviance et société*, 6, 1992 ; S. Roché, *Le Sentiment d'insécurité*, Puf, 1993.
5. A. Hall et B. Wellman, « Social networks and social support » dans S. Cohen et Syme (eds.), *Social Support and Health*, Academic Press, 1985.
6. B. Wellman et B. Leighton, « Réseau, quartier et communauté », *Espaces et Sociétés*, 1981.

Les relations de voisinage selon la taille de l'agglomération

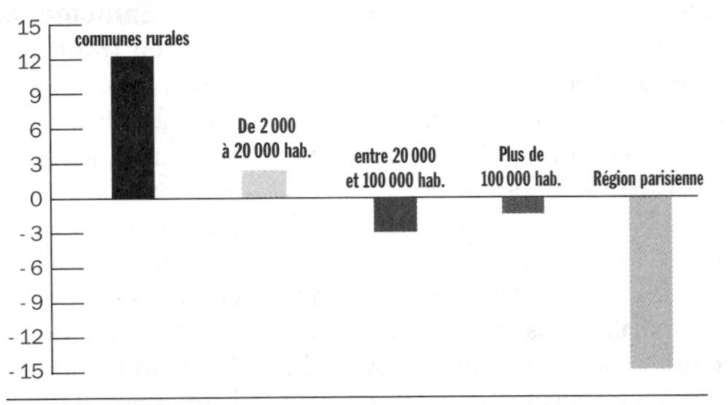

Ecarts à la moyenne en %. Source : M. Forsé, « La fréquence des relations de sociabilité : typologie et évolution », *L'Année sociologique*, n° 43, 1993.

Cela modère légèrement la conclusion faite plus haut à partir des contacts.
Les sorties varient également fortement suivant le type de ménage et le cycle de vie. Les hommes sortent plus que les femmes, et les jeunes plus que les personnes plus âgées. Le nombre moyen de sorties passe de 320 par an, pour un homme seul de 18 à 35 ans, à 16, pour une femme de plus de 60 ans vivant en couple. Le fait de vivre en couple fait chuter considérablement le nombre des sorties.

• **Les parents et amis.** Les sorties ayant pour but de visiter des parents sont particulièrement fréquentes dans la population française. D'après l'enquête analysée par Michel Forsé, 41 % de l'échantillon le fait au moins une fois par semaine, 42 % moins d'une fois par semaine mais au moins une fois par mois, 15 % plus rarement et seulement 2 % jamais (11).
On voit plus souvent ses parents lorsqu'on a des enfants en bas âge. La naissance du premier enfant est l'occasion de resserrer des liens qui se relâchent très légèrement au fur et à mesure que les enfants grandissent.
Ce profil est valable quelle que soit la position sociale, mais celle-là joue cependant un rôle ; plus la place dans la hiérarchie socioprofessionnelle est élevée, plus la sociabilité familiale est faible : 29 % des cadres supérieurs voient leurs parents au moins une fois par semaine, contre 57 % des ouvriers. Pourtant, l'effet propre de l'apparte-

10. O. Choquet, « Les sorties, une occasion de contacts », *Economie et Statistique*, n° 214, 1988.
11. M. Forsé, « La fréquence des relations de sociabilité : typologie et évolution », *L'Année sociologique*, n° 43, 1993.

nance à une catégorie professionnelle est assez complexe puisqu'il ne vaut que pour les classes populaires. Dans les milieux supérieurs ou intermédiaires, le lien avec la faible pratique provient plus du niveau culturel que du simple fait d'être cadre.

Ce sont les célibataires sans enfant qui voient le plus souvent leurs amis. La fréquence des réceptions décroît avec l'âge jusqu'à 50 ans pour croître ensuite légèrement. Le niveau scolaire a l'effet inverse de celui constaté pour la sociabilité familiale : plus une personne a fait d'études, plus ses relations avec des amis sont fréquentes, et moins elle voit ses parents.

• **La pratique associative.** La vie associative est devenue un phénomène massif, puisqu'à peu près un homme sur deux et une femme sur trois adhèrent à au moins une association, contre 38 % des hommes et 20 % des femmes en 1967 (12). L'état matrimonial n'introduit que des écarts faiblement significatifs, mais l'âge joue un rôle important. La participation croît jusqu'à 50 ans pour régresser ensuite légèrement. La participation des personnes du troisième âge à la vie associative est de plus en plus importante, tandis que celle des jeunes est inférieure à la moyenne nationale.

Les membres des catégories supérieures et moyennes sont les personnes les plus présentes dans la vie associative, mais les différences de militantisme en fonction des professions et des catégories socioprofessionnelles se sont resserrées. Les retraités et professions intermédiaires bouleversent la hiérarchie traditionnelle qui voulait que la participation sociale croisse régulièrement avec le statut social.

Au total, il n'y a guère que l'âge qui ait des conséquences très nettes quelle que soit la catégorie concernée.

Enraciné, néo-convivial ou traditionnel discret ?

Que remarque-t-on lorsqu'on s'intéresse à la sociabilité d'une population plus large, au-delà des liens interpersonnels ? En analysant l'impact de l'urbanisation sur les formes de sociabilité, G. Simmel a été l'un des premiers à placer la notion de cercle au centre d'une construction sociologique.

Il remarque que la grande ville permet l'apparition d'une multitude de cercles sociaux (politiques, associatifs, culturels, etc.) qui apportent aux individus un cadre à leurs activités, sans pour autant aliéner leur liberté. Les citadins peuvent donc choisir plus aisément leurs relations.

En France, un important programme de recherche, intitulé *Observation du changement social et culturel*, a exploré la notion de cercle local. Une des hypothèses était que la forme de sociabilité à l'échelon local ne représente pas seulement la somme des effets de caractéristiques individuelles, mais diffère selon les particularités du milieu de vie lui-même. Cet « effet de localité » a effectivement été constaté en étudiant sept localités très diverses : une commune rurale bretonne, un quartier traditionnel de Bordeaux, un quartier moderne à Toulouse, un ensemble pavillonnaire récent en banlieue parisienne, une ban-

12. Y. Lemel et C. Paradeise, « Appartenance et participation à des associations », *Economie et statistique*, n° 55, 1974.

Les formes de sociabilité

La sociabilité désigne pour les sociologues les modes de relations sociales caractéristiques d'une société donnée. Elle peut être abordée à partir de différents critères :

Sociabilité formelle ou informelle. Il existe deux types de réseaux : ceux qui sont organisés, avec des règles formelles, une structure hiérarchique et une spécialisation des fonctions (par exemple une entreprise) et ceux dont l'organisation n'est pas constituée et où la spécialisation des rôles est généralement moins importante (par exemple un réseau d'amis). Bien entendu, ces deux domaines peuvent s'interpénétrer. Par exemple, les partis politiques cherchent à mobiliser des réseaux de notables et les réseaux de sociabilité peuvent influer sur le fonctionnement des organisations.

Sociabilité à caractère collectif ou individuel. La relation entre personnes peut dépendre d'un groupe ou d'un contexte précis, ou bien exister de façon autonome. Ainsi, une bande de jeunes entretient un ensemble de relations fortes, mais la plupart des liens interindividuels ne survivent pas si la bande disparaît. A l'autre extrême, certains amis de régiment continuent de se fréquenter quelles que soient leurs destinées.

Sociabilité à intensité forte ou faible. Nous entretenons des niveaux différents de relations selon les personnes. Il y a les amis, les copains, les simples connaissances, etc.

Sociabilité basée sur des relations plus ou moins électives (ou affinitaires). La relation amicale ou amoureuse est purement affinitaire, puisque rien n'oblige à choisir tel ou tel ami, même si cette relation présente de fortes régularités sociologiques. Les relations avec les membres de la famille sont semi-électives, car elles correspondent à une certaine affinité tout en présentant un caractère relativement obligatoire. Les relations de travail sont peu électives puisqu'elles n'autorisent le choix que dans un cadre restrictif.

lieue ouvrière lyonnaise, une petite ville moyenne provençale très résidentielle (Manosque), une ville moyenne ouvrière de Normandie (Condé-sur-Noireau).
Le premier type de sociabilité locale, qualifié d'enraciné, s'exprime par la participation aux fêtes locales, aux bals, aux matchs, par l'intérêt apporté aux informations locales, etc. On l'observe surtout dans la commune rurale, l'ensemble pavillonnaire récent et la ville moyenne ouvrière. Elle est peu présente ailleurs, Manosque se trouvant dans une situation intermédiaire.

Le deuxième type de sociabilité, appelé néo-convivial, prend appui sur les associations. Celles-là servent de tremplin pour atteindre des positions actives, voire de pouvoir. Les associations permettent de dépasser le stade de la consommation de services pour jouer un rôle local. Seules les deux villes moyennes, Manosque et Condé-sur-Noireau, sont particulièrement concernées.

Le troisième type de sociabilité, appelé traditionnel discret, se manifeste de façon négative, par l'absence d'échange direct entre les personnes. C'est « chacun chez soi », tout au plus « bonjour-bonsoir ». En revanche, chacun sait bien qui est qui, et les comportements des uns et des autres sont jugés. Ce type de sociabilité a été observé dans un quartier de Paris habité par une forte proportion de personnes âgées. La variable « localité » est le critère déterminant de la sociabilité enracinée, devant l'ancienneté, la mobilité ou la présence de jeunes enfants. Elle est prépondérante aussi pour la sociabilité néo-conviviale, bien que le niveau d'instruction soit également un facteur de variation important. Ces résultats confirment l'idée que certains lieux se dotent de formes de sociabilité originales qui ne s'expliquent pas seulement par la composition socio-démographique de la population locale.

En fin de compte, nous appartenons à de multiples cercles sociaux et réseaux qui nous procurent chacun des ressources et des contraintes, des rôles et des statuts, des coutumes et des règles. L'homme contemporain est multidimensionnel.

Sélection bibliographique

La Communication
Christian Baylon et Xavier Mignot

Les Interactions verbales
Catherine Kerbrat-Orecchioni

Comprendre les Japonais
Edward T. Hall et Mildred Redd Hall

Guide du comportement dans les affaires internationales
Edward T. Hall et Mildred Redd Hall

La Communication
Christian Baylon et Xavier Mignot, Nathan, coll. « Fac linguistique », 1991, 400 p.

L'étude de la communication a pris depuis une vingtaine d'années une importance grandissante sous l'impulsion de chercheurs qui, venus de différentes disciplines (psychologie, sociologie, philosophie, ethnologie, linguistique...), se sont retrouvés sur ce thème fédérateur. C'est que l'acte de communiquer fait intervenir aussi bien des processus cognitifs ou inconscients que des données génétiques ou des représentations culturelles.

C'est à l'étude du langage dans l'acte de communiquer que se sont intéressés les auteurs de cet ouvrage, tous deux linguistes, enseignants à l'université Paul-Valéry de Montpellier. Ils présentent ici une synthèse très complète des principaux travaux linguistes sur la communication, des plus classiques (Roman Jakobson, Jules Benvéniste...) aux plus novateurs (John Austin, Paul Grice...), en les organisant autour des questions essentielles : « Les outils de la communication », « Communication et information », « Le langage en acte », « Communication et société », etc. Plusieurs chapitres sont consacrés aussi à des domaines de la vie sociale où la communication tient un rôle essentiel : la publicité, la pédagogie, l'apprentissage des langues étrangères ou la relation médecin-malade.

Même si l'on peut regretter qu'une place trop réduite ait été accordée à des approches aussi fondamentales que l'approche systématique ou l'ethnométhodologie, cet ouvrage, très documenté, écrit dans un style clair et précis, nous semble être un excellent moyen de connaissance des rapports entre la linguistique et la communication.

Dominique Picard

Les Interactions verbales
Catherine Kerbrat-Orecchioni, Armand Colin, « Linguistique », tome I, 1990, 318 p. ; tome II, 1992, 368 p. ; tome III, 1994, 347 p.

Alors que la linguistique traditionnelle analyse les énoncés comme des formes autonomes, la perspective interactionniste, elle, rappelle qu'en général le langage se pratique au moins à deux : faire usage de la parole, c'est surtout s'adresser à autrui dans une situation sociale déterminée. En France, l'approche interactionniste en linguistique n'avait pas encore fait l'objet d'une présentation synthétique. Avec le dernier tome des *Interactions verbales*, c'est chose faite.

Dans le premier volume sont exposées les composantes, les structures, et les règles des échanges langagiers. Règles qui gouvernent, par exemple, les « tours de parole » ; car, en dépit de l'apparent désordre qui règne dans une conversation, prendre, céder ou garder la parole est le résultat d'une fine négociation entre partenaires. Le second volet du travail de Catherine Kerbrat-Orecchioni est consacré à l'interaction comme lieu de construction identitaire ; le tutoiement et le vouvoiement, par exemple, sont des marqueurs dont l'enjeu est la définition (pas toujours partagée) de la relation.

Le volume qui paraît cette année est consacré aux variations culturelles de l'interaction. La diversité des règles communicationnelles d'une société à l'autre explique l'embarras et les malentendus qui s'installent souvent dans un échange entre partenaires de communautés différentes, même lorsque l'un maîtrise la langue de l'autre. Dans le domaine de l'argumentation, par exemple, le mode de raisonnement occidental, qui consiste à formuler d'abord sa thèse, que l'on s'emploie ensuite à étayer par des arguments, paraît bien terroriste aux yeux des Chinois, qui préfèrent construire leur argumentation pas à pas, en s'assurant avant de passer à la suivante que chaque étape est bien acceptée par les différentes parties en présence ; lesquels Chinois sont en revanche perçus par les Occidentaux comme tournant vainement autour du pot...

L'interaction est par nature un objet pluridisciplinaire ; il n'en demeure pas moins que le travail de C. Kerbrat-Orecchioni est avant tout œuvre de linguistique. Il exigera donc de la part de son lecteur un peu de familiarité avec les sciences du langage, ou, à défaut, le désir et le temps de mieux connaître la dimension relationnelle du langage. Le style clair et pédagogique de l'auteur l'y aideront.

ALICE KRIEG

COMPRENDRE LES JAPONAIS
Edward T. Hall et Mildred Redd Hall,
Seuil, 1994, 217 p.

On connaît Edward Hall, proche de l'Ecole de Palo Alto ou « collège invisible », pour l'importance qu'il accorde au point de vue interculturel, ainsi que pour ses travaux sur la communication non verbale, et notamment sur la proxémique (étude de la perception et de l'usage de l'espace par l'homme), dont il est le fondateur et le principal représentant. En 1990, avec le *Guide du comportement dans les affaires internationales*, destiné aux « managers » allemands, américains et français, il s'était lancé dans une opération à finalité pratique. Il continue avec *Comprendre les Japonais*. Derrière ce titre générique, les auteurs proposent une description des caractéristiques culturelles du Japon et de l'Occident (il s'agit de la culture d'entreprise, surtout), et des conseils pour éviter les incidents que peut produire une méconnaissance de la culture de l'autre. Etre ponctuel ou non, faire plusieurs choses à la fois ou consacrer chaque tranche du temps à une activité bien définie, rechercher le consensus ou imposer la décision d'en haut, suivre ou court-circuiter la hiérarchie dans la diffusion de l'information... les conceptions diffèrent selon les cultures analysées. Un livre à lire dans le vol Paris-Tokyo. Pour le vol New York-Tokyo, on se reportera à l'édition américaine, puisque *Comprendre les Japonais* est une adaptation pour lecteurs français d'un livre déjà paru outre-Atlantique.

ALICE KRIEG

GUIDE DU COMPORTEMENT DANS LES AFFAIRES INTERNATIONALES
Edward T. Hall et Mildred Redd Hall,
Seuil, 1990, 260 p.

Les travaux d'Edward T. Hall font autorité dans le domaine de la communication non verbale. Dans son célèbre ouvrage *La Dimension cachée*, il introduit un concept nouveau : celui de proxémie ou distance psychosociale.

En France, par exemple, il est de bon

ton qu'un subordonné se tienne à trois pas de son supérieur. Chez les Arabes, cette distance est beaucoup plus proche. Son autre livre, *La Danse du temps,* étudie non plus l'espace social, mais le temps social. L'Allemand et l'Anglo-Saxon sont très monochromes, ils ont l'habitude de traiter une seule chose à la fois. Les Latins sont beaucoup plus polychromes : ils traitent plusieurs choses à la fois, passant de l'une à l'autre puis revenant à la première.

Ce livre est une application pratique de ces travaux fondamentaux à l'échange interculturel car il va plus loin que le catalogue de recettes à usage des hommes d'affaires pressés.

La thèse est que le langage verbal est loin d'être l'unique moyen de communication : il est en fait englobé et supporté par le « langage du corps » propre à chaque culture mais qui est et demeure largement inconscient à tous, car il fait partie de la culture acquise (socialement) qui ne se réduit pas à la culture apprise (scolaire).

Le malheur est que chaque peuple croit ses propres règles universelles. D'où de fréquents malentendus quand se produit la « chose culturelle ». Par exemple, en France, le fait d'habiter l'appartement ou la maison d'à-côté n'implique aucune obligation sociale ; aux Etats-Unis, si. Ainsi, un couple d'Américains installés en France considérera ses voisins comme « froids » ou même « impolis ». Au contraire, la famille française installée à Los Angeles trouvera ses voisins « charmants et serviables ». Dans la communication verbale, les coutumes sont aussi différentes. L'Allemand fait peu référence au contexte ; ses informations sont complètes, explicites, souvent chiffrées. A l'inverse, le Français et l'Italien emploient plus l'implicite lié au contexte. Ce ne sont que quelques exemples parmi beaucoup d'autres, qui prennent toute leur valeur à un moment où les échanges internationaux s'accélèrent. Non seulement au sein de l'Europe mais aussi dans le monde.

Louis Timbal-Duclaux

Troisième partie

LA COMMUNICATION DANS LES GROUPES

LA COMMUNICATION dans les groupes obéit à des principes différents et complémentaires de ceux de la communication interpersonnelle : aux logiques classiques de l'interaction, du statut, de la personnalité, viennent s'ajouter les effets de la dynamique propre du groupe, de sa structure, de ses objectifs, de l'identité collective, des rapports de force...
C'est en psychologie sociale que les premiers travaux sur la communication en groupe ont été menés, avec les expériences pionnières de Kurt Lewin. De très nombreuses recherches ont depuis tenté d'approfondir et de prolonger ces analyses. Willem Doise, par exemple, nous explique pourquoi la prise de décision dépend de multiples facteurs : la cohésion et la structure du groupe, mais aussi son positionnement et ses opinions au sein de l'ensemble du corps social, l'existence d'individus très déterminés qui peuvent faire basculer la décision...
L'« approche communicationnelle », présentée par Alex Mucchielli à travers l'analyse d'une expérience de télé-enseignement, possède une double vertu. En premier lieu, elle offre une vision globale du phénomène « communication », en montrant que, dans le cas étudié, c'est la non-appropriation par les acteurs de l'objet technique censé améliorer la communication qui aboutit à l'échec de l'expérience. L'opposition que manifestent les acteurs (enseignants, collectivités locales, chefs d'établissement, Education nationale) a ici pour but de préserver le système social en place et les positionnements de chacun de ses membres. Second apport de cette approche : elle permet de comprendre un phénomène organisationnel – la « résistance au changement » – et témoigne de l'apport spécifique des sciences de la communication à la compréhension des phénomènes sociaux.
L'école est un lieu où la communication a un rôle essentiel (*voir l'entretien avec Philippe Meirieu*). L'entreprise en est un autre. La difficulté à appréhender la communication dans cet univers tient à deux raisons : d'une part, elle y est l'objet de nombreuses illusions ; d'autre part, l'entreprise, par vocation, a des attentes opérationnelles et immédiates vis-à-vis d'un phénomène dont elle sous-estime souvent la complexité. Or, les recherches sur la communication en organisation mettent en évidence, là encore, la diversité des facteurs et des enjeux : compétences, identités individuelles et collectives, stratégies des acteurs, environnement physique, existence d'une culture et de normes communes, nature et utilisation des supports de circulation de l'information, etc. (*voir les articles de Philippe Cabin et de Michel Augendre*).

L'agencement des lieux de travail est un des paramètres importants de la communication en organisation, qui fait l'objet de très nombreuses recherches (*voir l'article de Gustave-Nicolas Fischer*).
Les organisations ont un souci d'efficacité : c'est sans doute pourquoi beaucoup de travaux ont cherché à élaborer des techniques visant à « améliorer » les processus de communication (*voir le « Petit guide des techniques de communication »*). Un de ces outils a connu un succès considérable : l'analyse transactionnelle. Comme le montre Jean-Yves Fournier, elle se propose, à travers une décomposition et une visualisation simples des situations de communication, de résoudre les situations de conflit ou de blocage.
La question de la communication interculturelle est un autre domaine d'investigation important, et le deviendra de plus en plus du fait du développement des échanges internationaux. Edmond Marc Lipiansky montre que les difficultés que peuvent rencontrer des individus de nationalités différentes pour se comprendre ne tiennent pas seulement à un problème linguistique. La communication interculturelle passe en effet par toute une série de règles, de normes, de rituels, qu'il est nécessaire de « traduire », sous peine d'incompréhension et de malentendu. Il souligne les permanences que les recherches en psychologie sociale relèvent dans les réactions des individus à l'altérité : ethnocentrisme, stéréotypes…

Pratiques et techniques

ALEX MUCCHIELLI*

L'APPROCHE COMMUNICATIONNELLE**

Pour comprendre la communication entre plusieurs acteurs, il faut prendre en compte les contextes, les situations, les mises en scène, les enjeux pour chacun... C'est ce que propose la grille d'analyse de « l'approche communicationnelle ».

LES SCIENCES DE LA COMMUNICATION sont apparues pour donner aux chercheurs un cadre conceptuel et théorique qui permette de prendre en compte les différentes approches disciplinaires de la communication. Il est désormais possible de définir une approche « communicationnelle » qui intègre les acquis de ces différentes sciences et les dépasse en prenant en compte des phénomènes dits de « communication généralisée » permettant d'accéder à divers niveaux de significations.

Le modèle de l'hypertexte

Pour prendre un exemple, on considère désormais en sciences de la communication qu'une « communication » peut être pensée sous la forme d'un hypertexte. Dans ce modèle, on postule que le sens final donné à la communication en question est le résultat de l'ensemble des commentaires portés sur cette communication. Ce principe de l'hypertexte est désormais bien connu à travers les utilisations des CD-Rom et de la navigation sur Internet. Dans un texte, un mot (ou une figure) renvoie à un autre texte (ou à un autre multimédia) qui en est un commentaire. Lorsqu'on « clique » sur le mot (ou la figure) en question, son explication apparaît à

* Professeur de sciences de l'information et de la communication, université Montpellier-III. A publié *Les Sciences de l'information et de la communication*, Hachette, coll. « Les fondamentaux », 1995, et a dirigé le *Dictionnaire des méthodes qualitatives en sciences humaines et sociales*, Armand Colin/Masson, 1996.

** *Sciences Humaines*, hors série n° 16, mars/avril 1997.

l'écran. Ce commentaire est lui aussi composé d'éléments multimédias qui peuvent renvoyer à d'autres explications et commentaires... et ainsi de suite, à l'infini. Ainsi donc, à tout texte est accolé un ensemble d'explications qui en enrichissent et en précisent le sens. Le sens final du texte est alors composé de lui-même et de cet ensemble de gloses portées sur ses éléments internes. Si un observateur, extérieur à la société française, repérait et analysait tous les commentaires émis dans les journaux, dans les débats politiques, dans les cénacles spécialisés, dans les revues de sciences politiques, dans les séminaires de l'ENA... au sujet de la Constitution française, il pourrait, sans connaître le texte de cette constitution, se faire une bonne idée de ce qu'elle dit, de ses principes, et surtout des problèmes d'application qu'elle pose. Autrement dit, la connaissance et l'analyse de l'ensemble des gloses faites sur cet écrit, à une période donnée, lui permettraient de se faire une bonne idée du débat institutionnel en cours dans la société française. Ainsi donc, le repérage et le recueil des commentaires au sujet d'un objet social et une certaine analyse de ces commentaires nous ouvrent une voie d'accès au débat social qui se déroule à propos de cet objet.

Dans l'utilisation de la métaphore de l'hypertexte, nous allons considérer, comme l'historien d'ailleurs, que nous n'avons pas accès directement à ce débat (qui est donc lui-même une communication). Nous avons à notre disposition, si nous savons bien les recueillir, un ensemble de commentaires portés par différents acteurs sur ce débat. Le premier travail du chercheur est donc de rassembler ces gloses. Les éléments (les commentaires), que l'on recueille dans la première étape de la méthode, sont de toutes sortes. On y trouve d'abord des constructions matérielles : agencements spatiaux, objets techniques... des éléments organisationnels : règlement, planification, distribution des postes, du travail... des éléments psychosociaux : normes collectives habituelles relationnelles ou de travail, représentations partagées, façons de faire... On y trouve également toutes les conduites afférentes au problème considéré, car l'on sait, depuis l'Ecole de Palo Alto, que toute conduite est une communication. On y trouve enfin les « communications traditionnelles », c'est-à-dire les écrits, les paroles et leurs éléments paralinguistiques afférents. Remarquons que tous les éléments que nous venons de passer en revue sont des « construits » humains, c'est-à-dire qu'ils dépendent de l'intervention de l'homme. D'une manière ou d'une autre, ils sont donc des « expressions » d'intentionnalités explicites ou latentes. C'est en ce sens qu'ils sont considérés comme des « communications ». Ils sont donc ce que l'on appelle en science de la communication : des « communications généralisées ».

Application à une étude de cas

Pour mieux comprendre ce qu'est l'approche communicationnelle, prenons un exemple : une expérience de visiophonie à l'Education nationale entre trois collèges. Un enseignement d'allemand (par visiophonie) est donc mis en place à partir d'un collège en direction des deux autres qui n'ont pas de professeur de cette langue (1). L'introduction de l'objet technique (ici des meubles de visiophonie dans trois collèges) va provoquer les commentaires des acteurs. Ce sont ces commentaires que nous allons examiner. Ils vont nous révéler le débat institutionnel latent sur l'introduction de nouvelles technologies d'enseignement dans l'Education nationale.

L'expérimentation du système de visiophonie intéresse les conseils généraux des départements ruraux, les élèves ruraux et les associations de parents d'élèves, le rectorat, les chefs d'établissement concernés, la société constructrice du matériel de visiophonie, les enseignants et leurs syndicats... et d'autres acteurs encore. Les enjeux sont divers et particuliers aux différents acteurs. Certains ont des espoirs de voir les nouvelles technologies mises à la disposition de l'aménagement du territoire permettre aux enfants ruraux d'avoir les mêmes chances éducatives et culturelles que les citadins de profiter du développement de la téléformation... Plus précisément, deux chefs d'établissements ont aussi l'espoir de revaloriser la réputation de leur collège par cette expérience.

Mais certains ont des craintes de voir des tensions apparaître dans les établissements scolaires au sujet de l'introduction de nouvelles technologies de formation à distance. Ils redoutent également que le télé-enseignement favorise la diminution du nombre de postes d'enseignants et que le rôle de l'enseignant se transforme et perde en prestige.

Le recueil des commentaires

• Observation des commentaires techniques et matériels

Les connexions réalisées entre les collèges ne sont que des connexions « point à point » – c'est-à-dire des liaisons qui permettent seulement à deux collèges d'être reliés ensemble, alors que techniquement le meuble de visiophonie permet des liaisons multipoints (les trois collèges reliés en même temps) – car l'enseignant n'a pas été formé à la gestion des prises de parole avec deux salles à distance. L'envoi de documents écrits sur le cours s'effectue par fax, ces fax se situent dans les bureaux des chefs d'établissements ; l'envoi d'une fiche de grammaire doit donc se faire avant la séance et cela mobilise les chefs d'établissement.

On constate aussi que :

– d'assez nombreux incidents techniques se produisent (erreurs de manipulation et manque de finition de l'outil technique) ;

– pour des incidents importants, il faut faire venir le technicien du constructeur se trouvant à plus de deux cents kilomètres du collège le plus proche ;

– le champ de la caméra permet d'investir un espace limité imposant une disposition spatiale particulière et un nombre restreint d'élèves présents (la caméra des salles à distance étant non manipulable) ;

– si la caméra dispose bien de quatre possibilités de cadrage pouvant être

1. D'après les travaux de recherche de DEA de M. Commandré, Centre d'étude et de recherche sur l'information et la communication, université Montpellier-III, 1996.

enregistrées, l'enclenchement de la fonction pause annule tous ces cadrages ;
– lors des transmissions, il y a une mauvaise synchronisation du son et de l'image avec un décalage d'environ trois secondes ;
– des effets Larsen et des effets d'écho dus à la faiblesse des microphones et à l'absence d'un système annulateur d'écho se produisent.

• Les conduites des acteurs en tant que commentaires

Les meubles de visiophonie ont été placés dans la salle dédiée aux cours d'allemand pour le collège émetteur, dans le CDI (2) pour le deuxième collège et dans la salle d'informatique pour le troisième collège ; bien que ces appareils de visiophonie sur roulettes soient transportables, ils ne bougent pourtant pas des salles où ils ont été installés ; ainsi donc, lors de l'utilisation de la salle d'informatique pour la séance d'allemand, le cours d'informatique qui doit s'y dérouler est annulé. Entre les séances d'émission, le meuble de visiophonie doit être rangé, et personne n'y fait plus attention. En dehors des utilisations scolaires de l'appareil, il n'en est fait aucune autre utilisation. Parmi les autres éléments observés, on remarque l'absence d'actions d'information de la part des chefs d'établissement auprès de leurs professeurs ou de leurs élèves ; on note aussi la nomination par le rectorat de deux fonctionnaires – qui ne sont pas des personnes à statut important – pour « suivre » cette expérience. Dans l'année, on constate l'organisation de rares réunions rassemblant les représentants du rectorat et seulement deux des chefs d'établissement concernés (réunions générant des réflexions prospectives ou menant à des décisions ponctuelles) et l'absence du professeur d'allemand et du principal du troisième collège…

• Observation des commentaires organisationnels afférents à la situation

Parmi les principaux éléments observés, il nous faut rapporter :
– l'absence de formation donnée au professeur d'allemand ;
– le « volontariat » des élèves (après accord des parents) a recruté 24 élèves dans le collège émetteur, 17 élèves dans le deuxième collège et 3 élèves, « de bon niveau » désignés, dans le troisième collège ;
– les groupes d'élèves, au collège émetteur, se sont constitués selon le bon vouloir de chacun ;
– l'emploi du temps des élèves fait que les séances durent une demi-heure chacune. Celles ayant lieu entre le collège « émetteur » et le premier collège se déroulent le jeudi de 12 h à 12 h 30 (alors que les autres cours dans ce collège s'arrêtent à midi). Notons encore l'existence d'articles dans le journal du rectorat de l'académie, dans la grande presse régionale et d'émissions régionales sur France 3 concernant l'expérience en cours…

• Observation des paroles des acteurs de la situation

On note :
– que les professeurs des collèges ne parlent pas de l'expérience en cours et

2. CDI : Centre de documentation et d'information existant dans chaque collège.

évitent soigneusement de l'évoquer avec l'enquêtrice ;
– l'absence également de dialogue entre les communautés normalement impliquées dans le projet : les collèges, les parents d'élèves, les collectivités locales, dont les conseils généraux qui voudraient utiliser l'appareil pour l'aménagement du territoire ;
– les protestations des parents d'élèves du troisième collège sur le fait que leurs enfants sont *« privés de classe informatique »* ;
– les discours de certains parents d'élèves, auprès des maires et conseillers généraux qui financent l'opération, qui disent *« avoir choisi le mode de vie rural en connaissance de cause et qui sont peu intéressés par l'utilisation de telles technologies de communication avec la culture urbaine »* ;
– les discours de certains parents d'élèves intervenant auprès des maires et conseillers généraux contre les risques de suppression de postes d'enseignants dans les collèges ruraux ;
– les interventions des syndicats d'enseignants pour souligner les risques de perte d'emplois dans les services publics liés à l'introduction des nouvelles technologies ;
– la menace de l'enseignant d'allemand de prendre, à la rentrée suivante, un congé de disponibilité ;
– la demande, en fin d'année, des trois élèves sélectionnés du troisième collège, *« de ne plus continuer l'expérience »*.

L'analyse communicationnelle du cas

Les significations des problèmes techniques vont nous apparaître tout d'abord dès lors qu'on les rassemble. Leur accumulation forme en elle-même un contexte qui va les « faire parler » :
– pas de formation du professeur d'allemand et donc pas de maîtrise des liaisons multipoints et nombreux incidents techniques simples ;
– non-incorporation dans le meuble d'un outil permettant l'envoi de documents écrits (fax) ;
– incomplétude technique de l'outil (décalage son-image, effet Larsen, effet d'écho, pas de mémorisation des cadrages). Tout se passe comme si les techniciens ne faisaient pas tout ce qu'il faut pour que l'on dispose d'un appareil performant. Cela permet aussi aux chefs d'établissement, d'une part, de garder un important pouvoir d'intervention (apporter les fax, appeler le technicien) et, d'autre part, de bien montrer à la communauté enseignante (qui est hostile à l'utilisation de tels outils) que *« ce n'est pas au point »* et qu'il ne s'agit là *« que d'une expérience qui ne remplacera jamais la classe traditionnelle »*. Les ratés techniques sont donc fondamentaux et personne n'a intérêt à les faire disparaître. Ils servent la communauté Education nationale qui démontre ainsi implicitement qu'on ne pourra jamais simuler parfaitement la situation de classe traditionnelle avec cette technologie. Dans ces conditions, les enseignants de collèges tolèrent bien cette innovation puisqu'elle est là pour démontrer que les nouvelles technologies ne peuvent être intégrées dans l'enseignement. Plusieurs éléments contribuent à renforcer ce sentiment :
– le fait que le journal du rectorat ait consacré une série d'articles à cette

expérience de visiophonie, alors que les chefs d'établissement n'en parlent pas dans leurs collèges et ne mettent aucune note d'information dans les salles des professeurs ;
– le fait que l'appareil ne soit pas utilisé par les associations rurales ;
– le fait que les collectivités locales aient abandonné son usage à l'Education nationale alors qu'elles règlent les coûts de fonctionnement, donne un autre sens à l'expérience : celle-là apparaît comme « l'affaire du rectorat ». C'est « encore » quelque chose « d'imposé » d'en haut qui, comme toutes les nouvelles technologies, finira dans le placard (car dans l'Education nationale on est obligé de donner un sens à l'utilisation des technologies par rapport à ce long passé d'échec dans leur utilisation).
Les informations de valorisation de l'expérience sont faites vers le grand public (articles dans la grande presse et passages à France 3) et cela aussi a un sens : il s'agit d'une communication publicitaire destinée à créer un écran de fumée en annonçant la réflexion de la collectivité Education nationale sur un grand problème d'avenir, tout en préservant le système interne de tout regard extérieur : « *Silence, on expérimente* », semble dire l'institution. De ce fait l'Education nationale a phagocyté l'expérience. Elle est devenue « sa chose ». Il n'est pas question que les autres (les collectivités locales, les populations rurales...) s'en occupent. Les discours publicitaires (ceux du rectorat pour le grand public, ceux des principaux pour le rectorat) apparaissent aussi, lorsqu'on les replace dans le contexte hiérarchisé de l'Education nationale, comme des discours à enjeu de promotion. Le rectorat se valorise auprès du ministère, les principaux se valorisent auprès du rectorat. Chacun espère en tirer quelque chose du point de vue de sa carrière.
Dès lors, l'aspect « improvisation et bricolage » – très visible en ce qui concerne la gestion des emplois du temps, de l'utilisation des salles, de la formation des groupes d'élèves, la non-évaluation auprès des élèves des atteintes de l'objectif de sensibilisation pour choisir en connaissance de cause l'allemand en quatrième... – peut se lire dans le contexte général des autres communications. Un sens supplémentaire émerge : tout cet aspect « improvisation et bricolage » montre comme une volonté implicite des acteurs de l'Education nationale de tenir cette expérience en marge du fonctionnement des collèges. Il n'est pas question de réorganiser les emplois du temps, de redistribuer les salles, d'organiser rigoureusement les participations des élèves... bref de mettre cette expérience « au centre » ou encore de lui donner des chances organisationnelles et pédagogiques de bien fonctionner. Cette expérience vient seulement se surajouter à la marche habituelle des collèges. Les élèves du collège émetteur resteront en cours trente minutes en plus l'après-midi ; les élèves du troisième collège occuperont la classe d'informatique, privant ainsi d'autres élèves de leur initiation à l'informatique. Bien entendu, on peut lire tout cela aussi comme un discours institutionnel caché, adressé aux enseignants, dont on connaît les craintes vis-à-vis des nouvelles technologies de communication (lesquelles

pourraient leur prendre leur place ou les obliger à travailler autrement). Ce discours leur dit : *« N'ayez crainte, tout cela ne fonctionne et ne fonctionnera qu'à la marge. »*

L'approche communicationnelle débouche sur l'explicitation d'un « jeu » des acteurs de l'Education nationale : il s'agit d'un jeu « de l'essai, pour voir, sans y croire ». En effet, le leitmotiv des différentes communications que nous avons vues pourrait être le suivant : *« C'est notre affaire (c'est culturel), il faut donc qu'on en traite (d'ailleurs il faut "sensibiliser" nos jeunes au monde de demain), mais est-ce bien vraiment pour nous ? Regardez comme c'est inadapté. »*

Dans ce jeu, les chefs d'établissement rejoignent les enseignants, car eux aussi auraient à tout réorganiser. Ils alignent d'ailleurs leur communication sur celle du rectorat : ils prennent l'expérimentation pour le prestige extérieur apporté, ils gèrent dans leurs collèges l'expérimentation avec précaution en montrant bien son caractère « expérimental improvisé ». L'analyse communicationnelle de ce cas nous introduit dans la véritable compréhension d'un phénomène global : la « résistance au changement ».

En nous intéressant aux communications des autres acteurs institutionnels : les collectivités locales, mairies et conseils généraux, le ministère de l'Education nationale et les sociétés de conception-construction des matériels, nous pouvons dire que le jeu de l'ensemble de ces acteurs est un jeu « d'évitement des affrontements ». Il s'agit pour les acteurs institutionnels de maintenir la question de l'introduction des NTIC, sans risquer les affrontements internes au système Education nationale ou, plus largement, au système social français (les conseils généraux payent les frais de fonctionnement mais ne s'engagent pas dans le suivi ni dans d'autres utilisations ; les constructeurs attendent les réactions des décideurs, utilisateurs et payeurs : ils n'interviennent pas pour perfectionner le matériel ; l'Education nationale ne se met pas en position de réussir l'expérience...). L'attentisme sert tout le monde : chaque institution se garde la possibilité d'orienter autrement sa stratégie selon les événements. Rien n'est dit mais tout semble possible. L'inaction, le non engagement cultivent l'illusion des potentialités.

L'apport des sciences de la communication

Les sciences de la communication ont donc un objet d'étude propre : les ensembles de « communications généralisées » qui constituent des débats autour de problèmes collectifs appelant des solutions toujours provisoires et renégociables. Définies ainsi, elles ont donc une finalité générale : la compréhension du sens profond des problèmes traités à travers les communications généralisées et les réponses apportées. C'est en ce sens que l'approche communicationnelle peut s'appliquer à la lecture de différents types de problèmes, qu'ils soient politiques, sociologiques, organisationnels... ou autres. Les sciences de la communication ont donc une vocation interdisciplinaire. Elles ont aussi un cadre de référence théorique précis. Les sciences de la communication ont en commun avec les sciences humaines le paradigme compréhensif (3) – dans lequel il faut inclure le paradigme de la complexité –, car elles privilégient les acteurs, toujours en situation de résoudre un problème par la communication généralisée. Elles font appel aux théories du systémisme (4) et du constructivisme (5). Sur ce point, elles ne peuvent revendiquer pour elles seules ces théories, mais il est à noter qu'elles développent l'utilisation de leurs concepts spécifiques : les différentes formes des interactions, les jeux d'interactions, les enjeux explicites et cachés des systèmes de communications, les projets des acteurs, l'émergence des significations, la création des normes relationnelles, la structuration des positions, l'expression des identités, l'influence sur la définition commune de la situation (*voir l'encadré ci-contre*). Les sciences de la communication existent donc bel et bien. Leur existence va « déranger » les sciences « établies » qui devront leur faire une place et apprendre à reconnaître en quoi les nouvelles venues sont désormais une discipline spécifique. On peut donc s'attendre à quelques conflits de territoires, de théories et de méthodes, avec les sciences humaines voisines. C'est bien normal et cela fera progresser l'ensemble de la réflexion des sciences humaines et sociales sur les phénomènes communicationnels de notre société.

3. Voir mots clés en fin d'ouvrage.
4. *Idem.*
5. *Idem.*

Les processus de communication

S'interroger sur les « processus » de la communication, c'est se demander ce qui se passe lorsqu'une communication a lieu. L'« approche communicationnelle » explicite six processus de la communication : la construction du sens, l'appel aux référents collectifs, la structuration des relations, l'expression de l'identité des acteurs, l'émergence de l'information et l'influence (1).

La construction du sens
Un des premiers enjeux de toute communication est de nous faire comprendre de nos partenaires, c'est-à-dire échanger avec eux des signes auxquels ils accordent la même signification que nous. Cette construction fait intervenir les différents contextes dans lesquels s'effectue la communication : contexte social, contexte « d'énonciation » par rapport aux circonstances du moment, contexte culturel (conforme à des règles ou normes), contexte expressif selon l'individu émetteur et ses intentions... Ainsi, les discours des hommes politiques ne se comprennent-ils que si on les replace dans le champ des luttes politiques, dans le contexte socio-économique du moment, etc.

L'appel aux référents collectifs
Les interactions les plus simples de la vie courante présupposent toute une série de données partagées : connaissances linguistiques (les définitions du dictionnaire sont des référents collectifs) ; représentations sociales (dans un « dîner parisien », tous les participants sont censés utiliser les mêmes codes) ; normes relationnelles (qui peuvent prendre la forme de rituels établis : par exemple, dans les entreprises, l'accueil des nouveaux, les vœux de la direction...).

La structuration des relations
Les échanges entre les acteurs s'établissent en fonction de leur position dans la relation. L'école nous met dans la position de « celui qui a à apprendre », le journal télévisé dans celle de « spectateur du monde », la publicité dans « celui qui a des désirs et des besoins »... Ces positions peuvent d'ailleurs varier selon la situation et les interlocuteurs. Une relation peut être : intime ou distante, égalitaire ou hiérarchique, consensuelle ou conflictuelle, influencée ou influençante.

L'expression de l'identité des acteurs
Toute communication nous apporte des informations sur « qui est celui qui communique ». Nos expressions, notre discours portent la marque de notre être propre, de nos valeurs, de nos attitudes. Ces « logiques d'acteurs » participent de l'organisation de

la communication. C'est ainsi que les méthodes d'analyse de contenu permettent, à partir des discours, de révéler la structure de l'identité profonde des individus.

L'émergence de l'information

L'information naît de la rencontre d'une « donnée » avec l'intentionnalité d'un acteur. Prenons l'exemple d'une nouvelle parue dans un journal américain (2) : *« Un moteur révolutionnaire vient d'être mis au point ; il permettrait à une voiture de moyenne cylindrée de ne consommer que 5 litres d'essence aux 100 km. »* Cette « information brute » devient, dans le rapport arrivant sur le bureau du président d'une firme automobile américaine : *« Ce nouveau moteur promet d'être un grand succès (...) Nous sommes en contact avec les inventeurs, mais nous savons qu'ils préféreraient vendre leurs droits aux Japonais plutôt qu'à nous. »* Dans le document transmis au bureau du secrétaire d'Etat américain, l'information brute est devenue *« une innovation qui pourrait permettre de diminuer la facture pétrolière des Etats-Unis de 10 milliards de dollars (...) Mais qui risque d'engendrer une baisse de la demande occidentale de pétrole, ce qui pourrait mettre en difficulté les économies nationales des membres de l'OPEP. »* L'information brute prend son sens dans le système des intentions prioritaires de l'acteur auquel elle est destinée.

L'influence

Cet autre mécanisme fondamental de la communication est consubstantiel aux autres processus. *« Dans un échange mettant en présence plusieurs acteurs, l'influence s'exerce en manipulant, implicitement, des ressources interactionnelles telles que : le positionnement relationnel, l'appel à des normes sociales implicites connues, l'expression des identités personnelles, des menaces sur les enjeux de la situation. Ces ressources sont utilisées par chaque acteur pour faire partager aux autres interlocuteurs une définition avantageuse pour lui de la situation. »* (3) La décomposition des communications à l'aide de ces processus permet une nouvelle compréhension des « effets » ou de « ce qui se passe » dans un échange.

Martine Fournier

1. Voir A. Mucchielli, *Les Sciences de l'information et de la communication*, Hachette, 1995.
2. M. Herbert, *L'Information*, Rivage/Les Echos, 1990.
3. A. Mucchielli, « Aux sources de l'influence. La décomposition du processus de l'influence », *Recherches en Communication*, n° 6, décembre 1996.

Petit guide des techniques de communication

Il existe une panoplie de guides, de manuels, destinés à aider à mieux communiquer. Ces conseils, parfois très simples, sont souvent méconnus.

La dynamique des groupes

La dynamique des groupes désigne d'abord un ensemble d'analyses : des relations interpersonnelles au sein d'un groupe (Jacob Lévy Moreno et la sociométrie), des logiques d'influence et de pouvoir dans un groupe (Kurt Lewin), la personnalité du groupe (psychanalyse des groupes). L'étude du fonctionnement des groupes restreints a permis d'en tirer des conclusions sur les façons de mieux communiquer. Des auteurs comme R. Bales ou T. Leary ont repéré différents rôles caractéristiques au sein des groupes (le leader, le clarificateur, l'organisateur, l'opposant, l'agent d'ambiance, l'agressif, le marginal...). De là découlent des façons de réagir par rapport à ces profils caractéristiques, qui permettent de mieux utiliser les forces et cerner les faiblesses d'un groupe.

La conduite de réunion

Les réunions qui n'en finissent pas, où l'on se quitte sans avoir le sentiment d'avoir avancé... Le but des « guides de survie » contre la maladie de la réunionnite est d'apprendre à gérer l'expression d'un groupe. Quelques conseils sont généralement proposés : cerner les objectifs de la réunion (réunion d'information, de décision, de *brainstorming*) ; planifier l'ordre du jour ; préparer le travail à l'avance ; gérer le temps de parole ; faire en sorte que chacun puisse s'exprimer ; cadrer le sujet et reporter à plus tard le traitement des questions nouvelles qui apparaissent ; laisser un espace pour les diversions (le but d'une réunion n'est pas purement fonctionnel, il est aussi de créer des liens de sociabilités) ; faire un bilan en fin de réunion pour s'assurer des accords et rappeler les décisions prises...

L'analyse transactionnelle

Créée dans les années 50 par le psychiatre et psychanalyste américain Eric Berne (1910-1970), l'AT est à la fois une technique thérapeutique qui peut s'appliquer aussi au développement personnel et à la communication.

L'idée de base est que dans nos relations (transactions) avec autrui, nous nous situons toujours dans un état psychologique donné (« état du moi ») :

– l'état Parent (P) caractérisé par l'attitude de jugement moral et de protection ;
– l'état Adulte (A) se manifeste par des comportements rationnels ;
– l'état Enfant (E) caractérise les comportements pulsionnels et de soumission à la norme parentale.

Dans les comportements individuels ou les relations sociales, l'AT diagnostique quel « état du moi » intervient et quelle transaction – cachées ou non – se joue dans la relation. Un cadre d'entreprise peut, par exemple, se comporter en « Parent » à l'égard de ses collègues (il refuse de déléguer, distribue des reproches et des compliments sans se situer d'égal à égal avec eux).

Le but de l'AT est de faire prendre conscience aux interlocuteurs de ces scénarios et jeux (relations courantes qui s'instaurent entre personnes) pour les modifier lorsqu'ils deviennent pathologiques ou dysfonctionnels.

La programmation neurolinguistique
Fondée par deux américains : Richard Bandler, informaticien et psychologue, et John Grinder, linguiste et psychologue.
L'idée de base est que nos comportements et modes de communication sont programmés (d'où le terme « Programmation ») et peuvent être reprogrammés.
Il existe différentes façons de percevoir l'environnement et de communiquer avec autrui liés à des canaux de communication neurologiques privilégiés : visuel, auditif, kinestésique, olfactif.
En prenant conscience des modes de communication et de perception de chacun on parvient à mieux entrer en contact avec l'autre (en résonnance)

L'entretien
Dans les entretiens interpersonnels, il existe plusieurs façons de réagir à une demande formulée. Le psychologue américain Lyman Porter a repéré six attitudes possibles de l'interlocuteur : 1) L'attitude d'ordre et de conseil ; 2) l'attitude d'aide et de soutien ; 3) l'attitude de jugement et d'évaluation ; 4) l'attitude d'enquête ; 5) l'attitude d'interprétation ; 6) l'attitude de compréhension.

L'écoute active prônée par Carl Rogers (1902-1987) suppose de se mettre en situation d'empathie avec celui s'exprime. Pour cela, il faut se défaire d'un certain nombre d'attitudes qui font obstacle à l'écoute : rectifier systématiquement les erreurs, chercher à tout prix à trouver une réponse à tous les problèmes, présenter son propre point de vue, interpréter ce que dit l'autre en

fonction de ses propres réactions affectives, ses propres souvenirs, ses propres idées. Toutes ces attitudes ferment le jeu de la véritable écoute.
A la différence de l'attitude d'évaluation qui risque d'entraîner le blocage de la communication, l'attitude d'écoute active risque d'entraîner la dépendance et la contre-dépendance.

L'expression écrite
Les règles varient selon le type d'écrits (écrit professionnel, article journalistique, mémoire universitaire...). Mais dans tous les cas, on insiste sur quelques clés de la bonne expression écrite : la structure du texte doit apparaître clairement, la clarté et la précision des termes doivent prendre le pas sur les formules vagues et trop générales, les phrases courtes et le style direct sont plus lisibles, l'usage de formules clés et les exemples concrets rendent le texte plus vivant, la répétition des idées essentielles est utile.

L'expression orale
Pour parler devant un groupe, les manuels attirent l'attention sur la maîtrise de la communication non verbale (tenue vestimentaire, ton de la voix, l'expression du visage, la direction du regard...), la nécessité de structurer sa communication, de limiter le nombre d'information, de s'adapter aux attentes de son public, etc.

A lire sur le sujet...

- Pour plus de détail sur l'AT, voir l'article de J.-Y. Fournier dans ce volume.
- A. Oger-Stefanink, *La Communication, c'est comme le chinois, cela s'apprend*, Rivage/Les Echos, 1987.
- B. Meyer, *Les Pratiques de communication. De l'enseignement supérieur à la vie professionnelle*, Armand Colin, 1998.
- R. Mucchielli, *La Conduite de réunion*, ESF, 1992.
R. Simonet, *L'Exposé oral*, Editions d'Organisation, 1995.
- L. Timbal-Duclaux, *L'Expression écrite, écrire pour communiquer*, ESF, 1991.
- M. Josien, *La Communication interpersonnelle*, Editions d'Organisation, 1991.

JEAN-YVES FOURNIER*

LES APPORTS DE L'ANALYSE TRANSACTIONNELLE À LA COMMUNICATION**

Créée en 1950 par Eric Berne, l'analyse transactionnelle est une méthode d'analyse et un outil de régulation des interactions humaines et des conflits. Elle offre des applications dans de nombreuses situations de la vie quotidienne et professionnelle.

DANS LA VIE de tous les jours, il est des situations où nous aimerions vivre en bonne intelligence avec notre entourage, voire même établir avec lui des relations de complicité ou d'intimité. Mais nous échouons faute de savoir comment. L'analyse transactionnelle (en abrégé : AT) propose un outil d'analyse et de contrôle de la communication, simple et directement applicable. Une des situations les plus irritantes, notamment, est celle de conflit que l'on voudrait éviter ou maîtriser, mais en vain. Nous nous bornerons ici à examiner comment l'AT permet de gérer quelques-unes de ces conflits parmi les plus courants. Quelques exemples quotidiens :

« — Tu connais l'heure exacte de la réunion ?
— Bien sûr, tu as toujours l'air de croire que je ne suis au courant de rien ! »

« — Elève Dupont, vous avez vu à quelle heure vous arrivez ?
— Oui, Monsieur le professeur, à huit heures seize minutes très exactement. »

« — Chéri, il reste du gâteau ?
— Mais oui, Rosalie, une part de cinq cents calories au moins. »

Ces situations sont encore plus difficiles à supporter si, comme c'est souvent le cas dans le monde du travail, l'agresseur est un supérieur hiérarchique : l'envoyer promener, c'est s'exposer à de graves ennuis ; plier et se soumettre, c'est

* Professeur de psychopédagogie à l'IUFM de Créteil.
A notamment publié : *Gérer les rapports de force par l'analyse transactionnelle*, Editions d'Organisation, 1993-1994 ; *Analyse transactionnelle et communication*, BT2 PEMF, 1989.
** Texte inédit.

perdre sa dignité et à long terme s'exposer à la dépression et la maladie. Que répondre alors à de telles réflexions :
« C'est à cette heure-ci que vous arrivez ? Bien dormi ? »
« En voici une tenue, vous croyez que c'est carnaval ? »
« Quelle démarche d'éléphant vous avez, ma pauvre ! »
« Rendez-moi ce rapport pour demain si vous en êtes capable ?... » (1)
L'AT apporte ici un instrument de travail appelé transactions, permettant entre autres d'identifier avec précision ces moments cruciaux qui font basculer une relation, instrument de compréhension qui, par la même occasion, permet de redresser la barre et, bien entendu, donne toutes les clés pour mener à bien une communication saine, positive et authentique – si tel est le désir, bien sûr, de la personne concernée. Mais qu'est-ce au juste que l'analyse transactionnelle ?
Elle fut créée vers 1950 par Eric Berne, psychiatre et psychothérapeute. Ce dernier avait, entre autres, remarqué que c'est surtout dans les contacts avec autrui que se révèlent les problèmes d'une personne. Et que c'est en changeant le mode de communication de cette personne que l'on commence à lui permettre de les surmonter. Il baptisa donc son analyse « transactionnelle » parce que chaque échange, même verbal, entre deux individus peut être considéré comme une transaction (du latin *transigere* : faire passer au travers ; au figuré : traiter). *« On l'appelle transaction parce que chacune des deux parties en présence y gagne quelque chose, c'est la raison pour laquelle elles s'y livrent. »*

L'AT propose donc à ceux qui le désirent des psychothérapies. Mais sans aller jusque-là, tout un chacun peut mettre à profit cet outil que sont les transactions. Nous ne pouvons ici prendre en considération les fondements psychiques qui amènent telle ou telle personne à tomber dans les avatars d'une mauvaise communication ou à chercher inconsciemment le conflit. L'AT le fait fort bien dans son versant thérapeutique, mais là n'est pas notre sujet. Nous nous bornerons à envisager le cas de quelqu'un qui cherche consciemment et de façon manifeste à établir de bonnes relations avec son entourage.

La personnalité selon l'AT : les trois états du moi

E. Berne était frappé par le fait qu'un même individu peut, selon les circonstances, changer totalement de comportement, comme si plusieurs personnages coexistaient en lui. Ces différentes personnalités que chacun peut successivement adopter, E. Berne les appela états du moi. Il en dénombra trois qu'il dénomma Parent, Adulte, Enfant. (Pour éviter toute confusion avec l'âge de la personne, les états du moi sont toujours désignés par des majuscules).
E. Berne disposait bien d'un vocabulaire plus scientifique, mais voulant mettre sa théorie à la portée de tous, il leur préféra des termes simples. *« Ce répertoire peut se classer dans les catégories suivantes : 1) états du moi ressemblant à ceux des figures parentales ; 2) états du moi orientés de manière autonome*

1. Réflexions authentiques recueillies lors de stages.

vers l'appréciation objective de la réalité ; 3) ceux qui représentent des traces archaïques, des états du moi fixés dans la prime enfance et toujours en activité. En langage technique on les nomme respectivement états du moi extéropsychique, néopsychique, archéopsychique. En langage familier, on les appelle Parent, Adulte et Enfant. »

• Le Parent représente le système des valeurs et se subdivise en deux sous-états :

– le Parent critique qui juge, fait la morale, réprimande et menace. Il est souvent perçu comme très négatif, surtout lorsqu'il devient persécuteur (mais peut devenir positif (2) lorsqu'il conseille et défend des valeurs) « *C'est honteux et scandaleux ! J'exige... j'ordonne... il est interdit de... Il faut s'organiser en équipes* » ;

– le Parent nourricier, qui donne, rassure, protège et vient en aide. Il est à ce titre perçu comme globalement positif (mais peut devenir négatif s'il étouffe toute autonomie chez autrui : hyperprotection, paternalisme, charité aliénante) : « *Reposez-vous, vous êtes fatiguée... Voulez-vous que je vous aide ?... Fais attention en traversant !* »

• L'Adulte est dominé par la logique, l'objectivité, la raison. Il cherche à (s')informer, il résout les problèmes, il prend des décisions. C'est l'équilibreur de la personnalité : « *Quels sont les éléments dont nous disposons ? Examinons le problème !* »

• L'Enfant est le siège des émotions, des désirs et des sentiments. Il se décompose en trois sous-états :

– l'Enfant libre représente le côté spontané, authentique et indépendant de la personnalité. Il est globalement perçu comme positif (mais peut devenir négatif lorsque sa spontanéité donne libre cours à l'égoïsme, le sans-gêne) : « *On va boire un pot ! La bise ! Vivement ce soir ! Rien à foutre...* » ;

– l'Enfant adapté est « *celui qui modifie son comportement sous l'influence Parentale* » : façonné par l'éducation, il se plie aux règles, aux lois, aux normes. Il est perçu négativement en cas de suradaptation (conformisme aveugle, obséquiosité, servilité) : on le dit alors soumis. Sinon, il représente toutes qualités facilitant la vie sociale (politesse, courtoisie, etc.) : « *Dépêchez-vous ! On va se faire engueuler ! Après vous...* » ;

– l'Enfant rebelle est celui qui résiste à la soumission que veut lui imposer le Parent d'autrui. Il résulte de la friction interne entre l'Enfant libre et l'Enfant adapté. Plutôt perçu négativement (esprit de contradiction), il peut cependant être à l'origine de beaucoup de changements positifs (esprit de révolution) : « *Ils nous emmerdent ! S'ils osent, ils vont m'entendre ! Les chefs, connais pas...* »

Mais le coup de génie de E. Berne fut sans doute de représenter ce schéma de la personnalité sous forme de ce diagramme :

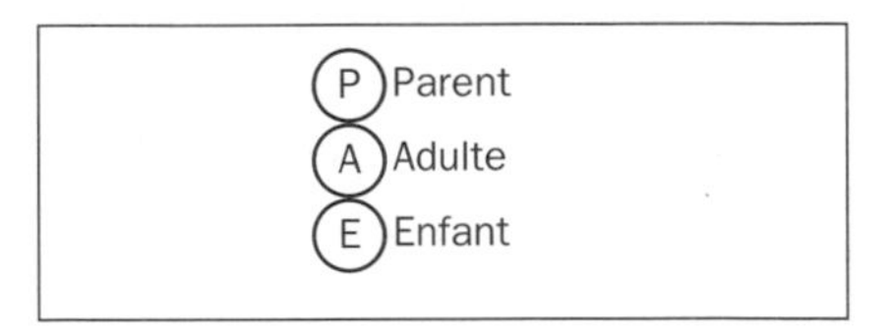

2. Aspects positifs et négatifs. Il ne s'agit pas ici de principes moraux ou de normes idéologiques mais de constatations purement pratiques : certaines attitudes provoquent conflits et difficultés relationnelles ; d'autres engendrent communication, dialogue et épanouissement.

Ce n'est pas par hasard que le Parent se trouve en position haute : c'est l'aspect le plus dominateur de la personnalité; pas par hasard que l'Adulte est en position centrale : c'est l'équilibreur de la personnalité; ni par hasard que l'Enfant est en position basse : c'est en lui que se trouve l'aspect le plus dépendant de la personnalité.

Les transactions

Deux personnes X et Y en situation de communication seront donc ainsi représentées :

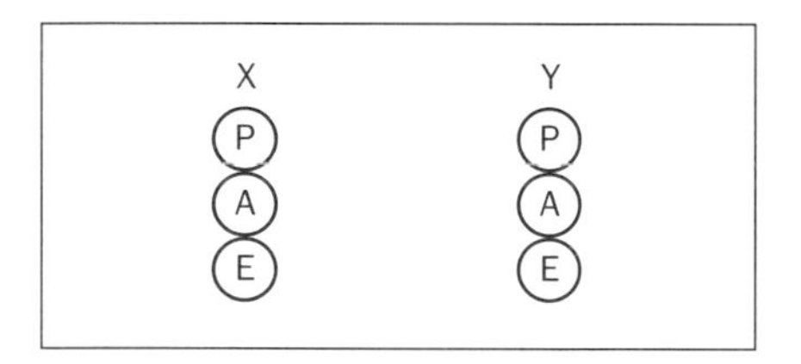

Lorsqu'une personne s'adresse à une autre, on représente alors son message sous forme d'une flèche :

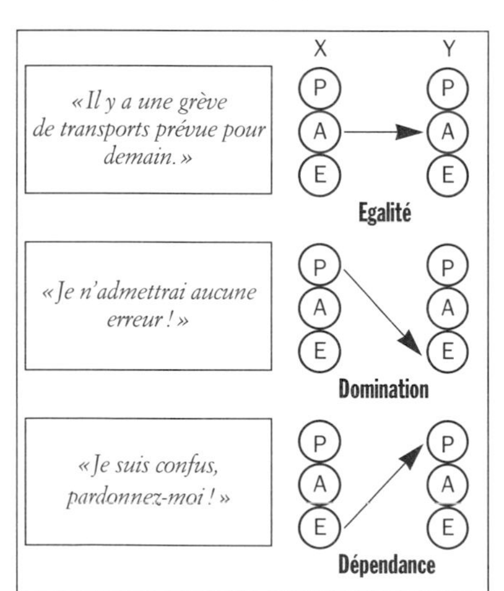

Les messages horizontaux sont un appel à une communication fondée sur l'égalité entre partenaires. C'est le cas quasi général des messages d'Adulte qui s'adressent à l'Adulte de l'interlocuteur (*« Il y a une grève de transports prévue pour demain. »*) ; mais un Parent peut s'adresser égalitairement à un autre Parent, cherchant une certaine complicité (*« Honteux les jeunes de maintenant. »*) ; de même entre Enfants (*« Et hop ! On se fait la belle. »*)

Les messages diagonaux génèrent une communication fondée sur l'inégalité et génératrice de conflit :

– descendant, c'est le message de domination de Parent à Enfant, qui bat tous les records en termes de conflit surtout s'il s'agit d'un message de Parent critique à Enfant adapté (*« Je n'admettrai aucune erreur. »*) ;

– ascendant, c'est le message de dépendance d'Enfant à Parent, appel indirect à la domination du partenaire, qui porte le conflit en germe : elle risque d'engendrer chez l'autre un abus de pouvoir (*« Je suis si confus de cette erreur, veuillez me pardonner... »*).

Mais comme la seconde personne répond à la première, on obtient deux messages (appelés transaction) illustrés par deux flèches :

– flèches parallèles si les deux interlocuteurs s'entendent bien : émetteur et récepteur ont deux états du moi en communication, la relation est réussie;

– s'ils se traitent en égaux, les parallèles sont horizontales (**A**) ;

– s'ils se comportent hiérarchiquement, les parallèles sont diagonales (**B**) ;

– flèches croisées si les deux interlocuteurs sont en conflit : émetteur et récep-

« Honteux, les jeunes de maintenant ! »

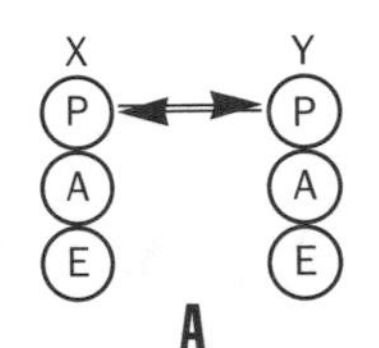

« Ils ne respectent aucune valeur… »

A

Le Parent de X s'adresse au Parent de Y. (3)
Le Parent de Y répond au Parent de X.

« C'est à cette heure que vous arrivez ! Bien dormi ? »

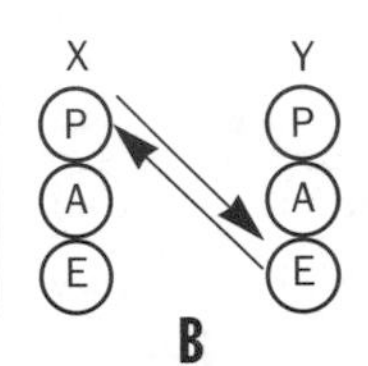

« Excusez-moi, je n'ai pas entendu mon réveil. »

B

Le Parent de X s'adresse à l'Enfant de Y.
L'Enfant de Y répond au Parent de X.

« Elève Dupont, vous avez vu à quelle heure vous arrivez ? »

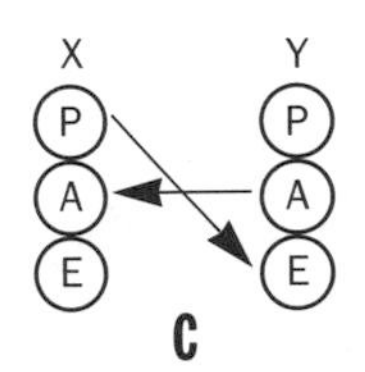

« Oui Monsieur. le Professeur, à 8 heures 16 minutes très exactement. »

C

Le Parent de X s'adresse à l'Enfant de Y.
L'Adulte de Y répond à l'Adulte de X.

« En voici une tenue ! Vous croyez que c'est carnaval ? »

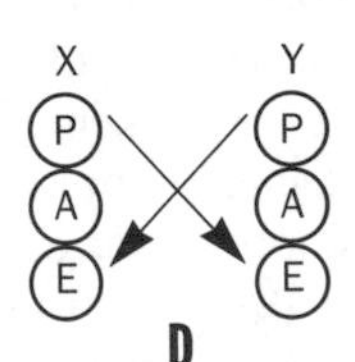

« Vous osez, vous, donner des leçons de bon goût ? Vous voulez un miroir ? »

D

Le Parent de X s'adresse à l'Enfant de Y.
Le Parent de Y répond à l'Enfant de Y.

teur n'ont aucun état du moi en communication, la relation est rompue (**C**) ;
– flèches en rebond si les deux interlocuteurs sont en désaccord : émetteur et récepteur ont un seul état du moi en communication, la relation est réorientée (**D**) ;

3. Les états du moi communs aux deux interlocuteurs sont soulignés.

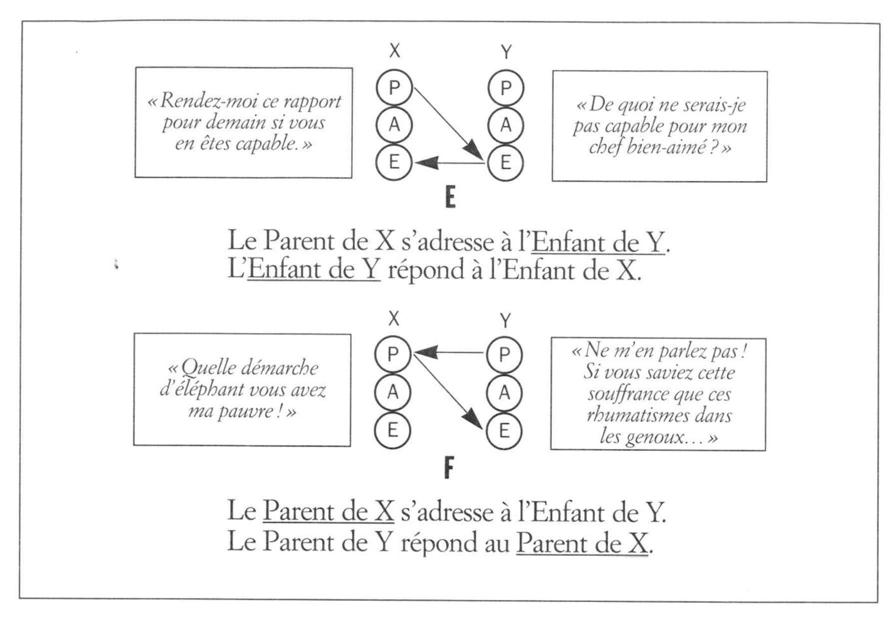

Ces dernières réponses-rebonds (**E**) et (**F**) permettent, même si l'on est agressé, de ne pas rompre la communication (si l'on estime que celle-là doit être maintenue) tout en gardant sa dignité. Elles sont très utiles lors, par exemple, de l'agression d'un supérieur hiérarchique : une transaction croisée pourrait mettre le subordonné dans de mauvais draps (**C** ou **D**) ; une parallèle serait humiliante et pourrait inciter le supérieur à continuer sur le chemin de l'irrespect (**B**). Ces transactions en rebond – il y en a beaucoup d'autres, dont certaines faisant intervenir l'Adulte sans croisement – permettent d'être *« ni hérisson ni paillasson »*, et sont une transition en douceur pour amener l'adversaire à revenir à une communication d'égal à égal au niveau du respect de la personne, même s'il s'agit d'un supérieur. Car tel est le conseil que l'on donne à ceux qui suivent des stages : *« Horizontalisez ! »* c'est-à-dire qu'on leur demande de bien se représenter visuellement la transaction conflictuelle (cette capacité s'acquiert très vite) et d'engager des messages à l'horizontale mais sans croisement, afin d'amener le plus rapidement possible l'agresseur à en faire de même (Qui peut nier qu'une relation à l'horizontale soit meilleure que tout autre ? Honni soit qui mal y pense…). Avec un certain entraînement, cette stratégie à support visuel fonctionne très bien, de plus en plus rapidement et de plus en plus facilement.

En effet, le côté pratique de cette représentation schématique à l'aide de flèches, c'est qu'elle permet d'avoir une vision claire et éminemment explicative de ce qui se passe entre deux interlocuteurs, et de comprendre pourquoi à tel instant la communication fonctionne bien ou mal. Et qu'elle permet de réorienter la relation, l'objectif final étant d'en arriver à des parallèles horizontales d'Adulte à Adulte.

Plus subtil est le dialogue de Rosalie qui veut reprendre du gâteau (**G**) : la transaction semble bien horizontale et parallèle d'Adulte à Adulte, et pourtant elle est si lourde de sous-entendu qu'elle semble insoutenable : c'est que le partenaire de Rosalie a envoyé un message caché de Parent à Enfant (en pointillé sur le schéma).

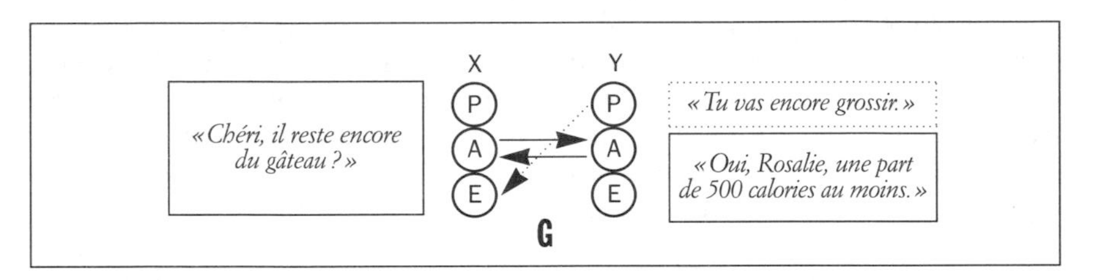

C'est ce que l'AT appelle une transaction à double fond et, en ce cas, il faut considérer s'il y a parallélisme ou croisement par rapport au message caché et non point au message apparent : ici, il y a bel et bien croisement, d'où amorce de conflit.

Nous n'avons donné ici que quelques modèles de transactions – les plus banales – mais il en existe bien d'autres répondant à des situations plus spécifiques de communication, transactions que nous ne pouvons détailler dans le cadre de cet article (4). Certaines, entre autres, doivent faire intervenir les sous-états du moi pour rendre compte de certains phénomènes de communication.

Cependant, ces schémas transactionnels ne sont qu'une trousse de premier secours destinée à parer aux situations d'urgence (encore fallait-il l'avoir à sa disposition). Mais l'AT va plus loin encore lorsqu'il s'agit d'expliquer comment certaines personnes se trouvent toujours enfermées dans le même style de communication. E. Berne s'attacha particulièrement – c'est ce qui le rendit célèbre – à étudier les transactions à double fond et repéra que les personnes qui utilisent des messages cachés le font selon certains enchaînements répétitifs et stéréotypés, et cela le plus souvent à leur propre insu. Il les appela jeux (dans le sens où l'on dit : *« Je n'entrerai pas dans son jeu »*), en répertoria plus de trente, jeux qui bien entendu faussent totalement toute communication efficace et même peuvent déboucher sur de véritables drames (5). Une authentique communication est un échange qui considère l'interlocuteur comme un égal en tant qu'être humain, libre et respectable, différent de soi, certes, mais complémentaire. C'est ce que l'AT appelle être dans une position de vie + +. De même, utiliser volontairement l'outil-transaction qui vient d'être

4. Voir à ce sujet : J.-Y. Fournier, *Gérer les rapports de force par l'analyse transactionnelle*, Editions d'Organisation, 1994 (ouvrage illustré de plus de 150 exemples de transactions).
5. E. Berne, *Des jeux et des hommes*, Stock, 1984.

exposé sans un tel souci de respect de l'autre ne pourrait mener qu'à la manipulation : celle-ci alors finit tôt ou tard par être repérée comme telle par le partenaire et aboutit finalement à un échec de la communication.

Les positions de vie

Les théoriciens de l'AT se sont bien sûr demandé pourquoi telle ou telle personne établit tel ou tel type de transactions plutôt que d'autres. Pourquoi certains recherchent-ils des relations plutôt égalitaires, d'autres plutôt agressives, d'autres plutôt masochistes ? L'AT a élaboré toute une théorie de la formation de la personnalité que nous ne pouvons exposer ici, mais dont le résultat nous intéresse au premier chef : les contacts qu'établit un individu sont en relation avec l'opinion qu'il a de lui même et celle qu'il a d'autrui en général. Ce qui donne lieu à deux convictions :
– la première sur soi-même : je suis quelqu'un de bien ou de nul ;
– la seconde sur les autres : les gens sont bien ou nuls.
Cela entraîne quatre positions de vie possibles :
– la position + +, état de la personne qui a confiance en elle et les autres, qui considèrent ceux-ci comme des égaux, différents d'elle, certes, mais respectables dans leur diversité. Une telle personne sait utiliser de façon équilibrée tous ses états du moi. Elle envoie des messages d'égalité, ce qui génère avec autrui des transactions parallèles et horizontales ;
– la position – +, état de la personne qui n'a aucune confiance en elle, qui se dévalorise par rapport aux autres. Cela va du simple « complexe d'infériorité » à la « déprime » plus ou moins profonde engendrée par le sentiment de sa propre nullité. L'état du moi préférentiel de ces personnes est l'Enfant adapté soumis. Elles envoient des messages de dépendance (diagonales ascendantes) sollicitant le Parent d'autrui et finalement la domination de celui-ci. Ce qui génère des transactions parallèles diagonales et donc inégalitaires ;
– la position + –, position allant du « complexe de supériorité » au mépris des autres quand ce n'est pas de l'humanité tout entière : du petit chef au grand dictateur ou plus subtilement du bon apôtre au mauvais psychothérapeute qui veulent faire votre bonheur à votre propre place de pauvre type. (En fait, à la suite d'Adler (6), beaucoup d'auteurs s'accordent à penser que le complexe de supériorité n'existe pas en soi mais est un mécanisme de défense, une « compensation » contre un sentiment d'infériorité latent). L'état du moi préférentiel de ces personnes est le Parent (critique négatif généralement, mais parfois, plus subtilement, nourricier aliénant). Elles inondent autrui de messages de domination (diagonales descendantes) sollicitant leur Enfant soumis et recherchant des transactions parallèles inégalitaires de type **B** ;
– la position – –, position dramatique mais plus rare heureusement : ni personne ni moi n'en valons la peine : le monde, l'humanité n'est qu'absurdité et nullité... Ces personnes ont des idées suicidaires (parfois de tragiques passages à l'acte). Leur état du moi est alors

6. A. Adler, *Les Névroses*, Aubier, 1969.

un Enfant libre négatif fait d'amertume et dépourvu de tout plaisir de vivre et les transactions recherchées sont difficilement définissables : elles recherchent peu le dialogue, quand elles ne fuient pas totalement la relation à autrui.
Seule, donc, la position + + est propice à une bonne communication. La difficulté, si l'on n'est pas coutumier de cette position, est de l'adopter ne serait-ce que provisoirement, le temps de développer une relation correcte. Comment ? En n'envoyant aucun message diagonal et en parant à ceux que l'on reçoit à l'aide des transactions ci-dessus décrites. Adopter cette attitude + + (certes artificielle au début) est plus facile que l'on ne croit, dès que l'on en a réellement compris la nécessité et constaté l'efficacité. Et à force de se positionner ainsi, bon nombre d'apprentis à la communication, encouragés par les résultats obtenus, finissent par s'apercevoir qu'ils changent en profondeur : l'autre est de moins en moins considéré comme supérieur ou inférieur, il est simplement différent. Et chacun de comprendre qu'il a tout intérêt à s'imprégner de la différence de l'autre. Et réciproquement. Un échange : telle est l'essence d'une véritable communication.

Intérêt et critiques

On peut encore mieux mesurer les bénéfices que l'AT peut apporter lorsqu'elle est appliquée à toute une institution : chacun, de personne à personne, peut y parler le même langage et en dévoiler les abus de pouvoir. En effet, il ne s'agit pas de lénifier les rapports de force (il y a pour cela bien d'autres techniques) ni de nier la réalité de la hiérarchie, mais de respecter les individus dans leur personne. Certains enseignants ont vu ainsi le climat de leur classe spectaculairement changer lorsqu'ils se dotent de connaissances en AT : elles leur permettent de comprendre et de mieux maîtriser les dysfonctionnements de leur classe et d'optimiser non seulement la relation professeur-élèves, mais également celle d'élève à élève, ainsi que la relation à l'institution (7). Ces enseignants pratiquent une pédagogie de contrat et certains vont même jusqu'à enseigner certains rudiments d'AT à leurs élèves afin de communiquer avec eux sur la même longueur d'ondes (8). Ces derniers, à partir du niveau collège, sont d'ailleurs très friands de ce genre de connaissances.
L'AT peut présenter le danger d'utilisations abusives de la part de ceux qui en possèdent les clés sur ceux qui ne la connaissent pas. Mais c'est là le propre de toute psychologie ou de toute théorie fondée sur un modèle de la personnalité. Il s'agit plutôt en ce cas d'un problème d'éthique de la part de ceux qui l'utilisent. C'est pourquoi les analystes transactionnels ont-ils comme déontologie de n'utiliser les principes de l'AT que de façon contractuelle, pour analyser l'ensemble des relations que l'on établit avec autrui afin de les rendre meilleures. Autre procès : son utilisation dans l'entreprise : l'AT serait un instrument de normalisation, voire de mise au pas.

7. C. Ramond, *Grandir : Education et AT*, La Méridienne/Desclée de Brouwer, 1995 (cet ouvrage montre tout le bénéfice que peut retirer un enseignant de l'AT).
8. N. Pierre, *Autonomie et AT*, CRDP Région Centre, 1998.

Là encore, il s'agit de l'idéologie de ses utilisateurs et non de l'outil en lui-même. Mais ce serait de leur part un bien mauvais choix : l'AT dévoile trop clairement les problèmes de domination et de soumission et les abus auxquels ils donnent lieu. Et les parades que l'on peut y apporter…

LE FORMATEUR ET LA COMMUNICATION

ENTRETIEN AVEC PHILIPPE MEIRIEU*

La communication des savoirs ne se réduit pas à une simple transmission. L'enseignant doit aussi prendre en compte les relations affectives, les représentations, les décalages linguistiques et socioculturels qui peuvent brouiller le message pédagogique.

***Sciences humaines* : Quel est le rôle de la communication dans la relation pédagogique ?**

Philippe Meirieu : La relation pédagogique est évidemment une relation de communication mais qui a cela de spécifique qu'elle est médiatisée par des savoirs et des contenus culturels. Un danger serait de déconnecter les questions de méthodes des questions de contenus.

La communication n'est pas un objet en soi ; on vient en classe ou en formation pour acquérir quelque chose ; et le formateur doit parfois faire son deuil d'un certain goût pour une qualité relationnelle qui l'amènerait à être une sorte de grand frère, mais aussi à abdiquer de ses responsabilités d'éducateur. Les enseignants et les formateurs vivent trop souvent dans une espèce de nostalgie égalitaire avec les personnes dont ils sont en charge. Or, leur tâche est d'organiser le groupe et les conditions de travail, ils se doivent d'évaluer pour que chacun puisse repérer où il en est, et tout cela les place en extériorité par rapport au groupe…

Ce qui crée des difficultés, c'est que l'enseignant se trouve placé en relation de dissymétrie cognitive, mais qu'il est aussi presque toujours en situation de symétrie affective : sur le plan cognitif, il est dans une position de supériorité. Mais, sur le plan affectif, l'enseignant est tout aussi dépendant de ses élèves que ceux-là sont dépendants de lui. Peut-être même encore plus : il aime qu'on l'aime, qu'on l'admire… Par ailleurs, l'on sait bien qu'on ne peut pas décider la suspension de l'affectivité par décret et que, dans la classe même la plus rationnelle et la mieux organisée, l'affectivité circule…

Il y a certains élèves dans lesquels on se reconnaît, dans lesquels on se projette, certains avec lesquels on entretient de meilleurs rapports. Lorsque l'affectif prend ainsi le pas sur le cognitif, la communication n'est plus pédagogique. Ce qui

* *Professeur en sciences de l'éducation, directeur de l'Institut des sciences et pratiques d'éducation et de formation de l'université Louis-Lumière-Lyon-II. Auteur de* La Pédagogie entre le dire et le faire, *ESF, 1995, et de* Frankenstein pédagogue, *ESF, 1996.*

rend la position du maître difficile, c'est qu'il doit gérer sa classe sur le registre cognitif et institutionnel tout en sachant qu'il est un être de chair et de sang, affectif, dépendant, qui a naturellement et psychologiquement des préférences...

***SH :* Comment peut-on alors échapper à ce type de configuration ? Et plus généralement, comment peut-on installer de bonnes situations de communication dans la classe ?**

P.M. : C'est là où une attention particulière aux réseaux de communication peut prendre toute leur importance et intervenir comme antidote efficace à cette « affectivation » des relations personnelles.

Le souci de la communication doit être celui de se doter d'outils qui permettent non pas de suspendre la circulation des affects, mais qui la régulent un minimum et permettent à chaque personne présente de s'exprimer et de recevoir le message qui lui est proposé. Par rapport à cela, il existe un certain nombre de dimensions fondamentales dans le métier d'enseignant.

Par exemple, l'installation d'un groupe de parole, sachant que ce groupe n'est pas un groupe spontané. Pour « se parler » il faut qu'un certain nombre de conditions soient réunies : des rituels, c'est-à-dire une régularité, des places, des rôles, que ce qui est dit soit retravaillé... Il faut aussi une attention à ce que les échanges ne soient pas régis par une pression, un pouvoir ou une séduction, mais par la qualité de l'explication, la rationalité de ce qui est dit et l'efficacité de la démonstration.

Pour moi, il existe deux exigences d'ordre éthique qui fondent la communication dans la classe : c'est, d'une part, l'interdit de la violence (*« Tu dois me croire parce que je suis plus fort. »*) et, d'autre part, celui de l'argument d'autorité (*« Je l'ai dit, donc c'est vrai. »*). Ce qui est dit doit être mis en négociation avec un minimum de probité. Ce qui est en jeu c'est la qualité de la démonstration, et non pas le statut de celui qui parle.

***SH :* Mais est-ce toujours suffisant ? On voit certains professeurs, très compétents, qui ne se rendent pas compte qu'ils ne sont pas compris de leurs élèves. N'existe-t-il pas des moyens plus ou moins efficaces de faire passer cette compétence que vous évoquez ?**

P.M. : On entre là dans un autre registre également essentiel que je décrirais comme « la capacité d'entendre que l'autre n'entend pas». C'est la capacité de se dire *«Si c'était moi qui étais sur les bancs de ma propre classe, est-ce que je n'aurais pas décroché depuis cinq minutes ?»*, d'introduire un exemple lorsque le discours devient trop abstrait, ou une formule lorsqu'il devient trop filandreux...

Trop souvent, l'enseignant est dans le délire, c'est-à-dire dans une parole folle, qui se déploie sans s'intéresser à la manière dont elle est reçue. La communication s'oppose au délire. Le bon enseignant est celui qui se fait lui-même apprenant de son propre savoir.

Toute personne qui enseigne devrait pouvoir vivre en même temps la difficulté qu'il y a à apprendre, et nous sommes souvent, en tant que formateur, oublieux de cette difficulté. Ce sont parfois de simples détails qui peuvent empêcher la communication. Ainsi, dans une classe primaire, une maîtresse avait tracé un triangle au tableau et écrit : soit le triangle ABC, prenons le sommet C... Il se trouve que, sur son dessin, ce sommet était placé en bas. Lorsque plus tard, elle a tenté de faire parler les élèves sur cette difficulté, ils ont expliqué que pour eux, les sommets se trouvaient en haut... C'est tout le problème des représentations des élèves qui est en jeu. Le souci devrait être permanent d'articuler ce qu'on apprend aux élèves qui apprennent.

***SH :* Mais dans la communication entre les élèves et les enseignants, n'existe-t-il pas aussi des difficultés d'ordre sociologique ? Ne serait-ce qu'au niveau du langage, par exemple ?**

P.M. : Il est certain qu'aujourd'hui, dans les classes, il existe un écart sociologique de plus en plus grand entre l'enseignant et le monde des élèves, non seulement lié aux différences de couches sociales mais aussi aux différences culturelles.

Il ne s'agit pas simplement de la communication verbale, mais aussi de la façon de s'asseoir, de marcher, etc. Prenons l'exemple du regard : un «bon» élève ne regarde pas n'importe comment son enseignant ; il doit le regarder droit dans les yeux suffisamment longtemps pour ne pas paraître hypocrite, mais pas trop pour ne pas paraître insolent... Cela nécessite tout un ajustement qui est très culturel.

Dans ces conditions, la seule bonne façon de communiquer est de se reconstruire une culture commune : à ce propos, les études sur les «effets établissements» montrent que les résultats scolaires sont considérablement améliorés chaque fois que

des équipes d'enseignants et d'élèves investissent dans des activités qui leur permettent de se donner cette culture commune, que ce soit le soutien d'une équipe de football, la participation à un club de quartier ou l'élaboration d'une pièce de théâtre...
Je voudrais toutefois ajouter que ce n'est pas parce qu'on travaille sur la communication qu'il faut croire qu'on parviendra à la transparence. La transparence n'est d'ailleurs pas souhaitable ; c'est grâce à une certaine opacité qu'il devient nécessaire de communiquer. Si tout était visible, nous n'aurions plus rien à nous dire. Donc, le malentendu, la difficulté, l'opacité qui inquiètent terriblement les enseignants – et même parfois les agressent – sont en fait une chance qui permet de parler, qui fonde la communication.

***SH :* La communication doit-elle – et peut-elle – être enseignée en formation ?**

P.M. : Je ne crois pas qu'il faille faire des cours de communication, mais je crois que la question de la communication doit toujours être présente en formation. Les gens qui se forment doivent pouvoir réfléchir, verbaliser, discuter sur la qualité de la communication dans les lieux où ils se forment pour pouvoir ensuite la pratiquer dans les lieux où ils seront formateurs. Mais de telles pratiques nécessitent une remise en question des formateurs d'enseignants, et ceux-là ne sont pas toujours prêts à accepter un débat sur leurs propres pratiques... En matière de formation, toutes les enquêtes montrent que lorsque les gens entrent dans le métier, ils ne font jamais ce qu'on leur a dit de faire, mais toujours ce qu'on a fait avec eux. La dimension de la communication dans la formation est donc tout à fait centrale, mais elle ne doit pas être un domaine séparé, elle doit être travaillée dans l'ensemble des activités de formation.

Propos recueillis par
MARTINE FOURNIER
(*Sciences Humaines*, hors série n° 16, mars/avril 1997)

Histoires… sans paroles

Tout enseignant(e) passe une majorité de son temps à parler aux élèves… Ces derniers, en revanche, n'ont droit qu'à une prise de parole réglementée, lorsqu'ils y sont autorisés : lever le doigt pour répondre à une question, venir réciter sa leçon au tableau, etc.

C'est alors qu'un observateur attentif, qui regarde une classe fonctionner, peut déceler tout un éventail de stratégies, développées par les potaches, avec plus ou moins d'élégance et de discrétion, pour communiquer sans enfreindre le règlement ni s'attirer d'ennuis.

Ce sont bien sûr les petits mots qui circulent : *« Tu peux venir à ma teuf* (1) *samedi ? J'attends ta réponse… »* Mais également les clins d'œil pour souligner un tic du prof, gestes, mimiques pour se donner l'heure…

Ce type de communication non verbale peut aussi s'adresser au professeur : il serait incorrect de le couper dans sa démonstration pour lui dire que *« cela va bientôt sonner »*. Alors, silencieusement, les stylos rentrent dans les trousses qui se ferment, les livres et autres ustensiles disparaissent de la table qui, encombrée pendant toute l'heure, se retrouve soudain débarrassée comme par miracle… Et si le prof ne voit toujours rien et que l'échéance se rapproche encore, on commence à mettre son écharpe, à enfiler la première manche de son blouson, tout en continuant à prendre des notes sur l'unique feuille qui a survécu au rangement. Cela signifie simplement – et poliment puisque la règle disciplinaire a été respectée – qu'il faut finir, car à la sonnerie il faudra se précipiter dans les couloirs pour être à l'heure au cours suivant, voire prêt pour l'interrogation écrite. Ou chez les plus âgés, que le temps de parole imparti se termine.

Communiquer, c'est aussi montrer qu'on existe !

MARTINE FOURNIER

1. Teuf = fête, boom, surprise-partie, selon les générations…

Groupe, organisation et communication

Philippe Cabin*

COMMUNICATION ET ORGANISATION**

La communication en organisation constitue un champ de recherche peu structuré et éclaté en approches très diverses : communication interpersonnelle, dynamique des groupes, sociologie des organisations, management, sémiologie, sociolinguistique... Les travaux les plus récents tentent de fournir une analyse pluraliste et systémique des phénomènes de communication en organisation.

Les recherches menées en entreprise sur le travail des cadres montrent que ces derniers passent l'essentiel de leur temps à communiquer. Henry Mintzberg considère la communication comme un des trois domaines fondamentaux du travail du dirigeant (1). Rien d'étonnant à cela : aucun système technique et humain ne peut fonctionner sans communication. Toute l'activité d'une entreprise (ou de toute autre organisation) n'est qu'un enchaînement de processus d'interactions et de communications : ceux-là sont l'huile qui permet aux rouages organisationnels de fonctionner (2).

Les mutations récentes des modes de fabrication et d'organisation ont encore accru l'importance de l'échange et de la gestion d'informations dans les activités de production. L'organisation taylorienne du travail visait à limiter au minimum les informations et les interactions nécessaires au travail : la prescription très formalisée des tâches n'exigeait en effet que peu de communication entre les agents. Les nouvelles formes d'organisation qui apparaissent aujourd'hui ne sont pas seulement consécutives à l'essor des technologies de l'« information et de la communication ». Elles résultent du développement de nou-

* Journaliste scientifique au magazine *Sciences Humaines*.
** Texte inédit.
1. H. Mintzberg, *Le Manager au quotidien*, Editions d'Organisation, 1984. Voir aussi l'entretien avec H. Mintzberg dans *Sciences Humaines*, hors série n° 20, mars/avril 1998.
2. Selon l'expression de Sandra Michel, « La communication interpersonnelle », dans N. Aubert, J.-P. Gruere, J. Jabes, H. Laroche et S. Michel, *Le Management, aspects humains et organisationnels*, Puf, 1991.

velles rationalités, qui bouleversent les contextes professionnels : autonomie, organisation transversale, équipes-projets, participation... Ces principes ont une répercussion essentielle : celle d'une coordination accrue et complexifiée. La communication apparaît comme un processus décisif de cette coordination (3).

Les illusions de la communication organisationnelle

Le pourquoi de l'importance de la communication dans l'organisation étant acquis, il reste à en préciser le comment. Dans le monde de l'entreprise en effet, la communication est très souvent vue à la fois comme la cause de tous les maux, et le remède susceptible d'apporter une solution à tout problème : il est devenu courant (et commode) de ramener tout dysfonctionnement organisationnel à « un problème de communication » (*voir l'article de Michel Augendre dans cet ouvrage*). Ce constat est révélateur des illusions qui persistent, au sein des organisations, quant aux caractéristiques et aux vertus supposées de l'acte de communiquer.
Parmi ces illusions, on peut en distinguer trois, particulièrement fréquentes et trompeuses (4). La première consiste à penser qu'il est facile de communiquer, puisqu'il suffit d'énoncer un message. La deuxième amène à penser que dès lors que l'on est parvenu à expliciter ce message, il est évident qu'il sera compris par le récepteur de la même manière que l'émetteur. Dernière illusion majeure : il n'existerait qu'une forme de communication pertinente, celle selon laquelle le message a été émis. Or on sait que la communication est multiple et multiforme (*voir l'introduction de Jean-François Dortier dans cet ouvrage*).
Les sciences humaines ont très largement contribué à révéler ces idées fausses et à éclairer les logiques à l'œuvre dans les processus de communication en organisation. Ce champ de recherche reste pourtant peu structuré. Il existe en effet beaucoup de travaux sur la communication interpersonnelle et dans les groupes : par exemple la dynamique des groupes de Kurt Lewin, l'analyse transactionnelle, l'analyse de la structure affective des groupes (Jacob Lévy Moreno), etc. Mais ces approches offrent une vision de la communication essentiellement psychologique, qui conduit à sous-estimer le rôle que joue la structure organisationnelle. D'autre part, les sciences de l'organisation et du management, en dépit de l'étendue de leur champ d'investigation, se sont peu intéressées aux fonctions de la communication. Il est clair par exemple que dans les analyses de Michel Crozier, la part de la communication dans les stratégies et les comportements des acteurs est essentielle. Selon cette approche en effet, les acteurs en organisation ont une marge d'autonomie et développent des stratégies. Le pouvoir est une relation d'échange qui se négocie : au cœur de cette relation se trouve la maîtrise de zones d'incertitudes, et par conséquent celle de l'information et de la communication. Cette dernière est donc consi-

3. J.-Y. Capul, « Les communications dans les organisations », *Les Cahiers français*, n° 258, 1992.
4. S. Michel, *op. cit.*

dérée comme une composante et une ressource capitales du fonctionnement de l'organisation, mais elle n'y est pas étudiée en tant que telle.
Une des raisons à cette situation est la difficulté à cerner avec rigueur la notion de communication en organisation, tant il est vrai que celle-ci renvoie sur le terrain à des réalités et des domaines d'actions radicalement différents. On peut sommairement les classer en quatre catégories :
– les rapports interpersonnels à l'intérieur de l'organisation : cela va des problèmes de recrutement, motivation…, aux rapports quotidiens entre un cadre et sa secrétaire, à l'organisation spatiale des lieux de travail… ;
– la distribution, la circulation et le partage de l'information, autrement dit l'entreprise comme système d'information : consignes, formalisation des procédés, diffusion de l'information interne… ;
– ce qui relève du management et de la communication entre direction et salariés : gestion des ressources humaines, journaux internes… ;
– ce qui relève de la communication vers le client et vers l'extérieur, qu'elle soit axée sur le produit (publicité, marketing, modes d'emploi…), ou sur l'organisation elle-même, ce que l'on appelle la communication institutionnelle (voir les publicités d'EDF, La Poste, Vivendi… les campagnes publicitaires lors des opérations de privatisation ou les opérations de mécénat).

Communication externe et interne

La dernière catégorie relève de ce qu'on appelle usuellement la communication externe. Les problématiques relèvent alors moins de l'analyse organisationnelle que de celle des mécanismes d'influence et d'argumentation (*voir notamment, dans cet ouvrage, l'article de Jean-Noël Kapferer sur la persuasion publicitaire*). Des sémiologues ont également cherché à comprendre et à améliorer l'efficacité des messages publicitaires, des sociolinguistes à étudier la pertinence de la formulation des modes d'emploi des produits (5).
L'analyse de l'organisation comme espace et comme système de communication renvoie davantage aux préoccupations de la communication dite interne. Les recherches sur la communication interpersonnelle ont pour vertu de montrer la complexité des processus de communication. Elles constituent ainsi un antidote aux illusions citées plus haut : il suffit de parler pour être compris, la communication c'est simple, etc. L'analyse de la communication dans les groupes permet pour sa part de mettre au jour les phénomènes d'influence, de leadership, de construction de réseaux, de structuration qui ont cours dans les ensembles humains de toutes natures. Des expériences en psychologie sociale ont mis l'accent sur des facteurs « organisationnels » : Claude Flament a étudié l'influence du degré de centralisation du groupe sur l'efficacité de la communication, Claude Faucheux et Serge Moscovici ont montré pour leur part comment les groupes tendent à se donner une structure en accord avec les contraintes spécifiques

5. Voir D. Boullier, « Modes d'emploi : mode d'emploi », *Sciences Humaines*, n° 76, octobre 1997.

de la tâche à accomplir (6). Dans le même ordre d'idée, des linguistes cherchent à comprendre les logiques des communications langagières dans les situations de travail (7).

A la recherche de la communication efficace

Dès lors qu'une organisation a des objectifs d'efficacité, et dès lors que la communication est perçue comme une ressource fondamentale, il va de soi que nombre de travaux sur la communication n'ont pas pour seul objet de comprendre les processus en cours. Ils visent aussi à les améliorer. Ils se manifestent soit par l'élaboration de « techniques » de la communication (*voir dans ce volume l'encadré p. 217 et l'article de Jean-Yves Fournier sur l'analyse transactionnelle*), soit par des recherches qui visent à mettre en évidence les facteurs et conditions d'une bonne communication. Ainsi, M.-R. Chartier avance sept principes nécessaires à la bonne compréhension d'un message (8) : le principe de pertinence (atteindre le cadre de référence psychologique du récepteur), le principe de simplicité, le principe de définition (définir avant de développer), le principe de structure (organiser le message en une série d'étapes successives), le principe de répétition (répéter les éléments clés du message), le principe de comparaison et de contraste (procéder par association d'idées), et le principe de l'appui sélectif (attirer l'attention sur les aspects les plus importants). Dans une perspective voisine, certains chercheurs analysent les attitudes de communication : Lyman W. Porter a construit une échelle de six attitudes, de la plus contraignante à la plus « libre » (9) : le conseil ou ordre, l'évaluation ou jugement, l'aide ou soutien, l'enquête ou interrogation, l'interprétation, la compréhension. Chacune de ces attitudes est plus ou moins adaptée selon le contexte et les objectifs de la communication.

Les dimensions symboliques et culturelles

Des travaux cherchent à analyser le rôle du contexte social et institutionnel. Ils montrent tout particulièrement l'influence des communications informelles et de la dimension symbolique (prestige, statut, pouvoir, rites...) des relations au sein d'une organisation. C'est pourquoi nombre de tentatives de réorganisation et de changement se heurtent à la défense des individus qui n'acceptent ces transformations que par rapport à la signification qu'ils leur accordent (10). L'existence d'un ensemble commun de référents identitaires et culturels est un autre ingrédient d'une communication efficace : la notion de culture d'entreprise a connu un succès considérable dans le milieu managérial,

6. Voir encadré p. 247. Pour une présentation développée de ces travaux, voir G. Amado et A. Guittet, *Dynamique des communications dans les groupes*, Armand Colin, 1991.
7. Voir par exemple D. Faita, « Interaction verbale et gestion des variables du travail », Colloque international Analyse des interactions, Aix-en-Provence, 1991.
8. M.-R. Chartier, « Clarity of expression in interpersonal communication », dans J.W. Pfeiffer et J.E. Jones, *The 1976 annual handbook for group facilitators*, University Associates Inc, 1976, cité dans N. Côté, H. Abravanel, J. Jacques et L. Belanger, *Individu, groupe et organisation*, Gaëtan Morin, 1986.
9. L.W. Porter, « Job attitudes in management », *J. Appl. Psychol.*, n° 46, 1962, cité par S. Michel, *op. cit.*
10. Voir G. Amado et A. Guittet, *op. cit.*

succès d'ailleurs éphémère, parce que le plus souvent fondé sur une vision superficielle et instrumentale.
Il importe également de prendre en compte la diversité des types de communications qui se déroulent au sein d'une organisation. La communication informelle a bien souvent un rôle plus important que les consignes écrites ou les journaux d'entreprise. De même la communication verticale (ascendante ou descendante) possède des logiques et des contraintes qui diffèrent de celles de la communication horizontale entre personnes d'un même service ou d'un même niveau hiérarchique. Dans chaque cas, les questions de statut, de culture, d'identité, de pouvoir vont opérer différemment.
Un autre niveau important de la définition d'une communication efficace est celui des supports et de l'environnement physique de la communication. La conception et le fonctionnement du système de circulation de l'information, l'agencement et les caractéristiques physiques des lieux de travail (*voir l'article de Gustave-Nicolas Fischer dans cet ouvrage p. 259*), leur éloignement, l'utilisation de telle ou telle technologie (*voir la dernière partie sur les nouvelles technologies*)... Tous ces facteurs participent du processus de communication, et font l'objet de très nombreux travaux.

Vers de nouveaux paradigmes

D'autres approches auraient pu être développées. Cette brève présentation témoigne du caractère éclaté des travaux sur la communication en organisation, qui au final offrent des visions parcellisées. Or nous l'avons vu, la communication en organisation est le fruit d'un système complexe et dynamique de facteurs, qui mêle : la compétence et la stratégie communicationnelles des acteurs, les identités et les histoires individuelles, l'existence d'une culture et de codes de communications communs, de supports et des canaux appropriés, un contexte (économique, social, hiérarchique, matériel et physique...), une situation particulière, etc.
Les sciences de l'information et de la communication construisent aujourd'hui des modèles et des paradigmes nouveaux qui intègrent pleinement ce constat. C'est le cas par exemple, de la théorie des processus de communication d'Alex Mucchielli et de son équipe (11). L'idée qui préside à cette approche est assez simple. Pour interpréter le comportement des individus en situation de communication, il faut chercher à comprendre le « sens » que ces derniers donnent à leur action. Ce sens est le fruit d'une interaction entre l'acte de communiquer et l'ensemble des éléments qui en constituent le contexte, ce dernier étant entendu ici dans une acception large. Il résulte de divers paramètres : l'organisation de l'espace, l'environnement physique et sensoriel, les données temporelles, les processus de positionnement des individus, la nécessité de la « qualité de la relation », les normes, les processus d'expression identitaire. C'est à travers la combinaison complexe de tous ces « processus

11. A. Mucchielli, J.A. Corbalan et V. Ferrandez, *Théorie des processus de la communication*, Armand Colin, 1998. Voir également, dans cet ouvrage, les deux textes d'Alex Mucchielli, « Les modèles de la communication », et « L'approche communicationnelle ».

de communication », qui forment un système, que l'individu va donner sens à sa façon d'agir et de communiquer. L'enjeu fondamental est « la construction du sens partagé », et l'organisation est ici partie intégrante de cette construction. Le travail du chercheur va consister à reconstituer et à comprendre l'ensemble des facteurs qui dirigent la construction par les acteurs, de leur communication (*voir encadré ci-contre*) Cette approche constructiviste (l'action résulte de la construction du sens par les individus) et systémique (l'ensemble des éléments de la situation de communication forment un système) témoigne des potentialités des sciences de la communication pour fournir des grilles d'interprétation des phénomènes de communication en organisation.

Quand le service au client perturbe le système de la communication interne

Dans une société informatique de développement de logiciels de gestion, les commerciaux doivent souvent, au contact de leurs clients, répondre aux questions techniques de ces derniers. Ils ne peuvent pas toujours répondre eux-mêmes, et pour satisfaire leurs clients appellent régulièrement les spécialistes concepteurs des programmes informatiques. Or, les lignes téléphoniques de ces derniers sont souvent occupées. Par ailleurs, ils s'estiment trop souvent perturbés dans leur travail par ces appels incessants.

Il est donc décidé de mettre en place une messagerie électronique (BAL, pour « boîte aux lettres ») dans laquelle les commerciaux poseront les questions de leurs clients, questions dont les programmeurs prendront connaissance à des moments qu'ils maîtriseront. Les réponses seront ensuite transmises aux clients par les commerciaux, qui garderont ainsi le contact avec ceux-là.

Or, ce dispositif s'avère être un fiasco : il n'est pas utilisé. L'analyse communicationnelle (ici, celle des processus de structuration des relations) montre que l'outil, s'il avait été utilisé, aurait amené une modification des relations de travail à laquelle personne n'avait vraiment intérêt. En effet, les programmeurs auraient été tenus, avec la BAL, de répondre à toutes les demandes, alors qu'ils pouvaient y échapper avec le système du téléphone occupé. Le système BAL leur donne aussi l'impression d'être « sous la coupe » des commerciaux, alors que ceux-ci étaient obligés, avant, de « prendre des gants » puisqu'ils pouvaient être en situation de les déranger. Il y a là un problème de positionnement réciproque des deux groupes professionnels. D'autre part, la BAL permettait un listage des demandes, et par conséquent un contrôle possible des dysfonctionnements et des réponses apportées. Pour leur part, les commerciaux étaient désormais dans l'impossibilité de donner des réponses immédiates à leurs clients.

Comme le souligne Alex Mucchielli, cette analyse montre que les acteurs n'ont pas voulu d'une nouvelle structuration des relations de travail qui leur faisait perdre des avantages de positionnement obtenus au prix d'une négociation permanente. D'autre part, la lecture de la situation montre que l'échec n'est pas attribué à des individus en particulier. Les acteurs sont en interaction au sein d'un système total. La causalité est circulaire :

les commerciaux n'utilisent pas leur BAL, comme les programmeurs n'ouvrent pas la leur, les deux actions se renforçant l'une l'autre. Ainsi, l'existence de systèmes de pertinence très différents des acteurs de l'entreprise, sur lesquels la communication interne de l'entreprise n'a pas eu de prise, a empêché l'émergence d'une définition nouvelle et commune de la situation « pour un meilleur service aux clients ».

P.C.

Source : A. Mucchielli, J.A. Corbalan et V. Ferrandez, *Théorie des processus de la communication*, Armand Colin, 1998.

Structure du groupe et circulation de l'information

Quelles sont les structures de groupe les plus efficaces dans la transmission d'une information en vue d'accomplir une tâche ? Le réseau de communication détermine le type et le volume des communications entre ses membres, ses performances et son niveau de satisfaction (de nombreux chercheurs se sont penchés sur l'efficacité des réseaux de communication : Alex Bavelas, Harold Leavitt, Claude Flament, Claude Faucheux et Serge Moscovici).

Les groupes aux structures centralisées (I, II III) réussissent mieux dans les tâches simples. L'individu central (leader) rassemble l'information fournie par les membres de la périphérie, et les décisions peuvent être prises rapidement. En revanche, c'est dans ce type de réseaux que le désintérêt des individus placés à la périphérie est le plus rapide, et que le niveau de satisfaction est le plus faible.

Les réseaux non centralisés (IV, V) sont le lieu d'une importante activité de communication, mais ils entraînent plus d'erreurs. Aucun leader ne s'y dégage et leur organisation est peu efficace. En revanche, ce mode de structuration est apprécié de tous les membres. Ainsi, les personnes montrent plus d'intérêt, de motivation au travail et de satisfaction globale lorsqu'elles peuvent discuter des politiques du groupe avec tous les autres, que lorsqu'un seul individu possède tout le pouvoir de décision. Cependant, quand il s'agit de tâches complexes, les groupes décentralisés (IV, V) réussissent mieux. Dans les structures centralisées (I, II, III), l'individu placé au poste central peut se retrouver submergé par les informations, ce qui devient, au-delà d'un certain seuil, un facteur d'inefficacité. C'est en définitive la nature de la tâche qui peut déterminer les conditions matérielles du réseau de communication. La tâche de résolution de problèmes produit des structures centralisées, la tâche complexe favorise des structures plus interactives.

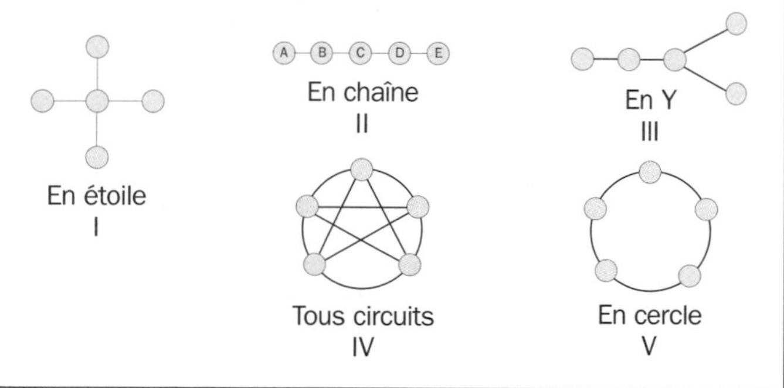

Sociométrie et analyse de réseaux

La sociométrie de Moreno

La sociométrie est une méthode d'analyse des relations qui se nouent entre les personnes au sein d'un groupe. Cette approche « socio-affective » a été initiée par le psychosociologue américain Jacob Lévy Moreno (1892-1974), et a connu un grand succès en France, dès le début des années 50. Dans les petites communautés comme une classe, un atelier, une bande..., il existe des relations d'affinités privilégiées qui se nouent entre certains membres ; des oppositions et des conflits se créent entre d'autres. Il existe aussi des relations marquées par l'indifférence. Certaines personnes reçoivent l'assentiment de tous et tiennent le rôle de leader ; d'autres en revanche sont systématiquement rejetées.

Un exemple de sociographe

La sociométrie consiste à étudier l'ensemble de ces relations. La méthode d'analyse privilégiée de la sociométrie est le sociographe. Cela consiste à interroger (confidentiellement) les individus sur les personnes qu'ils préfèrent ou rejettent au sein du groupe et de rapporter ces relations sur un graphique formant ainsi un réseau de relation.

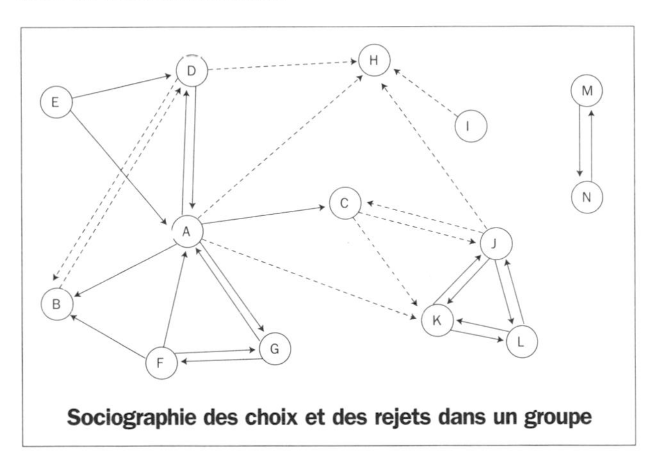

Sociographie des choix et des rejets dans un groupe

1. Dans le sociographe des choix (flèches pleines), on constate l'existence de :

– un « leader sociométrique » : l'individu A est le plus populaire et c'est autour de lui que s'organise la structure dominante du groupe (7 personnes sur 14) ;

– une « dyade » formée par les individus M et N, qui se choisissent mutuellement à l'exclusion de toute autre relation avec le reste du groupe ;
– une « clique », formée par le sous-groupe J-K-L ;
– deux individus isolés : I et H.

2. Le sociographe des rejets (flèches en pointillé) permet l'analyse des relations négatives. On peut ainsi :
– confirmer la position de leader de A (aucun rejet) ;
– constater que la dyade M-N ne reçoit aucun jugement négatif. Elle est donc bien isolée sans être pour autant exclue ;
– voir que la clique J-K-L est rejetée par certains membres, y compris (pour K) par le leader. En revanche, l'individu L ne reçoit ni n'émet aucun rejet ; c'est donc probablement par lui que les messages du groupe pourront être transmis.

Dans la dynamique des groupes, la sociométrie a montré son efficacité, en particulier dans les activités nécessitant un diagnostic. Les études ont montré que, dans une institution ou un groupe social donné, le cheminement de l'information et des rumeurs suit très précisément la structure socio-affective du groupe.

Les analyses de réseaux

Si la sociométrie a pratiquement disparu dans l'étude des relations entre les individus, les « analyses des réseaux », très en vogue actuellement, en ont intégré les principes. La notion de « réseau » peut être comprise dans un sens technologique (réseau téléphonique), géographique (réseau routier) ou sociologique (amis, parenté, relations de travail...) (1).

L'« analyse de réseau » (2) étudie la stabilité des liens qui se nouent entre les personnes, aboutissant à des configurations plus ou moins stables. Elle permet de comprendre :
– les relations économiques (les contrats d'entreprises se font souvent sur la base d'un réseau structuré et non d'un marché totalement ouvert) ;
– la diffusion d'une innovation technologique ou d'une mode, la recherche d'un emploi ou d'un appartement (le poids des relations y est souvent déterminant) ;
– la sociabilité (relations de proximité entre parents, amis)...

---

1. Voir l'article d'A. Degenne et M. Forsé, p. 187.
2. Voir A. Degenne et M. Forsé, *Les Réseaux sociaux*, Armand Colin, 1994.

Michel Augendre*

LES MAUX DE LA COMMUNICATION INTERNE**

La communication constitue un enjeu majeur au sein des organisations. Pour l'améliorer, une approche contingente s'impose au-delà des conceptions « intuitives » de ce qu'est la communication et des interprétations plus scientifiques.

RECETTE... Prenez une organisation, n'importe laquelle. Choisissez au hasard cinq ou six personnes et posez leur LA question : *« Quels sont les dysfonctionnements majeurs de votre entreprise et quelles en sont les causes ? »* Il ne faut pas être grand clerc pour parier sans risques. Dans les réponses, inévitablement, vous aurez de multiples commentaires sur *« le manque de communication »*. Rendue responsable de bien des maux, la communication est simultanément trop lente à descendre ou à remonter, mal ciblée, mauvaise, inefficace, trop rare ou difficile à suivre, réservée à certains, contradictoire, mal coordonnée, etc.
C'est dire combien le sujet est important pour les gestionnaires et pour les acteurs de l'action collective qui en connaissent tout le poids sur le climat social et le fonctionnement de l'entreprise.

Des regards divergents sur ce qu'est la communication

Mais, réellement, peut-on comprendre quelque chose à la communication interne ? Jamais, sans doute, les cadres n'ont passé autant de temps à tenter de parler, de dialoguer, d'informer. Le résultat ? Souvent loin des espérances. Pourquoi ?
Tentons d'expliquer cet échec. Tout d'abord, le mot « communication » est devenu un « attracteur étrange » (1). Il

---

* Directeur des ressources humaines de la Chambre de commerce et d'industrie de Saint-Etienne-Montbrison.
** *Sciences Humaines*, hors série n° 16, mars/avril 1997.
1. Voir mots clés en fin d'ouvrage.

partage avec les termes « compétence », « efficacité », « motivation » cette redoutable « vertu » de désigner simplement (avec simplisme ?) des réalités complexes et parfois hétérogènes. Ces réalités ne sont ni isolées, ni définies, ni savamment connues. Chacun pense de bonne foi savoir ce qu'il faudrait faire et ce qu'est la communication. Ces conceptions présentent trois caractéristiques communes :

– elles sont diffuses, implicites et n'apparaissent qu'à travers des propos ou des actes fragmentaires (*« On ne nous dit rien ! »* ; *« Untel n'est pas communiquant ! »* ; *« C'est pourtant simple, la direction pourrait faire ceci ou cela. »*, etc.) ;
– elles postulent implicitement l'existence d'un idéal atteignable de communication ;
– elles ne définissent pas cet idéal.

Par ailleurs, les acteurs des organisations ressentent intérieurement tous les décalages existants entre l'idéal de leurs représentations des relations professionnelles, d'une part, et la réalité concrète d'autre part. Ils ont alors tendance à considérer cette distorsion comme de la mauvaise volonté, du manque de professionnalisme (mais généralement chez les autres !) ou encore de la fatalité. Or, cette séquence que je viens de décrire (représentation implicite de ce qu'est la communication, puis perception du décalage avec la réalité, conduisant à une analyse en termes de responsabilité) fait des salariés d'une organisation de redoutables évaluateurs de la communication interne. Il n'est pas toujours aisé, à la base d'une organisation, d'évaluer une stratégie. Il est, en revanche, très facile, à n'importe quel endroit de l'entreprise, de mesurer ce que l'on sait et ce que l'on devrait savoir au vu d'un modèle idéal de l'appartenance, du management participatif et du partage des informations.

Les exigences de « bonne » communication qui vont peser de toutes parts sur la direction sont donc fortement légitimées par les conceptions managériales de participation qui dominent, et puissamment soutenues par une évaluation critique de la qualité/quantité présumée d'informations que chacun reçoit.

Par conséquent, on peut facilement concevoir que l'action collective soit soumise, dans ce domaine, à certaines difficultés. Elle requiert une qualité d'échanges entre individus et entre groupes, ce qui est, en soi, le véritable enjeu de la communication interne. Les grandes organisations spécialisent donc des acteurs pour prendre en charge cette question spécifique (directeurs de la communication, consultants, etc.). Elles instituent par là même une catégorie nouvelle d'acteurs qui manipulent des modèles plus sophistiqués et les utilisent dans leurs stratégies personnelles pour promouvoir des politiques et des discours sur la communication elle-même. Cela instaure une métacommunication souvent conflictuelle (par concurrence des modèles, par jeux d'acteurs…) qui interfère grandement avec les communications professionnelles de premier niveau.

Il est donc particulièrement important pour le gestionnaire de repérer finement sa propre position vis-à-vis des autres pour tenter d'agir en fonction de

Modèle « intuitif »	Modèle complexe
Une majorité du personnel partage une conception intuitive de ce qu'est la communication, selon laquelle : • le manque de communication est cause de dysfonctionnements dans l'organisation ; • plus on communique, mieux c'est ; • la transmission des informations est au centre des questions de communication ; • quelques personnes sont redevables d'un score global de communication interne ; • elles seules peuvent améliorer la situation.	Certains spécialistes adoptent pour leur part une vision plus sophistiquée de la communication, selon laquelle : • le sentiment de non communication est un effet des dysfonctionnements de l'organisation ; • les causes sont multiples et hétérogènes ; mais « tout communique » et c'est bien là le problème ; • les rapports entre groupes ou individus sont au centre des questions de communication ; • tout le monde influe sur l'état des relations ; • chacun peut améliorer sa situation.

ces décalages et au profit de tous. On peut dire, en simplifiant, que le champ de manœuvre présente deux pôles. D'un côté se trouve le modèle « intuitif », proche des travaux qui rendaient compte dans les années 50 de la transmission de l'information (2). Cette approche est adoptée par la majorité, mais, trop rudimentaire, elle peut conduire à des décisions malheureuses. De l'autre côté se situent des conceptions plus systémiques (3), issues des sciences sociales (sociologie, anthropologie, linguistique). Elles rendent plus finement compte de la réalité mais souffrent d'être peu connues et peu manipulables dans l'action. En effet, les diagnostics qu'elles permettent de formuler ne trouvent pas de solutions immédiates, univoques, faciles d'emploi, vendables en quelques minutes à des comités de direction et ne garantissent aucun miracle.

C'est dire tout le paradoxe des relations entre un « corps social » (l'ensemble des collaborateurs qui ne s'assimilent pas aux instances dirigeantes) convaincu de simplicité communicationnelle et quelques rares dirigeants assurés de l'inverse. C'est précisément cette situation qu'il convient de gérer et que résume le tableau ci-dessus (4).

Les maladies de la communication interne

A l'expérience, le gestionnaire comprend vite la limite opérationnelle des modèles intuitifs et des modèles issus des sciences humaines. Les uns risquent de gauchir le diagnostic, les autres de

2. H.D. Lasswell, C.E. Shannon, et tous les tenants d'un modèle « du télégraphe ».
3. Modèle « de l'orchestre » de l'Ecole de Palo Alto.
4. Parmi une bibliographie pléthorique, citons particulièrement : J. Girin, « Problèmes du langage dans les organisations », dans J.-F. Chanlat (dir.), *L'Individu dans l'organisation, les dimensions oubliées*, Eska, 1990.

ne jamais produire un diagnostic exploitable dans les contraintes de temps imposées par l'action. Il convient donc d'intercaler entre ces deux extrêmes des modèles de gestion compréhensibles et exploitables par tous, proches d'une représentation fine de la réalité. Une bonne manière de s'y prendre consiste à construire une typologie, en l'occurrence une typologie des défaillances de la communication dans les organisations. Tentons cet exercice à partir d'une question simple : dans une organisation, qui communique avec qui ? La réponse, présentée sous forme d'un diagramme rudimentaire, nous donne une topographie permettant de classer les principales maladies de la communication interne en sept catégories.

1. L'absence de dispositifs formalisés

C'est dans les organisations de taille moyenne que la question se pose de la manière la plus aiguë. Trop importante pour que tout le monde sache tout, mais trop petite pour que les acteurs en fassent le deuil, l'entreprise de taille moyenne doit se structurer comme une grande, sans en avoir les moyens. En l'absence de dispositifs formalisés de communication interne (journal interne, réunions régulières du directeur général avec ses subordonnés, etc.), c'est la communication informelle du corps social avec lui-même (autrement dit la rumeur) qui prend le pas sur le reste (*voir schéma 1*).

2. La communication formelle prenant le pas sur les relations humaines

Certains dirigeants, sensibles à la nécessité de la communication interne, développent divers outils, tels que les journaux internes ou les réunions formelles de tout le personnel. Mais ces dispositifs d'information ne constituent pas en soi une culture de communication. Réunions régulières, entretiens, dispositifs collectifs de formation, accompagnement personnalisé des responsables hiérarchiques, groupes d'évaluation, démarches de progrès sont des vecteurs de communication qui doivent s'installer dans le patrimoine collectif (*voir schéma 2*).

3. La faiblesse ou l'absence de communication ascendante

Trop de dirigeants oublient que la communication interne ne doit pas seulement être descendante, mais également ascendante. Il est nécessaire, comme le souligne le sociologue Michel Crozier que l'entreprise soit *« à l'écoute »*. Il est précisément possible d'écouter tout un corps social, ainsi que le montre une opération de communication interne que j'ai conduite, en tant que consultant, au sein d'un conseil général (800 personnes) pour le lancement d'entretiens annuels. L'opération s'est déroulée de la manière suivante. Tous les responsables hiérarchiques ont reçu une formation spécifique, puis ils ont tenu, deux par deux – afin de souligner le caractère global du projet – 55 réunions avec les autres membres du personnel. Lors de ces réunions, les participants étaient invités à formuler oralement et par écrit leurs commentaires et questions.

Des milliers de fiches bristol sont ainsi remontées au comité de direction, et ont ensuite été analysées, synthétisées et

Les dysfonctionnements de la communication interne

L'entreprise connaît plusieurs modes de communication interne. Chacun a ses maillons faibles ou ses liaisons à sens unique.

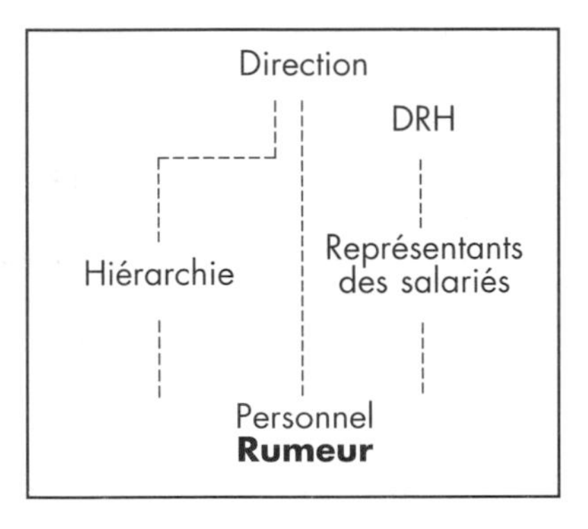

1. L'absence de dispositifs formalisés.

Direction

DRH

Hiérarchie

Représentants des salariés

Journal

Personnel

2. La communication formelle prenant le pas sur les relations humaines. Ici, la direction a créé un journal interne, mais n'organise pas de réunions régulières des membres du personnel.

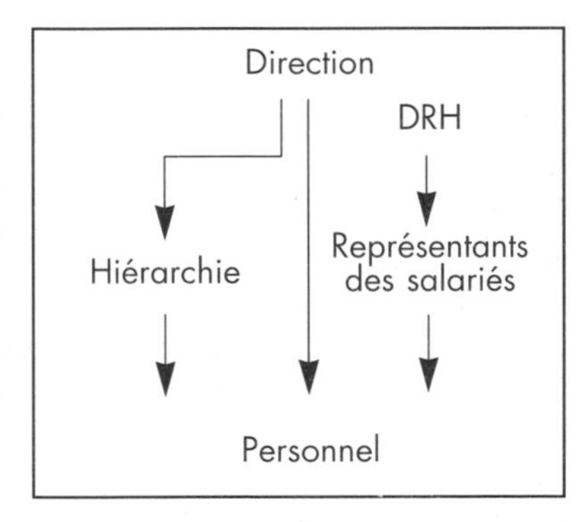

3. La faiblesse ou l'absence de communication ascendante.

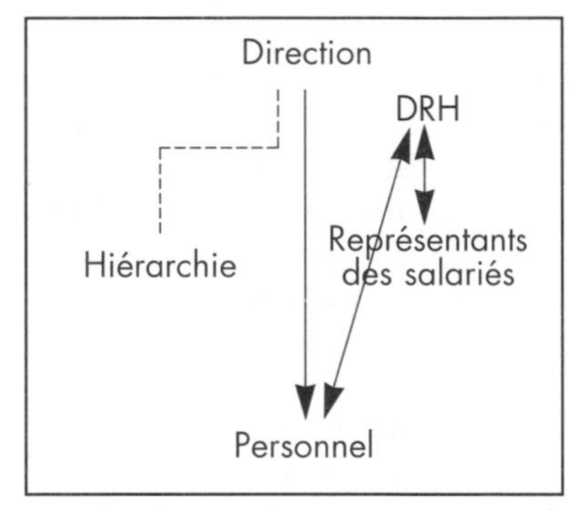

4. La présence de maillons faibles. Dans le cas présenté ci-dessus, il n'existe pas de dispositif spécifique de communication entre la direction et sa hiérarchie intermédiaire.

ont donné lieu à un numéro spécial du journal interne. En conséquence, le dispositif a été rectifié sur la base de cet échange *(voir schéma 3)*.

4. La présence de maillons faibles

Cette pathologie fréquente se manifeste lorsqu'un des intermédiaires entre la direction et le corps social ne joue pas son rôle. Par exemple, les partenaires sociaux n'assurent pas leur fonction d'alerte avant un conflit. Ce fut, par exemple, longtemps le cas à la RATP qui enregistrait plusieurs centaines de préavis de grève par an. Cette entreprise a finalement négocié un accord afin que l'expression et la prise en compte des problèmes puissent avoir lieu autrement qu'au travers de tels bras de fer. On observe un autre exemple de maillon faible lorsqu'il n'existe pas de dispositif spécifique de communication entre la direction et sa hiérarchie intermédiaire. Ou encore, lorsque les partenaires sociaux sont mieux informés sur le fonctionnement de l'organisation que la hiérarchie elle-même. Cette situation paradoxale survient, par exemple, lorsque la direction des ressources humaines communique fréquemment avec les syndicats sur les questions de budget, de stratégie, de gestion du personnel (*voir schéma* 4).

5. Les décalages de vitesse entre les circuits d'information

La hiérarchie est souvent un circuit long, la rumeur un circuit très court. Et il est plus difficile qu'il n'y paraît de réguler les vitesses de circulation de l'information. Pour des raisons parfois surprenantes, d'ailleurs. J'ai connu un responsable hiérarchique qui, au lieu de photocopier les notes de la direction pour les diffuser, les faisait entièrement retaper par sa secrétaire (nouvelle présentation mais reprise mot à mot du texte original) !

6. La discordance des sources

La multiplication des projets transversaux est bénéfique en soi au développement d'une communication formelle du corps social avec lui-même, puisque les acteurs peuvent croiser les sources d'information (projet qualité par exemple). Mais la hiérarchie intermédiaire est alors souvent malmenée dans cet exercice.

7. L'inflation ou la pénurie des échanges

Les querelles de prérogatives ou les craintes de marginalisation entraînent fréquemment une inflation ou une forte diminution de la communication, au point de rendre impossible la prise d'information. C'est ce qui arrive, par exemple, avec les listes de mise en copie (documents devant être lus par de multiples personnes), qui s'allongent démesurément.

Les messageries informatiques décuplent ce risque. Les dysfonctionnements analysés ci-dessus ne concernent pas seulement les comportements individuels et demandent donc de meilleures formalisations, des rééquilibrages de la structure.

Cette approche se différencie nettement de celles où l'on prépare les managers à la communication (ou au management) en développant d'abord les compétences individuelles et en espérant qu'elles créeront, par simple effet de masse, une organisation plus évoluée. Cette voie, pratiquée seule, est pure chimère car elle ne génère aucun changement.

Quelques pistes d'action

Mais comment agir pour améliorer la communication interne ? Sans doute est-ce ici le point le plus difficile. Car décrire des solutions « hors sol », c'est entonner le chant des sirènes du modèle intuitif. La communication idéale n'existe pas plus que l'action collective idéale. Je me limiterai donc ici à présenter quelques domaines dans lesquels il conviendra de forger des solutions contingentes. Un souci majeur du responsable hiérarchique devrait être d'écouter ses « clients internes ». Si les problématiques de communication interne sont de très loin irréductibles à des pratiques de marketing, il est néanmoins indispensable de se servir de celles-là pour ouvrir les yeux sur le degré de préparation, de perméabilité et d'attente des différents groupes de l'entreprise.

Un deuxième souci du dirigeant doit être d'équilibrer les dispositifs. La formalisation permet de repérer, pathologie par pathologie, quel est le maillon faible (ou trop fort) d'un ensemble communicationnel, donc de mieux structurer cet ensemble ou de le corriger s'il s'est fortement écarté de ce qui était attendu. Le dirigeant doit également s'interroger sur le sens de l'action collective. Le schéma et les pathologies que nous avons présentés peuvent laisser supposer que l'organisation est une structure stable dans le temps. Or, il n'en est rien. Il convient de considérer attentivement la notion d'agenda communicationnel (pourquoi communique-t-on plutôt sur tel thème que sur tel autre ?) et de travailler par campagne autour de projets. Car ce sont les projets qui donnent du sens à l'action.

Une dernière démarche consiste à tordre le cou aux illusions du management participatif. Il ne s'agit pas pour autant de jeter celui-là aux orties. Mais il induit un rêve de participation au « grand tout » qu'est l'entreprise. Hélas, le salarié est déjà bien heureux lorsqu'il participe réellement au « petit bout » qu'est son équipe. Mieux vaudrait préciser ce concept de management participatif que de l'écarter, sous l'effet de la désillusion des plans sociaux et de l'appartenance asymétrique à l'entreprise (vous « êtes » l'entreprise lorsqu'elle vous demande, vous ne « l'êtes plus » lorsqu'elle vous remercie).

Un management simplement contractuel, où seraient périodiquement négociés les éléments non inscrits du contrat de travail (résultats, moyens, modes de relations, modalités de participation et d'information), représenterait le fondement tout à fait honorable de cette communion au travail qu'est la communication.

GUSTAVE-NICOLAS FISCHER*

LES ESPACES DE TRAVAIL**

ENJEUX HUMAINS

L'organisation de l'espace de travail peut exprimer la hiérarchie ou l'image de l'entreprise. Elle détermine fortement la communication entre les personnes.

LES TRANSFORMATIONS des espaces de travail révèlent les nouveaux enjeux auxquels sont confrontées les entreprises : l'adaptation aux technologies informatiques et l'instauration de nouveaux modes de management d'un côté ; la mise en place de nouveaux environnements de travail de l'autre.

Des études effectuées depuis plusieurs années en sciences humaines ont fait des espaces de travail un domaine de recherche nouveau. Les études en psychosociologie de l'espace ont débuté dans les années 80 en France, en s'intégrant dans un courant de recherche nord-américain intitulé « psychologie de l'environnement ». Le projet de ces recherches est de dégager la manière dont les individus et les groupes investissent le territoire dans lequel ils se trouvent. C'est aussi tenter de comprendre comment ce rapport au territoire peut aider à déterminer les relations au travail et à son contenu proprement dit.

La prise en compte de l'importance de l'environnement de travail est issue dans un premier temps d'une prise de conscience des effets néfastes du taylorisme. Elle s'est imposée dans les premiers travaux de psychologie du travail par la valeur déterminante des conditions physiques ambiantes (éclairage,

* Professeur de psychologie sociale à l'Université de Montréal et à l'université de Metz, directeur du laboratoire de psychologie de l'environnement de travail. Il a publié *Les Concepts fondamentaux de la psychologie sociale*, Dunod, 1996.

** *Sciences Humaines*, n° 67, décembre 1996.

bruit, fumée, chaleur...), causes d'absentéisme, de fatigue ou d'accidents. Dans cette optique, les éléments de l'environnement sont considérés comme facteurs de résistance ou de mauvaise performance. Mais progressivement, les recherches se sont portées sur le « facteur humain » comme élément central du fonctionnement et de l'efficience des organisations. La psychosociologie des espaces de travail se situe dans la lignée de ces travaux. Elle cherche à intégrer dans son analyse l'ensemble des facteurs et des processus qui interviennent dans la relation entre espace et situation de travail. Un bureau, par exemple, est organisé en fonction de critères fonctionnels liés au travail à accomplir, à l'organisation et à la gestion de l'entreprise, mais il est aussi porteur de symboles, de culture... C'est un véritable construit social permanent, car les gens agissent sur leur environnement spatial, l'adaptent, en détournent parfois les usages...

L'espace miroir de l'organisation

Par son architecture, son aménagement, l'espace organisationnel reflète à la fois le fonctionnement de l'entreprise ainsi que ses valeurs et ses règles. Prenons deux exemples, celui du lien entre espace et hiérarchie, et celui de la flexibilité.

Les bureaux sont très clairement aménagés et répartis suivant la place de chacun dans la pyramide sociale de l'organisation. Le facteur hiérarchique est au moins aussi déterminant que le facteur travail pour la répartition des espaces. Contrairement à certaines déclarations officielles, tendant à faire croire à la fin de la hiérarchisation des espaces, les aménagements valident cette stratification, comme en témoignent les chiffres suivants sur la surface moyenne occupée par fonction :

– directeurs : de 20 à 25 m^2 ;
– cadres : de 10 à 18 m^2 ;
– secrétaires : de 6 à 14 m^2.

L'aménagement des espaces ouverts montre aussi que le traitement de l'espace est un outil organisationnel. Pendant très longtemps, le bureau est organisé selon la conception taylorienne du travail : rationalisation, découpage des tâches, opérations standardisées. Aujourd'hui, le travail tertiaire évolue, à cause d'une exigence croissante d'efficacité et de productivité, mais aussi parce qu'il change de nature du fait de l'essor de nouveaux outils (informatisation, télécommunications, appareils mobiles...). La flexibilité devient aux yeux des entreprises un facteur de performance. Elles essaient donc de mettre en place des organisations de l'espace « flexibles » ou à tout le moins favorables à la flexibilité : les espaces ouverts sont censés répondre à ce souci. L'hypothèse implicite est la suivante : *« Lorsqu'on ouvre l'espace, ou lorsqu'on le rend plus fluide, on améliore les activités. »*

L'aménagement révèle davantage un mode de fonctionnement organisationnel qu'une adéquation par rapport au travail. Ainsi, plus une activité est pauvre, plus l'aménagement a tendance à être également pauvre. Les facteurs valorisants ou dévalorisants de l'environnement, tant sur le plan fonctionnel qu'esthétique, reflètent la valorisation ou la dévalorisation du travail. Or, plus un travail comprend des tâches pauvres, plus les individus ont tendance à rechercher dans leur environnement des éléments de stimulations positives. Un environnement de travail devrait donc comporter d'autant plus de stimulations positives au niveau de ses propriétés physiques, couleurs, ambiance, lumière, équipement, que la tâche à effectuer est pauvre, car dans ce cas justement, c'est la qualité de l'environnement qui peut devenir un facteur de motivation.

Espace de travail et culture d'entreprise

L'espace de travail est un des langages dans lesquels s'exprime la culture de l'organisation. Les bureaux d'un siège social sont aménagés pour exprimer comment l'entreprise se voit et veut se donner à voir : ils constituent un emblème autant qu'un instrument. Lorsqu'on se rend dans une entreprise, on peut observer comment cet aspect s'inscrit dans le territoire et s'impose à nous. Depuis l'allure générale du bâtiment, sa façade, le système signalétique, les couleurs et les matériaux, les espaces verts : tout concourt à réaliser la mise en scène de l'entreprise.
Cette faculté de l'espace de travail à porter les valeurs et la culture de l'entreprise s'exprime aussi dans la façon dont le personnel décode et interprète l'aménagement. Par exemple : *« Il ne faut pas changer quoi que ce soit dans le décor, les patrons n'aiment pas ça, c'est interdit. Embellir les lieux de travail, c'est risquer de se faire remarquer. »* L'espace véhicule ici une norme de travail. De même, la notion d'accessibilité par rapport au bureau d'un cadre, d'un supérieur hiérarchique représente le coût psychologique nécessaire pour établir une interaction avec une personne hiérarchique donnée, et cela en fonction du type de difficulté liée à l'accès de son bureau. L'accessibilité à un espace est d'autant plus grande que le nombre de barrières psychologiques est élevé.

Territoire, espace personnel et appropriation

A travers la notion d'espace s'expriment des processus anthropologiques et psychologiques fondamentaux : le rapport au territoire, le marquage et l'appropriation de ce territoire, la nécessité de l'espace personnel et de l'intimité (1)...
Les problèmes liés à la privatisation, c'est-à-dire au besoin pour l'individu de disposer d'un minimum d'espace personnel, ont été étudiés à la suite du développement des bureaux paysagers ou bureaux ouverts. Rappelons que le bureau paysager se présente comme un vaste espace sans cloisons ni portes, le tout étant censé faciliter et traduire les besoins de communication, de fluidité, de convivialité. Deux exemples que nous avons observés permettent de comprendre la complexité des interprétations psychologiques des espaces de travail : comment deux aménagements opposés, l'espace cloisonné et l'espace ouvert, peuvent être évalués de la même manière.
Un cadre travaillant au quartier de La

1. G.-N. Fischer, *Psychologie des espaces de travail*, Armand Colin, collection U, 1989.

Défense en bureau cloisonné souligne l'enfermement organisationnel que provoque ce type d'aménagement : « ... *Les couloirs sont assez sinistres, on ne sait jamais s'il y a ou non quelqu'un dans les bureaux. A l'heure où l'on nous bassine avec de grands discours sur la convivialité et l'esprit de groupe, c'est assez contradictoire quand on est chacun dans notre bocal.* »

Un second cadre travaillant, lui, en espace ouvert à Paris-Nord constate combien cet espace ouvert peut être synonyme d'isolement : « *Nous pensions que les contacts seraient plus faciles. Ici il n'y a pas de lieu commun, de lieu de rencontre. (...) Les gens se voient sans se voir, se gênent plus qu'ils ne se rencontrent, se réfugient dans les bureaux, les comportements s'individualisent.* »

Dans les deux cas, des dysfonctionnements d'ordre communicationnel sont notés ; quel que soit l'aménagement, la communication a besoin de lieux et d'espaces spécifiques pour s'asseoir, prendre un café, échanger des informations. Certaines recherches ont pris en compte cette dimension psychologique des espaces de travail. Les résultats de ces travaux insistent sur la valeur de l'espace personnel. Ainsi, une enquête menée aux Etats-Unis auprès de 2 000 salariés de quatre secteurs différents montre que pour 69 % d'entre eux il est important d'avoir un espace à soi, 28 % considèrent que c'est assez important et seulement 3 % pas important.

Les salariés ont tendance à personnaliser l'espace qu'ils occupent. Ces recherches ont donc établi une relation d'identité entre la place et la personne. Cette relation s'établit suite à un processus d'appropriation de l'espace qui, du coup, n'est pas compris et vécu comme un lieu fonctionnel. C'est, pour ceux qui y travaillent, un lieu qu'ils occupent comme un territoire. Le territoire équivaut un peu à l'expression de la personne qui s'y trouve.

Appropriation de l'espace et satisfaction au travail

Dans les recherches que nous avons menées, nous avons pu constater que les employés qui estiment s'être approprié leur espace de travail ont tendance à le trouver moins bruyant, moins perturbant et moins exigu, que d'autres employés travaillant dans le même type d'espace mais qui l'évaluent comme moins personnel. Il existe donc une relation étroite entre mécanisme d'appropriation et satisfaction au travail.

De même, si l'équipement d'un poste mobilier et l'aménagement sont adaptables au travail, on développe de la satisfaction par rapport à l'environnement dans lequel on se trouve. Ainsi, une étude auprès d'une population de secrétaires a mis en évidence une hausse de 17 % de la productivité et une amélioration du confort physique chez celles dont l'environnement était facilement manipulable. Des individus se trouvant dans un environnement qu'ils perçoivent comme les rendant dépendants, ont tendance à l'évaluer négativement et vivent le travail d'une façon plutôt négative.

Nous l'avons souligné, le souci de communication est l'un des principaux facteurs des transformations récentes et en cours des espaces de travail, et notamment des espaces de bureau. Quelle influence l'aménagement exerce-t-il sur la circulation de l'information et la communication dans l'entreprise ? A l'heure où celles-ci deviennent maîtres mots du discours managérial, cette question intéresse autant les chercheurs que les aménageurs et les responsables des entreprises.

Il existe de nombreux modèles théoriques qui ont mis en évidence les relations entre espace et communication. Les plus classiques s'inspirent des recherches en éthologie (science des comportements des espèces animales dans leur milieu naturel), qui montrent comment le comportement animal est déterminé par le territoire. Les recherches en psychologie de l'environnement ont étudié les relations des êtres humains avec leurs territoires en les considérant essentiellement sous l'angle social. De ce point de vue, deux auteurs ont marqué les études dans ce domaine : Kurt Lewin (voir encadré page suivante) et Roger G. Barker.

Selon R.G. Barker, on ne peut pas dissocier le comportement de l'environnement. Tout espace aménagé constitue un *« behavior setting »*, c'est-à-dire une assise socio-spatiale qui façonne les comportements. L'organisation d'un espace véhicule des messages sur son fonctionnement, sur la manière de l'utiliser...

Sur la base de ces modèles, de nombreuses enquêtes ont été effectuées dans des espaces institutionnels ; ainsi, une étude classique faite par un psychiatre canadien, H. Osmond (2), dans des hôpitaux psychiatriques a montré que le personnel soignant disposait les sièges et les tables de la salle des visites de manière rigide, mais lors des visites, les gens réaménageaient l'espace. Il a dégagé que l'organisation semi-fixe d'un lieu, c'est-à-dire la manière dont le mobilier est disposé, pouvait aboutir à deux types de configuration : les espaces « sociopètes » (aménagements internes facilitant les relations) et les espaces « sociofuges » (aménagements rendant difficile ou empêchant les relations).

Hiérarchie et organisation de l'espace

En effet, l'évolution de l'aménagement du travail de bureau permet de dégager la façon dont on a établi des liens entre la configuration de l'espace et sa performance par rapport à la circulation de l'information et à la communication. Une présentation de quelques concepts d'aménagements permettra de l'illustrer.

Le modèle du bureau paysager, né en Allemagne après la Seconde Guerre mondiale, et développé à partir des années 60 aux Etats-Unis, est l'un des plus connus. Le projet initial reposait sur le principe suivant, à savoir qu'on attribue à l'espace une capacité de favoriser la communication *(Kommunikationsfähigkeit)*. Dans ce sens, la suppression des cloisons devrait permettre, en offrant un espace ouvert, de faciliter la communication, le travail de bureau étant envisagé comme un flux et un circuit d'informations. Ce projet visait donc à définir des aires, regrouper des zones et favoriser la circulation de l'information. De plus, à travers cette ouver-

2. H. Osmond, « Function as a Basis of Psychiatric Ward Design », *Mental Hospitals*, n° 8.

Kurt Lewin et la dynamique de groupe

C'est à Kurt Lewin (1890-1947), psychologue allemand émigré aux Etats-Unis dans les années 30, que l'on doit l'expression « dynamique de groupe ».

Prenant l'expérience des tranchées de la Première Guerre mondiale, K. Lewin montre que la vision du paysage environnant par le soldat qui doit se protéger derrière les dénivelés du sol, qui peut voir surgir l'ennemi de derrière un arbre, est fort différente de celle du simple promeneur. Sa représentation de l'espace alentour est donc tributaire à la fois de ses motivations et attentes, et des caractéristiques de l'environnement.

L'ensemble formé par le sujet et son environnement apparaît comme un « champ » structuré composé de zones d'attraction et de répulsion. Cette théorie du champ est inspirée à K. Lewin par la Gestalt (psychologie de la forme), mais aussi par la physique théorique qu'il suit avec intérêt.

Ce modèle du comportement humain en termes de champs de force peut être appliqué à des ensembles où coexistent plusieurs personnes (une classe, une réunion de travail, une bande de jeunes...). Un groupe n'est pas une simple juxtaposition d'individus mais une « totalité dynamique » qui résulte des interactions entre ses membres, des phénomènes d'attraction et de répulsion, des conflits de forces...

En bref, il existe une véritable « dynamique des groupes » que le chercheur peut explorer par l'observation ou l'expérimentation. Dans ce but, K. Lewin créera le Research Center for Groups Dynamics au MIT (Massachusetts Institute of Technology), en 1944. Considéré par beaucoup comme le père de la psychologie sociale moderne, ses expériences et celles de ses disciples sont devenues canoniques dans ce domaine. Elles ont porté sur le mode de commandement : types de leadership (Ronald Lippit et Robert White), la conformité aux normes du groupe (Musafer Shérif et Solomon Asch), la soumission à l'autorité (Stanley Milgram), la déviance et la cohésion (Leon Festinger et Stanley Schachter), l'influence (Claude Faucheux et Serge Moscovici)...

L'approche lewinienne complétée par de nombreux travaux constitue l'un des fondements des stratégies organisationnelles utilisées aujourd'hui dans les entreprises.

K. Lewin et le changement d'habitudes alimentaires des Américaines

Chaque groupe possède donc son champ dynamique avec ses canaux de communication, ses frontières, ses barrières. Toute information nouvelle n'est acceptée que dans la mesure où elle s'intègre dans le « champ » du groupe.

Une des recherches les plus célèbres à ce sujet a été menée par K. Lewin en 1943. Pendant la Seconde Guerre mondiale, le gouvernement américain cherchait à faire consommer aux ménagères des abats (cœur, tripes, rognons…) plutôt que de la viande de premier choix. Un échantillon de femmes fut divisé en plusieurs groupes : à certaines, on fit écouter une conférence sur l'intérêt des abats dans le cadre d'une économie de guerre, à d'autres, une conférence sur les bienfaits alimentaires des abats. On fit participer d'autres groupes à des discussions collectives, soit sur le thème de l'économie de guerre, soit sur les bienfaits des abats. On constata qu'au bout d'une semaine, seulement 3 % des femmes qui avaient assisté aux conférences avaient changé leurs habitudes alimentaires, alors que le tiers de celles qui avaient participé aux discussions de groupes avaient modifié leurs achats.

L'efficacité du message dépendait ici de la forme de communication utilisée.

ture de l'espace, on cherche à dessiner un paysage intérieur : des écrans faits de plantes vertes, donnent à ce type d'aménagement le nom de bureau paysager. Dans ce modèle, l'espace ouvert est considéré comme un outil d'organisation du travail ; il est vécu comme un opérateur des activités. L'hypothèse implicite des aménageurs et des décideurs est qu'il y a une relation de causalité entre ouverture de l'espace et communication, de même qu'entre aménagement ouvert et motivation. L'absence de cloisonnement est interprétée comme un système incitateur facilitant les échanges.

Les études effectuées sur divers aspects des bureaux paysagers (impact sur le rendement et la satisfaction, sentiment d'intimité, etc.) sont contradictoires. Certaines montrent que 80 % de la communication dans un bureau paysager se limite aux échanges à l'intérieur de son propre groupe ; d'autres soulignent que les bureaux paysagers améliorent les flux d'informations mais ne facilitent pas forcément les relations entre employés, comme en témoignait l'exemple de notre cadre de Paris-Nord.

Un autre modèle d'aménagement est celui des bureaux semi-cloisonnés, formés par des cloisons mobiles qui délimitent l'espace de trois côtés. L'élément de base est un type de mobilier (le panel-système) dans lequel ce n'est plus l'environnement qui est mis à contribution comme outil de communication, mais les équipements de bureau. On propose un système d'architecture intérieure mobile pour faciliter la communication et la circulation d'information.

Ce type d'aménagement est conçu à partir de la bulle de l'individu comme un système de niches qui fonctionne tel un répartiteur d'activités. Mais dans ce cas, l'organisation de l'espace n'améliore pas la communication de manière automatique. Ces résultats montrent que les diverses conceptions de l'aménagement des bureaux ne doivent pas être vues et utilisées comme des solutions miracles qui apporteraient « la » solution aux problèmes de communication. Car, dans une entreprise, les communications se déroulent en fonction des contraintes inhérentes au travail, même si l'espace peut en atténuer certaines. Dans une organisation qui dispose, par exemple, d'une structure hiérarchique très rigide et d'un aménagement ouvert, les comportements seront plus déterminés par la structure organisationnelle que par le système d'aménagement.

Il faut rappeler que le fonctionnement de la communication est essentiellement déterminé par des facteurs organisationnels et non spatiaux. Ces facteurs organisationnels sont de plusieurs types : conception et organisation du travail, structure hiérarchique, climat d'entreprise, types de technologie.

Les modèles d'organisation ont évolué vers des niveaux de complexité croissants en raison des changements intervenus dans la circulation de l'information, à l'intérieur et à l'extérieur de l'entreprise. Longtemps, l'organisation était un univers stable, où le modèle d'information et de communication était défini en termes de processus séquentiels, marqués par une logique basée sur la structure pyramidale, la centralisation des décisions... Aujourd'hui, le développement technologique redéfinit complètement la manière dont l'information circule. Dans les systèmes de production, les machines traitent elles-mêmes bon nombre d'opérations. Au niveau du bureau, les nouvelles technologies fournissent un potentiel considérable en termes de sources d'informations disponibles et de traitement de l'information. Les nombreux niveaux hiérarchiques existants ne sont plus toujours nécessaires.

Processus « automate » et processus « informate »

Dans bon nombre de cas, le poste de travail devient un poste-logiciel intégré dans un réseau d'informations et la question est alors de savoir non plus dans quel type d'espace on va travailler, mais quel type de tâches on doit accomplir. Il y a une déconnexion entre un type d'aménagement et la façon dont circule l'information. Par ailleurs, on observe que l'informatisation a donné lieu à de nouveaux modèles d'aménagement. Les recherches de Shoshana Zuboff (3) apportent à cet égard un éclairage intéressant. Concernant l'introduction de l'informatique, elles distinguent deux types de processus qui peuvent découler de cette introduction : les processus « automate » et « informate ». Les processus « automate » introduisent une nouvelle technologie dans une organisation sans remettre en cause le fonctionnement des activités et

3. S. Zuboff, *In the Age of the Smart Machine : the Future of Work and Power*, Basic Books, 1988.

l'aménagement de l'espace. Il s'agit, selon S. Zuboff, d'une perte d'opportunité pour un réel changement d'organisation. Dans les processus « informate », l'introduction de l'informatisation est utilisée comme une opportunité qui permet de rendre des processus organisationnels plus efficaces. Certains chercheurs américains ont appliqué directement cette distinction à l'aménagement des espaces. Mais on constate alors que l'on n'établit plus un lien aussi direct entre aménagement de l'espace et communication que dans le modèle du bureau paysager. Maintenant, la fonction de l'espace est plutôt de servir de support à des facteurs organisationnels tels que la culture de l'entreprise ; dans ces conditions, le rôle conféré à l'espace ne serait plus tant de renforcer la productivité, mais d'être un facteur incitatif pour développer l'adhésion des employés aux valeurs de l'organisation. Il faut donc se défaire des discours sur la relation mythique espace/communication qui tendent à attribuer à de nouveaux aménagements des vertus communicatives qui résident en définitive toujours chez les gens. Les changements apportés au niveau de l'espace, s'ils ne sont pas accompagnés d'un changement organisationnel, peuvent produire de nouveaux dysfonctionnements dans le travail. C'est pourquoi, si l'entreprise reste un espace de communication, celui-là est l'objet de profonds bouleversements liés aux technologies, au développement du travail notamment, ce qui se traduira par une redéfinition des relations entre espace et travail.

A lire sur le sujet...

- J.-F. Chanlat (dir.), *L'Individu dans l'organisation. Les dimensions oubliées*, Presses universitaires de Laval/Eska, 1990.
- T. Evette et F. Lautier, *De l'atelier au territoire. Le travail en quête d'espaces*, L'Harmattan, 1995.
- D. Ettighoffer, *L'Entreprise virtuelle ou les nouveaux modes de travail*, Odile Jacob, 1992.

Edmond Marc Lipiansky[*]

LES DESSOUS DE LA COMMUNICATION INTERCULTURELLE[**]

Dans la rencontre avec un étranger, une fois la barrière de la langue franchie, reste l'obstacle d'une « dimension cachée » : celle des codes et rites de chacun, des représentations et des stéréotypes, voire des rapports de force entre pays...

QUELS SONT les traits spécifiques de la communication interculturelle, celle qui s'instaure, en situation de rencontre, entre des personnes appartenant à des cultures différentes ? Pour être plus concret, la notion de « culture différente » sera prise ici au sens de différence de nationalité (même si culture et nationalité ne coïncident pas complètement).

La rencontre dans ce cas présente bien sûr les caractéristiques de toute relation interpersonnelle ; mais il s'y ajoute une dimension propre, due à la différence culturelle. Notons cependant que la nationalité n'est qu'un des facteurs saillants de cette différence ; le milieu social, le sexe, l'âge, l'origine ethnique, le lieu d'habitation, l'appartenance religieuse ou politique induisent aussi des situations d'écart culturel. Dans la communication entre individus appartenant à des nationalités distinctes, la différence est simplement plus évidente et plus immédiatement sensible, signifiée souvent par l'usage de langues distinctes.

Elle a, à la fois, un versant objectif et un versant subjectif. Du côté objectif, outre la langue, la différence s'ancre sur l'« habitus » (1) spécifique du locuteur qui résulte d'un processus d'enculturation et de socialisation : modes de vie,

* Professeur de psychologie à l'université Paris-X. Il a publié rL'*Identité française, représentation, mythes, idéologies*, Editions de l'Espace européen, 1991.

** *Sciences Humaines*, n° 16, avril 1992. Cet article a fait l'objet, dans une forme développée, du chapitre 5 de l'ouvrage *Introduction aux sciences de l'information et de la communication*, sous la direction de D. Benoit, Editions d'Organisation, 1995.

1. Voir mots clés en fin d'ouvrage.

système de valeurs, habitudes de sentir, de penser et d'agir, rituels d'interaction caractéristiques de son appartenance culturelle. Tous ces éléments sont constitutifs de son « identité culturelle » qui, à son tour, commande ses comportements et notamment ses comportements de communication.

Du côté subjectif, on peut placer les mécanismes affectifs et cognitifs entraînés par le contact avec une personne perçue comme étrangère. Cette perception, à elle seule, va provoquer des réactions qui influent sur la relation à autrui.

J'aborderai successivement ces deux aspects et la manière dont ils interviennent dans la communication.

Les codes culturels

On a souvent tendance à réduire les difficultés de communication entre personne de nationalités différentes à une question de maîtrise de la langue de l'autre (ou d'une tierce langue de communication comme l'anglais). On pourrait penser qu'à partir du moment où l'on pratique couramment cette langue, il n'y a plus de problème. Bien sûr, c'est une condition nécessaire mais elle n'est pas suffisante. Le code linguistique joue un rôle central, mais en interférence avec d'autres : les codes intonatifs et rythmiques, les codes non verbaux (gestuels, mimiques, posturaux...) ; les codes conversationnels et narratifs (la façon de mener une conversation d'interagir avec l'interlocuteur, de construire un récit, d'argumenter...) ; les codes rituels (que l'on désigne couramment par le « savoir-vivre », la « politesse »).

Tous ces codes varient d'une culture à l'autre et posent donc, au même titre que la langue, des problèmes de traduction et d'interprétation. Cependant, ces aspects-là sont moins évidents que la dimension proprement linguistique. Ils risquent donc de passer inaperçus et d'être la source de malentendus ou d'incompréhensions d'autant plus complexes que les interlocuteurs n'en ont pas conscience. Sensible à cet aspect, John Gumperz, le fondateur de « l'ethnométhodologie » (2), a été amené à mettre en relief une « compétence de communication » marquée par la culture d'appartenance. Dans un article sur « la communication interethnique » (3), il analyse, par exemple, les difficultés de communication qu'on pouvait constater dans un restaurant britannique entre les clients et les serveuses indiennes perçues par ceux-là comme revêches et peu coopératives ; il montre que l'incompréhension venait d'habitudes intonatives différentes : lorsqu'elles posaient une question aux clients, elles utilisaient une intonation descendante (signe de l'interrogation dans leur culture) alors qu'une telle intonation a une valeur affirmative et non interrogative en anglais. D'où le malentendu et l'impression des clients qu'elles ne respectaient pas les règles de politesse (en affirmant au lieu de questionner). Quant aux serveuses, elles avaient bien le sentiment d'être mal comprises, mais elles l'attribuaient à une attitude de discrimination raciale de la part des clients britanniques. Une fois que les serveuses ont pris conscience du

2. Voir mots clés en fin d'ouvrage.
3. J. Gumperz, *Sociolinguistique interactionnelle*, L'Harmattan, 1989.

problème d'intonation, la relation a complètement changé.

La dimension cachée

Autre « dimension cachée », la distance interpersonnelle de communication dont Edward T. Hall (4) a montré qu'elle variait selon les cultures ; il note, par exemple, que dans les pays arabes, il est habituel de se placer très près de l'interlocuteur et même de le toucher, alors qu'un tel comportement risque de mettre mal à l'aise des Américains.

Les codes conversationnels diffèrent aussi selon les cultures : les Français ont plutôt l'habitude, par exemple, lorsqu'ils traitent une affaire, de commencer l'échange par quelques propos banaux ou amicaux (ainsi pourront-ils n'aborder le vif du sujet qu'entre « la poire et le fromage » lors d'un repas professionnel). Cette habitude irrite les Américains qui ont le réflexe inverse : d'abord parler « des affaires » pour ensuite discuter aimablement. De même, le rapport au silence dans la communication n'est pas du tout la même selon les civilisations : en Asie on tolère très bien des temps de silence dans une discussion (signe, par exemple, de réflexion) ; alors que chez nous le silence est source de malaise et que les interlocuteurs tentent de l'éviter (une conversation « animée » est une conversation où il n'y a pas de « blancs »).

Les rituels d'interaction, eux aussi, tout en répondant souvent à des principes similaires, varient dans leur contenu d'un pays à l'autre. En Allemagne, il est impoli de présenter un bouquet de fleurs enveloppé de papier cristal (ce qui est, au contraire, préférable en France). Les Français tolèrent assez bien, dans une discussion animée, que plusieurs personnes parlent à la fois et s'interrompent mutuellement, alors que ce comportement sera jugé tout à fait impoli dans d'autres pays. Mais certaines différences sont plus subtiles : l'observation de groupes de discussion entre Allemands et Français tend à montrer que les premiers sont plus centrés sur le contenu de l'échange alors que les seconds sont attentifs aussi à la dimension relationnelle ; aussi trouvent-ils que les Allemands sont un peu « rugueux » et trop directs dans leur manière de discuter ; cependant que ceux-ci pensent que les Français sont séducteurs et manipulateurs (5). On voit, à travers ces exemples, que la différence de code est souvent méconnue et qu'elle est réinterprétée, à travers un regard ethnocentrique (c'est-à-dire imprégné des normes, des valeurs et des habitudes de la culture d'appartenance) comme une forme d'inadaptation, d'impolitesse ou d'inconvenance (comme le relevait déjà Montaigne : *« Chacun appelle barbarie ce qui n'est pas de son usage. »*). Ce fait entraîne souvent un jugement négatif sur le comportement de l'étranger, jugement qui renforce les stéréotypes et les préjugés.

Mais cette attitude ne découle pas seulement d'une méconnaissance relative de la diversité des codes culturels ; elle provient aussi des mécanismes sociocognitifs provoqués par le contact avec l'« étranger ».

4. E.T. Hall, *La Dimension cachée*, Seuil, 1971.
5. Voir J.-R. Ladmiral et E.M. Lipiansky, *La Communication interculturelle*, Armand Colin, 1989.

Les réactions face à l'altérité

En effet, de nombreuses recherches en psychologie sociale ont montré que ce contact entraînait certaines réactions spécifiques assez constantes (6). L'une des plus importantes de ces réactions a été désignée par la notion de *catégorisation*. Elle signifie que nous avons tendance à percevoir les autres à travers leur catégorie d'appartenance et à leur attribuer des caractéristiques associées à cette catégorie. Ainsi, lorsqu'un Français rencontre un Allemand qu'il ne connaît pas, ses premières impressions amplifient généralement les différences attachées à sa nationalité : il percevra, par exemple, l'Allemand comme porteur de traits stéréotypés associés à cette nationalité (comme le sérieux, le sens de la discipline, la lourdeur...) et accentuera les traits qui, dans les représentations sociales, le différencient du Français (l'esprit collectif, par exemple, opposé à l'individualisme) ; l'Allemand apparaîtra donc à ses yeux «plus typiquement allemand» qu'il ne l'est réellement. De même, il aura tendance à juger deux Allemands comme plus semblables qu'ils ne le sont en réalité.

Ce processus de catégorisation retentit sur la communication interculturelle. Il implique plusieurs mécanismes : un *effet de contraste* qui tend à accentuer les différences entre les nationalités ; un *effet de stéréotypie* qui conduit à percevoir un étranger à travers des représentations sociales toutes faites portées par la culture d'appartenance et à penser que tous les ressortissants d'une même nationalité correspondent à ces représentations ; *un effet d'assimilation* qui amène à accentuer les ressemblances entre les individus de même nationalité (7).

Une autre réaction fondamentale est *l'ethnocentrisme*. Il s'agit de la propension qu'a chaque culture à saisir les autres et à les juger à travers ses propres modèles de référence, ce qui entraîne souvent une justification de ces modèles et un rejet de la différence. Comme l'a relevé Claude Lévi-Strauss (1968), plusieurs tribus primitives se désignent d'un nom qui signifie «les hommes» et renvoient les autres à l'inhumain. Pour elles, *«l'humanité cesse aux frontières de la tribu, du groupe linguistique, parfois même du village»* (8). Mais cette attitude n'est pas propre aux primitifs : on peut supposer qu'elle repose sur des mécanismes psychologiques profonds puisqu'elle tend à réapparaître chez chacun de nous quand nous sommes confrontés à l'altérité, surtout si cette confrontation a lieu dans un climat d'insécurité. Ainsi, l'ethnocentrisme est à la fois un trait anthropologique universel et un processus psychologique de nature projective et discriminatoire qui fait que la perception de l'étranger se fait à travers une sorte de prisme. Ce prisme résulte d'une «grille d'interprétation» élaborée inconsciemment à partir de notre propre cadre de références (de ses codes, de ses valeurs, de ses rituels...). Il entraîne une sorte de réfraction et retraduit la différence dans

6. On trouve la présentation d'une grande partie de ces recherches dans l'ouvrage de W. Doise, *Expériences entre groupes*, Mouton, 1979.

7. Bien entendu, ces mécanismes interviennent aussi pour d'autres catégories différencielles comme le sexe, l'âge, l'appartenance ethnique, professionnelle ou idéologique.

8. C. Lévi-Strauss, *Race et Histoire*, Gonthier, 1968.

le registre du même ou alors opère une sélection et rejette ce qu'il ne reconnaît pas comme sien. L'ethnocentrisme n'est pas cependant « un biais » perceptif, une saisie déformée de l'altérité, sorte de pathologie cognitive de la relation ; elle résulte d'une attitude spontanée et que l'on peut dire « normale » dans le sens où elle constitue la norme.

C'est au contraire le dépassement de l'ethnocentrisme qui peut apparaître comme une conquête difficile et toujours fragile exigeant une prise de conscience et un décentrement de son mode de fonctionnement habituel.

On touche là à un processus psychologique fondamental : c'est en devenant conscient de sa subjectivité et de ses mécanismes qu'on peut comprendre celle d'autrui et appréhender celui-ci comme un *alter ego*, à la fois semblable et différent. La communication interculturelle nous ramène ainsi, comme le souligne justement Tzvetan Todorov, à *« cette banale vérité qu'à s'ignorer soi-même, on ne parvient jamais à connaître les autres ; que connaître l'autre et soi est une seule et même chose. »* (9)

Cependant l'altérité n'est pas seulement, dans la relation, source de difficultés et n'entraîne pas nécessairement la peur et le rejet. Elle peut être aussi bien (et souvent en même temps) objet de curiosité, de fascination et d'attirance. A toutes les époques, les hommes ont été tentés par la découverte et l'exploration de civilisations différentes, les plus éloignées de la leur. Bien sûr, des mobiles intéressés, mercantiles ou politiques, n'ont pas été étrangers à ce désir ; mais d'autres sentiments l'ont aussi animé où l'intérêt pour les cultures différentes, le souci authentique d'une connaissance respectueuse de l'autre ont certainement leur part.

Aujourd'hui, l'essor considérable du tourisme montre que cette curiosité n'a jamais été aussi forte. Même si l'on peut penser qu'il s'agit d'une pratique consommatoire qui ne débouche trop souvent que sur une pseudo-rencontre, elle traduit cependant un mouvement plus profond qui nous pousse peut-être vers ce qui nous semble différent. N'est-ce pas ce mouvement qui sous-tend l'engouement pour les cultures et les mœurs les plus éloignés des nôtres, au fondement de l'exotisme ?

Exotisme : « Eloge de la méconnaissance »

Cependant, on peut se demander si, dans l'exotisme, l'altérité n'est pas mythifiée et idéalisée. Elle devient le symbole d'une sorte de paradis perdu, inversion imaginaire des insatisfactions et des frustrations engendrées par la culture d'appartenance (tel le mythe du « bon sauvage »). C'est pourquoi, T. Todorov a pu définir l'exotisme comme *« un éloge dans la méconnaissance »* (10). Dans ce sens, c'est un peu l'autre face et le revers de l'ethnocentrisme.

Il ne faudrait pas déduire de ces considérations que la communication interculturelle est prisonnière de cette alternative et vouée au malentendu. Même si celui-là est fréquent, si l'incompréhension a souvent présidé aux rencontres entre cultures, la communica-

9. T. Todorov, *Nous et les autres*, Seuil, 1988.
10. *Idem*.

tion mérite vraiment son nom lorsqu'elle échappe à ces impasses. C'est justement la proximité, l'échange et la coopération qui peuvent atténuer les mécanismes projectifs et discriminatoires et ramener la relation aux heurts et malheurs de toute communication interpersonnelle.

Il faudrait aussi, pour compléter cette approche développée plutôt en extériorité, interroger le vécu subjectif de ceux qui, par choix ou par nécessité, sont amenés à vivre plus intensément ou plus durablement la rencontre interculturelle (les émigrés, les exilés, les diplomates, les ethnologues, les couples « mixtes », les bilingues...). Cette « phénoménologie » de la communication interculturelle reste encore largement à faire et a été jusqu'ici abordée plutôt par la littérature (je pense notamment aux écrivains francophones de l'Afrique et du Maghreb partagés entre deux cultures) que par les sciences humaines. On peut trouver cependant, sur ce dernier versant, des éléments dans les écrits des ethnologues (Malinowski, Lévi-Strauss, Leiris...) et dans des essais comme celui de Julia Kristeva (11) ou de Jean-René Ladmiral (12).

L'étude de la communication interculturelle, dont je viens d'évoquer quelques dimensions essentielles, ne s'épuise pas pourtant dans les caractéristiques immédiates (l'« ici et maintenant ») de l'interaction sociale. Elle doit aussi prendre en compte le contexte dans lequel s'inscrit la rencontre.

Contexte : le poids de l'Histoire

En effet, chaque interaction est toujours surdéterminée par le contexte dans lequel elle s'inscrit. Ce contexte est porteur de normes, de valeurs, de rituels et tend à préstructurer le rapport de place dans lequel les protagonistes de la rencontre se situent. On peut facilement concevoir que la communication sera de nature fort différente selon que la rencontre se situe dans le cadre d'un voyage touristique, d'un contact professionnel, d'un congrès scientifique, d'une mission diplomatique ou dans une situation d'immigration. Ainsi, un Français n'aura pas la même relation avec un Algérien si celui-ci est travailleur émigré ou si la rencontre a lieu lors d'une visite en Algérie.

La communication sera différente aussi lorsque le rapport est symétrique (c'est-à-dire concerne des personnes qui peuvent se considérer comme des pairs) ou asymétrique, lorsqu'entre les protagonistes se noue, soit une relation complémentaire (comme celle de vendeur à client, ou d'hôte à invité), soit une relation hiérarchique (par exemple, de patron à employé).

Cependant, le contexte n'est pas déterminé seulement par la situation de la rencontre. Il est constitué aussi, pour une très large part, par les rapports socio-historiques qui existent entre les nations auxquelles appartiennent les interactants. Ce rapport a une dimension culturelle importante ; mais aussi des dimensions économiques, politiques, sociales. Il est infiltré souvent par des relations de pouvoir, de domination ou d'impérialisme qui retentissent plus ou moins directement sur le vécu subjectif

11. J. Kristeva, *Etrangers à nous-mêmes*, Fayard, 1988.
12. J.-R. Ladmiral et E.M. Lipiansky, *op. cit.*

de la rencontre. J'évoquais plus haut la communication entre Français et Algériens : on ne peut ignorer qu'elle s'inscrit dans tout un contexte où interviennent des facteurs affectifs ambivalents et parfois passionnels, sous-tendus par la proximité, mais aussi nourris par un contentieux historique mal résorbé (la colonisation passée, la guerre d'indépendance, l'émigration, les rapports entre l'Islam et la culture occidentale, etc.).
Mais n'en est-il pas de même (bien qu'avec des caractéristiques très différentes) des relations entre Français et Allemands ? Il est frappant de constater que près de cinquante ans après la Seconde Guerre mondiale, les traces d'une rivalité ancienne sont loin d'être effacées. Un sondage effectué au moment de la réunification montre qu'une proportion importante de nos compatriotes déclarent avoir peur de l'Allemagne et que les personnalités qui caractérisent le mieux, à leurs yeux, ce pays, sont Beethoven et Hitler. Plus profondément peut-être, les perceptions mutuelles continuent à être influencées par des représentations collectives qui s'enracinent dans l'histoire des relations entre les deux pays. Car pendant la première moitié du XXe siècle, la représentation de l'identité française s'est construite en grande partie dans une relation d'antagonisme avec celle de sa voisine d'outre-Rhin : « *L'autre n'est que l'image inversée d'elle-même, le négatif de ce qu'elle affirme, la projection de ce qu'elle refuse.* » (13) Ainsi l'individualisme revendiqué par les Français prend son sens d'être l'antithèse du grégarisme discipliné attribué aux Allemands ; de même la « clarté » française qui s'inscrit dans le courant du cartésianisme et de la philosophie des Lumières suppose le refoulement de l'irrationnel, des forces troubles de la nature et de l'instinct projetées sur les « ténèbres » de l'âme germanique. Bien sûr ces stéréotypes ne sont plus nécessairement d'actualité et peuvent avoir perdu une part de leur crédit. Mais ils peuvent aussi continuer à influer, souvent à notre insu, sur l'image que l'on se fait de l'autre.
Ainsi la communication interculturelle implique à la fois le passé et le présent, le réel et l'imaginaire, l'objectivité des codes et la subjectivité des regards.

A lire sur le sujet...
- J. Demorgon, *L'Exploration interculturelle*, Armand Colin, 1989.
- C. Camilleri et al., *Stratégies identitaires*, Puf, 1990.
- E.M. Lipiansky, *Identité et communication*, Puf, 1992.

13. J.-R. Ladmiral et E.M. Lipiansky, *op. cit.*

COMMENT SE CRÉE LE CONSENSUS

ENTRETIEN AVEC WILLEM DOISE*

La prise de décision dans les groupes s'opère par la combinaison de deux registres de la communication : un registre socio-émotionnel, et un autre orienté vers l'efficacité et la rigueur.

***Sciences Humaines :* Le processus de décision en groupe a fait l'objet de nombreuses études de psychologie sociale depuis une trentaine d'années. Vous-même avez été trés impliqué dans ces recherches. Pouvez-vous nous en retracer la chronologie en quelques mots ?**

Willem Doise : Au cours des années 60, deux professeurs américains de psychologie sociale, Michael Wallack et Nathan Kogan, ont constaté que, lors d'une prise de décision, les groupes en situation expérimentale adoptent des choix plus risqués que les individus. Ils en ont conclu que le groupe favorise la dilution des responsabilités, la réduction de l'engagement des individus.

Mais Serge Moscovici pensait au contraire que dans certaines circonstances, les individus s'engagent plus et prennent plus de responsabilités au sein d'un groupe. Il a pu montrer, au cours d'expériences dans lesquelles le phénomène de prise de risque n'était pas impliqué, que la décision en groupe provoque un renforcement des options initiales, quelles qu'elles soient. Si les individus sont initialement plutôt favorables à une opinion, ils le sont encore plus après discussion. S'ils sont plutôt défavorables au départ, ils le sont encore plus après. Nous appelons ce processus polarisation.

Ensuite, durant environ cinq ans, S. Moscovici et moi-même avons réanalysé toutes les recherches antérieures et nous avons montré que l'on pouvait fort bien les interpréter selon le modèle de la polarisation plutôt que selon celui de la prise de risque. Il y a néanmoins une importante exception à cette règle. On l'observe lorsqu'un groupe manifeste une opinion contraire à l'opinion dominante de la société. Par exemple, lorsque nous menions nos travaux dans les années 60/70, les étudiants étaient plutôt féministes, mais certains avaient une opinion opposée. Une étude menée par Geneviève Paicheler a montré que, dans de telles situations, le groupe polarise, après une discussion approfondie, non sur sa propre position,

* *Professeur de psychologie sociale à l'Université de Genève et auteur, avec Serge Moscovici, de l'ouvrage* Dissensions et Consensus, *Puf, 1992.*

mais sur celle qui est dans l'air du temps. Ce n'est donc pas toujours l'orientation préalable des personnes présentes qui détermine la position ultérieure, mais l'orientation préalable de leur groupe de référence.

***SH* : Pourquoi, dans vos expériences, posez-vous comme préalable la nécessité de parvenir à un consensus ?**

W.D. : D'une part, cela augmente l'engagement des individus car, s'il n'y a pas nécessité d'aboutir à une décision commune, les membres du groupe débattent de leurs opinions personnelles, mais sans chercher à retravailler cognitivement les opinions exprimées par les autres. De plus, ce type de situation correspond précisément à ce qui se passe généralement dans la vie réelle.

***SH* : Mais précisément, quelle est l'utilité profonde du consensus dans les sociétés contemporaines ?**

W.D. : C'est une caractéristique de nos sociétés occidentales contemporaines de ne plus avoir de source d'autorité extérieure à l'individu, qu'il s'agisse de la religion, de l'idéologie politique ou de la science. Or, comme on ne peut pas se contenter d'un relativisme absolu, il faut parvenir à un certain état de vérité en se mettant socialement d'accord sur une nouvelle définition de la réalité et sur des critères de décision. Mais il est important qu'il y ait des mécanismes permettant de reconsidérer ultérieurement ce consensus. En effet, celui-ci n'a pas pour fonction de supprimer les conflits, mais de les tolérer.

***SH* : Vous signalez précisément dans votre livre *Dissensions et consensus* que les groupes les plus cohérents sont ceux qui ont le plus de conflits, ce qui n'est pas évident à première vue !**

W.D. : Il faut rester prudent avant d'extrapoler, car nous parlons de groupes en situation expérimentale. Au cours de nos recherches, nous demandons aux membres du groupe de prendre une décision commune en les invitant à tenir compte des opinions des autres. Plus les options individuelles sont variées, plus la confrontation est importante et plus la reformulation du problème peut devenir explicite. La recherche d'un compromis par le groupe incite les individus à reconsidérer leurs positions sur le problème. Lorsque les membres du groupe se sont mis d'accord sur une conclusion, ils la maintiennent lorsqu'on les interroge ensuite individuellement. La possibilité de laisser s'exprimer les opinions divergentes favorise donc la cohésion du groupe. Mais là encore, il peut y avoir des exceptions. Reprenons l'expérience sur le féminisme. S'il y a dans l'expérience un compère (1) très antiféministe qui ne veut pas céder, il peut entraîner l'adhésion du groupe qui adopte cette position comme solution pour sortir de l'impasse. Mais l'opinion individuelle des membres du groupe n'est pas modifiée en profondeur puisque si on leur demande après la discussion ce qu'ils pensent personnellement, ils expriment toujours des positions féministes. Leur adhésion n'a été qu'apparente car ce compère sort de l'air du temps. Ce type de processus a été confirmé par plusieurs recherches ultérieures.

***SH* : Vous dites que les sociétés qui ont semé l'entente et l'harmonie à tout prix ont récolté la discorde.**

W.D. : Cela est évident dans les pays totalitaires, mais pas uniquement. Les sociétés démocratiques sont elles-mêmes souvent sous l'influence de faux consensus. Par exemple, en France, on a longtemps voulu considérer que l'immigration n'était pas un problème. Le débat public n'a donc pas eu lieu. Puis, le problème a rejailli soudainement ce qui montre que le seul vrai consensus était de ne pas parler de ce sujet. On peut également observer ce genre de processus dans certaines familles où l'on refoule toute possibilité de désaccord. Tout va bien à condition de ne pas soulever de problèmes. Mais il suffit d'un grain de sable pour que l'édifice entier soit remis en cause.

***SH* : A plusieurs reprises, on a le sentiment, en lisant votre livre, d'une vision déterministe de l'être humain. L'individu, et même le groupe, compte moins que les processus. Vous montrez surtout l'importance des processus.**

W.D. : Un phénomène social peut être expliqué selon plusieurs grilles d'analyse. Mais en tant que psychologues sociaux, notre interprétation se situe effectivement plus au niveau de l'interaction entre personnes qu'à celui de la signification individuelle. Un exemple, concernant la relation entre mode de communication et type de décision, montre bien la complémentarité entre ces deux grilles d'analyse.

Un premier niveau d'analyse, psychologique, montre que certaines personnes sont plus orientées vers un registre socio-émotionnel et d'autres vers la rigueur et l'efficacité. Par

exemple, les femmes privilégient les rapports socio-émotionnels et les hommes l'orientation vers l'efficacité.
Mais il y a également un second niveau d'analyse, sociopsychologique, qui démontre qu'une même personne peut adopter soit l'approche socio-émotionnelle, soit l'orientation vers l'efficacité selon la situation dans laquelle elle se trouve. Les nombreuses recherches effectuées sur les canaux de communication montrent, en effet, que lorsque la communication est organisée sur un mode démocratique (tout le monde peut parler avec tout le monde, il faut être à l'écoute des autres), c'est le registre socio-émotionnel qui est privilégié, avec parfois pour conséquence une plus grande créativité du groupe. Inversement, si la communication est organisée sur un mode centralisé (les messages passent par un leader), c'est la rigueur qui se manifeste le plus, ce qui produit des solutions de type logique.
Lors de la prise de décision dans les organisations, on a toujours besoin de ces deux aspects. Un responsable qui veut faire aboutir une décision rapide au sein d'un groupe risque de privilégier la procédure centralisée, mais en visant l'efficacité, il risque fort de frustrer la sensibilité des individus et donc, de devenir inefficace à plus long terme. D'ailleurs, l'innovation vient souvent des points de vue minoritaires dissidents. Ainsi, pour être véritablement efficaces, les mécanismes de décision doivent favoriser la contradiction.
L'importance du processus est démontrée par les recherches sur la justice procédurale. Des chercheurs se sont interrogés sur les procédures légales les plus à même de satisfaire les gens dans le cas d'un différend. On constate fréquemment que le plus important aux yeux des gens est d'avoir pu exprimer leur point de vue et d'avoir le sentiment que celui-ci a été pris en compte, ceci quel que soit le résultat obtenu.
Cette importance du sentiment d'avoir pu exprimer son opinion et prendre part à la décision s'observe également de façon importante lors de l'établissement d'échelles de salaire.

Jacques Lecomte
(*Sciences Humaines*, hors série n° 2, mai 1993)

1. Dans les expériences de psychologie sociale, un compère est un membre de l'équipe (souvent un comédien) qui adopte une certaine position tout en faisant croire aux sujets qu'il est l'un des leurs.

QUATRIÈME PARTIE

LES MÉDIAS ET LA COMMUNICATION DE MASSE

L'ESSOR DES MOYENS de communication de masse est une caractéristique essentielle des sociétés contemporaines, et leur étude constitue un champ d'investigation très important. L'américain Harold Lasswell fut le premier à concevoir un véritable programme de recherche sur les médias. Par la suite, la réflexion sur l'influence des moyens de communication (radio, télévision, presse) sur les individus a constitué le pôle majeur d'interrogation. En étudiant les campagnes électorales, Paul Lazarsfeld et son équipe ont montré que l'impact des médias s'exerce de façon indirecte et sélective. Les gens choisissent les messages auxquels ils s'exposent, ils n'en retiennent qu'une partie, en général celle qui est en accord avec leurs convictions. Enfin, pour forger leur jugement, ils ont tendance à s'appuyer sur des leaders d'opinion et sur leurs groupes de référence.

Comme le montre Jean-Louis Missika, la plupart des modèles théoriques sur l'impact des médias se sont construits par rapport au paradigme de P. Lazarsfeld. Parmi ces approches, celle de Marshall McLuhan a eu une influence considérable. Selon M. McLuhan, les technologies de communication ont un lien immédiat et anthropologique avec l'organisation sociale : à chaque type de technologie dominante (oralité, écriture, électronique), correspond un nouvel âge de l'humanité (*voir l'article d'Alexandrine Civard-Racinais*).

La presse, la radio, les sondages, la télévision ne sont pas seulement des moyens d'information ou de divertissement. L'essor de la publicité et du marketing marque le souci des entreprises d'utiliser au mieux les potentialités des médias pour faire connaître leurs produits. Mais, compte tenu de l'ampleur des investissements, les firmes se préoccupent de l'emprise réelle des campagnes publicitaires sur les comportements des consommateurs. C'est pour répondre à ce besoin que se sont développées de nombreuses recherches sur les effets de la publicité. Jean-Noël Kapferer dresse un bilan de ces travaux. Ceux-ci traitent de divers aspects : les réactions émotionnelles à la publicité, la mémorisation des messages, le rôle de l'implication du consommateur…

Autre important domaine de recherche : la sociologie des médias.

Comme le rappelle Dominique Wolton, le développement des moyens de communication de masse, au lendemain de la Seconde Guerre mondiale, est étroitement lié à l'avènement de la démocratie, et en a bouleversé les règles du jeu. Ainsi, les sondages et la télévision ont profondément changé la nature et le fonctionnement de la communication politique. Jean Charron, à travers le modèle de la fonction d'agenda, élaboré par Maxwell McCombs et Donald Shaw, analyse le jeu subtil et complexe entre journalistes, politiques, entreprises, institutions, pour « faire l'actualité ». L'événement, ingrédient essentiel de l'information, est souvent construit sous la forme de « cérémonies télévisuelles ». Daniel Dayan nous montre que le téléspectateur ne se comporte pas comme un récepteur passif, mais fait preuve de distanciation, de critique, de sélectivité.

La télévision est considérée comme le masse-média le plus important et le plus puissant. Le paysage télévisuel français a connu depuis dix ans une véritable révolution : la privatisation, le relâchement de l'emprise du pouvoir politique, la multiplication des chaînes l'ont fait passer d'une logique de l'offre à une logique de la demande. Comme le souligne Jacques Mousseau, *« la télévision est entrée dans les temps d'une programmation "scientifique" qui a un seul objectif : satisfaire les goûts, les attentes constamment changeants, d'un public-roi car il fait surgir, par sa présence devant le récepteur, l'argent des annonceurs ».*

Théories et modèles

Jean-Louis Missika*

L'IMPACT DES MÉDIAS : LES MODÈLES THÉORIQUES**

Le modèle de Paul Lazarsfeld demeure la principale référence théorique de l'analyse de l'influence des médias sur les individus. D'autres approches (critique, politique, technologique) ont cherché à réfuter ou à renouveler ce modèle.

Dès les premiers pas des recherches en sciences de la communication, la question de l'influence des médias sur les individus a constitué un des principaux objets d'investigation des chercheurs. A la suite des travaux fondateurs de Harold H. Lasswell, et surtout de ceux de Paul Lazarsfeld, de nombreux modèles d'interprétation se sont progressivement construits.

L'essentiel de ces travaux est d'origine anglo-saxonne. En France, les recherches sur la communication médiatique ne se sont développées que ponctuellement et tardivement, et aujourd'hui encore, il n'existe pas à proprement parler une communauté scientifique constituée sur la question. A l'exception notable de Georges Friedmann qui a discuté les thèses de Paul Lazarsfeld, de Theodor Adorno, etc. (1), ou de Jean Cazeneuve (2), il n'y a pas eu d'insertion de la communauté scientifique française dans le débat international. Cette déconnexion s'explique par le fait que les médias ont été rapidement pris comme objet d'analyse par la frange la plus radicale de la sociologie. Le paradigme (3) de P. Lazarsfeld, modèle dominant d'interprétation dans le monde, s'est retrouvé paradoxalement ultraminoritaire en France. En

* Maître de conférences à l'Institut d'études politiques de Paris.

** *Sciences Humaines*, n° 13, janvier 1992, revu par l'auteur, juillet 1998.

1. Dans *Sept études sur l'homme et la technique*, Denoël, 1966.

2. J. Cazeneuve, *Les Pouvoirs de la télévision*, Gallimard, 1970 ; *L'Homme téléspectateur*, Denoël, 1974.

3. Voir mots clés en fin d'ouvrage.

revanche, la pensée critique, autour de l'Ecole de Francfort (4), était en position dominante, mais dans un registre caricatural, sans aucune volonté de se confronter à une sociologie pratique avec la mise en place d'une méthodologie de recherche et des enquêtes sur le terrain.

Des effets limités et indirects

Le paradigme de P. Lazarsfeld, établi à l'aube des années 40, reste dans une certaine mesure la référence dominante, aujourd'hui encore. Il peut être résumé en quelques mots : les médias ont des effets limités, indirects et à court terme. Il s'agit donc d'une théorie des effets puisque P. Lazarsfeld s'est principalement intéressé à l'influence des médias sur l'opinion. Il s'inscrit dans le courant de la sociologie empirique et s'est naturellement porté sur l'analyse du court terme dans ses ouvrages les plus connus. Ces travaux, contrairement aux analyses précédentes datant des années 30 (le modèle de la seringue hypodermique, dans lequel les médias sont conçus comme inoculant directement les messages dans la tête des gens), ont montré que l'individu possède des outils de défense et des filtres. Il utilise trois niveaux de sélectivité par rapport aux messages médiatiques :

– l'exposition sélective : l'attention portée à tel ou tel message dépend de la relation personnelle que l'individu entretient avec cette information. Autrement dit, les individus sélectionnent les informations auxquelles ils sont exposés, en fonction de leur socialisation, des contraintes techniques, de leur éducation, de leur histoire personnelle, etc. Un sympathisant d'un parti politique, par exemple, aura tendance à s'exposer aux messages politiques qui sont en accord avec ses préférences. Inversement, il évitera d'être confronté aux « opinions opposées » ;

– la perception sélective : nous ne percevons qu'une partie des messages auxquels nous nous exposons, et nous en rejetons d'autres. Ainsi, lorsqu'une personne regarde un journal télévisé, elle ne saisit réellement (immédiatement après l'écoute) que 20 à 30 % de l'ensemble des sujets traités ;

– la mémorisation sélective : nous ne nous souvenons que de manière imparfaite de la partie que nous avons perçue, nous n'en retenons que quelques éléments. Cette sélection par la mémoire s'effectue en fonction du cadre de pensée, des préférences culturelles et de la vision du monde de l'individu concerné.

L'effet de la communication médiatique n'est pas seulement limité, il est aussi indirect : en 1955, Elihu Katz et Paul Lazarsfeld établissent l'hypothèse de « la communication à deux niveaux » (*Two-step flow of communication*), puis à plusieurs niveaux (5). Ce faisant, ils remettent en cause la vision d'une société composée d'individus atomisés d'un côté, et de médias de l'autre. Ils soutiennent au contraire que l'influence des médias s'opère par un système complexe d'influences et de filtrages. Les groupes de référence (communauté de travail, associations, syndicats, rela-

4. Voir mots clés en fin d'ouvrage.

5. E. Katz et P. Lazarsfeld, *Personnal Influence : the Part Played by the People in the Flow of Mass Communication*, Free Press, 1955.

tions familiales et amicales, etc.) dans lesquels sont insérés les individus, et l'existence de leaders d'opinions au sein de ces groupes, ont une importance décisive. La première diffusion du message des médias s'effectue de façon verticale, en direction des leaders d'opinion. Elle se poursuit à l'intérieur du groupe, de manière horizontale, par l'intermédiaire des leaders. Ce processus horizontal s'opère par des discussions, réinterprétations, prises de positions, rejets.
E. Katz et P. Lazarsfeld introduisent donc un niveau de médiation supplémentaire. Certes, les médias touchent directement les individus, mais lorsque ceux-ci rencontrent des difficultés pour s'approprier ou interpréter le message, ils se tournent vers leurs groupes d'appartenance. De ce fait, les messages que délivrent les médias sont soumis à la pression des groupements quels qu'ils soient et reflètent en grande partie les opinions et idéologies préétablies de ces derniers. Dans cette perspective, les médias, et en particulier la télévision, sont, sauf exception (lorsqu'il y a, comme aujourd'hui, crise vis-à-vis des leaders, ou désir de changement de la part des individus ou des groupes) des outils de renforcement d'opinion et non pas de changement d'opinion.

De nouveaux modèles interprétatifs

Depuis ces travaux fondateurs, le modèle interprétatif de P. Lazarsfeld a donné lieu à de multiples tentatives d'approfondissement ou de fondation de nouveaux paradigmes (6). Parmi ces différentes approches, nous nous limiterons à présenter sommairement les trois courants principaux : le paradigme critique de l'Ecole de Francfort, le paradigme politique, établi par les théoriciens de la fonction d'agenda des masses-médias, le paradigme technologique établi au cours des années 60, dont la figure la plus connue est Marshall McLuhan (7).
Le questionnement de P. Lazarsfeld, nous dit E. Katz, postulait que les médias indiquent aux gens *« ce qu'il faut penser »*. Les théoriciens critiques (8) considèrent que cette idée est fausse : pour eux, fondamentalement, les médias prescrivent *« ce qu'il ne faut pas penser »* (la révolution, le changement, la modification des situations collectives et individuelles). Pour les promoteurs du paradigme politique (9), les médias disent aux individus *« ce à quoi ils doivent penser »*. Il ne s'agit pas d'inoculer ou de transmettre des opinions sur tel ou tel sujet, il s'agit de déterminer quels sont les sujets importants, ceux auquel les gens doivent s'intéresser. Dans cette perspective, les sujets dont on ne parle pas ne sont pas importants. Les médias remplissent une fonction d'agenda (10), c'est-à-dire de sélection, par les journalistes et les professionnels des médias, des faits majeurs parmi la masse des informations qui sont émises et qui circulent. Dans le paradigme technologique enfin, les médias sont conçus comme des opéra-

6. E. Katz, « La recherche en communication depuis Lazarsfeld », *Hermès*, n° 4, 1987.
7. Voir, dans ce volume, l'article d'Alexandrine Civard-Racinais, p. 297.
8. Principales figures : Theodor Adorno, Max Horkheimer, Herbert Marcuse, Walter Benjamin, Jurgen Habermas.
9. En particulier Maxwell McCombs et Donald Shaw.
10. Voir mots clés en fin d'ouvrage.

teurs de la pensée : ils modifient la façon de voir le monde. Ainsi la réception et la transmission, par les individus, des messages écrits diffère fondamentalement de celles des messages audiovisuels : à tel point que l'on peut opposer une civilisation de l'écrit à une civilisation de l'image électronique. Ce dernier paradigme s'intéresse au long terme et non au court terme.

Les changements du contexte politique

Si la démarche critique de T. Adorno et de H. Marcuse remettait en cause les fondements du modèle de P. Lazarsfeld, le paradigme politique, établi dans les années 70, peut être analysé comme une tentative pour sauver le point de vue de P. Lazarsfeld. Il adopte une approche empirique, qui a permis d'interpréter des phénomènes que le paradigme de P. Lazarsfeld ne pouvait expliquer : les tenants de ce courant ont montré, par exemple, que lorsque les médias mettent en lumière un problème que les individus considèrent comme important, ils ont un effet puissant, sans pour autant modifier la structure des opinions individuelles (11).

En outre, le contexte politique a singulièrement changé depuis que P. Lazarsfeld s'interrogeait dans un monde sans télévision, où l'identification partisane était très forte. Depuis, le phénomène de l'électorat flottant s'est développé : les électeurs se déterminent en fonction d'un problème (par exemple le chômage, l'insécurité...) et non pas d'un choix global qui résulterait d'une idéologie. Une fraction de la population témoigne à la fois d'une faible appartenance partisane, et d'un fort intérêt pour la politique. C'est dans les médias que ces personnes vont puiser les éléments de leurs choix. Lorsque 20 ou 30 % d'un électorat refuse de se définir comme républicain ou démocrate aux Etats-Unis, ou en France, de gauche ou de droite, les données du problème sont radicalement changées. Cette évolution, peut-être liée à l'élévation du niveau d'éducation et à la généralisation des masses-médias, aboutit à renforcer le rôle des messages médiatiques.

La fin de la fracture empirisme/critique ?

Au cours de la période récente, plusieurs évolutions marquantes se sont manifestées. En premier lieu, des chercheurs s'inscrivant dans le courant critique ont commencé à mettre en place des processus de recherches empiriques : les travaux de David Morley sur les réactions face au journal télévisé en Grande-Bretagne ne seraient pas reniés, au plan de l'enquête, par des sociologues empiristes américains (12). Il s'agit, par exemple, de construire le concept de *knowledge gap*. Ce terme désigne le fossé culturel qui peut exister entre différents individus ou différents groupes sociaux : il est un obstacle à la communication, à l'acquisition des savoirs, et plus généralement à la capacité à décoder et de donner un sens à des informations. Nous avons là un

11. G.R. Funkhouser, « The Issues of the Sixties : an Exploratory Study in the Dynamics of Opinion », *Public Opinion Quarterly*, n° 37, 1973.
12. D. Morley, *Nationwide Audience : Structure and Decoding*, British Film Institute, 1980 ; T. Gitlin (dir.), *Watching Television*, Pantheon, 1987.

concept critique typique, construit à partir d'une enquête de terrain.
De leur côté, les chercheurs empiriques s'interrogent sur des notions qu'ils utilisaient jusqu'à présent comme des données : l'opinion publique, l'information, etc. La grande ligne de fracture entre empirisme et critique, qui était l'une des caractéristiques de la sociologie de la communication depuis les années 50, est en train de se combler et laisse la place à de nouvelles controverses scientifiques.
En second lieu, des chercheurs pratiquent *« un éclectisme de bon aloi »*. Ils cherchent, chez les linguistes pragmatistes, chez E. Goffman, de nouveaux outils d'interprétation. Nous sommes donc dans une période de refondation. Mais le travail accumulé par la sociologie de la communication demeure une base de départ essentielle.

Sommes-nous manipulés ? Les théories sur l'impact des médias

Les interrogations sur les effets de masses-médias sont aussi anciennes que les médias eux-mêmes. Le regard porté sur leur mode d'influence est passé par trois grandes périodes, chacune ayant apporté son lot de théories, dont les prolongements ont pu perdurer bien au-delà des limites de leur période.

L'influence immédiate et massive (1930-1945)

Dans une première période, la théorie dominante est que les masses-médias ont un effet immédiat, massif et prescriptif sur leur audience.

La seringue hypodermique
Les médias injectent des idées, des attitudes et des modèles de comportement dans les cerveaux vulnérables du public composé d'individus séparés. C'est pourquoi on l'a appelé le modèle de la « seringue hypodermique ». Les premières observations relèvent surtout les effets émotionnels de masse de certains messages (ex. : l'arrivée des Martiens simulée par Orson Welles en 1938), et les effets comportementaux des campagnes de persuasion.

La domination idéologique
Les sociologues critiques de l'Ecole de Francfort (Theodor Adorno, Max Horkheimer, Herbert Marcuse) théorisent l'idée que les médias (ou « industries culturelles ») sont l'instrument de diffusion de l'idéologie dominante. Leur influence consiste dans une uniformisation des cadres de pensée et des comportements dans le sens de l'acceptation du système capitaliste. Ce courant a été important en France dans les années 70 et conserve des partisans.

Les effets limités (1945-1960)

Les enquêtes détaillées menées dans les années 40 et 50 aux Etats-Unis ont bousculé l'image d'une toute puissance des médias sur l'opinion publique. Elles ont fait apparaître un modèle plus complexe d'influence et attiré l'attention sur le pouvoir exercé par le public de choisir les informations qui l'intéressent.

Le modèle « à deux temps » (*two-step flow*)
A partir d'études empiriques Paul Lazarsfeld, Elihu Katz (*The People's Choice*, 1948, *Personal Influence*, 1955) montrent que

l'influence des médias est sélective : elle dépend des opinions préexistantes et du réseau de relations interpersonnelles du récepteur. Ce dernier est sensible à l'avis de leaders d'opinion qui lui sont proches. Les effets des médias ne sont donc pas directs : ils sont filtrés et limités à la réception.

Usages et gratification : approche fonctionnaliste
Le courant fonctionnaliste (Bernard Berelson, Charles Wright, Jay Blumler) admet le caractère unificateur des masses-médias, mais écarte l'idée de manipulation : les effets des médias sont mesurés en termes des besoins qu'ils remplissent. Les enquêtes s'intéressent aux usages que font les consommateurs des différents genres de messages et aux satisfactions qu'ils en tirent. Elles partent du principe que les médias informent, cultivent, distraient et suscitent une réception active ou passive.

La thèse culturaliste
Le courant culturaliste britannique (Richard Hoggart, Stuart Hall), part de l'idée que les effets des médias dépendent de la place des récepteurs dans la division sociale du travail et dans la culture. Les médias véhiculent une idéologie dominante, mais la réception qui en est faite dans les classes dominées n'est pas naïve. Elle est distanciée et critique. Par exemple, le goût populaire pour les émissions de distraction ne signifie pas que les gens confondent le contenu des émissions avec leur vie.

LES EFFETS COMPLEXES (1965 -1990)

Dans le courant des années 60, l'importance prise par la télévision conduit les sociologues à accorder une nouvelle importance à l'emprise des médias sur l'opinion publique. Toutefois, ce sont beaucoup moins les effets immédiats que ceux à long terme qui sont étudiés. Par ailleurs, le développement des techniques de communication fait naître l'idée que ces techniques ont un impact profond sur l'organisation des rapports sociaux.

Le poids des technologies
L'hypothèse développée par Harold Innis et Marshall McLuhan est que le média lui-même a une influence déterminante sur nos façons de penser, de sentir et d'agir. M. McLuhan prophétise ainsi la venue d'une société mondiale « retribalisée » sous l'influence des moyens de communication interpersonnels. Ce point de vue continue d'être creusé à propos des masses-médias (Régis Debray, *Précis de médiologie*).

La théorie de la « culture » et les études de socialisation
La *cultivation analysis*, menée par George Gerbner à partir de

1967, développe l'idée que les médias ont une influence profonde et à long terme sur les perceptions, les valeurs et les comportements des individus. Par des analyses de contenu, il cherche à montrer que les grands consommateurs de télévision ont une vision du monde qui reflète celle des médias. Par ailleurs, les études sur la socialisation s'efforcent de mesurer l'effet de la télévision sur les enfants et les adolescents, notamment en matière de violence. Ces études concluent rarement à des effets d'influence massifs et inconditionnels (voir Mireille Chalvon, Pierre Corset, Michel Souchon, *L'Enfant devant la télévision des années 90*).

La « spirale du silence »

Les analyses de Elisabeth Noelle-Neuman (*The Spiral of silence*, 1974) ont soulevé le problème de l'influence « répressive » des médias sur l'opinion publique. Selon E. Noelle-Neuman, en effet, les masses-médias ne reflètent pas la totalité des opinions présentes dans le public, mais seulement une fraction « autorisée ». Ceux qui partagent ces opinions « légitimes » se sentent majoritaires et osent s'exprimer, alors que ceux qui ne les partagent pas se retirent du débat et taisent leurs convictions pour éviter d'être rejetés. Les médias, en somme, sont accusés d'entretenir un consensus artificiel.

La fonction d'agenda

La théorie de la « fonction d'agenda », présentée en 1972 par Maxwell McCombs et Donald Shaw, insiste sur la capacité des médias à focaliser l'attention du public sur certains événements, certains enjeux, sans pour autant lui dicter son opinion. Les développements ultérieurs de cette notion montrent que les médias sont eux-mêmes dépendants d'autres acteurs sociaux.

Les effets de la réception

Les études de réception (par exemple Elihu Katz et Tamar Liebes, *The Export of Meaning*, 1990) s'intéressent à la manière dont les contenus des médias sont retenus, restitués et interprétés par les récepteurs. Elles mettent en valeur l'effet du message, non pas tel qu'il est diffusé, mais tel qu'il est reçu en fonction des ressources culturelles du récepteur. L'influence des médias est donc principalement conditionnée à la réaction du récepteur, qui est liée à la culture de son groupe social ou de sa communauté de vie.

E Katz et T. Liebes ont notamment montré comment le feuilleton *Dallas* était perçu et interprété différemment aux Etats-Unis et en Israël, au sein de communautés différentes (arabes, juives russes, juives marocaines...).

La théorie de l'adoption
Elle s'interroge sur la façon dont les médias influencent la diffusion et l'adoption de certaines innovations (par exemple, l'adoption par les agriculteurs de nouveaux produits et de nouvelles machines).
Le principal représentant de ce courant est Everett W. Rogers, qui a publié, en 1962, *The Diffusion of Innovation.*

Pour en savoir plus...

• R. Rieffel, « Les effets des médias », dans C.-J. Bertrand (dir.), *Introduction à la presse, radio et télévision*, Ellipses, 1995.
• J. Lazar, *Sociologie de la communication de masse*, chap. 8, Armand Colin, 1991.

ALEXANDRINE CIVARD-RACINAIS*

MARSHALL MCLUHAN : L'EXPLORATEUR DES MÉDIAS**

Par ses analyses révolutionnaires, Marshall McLuhan (1911 -1980) a profondément marqué depuis les années 60 les sciences de l'information. Portrait d'un visionnaire.

A CEUX qui voyaient en lui un prophète ou un philosophe des médias et non un scientifique, Marshall McLuhan avait coutume de répondre : « *Je dialogue avec les médias* (1), *je me jette à l'aventure dans l'exploration, je n'explique rien, j'explore. Un explorateur est un être profondément illogique.* » Il laisse derrière lui une œuvre qui n'a pas fait l'unanimité des scientifiques, mais dont les thèses fortes ont connu un grand retentissement, et que les chercheurs ultérieurs n'ont pas pu ignorer. S'il a été critiqué, c'est plus pour sa méthode, procédant par intuitions et « coups de sonde », et ses raisonnements, analogiques plutôt que discursifs (« *Mon travail sur les médias ressemble, en somme, à celui du perceur de coffres-forts.* » (2)). Et nombre de ses intuitions (« le médium est le message », ou la notion de « village planétaire ») sont devenues des lieux communs de notre société.

De Gutenberg à Marconi

Sous-titrée « Les civilisations de l'âge oral à l'imprimerie », *La Galaxie Gutenberg* est l'ouvrage qui fit connaître M. McLuhan au grand public. Brillant essai d'explication du monde moderne, cette œuvre est, à l'image de son auteur,

* Journaliste.

** *Sciences Humaines*, n° 36, février 1994.

1. Si l'on écrit et dit aujourd'hui « un média, des médias », M. McLuhan utilisait encore le latin *medium*, pluriel *media*.

2. *D'Œil à oreille, la nouvelle Galaxie*, Denoël-Gonthier, « Médiations », 1977 (recueil d'articles et un important entretien, traduit et présenté par D. de Kerchove, actuel responsable du Centre de la culture et de la technologie créé par M. McLuhan).

un monument d'érudition. M. McLuhan postule que l'homme change lorsque les technologies se transforment. Là est le pivot de sa théorie qui repose sur le caractère dominant, à une époque donnée, d'un médium (*« Ma définition des média doit s'entendre dans un sens très large ; elle inclut toute technique, quelle qu'elle soit, susceptible de créer des prolongements du corps humain ou des sens, depuis le vêtement jusqu'à l'ordinateur. »* (3)) qui structure notre mode de vie. A partir de ce postulat de base, M. McLuhan formule trois observations :

– toute technologie est liée à l'extension d'un sens. Ainsi, le livre est-il l'extension de l'œil, de même que la radio – que McLuhan appelle le tamtam tribal – est l'extension de l'oreille. Les médias sont ainsi de véritables prothèses, des prolongements technologiques des individus ;

– toute modification technique des masses-médias (l'apparition de la presse, puis celles de la radio et de la télévision comme celle, postérieure à M. McLuhan, de la télématique) entraîne une transformation de l'environnement social mais aussi du mode de perception et du psychisme individuel et collectif ;

– le mode de communication, le médium, importe davantage que le message. C'est ce qu'exprime M. McLuhan lorsqu'il affirme, dans *Pour comprendre les médias*, que *« le medium est le message »*. Ce que véhicule un instrument de communication, c'est d'abord lui-même ; avant de communiquer un message, il exprime un certain rapport au monde, c'est ensuite, par son contenu, un autre médium : *« Le contenu d'un nouveau médium est généralement un médium plus ancien : le contenu de l'écriture est la parole ; celui de l'imprimerie, l'écriture, celui du télégraphe, l'imprimerie ; celui du cinéma, le roman ; et celui de la télévision, le film. »* (4) A partir de ces trois postulats, M. McLuhan décline trois âges de l'humanité :

– l'âge préalphabétique : l'homme, ne sachant ni lire ni écrire, vit en tribu et communique sur un mode oral et gestuel. Il pratique l'artisanat dans un « espace acoustique » où toutes les relations sont simultanées. Les cinq sens humains sont sollicités ;

– l'âge de l'écriture : la naissance de l'alphabet met fin à l'expression orale. *« La plume d'oie mit fin à la parole, elle supprima le mystère. »* Plus tard, l'imprimerie de Gutenberg *« est la phase extrême de la culture alphabétique. Dans sa première phase, cette culture détribalise ou décollectivise l'homme. L'imprimerie est la technologie de l'individualisme. »* De même, le nombre d'outils utilisés par l'homme diminue et c'est la vue qui devient le sens prédominant ;

– avec l'avènement de la « galaxie Marconi », nous entrons dans l'ère de l'électricité, de l'électronique, qui met fin à la suprématie visuelle qui a caractérisé l'âge mécanique et façonne et modèle l'appareil sensoriel tout entier, marquant *« un retour au concept tribal de la discontinuité du temps et de l'espace »*. Le monde était éclaté, il redevient « planétaire », global. Chaque famille est en effet isolée devant son poste de télévision ou

3. *Idem.*
4. C.H. Cornford, cité dans *D'Œil à oreille, op. cit.*

son transistor-radio, par lequel est retransmise une information qui arrive à tous en même temps, faisant ainsi de chaque téléspectateur un membre du « village planétaire ». De ce fait, on assiste à un retour du tribalisme.
Nous sommes, analyse M. McLuhan dès 1962, arrivés à un tournant de l'histoire de l'humanité. Le désarroi et l'inquiétude de l'homme du XXe siècle proviennent de ce qu'il vit au confluent de deux âges : l'âge visuel de l'écriture et de la typographie et l'âge auditif de l'électricité et de la télématique. Transformation qui ne s'accomplit pas sans heurts. Prolongement de *La Galaxie Gutenberg*, *Pour comprendre les médias*, publié en 1964, étudie les transformations qui découlent de la pénétration de « la galaxie électronique d'événements » dans « la galaxie Gutenberg ».

Médias « chauds » et médias « froids »

Une des conséquences de l'avènement de l'ère électronique est l'introduction du cinéma, de la radio et de la télévision dans la vie quotidienne ; médias que M. McLuhan classe à l'aide du critère de participation du récepteur. Les médias « chauds » (*hot*) – presse écrite, radio, cinéma – sont ceux qui délivrent un message achevé, exigeant moins de participation de la part du récepteur. *« Les médias chauds ne laissent à leur public que peu de blancs à remplir ou à compléter. Les médias chauds, par conséquent, découragent la participation ou l'achèvement alors que les médias froids (cool), au contraire, les favorisent. »* Médias « froids » délivrant un message incomplet ou diffus parmi lesquels M. McLuhan range la télévision mais

De la littérature aux médias

Né le 21 juillet 1911 à Edmonton, dans la province canadienne d'Alberta, Marshall McLuhan suit à l'université de Manitoba des études de littérature et de philosophie qu'il achèvera à Cambridge (Angleterre).

C'est la publication de son premier ouvrage, *L'Epouse mécanique : folklore de l'homme industriel*, en 1951, qui lui donnera accès, deux ans plus tard, à la chaire de Culture et des communications de la fondation Ford.

Après avoir enseigné à la Wisconsin University, puis au collège Saint-Michel de l'université de Toronto, M. McLuhan se consacre, à partir des années 60, à l'étude des médias. Dans cette optique, il fonde en 1963, au sein du collège Saint-Michel, un Centre d'études pour la culture et la technologie, alimenté par ses derniers travaux, et qui sera menacé de fermeture en 1981 à la suite d'une polémique qui l'affectera fortement. Il s'éteint le 31 décembre 1980, à l'âge de 69 ans.

aussi les bandes dessinées, les dessins animés, la parole, le téléphone.

McLuhan et le mcluhanisme

Un des principaux apports de cet ouvrage, fondamental pour l'étude des médias, est d'avoir rappelé qu'un même message pouvait avoir des effets très différents selon le média qui en assure la transmission. Ainsi Francis Balle observe-t-il que *« au milieu des années 60, l'aphorisme* (« le message c'est le médium », Ndlr) *a valeur de nouveau paradigme : il opère un renversement dans la représentation qui prévalait à l'époque quant aux relations entre l'homme et les médias... Ensuite et surtout, M. McLuhan invite le chercheur à mettre en évidence le lien qui existe entre la nature des médias et la société globale.* » (5)

M. McLuhan était sans nul doute un précurseur. Edgar Morin, Jean Duvignaud ou Jean-François Revel, dès les années 60, avaient souligné l'intérêt d'une pensée qui, rompant avec les habitudes de la caste universitaire et ses préjugés, tentait de rendre compte de la réalité des nouveaux moyens de communication. Visionnaire, M. McLuhan dénonçait l'emprise des forces de l'argent et du pouvoir sur le fonctionnement des médias, les dangers d'un abus de consommation télévisuelle pour le développement de l'enfant ; il craignait l'utilisation des masses-médias dans une logique de terreur.

A lire sur le sujet...

Principaux ouvrages de McLuhan traduits :

- *L'Epouse mécanique. Folklore de l'homme industriel*, Hurtubise, 1951.
- *La Galaxie Gutenberg*, Hurtubise, 1968.
- *Pour comprendre les médias*, Seuil, rééd. « Points », 1977.
- *Mutations 1990*, Mame, « Médium », 1969.
- *Message et massage*, Pauvert, 1968.
- *Guerre et Paix dans le village planétaire*, Laffont, 1970.
- *Counterblast*, Mame, 1972.

Ouvrage sur McLuhan :

- S. Finkelstein, *McLuhan, prophète ou imposteur ?*, Hurtubise, 1970.

A charge, on pourrait reprocher à M. McLuhan de ne pas avoir abordé de front les réalités économiques et sociales liées au fonctionnement des médias.

On a aussi reproché à M. McLuhan son « déterminisme technologique », faisant des médias un instrument tout-puissant qui façonne les esprits. Or, à la suite de Paul Lazarsfeld, les recherches contemporaines montrent au contraire les capacités de « filtrage » des informations reçues par les spectateurs, auditeurs, lecteurs... Si la machine n'est pas toute-puissante, la thèse de M. McLuhan reste une référence (même négative) pour comprendre l'impact des médias sur nos sociétés.

5. F. Balle, *McLuhan. Profil d'une œuvre : pour comprendre les médias*, Hatier, 1972.

Jean-Noël Kapferer*

LES CHEMINS DE LA PERSUASION PUBLICITAIRE**

Comment la publicité agit-elle ? Les publicitaires mesurent l'impact de leurs campagnes, les chercheurs s'interrogent sur les processus psychologiques par lesquels elle atteint ses effets. Bilan des recherches actuelles sur le fonctionnement des communications persuasives.

La publicité est la forme la plus visible, la plus omniprésente, de la persuasion de masse. On la rencontre dès le réveil, au matin, en écoutant la radio, en lisant le journal, en marchant dans la rue ; on la retrouve dans les magazines professionnels ou grand public, à la télévision ou au cinéma enfin. En France, le budget publicitaire d'une campagne atteint désormais dix millions de francs au minimum, pour une marque grand public désireuse d'acquérir une certaine visibilité.

Pourtant, paradoxalement, on ne sait pas comment la publicité fonctionne, par quel processus psychologique elle atteint ses effets. Certes, chacun a son idée et les théories ne manquent pas. En revanche, l'analyse scientifique de l'influence publicitaire ne débouche pas sur une vision univoque et simple de ce processus. Mais la quête d'un mode unique est peut-être vaine, et l'on devrait parler des processus de l'influence publicitaire, au pluriel, différents selon le type de situation. En effet, ce que l'on peut attendre de la publicité pour une banque très connue est fort différent de ce que l'on peut espérer pour une banque nouvelle qui s'introduirait en France. De même, le fonctionnement de la publicité est identique aussi bien pour une lessive qui apporte un progrès tangible que pour un nouveau parfum

* Professeur à HEC. A publié *Les Marques, capital de l'entreprise*, Editions d'Organisation, 1991 ; *Les Chemins de la persuasion*, Dunod, 1990 ; *L'Enfant et la Publicité*, Dunod, 1985.

** *Sciences Humaines*, n° 38, avril 1994.

dont le nom et les évocations imaginaires sont le moteur de la curiosité et de l'essai. Enfin, la publicité n'a sûrement pas le même effet selon que le produit est « impliquant », important pour le client ou, au contraire, très secondaire et peu important. Cette multiplication des situations n'oppose pas une fin de non-recevoir à la question du mécanisme de l'influence publicitaire mais en stipule les limites : si la réalité est multiforme, toute théorie simple ne sera que partielle.

La publicité, une pratique empirique

De même qu'il n'est pas nécessaire de comprendre la physique pour faire du vélo, la pratique de la publicité s'est développée, en même temps qu'un secteur économique florissant (les agences de communication) de façon empirique. Chacun constatait que des campagnes publicitaires pouvaient déclencher la ruée dans les magasins ou contribuaient à créer à long terme un halo d'exclusivité attaché au nom d'une marque, dissuadant même d'essayer d'autres marques, ayant pourtant peut-être un produit comparable.

Parallèlement, le milieu publicitaire a suscité des mesures sur des variables jugées « intermédiaires », censées être des préalables, voire, pour certaines, des conditions *sine qua non*, à des effets comportementaux. C'est pourquoi il n'est pas de campagne publicitaire d'importance qui ne soit suivie d'enquêtes quantitatives par sondages où l'on mesure le taux de reconnaissance de la campagne, le taux de souvenir d'un ou plusieurs de ces éléments, la notoriété de la marque et du produit, la compréhension de ceux-ci et de leur avantage présumé, l'image ou les croyances relatives à cette marque et enfin l'attitude des consommateurs à son égard, prédisposition favorable ou défavorable.

Implicite derrière ces mesures se profile une théorisation du cheminement de l'influence publicitaire, chaque mesure étant comparable à une marche d'un escalier que la publicité chercherait à nous faire gravir. Hélas, toutes les campagnes mémorisées ne sont pas des réussites, aussi ne peut-on se contenter d'une telle théorisation ! Ce qu'il faut comprendre, ce sont les conditions qui produisent une attitude favorable, un changement d'image ou une modification des intentions d'achat. Le souvenir du message est-il nécessaire ou suffisant ? Faut-il aimer une publicité pour qu'elle soit efficace ? Les changements d'attitude précèdent-ils l'essai ou n'en sont-ils que la conséquence ? Autant de questions que la mesure des variables d'efficacité à la suite d'une campagne laisse sans réponses. Ce n'est que de l'examen de nombreuses études d'efficacité que pourrait émerger une théorisation, une modélisation des effets, en fonction de certains paramètres types tels que le degré d'implication des consommateurs, l'ancienneté de la marque et du produit annoncé, du caractère tangible ou non de l'avantage mis en avant.

Faute de cette réponse, on doit nécessairement travailler à partir du cumul des études publiées, qu'elles soient issues de la profession publicitaire ou qu'elles émanent de la recherche académique. Or de fait, depuis 1965, on compte par centaines les expériences menées sur les campus américains pour évaluer l'efficacité de telle ou telle pratique de la publicité, ou pour tester telle ou telle hypothèse quant au mode de fonctionnement partiel de la publicité. Cette recherche académique est tout entière inscrite dans un paradigme expérimental, où l'on contrôle l'environnement pour être mieux à même d'isoler des relations de cause à effet. Elle s'est révélée très prolixe aux Etats-Unis en produisant si ce n'est une théorie du moins un ensemble de données, faits et expériences éclairant telle ou telle partie du processus de la persuasion publicitaire. Avec le recul du temps, il est possible de dégager les principaux enseignements de ces études, assez méconnues en France. Le but du présent article est de faire un point sur les enseignements actuels de la recherche sur le fonctionnement de la publicité et, plus généralement, des communications persuasives (1).

Les réactions émotionnelles à la publicité

La publicité aime déclencher des réactions. C'est un signe d'implication du public dans le message. Mais quel est le statut de ces émotions ressenties ? Contribuent-elles à l'efficacité globale ou ne sont-elles que le sous-produit d'une forte valeur d'attention ? Le fait de rire, de s'émouvoir, d'être irrité par une publicité engendre-t-il un supplément d'attraction pour la marque ou de répulsion (comme, semble-t-il, Benetton en a fait récemment l'expérience) ? De même, est-il important qu'une publicité plaise ? Chacun se souvient des réactions hostiles à la platitude des publicités de lessives ou de couches pour bébés. Cela n'a pourtant pas nui aux ventes et à l'image des marques. Les chercheurs ont longtemps négligé ces jugements affectifs portés sur la publicité et les émotions ressenties durant l'exposition. Par penchant ou tradition, la recherche académique s'est focalisée sur les processus exclusivement cognitifs du traitement de l'information publicitaire : le consommateur n'est censé en extraire que de la connaissance des caractéristiques fortes de la marque, ce qui produit ou non un intérêt pour celle-ci. Les émotions certes existent mais elles sont traitées comme des sources de distraction pendant le contact avec la publicité. Or, on le sait, la distraction abaisse les défenses critiques, ce qui facilite la persuasion. (C'est pourquoi incidemment Rhône-Poulenc sponsorise l'émission « Ushuaïa » : l'entreprise chimique en a retiré une image écologique qu'aucune campagne de publicité n'aurait pu lui fournir. Une publicité aurait suscité des réactions critiques et probablement accentué les attitudes hostiles.)

Un retournement complet chez les chercheurs s'est produit depuis la prise de conscience que l'attitude vis-à-vis d'une marque, mesurée après exposition à sa publicité, était déterminée par l'idée que l'on se fait via la publicité des performances fonctionnelles ou symboliques de celle-ci, mais aussi par les

1. Pour une description plus approfondie de ces travaux accompagnée d'une bibliographie conséquente, voir J.-N. Kapferer, *Les Chemins de la persuasion*, Dunod, 1990 ; *L'Enfant et la Publicité*, Dunod, 1985.

sentiments ressentis à l'égard de sa publicité ou pendant la publicité. En d'autres termes, l'attitude vis-à-vis d'une marque, l'attirance qu'elle exerce se nourrit certes de ce qu'elle dit (le fond) et de ses productions physiques (le produit), mais aussi du comment elle le dit, de ses productions symboliques (discours, etc.). Il existe une corrélation significative entre l'attitude vis-à-vis de la publicité et les jugements subséquents portés à l'égard de la marque. La forme publicitaire ne saurait être tenue uniquement pour un lubrifiant, un facilitateur de contact, mais pour un lien direct entre le consommateur et la marque.

Quel poids ces déterminants affectifs de l'attirance de marque ont-ils par rapport aux déterminants cognitifs (l'image que l'on se fait des performances de la marque) ? Faut-il en déduire que la publicité peut se passer de fond, de concept et n'être que forme, codes, mise en scène et territoire de signes ?

Non. En réalité les facteurs affectifs liés à la forme du message publicitaire pèsent le plus dans deux situations :

– lorsque le produit est utile et l'implication des consommateurs très faible (par exemple une publicité pour des éponges). Le public n'alloue pas d'énergie au traitement cognitif de la publicité, il ne cherche pas à en extraire un contenu pour fonder une décision importante. Il se laissera séduire par l'humour par exemple, ce qui rejaillira sur la saillance de la marque. L'essai du produit ne surviendra que plus tard ;

– lorsque le produit a une fonction symbolique et que l'implication des consommateurs est forte (c'est le cas des parfums). En ce cas, l'émotion ressentie et l'adhésion à la publicité sont le signe d'une identité de valeurs et de sensibilité entre la marque et la consommatrice. C'est probablement ce que vendent au fond les parfumeurs.

Dans tous les autres cas, ce sont les facteurs cognitifs (perception et image de la marque à travers la publicité) qui pèsent de façon prédominante sur l'attitude vis-à-vis de la marque et du produit qu'elle présente.

L'empreinte des marques dans la mémoire

Notre œil balaye des centaines de pages de publicité sans y porter trop d'attention. Que reste-t-il de ces balayages visuels préattentifs, c'est-à-dire avant que l'attention consciente ne se focalise sur tel ou tel point du champ visuel ? L'un des débats les plus anciens de la pratique des études publicitaires concerne la manière de mesurer l'efficacité d'un message. Faut-il demander aux interviewés de quelles publicités ils se souviennent, ou leur montrer ces publicités en leur demandant s'ils ont le sentiment de les avoir déjà vues ? En d'autres termes, doit-on mesurer le souvenir conscient de la publicité ou la reconnaissance de celle-là ? Il apparaît que pour des médias fugaces tels que la radio, les interviewés sont dans l'incapacité de citer spontanément et de mémoire les spots qu'ils ont entendus récemment. En revanche, les mêmes personnes sont promptes à reconnaître les spots qu'ils ont entendus. L'accent mis sur le souvenir conscient comme préalable à l'efficacité publicitaire s'inscrit dans une conception de la publicité

très scolaire où le consommateur devrait d'abord faire la preuve qu'il a « appris » le message pour en être influencé. Or, nos rencontres avec la publicité sont de plus en plus furtives, incidentes, involontaires, esquivées, zappées. Que reste-t-il des panonceaux vantant le nom d'une marque installés le long de la pelouse du Parc des Princes. Les téléspectateurs du Tournoi des Cinq Nations les ont bien vus mais les ont-ils regardés ? Cette succession de contacts furtifs effleurés ne laisse pas de souvenir mémoriel conscient ; en revanche, elle crée de la familiarité avec la marque, de la sympathie et associe celle-là à une notion de dynamisme et de modernité. C'est ainsi que fonctionne largement le sponsoring d'émissions télévisées. Quant au processus psychologique sous-jacent, il s'apparente au conditionnement classique : le stimulus-marque est présenté en contiguïté avec un stimulus chargé en émotions positives (telle émission de télévision ou tel événement sportif interne).
Il ne faut certes pas exagérer la portée et l'efficacité du sponsoring : c'est un levier remarquable de notoriété et de sympathie. Mais, à une époque où les consommateurs demandent du contenu aux marques, il ne suffit plus d'être simplement connu et sympathique. La publicité est donc nécessaire pour donner à la marque ses attributs et son contenu différenciateur. A l'inverse, un grand nom tel celui d'une banque, déjà connu de tous et dont la publicité est elle-même connue, peut trouver dans cette myriade de contacts furtifs des leviers de redynamisation de son image.

Forces et limites des messages subliminaux

Dans ce domaine de recherches, la théorie de la persuasion subliminale a franchi les portes du laboratoire pour se diffuser dans le grand public. Vedettarisée par des livres chocs tels que *La Persuasion clandestine,* du journaliste Vance Packard (2), la publicité subliminale a fait couler beaucoup d'encre. Est-il donc possible d'influencer des consommateurs en leur projetant des publicités à une vitesse subliminale, c'est-à-dire si rapide qu'ils ne peuvent avoir conscience de les avoir vues et, *a fortiori*, de s'en souvenir ?
Depuis 1980, on a vu réapparaître ici et là, dans des revues scientifiques sérieuses, les comptes rendus d'expériences nouvelles sur la communication subliminale. L'expérience typique consiste à projeter des « messages » à vitesse subliminale plusieurs fois de suite. Les messages sont généralement constitués de visages inconnus ou de mots étrangers, n'ayant donc pas de sens préétabli dans la population, ou encore des noms de marques inconnues. On constate en général, alors même que les interviewés de l'expérience disent n'avoir jamais vu ce visage, ce mot ou ce nom de marque, qu'ils le trouvent d'autant plus sympathique qu'ils y ont été exposés de nombreuses fois. Ces expériences démontrent donc que l'approche subliminale n'est pas la panacée de la manipulation des masses mais qu'elle produit un effet affectif sur des *stimuli* nouveaux, vierges, n'ayant

2. V. Packard, *La Persuasion clandestine*, Calmann-Lévy, 1989 (1re éd. 1958).

pas déjà une signification pour le public. Pas question donc d'amener ainsi un fanatique d'Orangina à boire un Cola s'il n'aime pas ce second. Par ailleurs, ces effets affectifs sont faibles. Ils sont certes « significatifs » dans un contexte expérimental où toutes les autres variables sont contrôlées. On peut penser que leur apport serait faible dans la vie réelle comparativement à ce que peut apporter la répétition visible et consciente de messages publicitaires riches en connotation ou en informations.

Si le subliminal est de peu d'utilité pratique, en revanche sur le plan théorique il rappelle qu'une partie du message est extraite par le lecteur ou le spectateur à un niveau préconscient. On sait peu de choses encore sur ces phénomènes courants en publicité, « d'apprentissage fortuit ».

Les consommateurs abordent-ils la publicité différemment selon qu'ils sont ou non impliqués dans le sujet ou la catégorie de produit ? Si chacun pressentait confusément que la réponse est affirmative, on doit à deux psychologues américains d'avoir largement contribué à la compréhension des processus mêmes de traitement de l'information publicitaire. Selon Richard E. Petty et John Cacioppo (3), on doit distinguer deux processus types. Dans le premier, appelé « traitement central », le consommateur impliqué aborde la communication de façon critique et soumet le message à un examen sur le fond. Dans ce traitement c'est moins ce que le message dit que ce que le sujet pense qui est déterminant.

Le second mode de traitement de la publicité est dit « périphérique ». Le consommateur peu impliqué, peu motivé, se base sur des heuristiques pour se faire une opinion, c'est-à-dire des signes extérieurs encourageant l'acceptation ou le rejet de la communication et de ses conclusions. Ces signes peuvent être ainsi la source (qui parle ? est-ce quelqu'un de connu ? quelqu'un de crédible sur ce sujet ?) ou le nombre des arguments (plutôt que leur contenu intrinsèque), ou le nombre de croyants, etc. Grâce à ces indices superficiels, le spectateur se forme une opinion sans investir trop de temps et d'énergie. Néanmoins ici, à la différence du traitement central, les opinions formées ne sont pas durables.

De nombreuses expérimentations ont été menées afin de tester cette conceptualisation des traitements de la publicité. On constate bien que l'effet de source opère surtout sur les non-impliqués, que les impliqués évaluent les messages en examinant la qualité des arguments alors que le nombre d'arguments suffit à convaincre les moins impliqués.

L'intérêt de ce modèle est de rappeler que pour maintes publicités, le consommateur est bien en situation d'implication faible. Cela commande l'adoption d'un style créatif et le choix de médias en rapport avec les limites à la capacité ou volonté de traitement de l'information associées à la non-implication. D'une façon générale les premières conceptualisations de la publicité avaient pêché par excès en présumant un

3. R.E. Petty et J.T. Cacioppo, *Communication and Persuasion : Central and Peripheral Routes to Attitude Change*, Springer-Verlag, 1986.

consommateur-spectateur actif et critique. En général c'est l'inverse. Le challenge de la publicité moderne est moins de convaincre de la différence que de vaincre l'indifférence. Les critiques de la publicité et les chantres de la manipulation des masses tombaient dans le même excès : ils méconnaissaient l'effet dévastateur de la désimplication et la fonction d'écran qu'elle joue face aux milliers de messages rencontrés plus ou moins incidemment.

Médias, acteurs et société

POINTS DE REPÈRE : RADIOSCOPIE DES MÉDIAS

Les recherches menées aux Etats-Unis et en France sur les médias remettent en cause les visions sommaires de l'influence des médias sur le public.
A la fin des années 40, le chercheur américain Harold H. Laswell conçoit un programme de recherche pour analyser les médias. En s'inspirant de ce programme, on peut déterminer les différentes étapes du processus médiatique à partir des questions suivantes : qui ? dit quoi ? comment ? à qui ? avec quels effets ?

Qui ?

Les producteurs d'information et de divertissement sont :
- les hommes politiques, responsables économiques et syndicaux, artistes, intellectuels, sportifs ;
- les professionnels des médias : producteurs, réalisateurs, rédacteurs en chef, journalistes, publicitaires... ;
- les citoyens partie prenante dans un événement (attentat, grève...) ou invités à s'exprimer (*talk show*, courrier des lecteurs).

Les journalistes tiennent un rôle particulier dans le système médiatique.
Ils sont environ 30 000 professionnels en France. Ils étaient 10 000 en 1965 et 17 000 en 1980, 27 000 en 1990. 15 % ont suivi une formation spécifique au journalisme.

Leur degré d'autonomie varie selon les journaux, la ligne éditoriale, les contraintes techniques (délais, espace...). Mais ils doivent également tenir compte de la déontologie, des modèles rédactionnels (investigation, commentaires...), de leur carnet d'adresses, etc. Des enquêtes récentes ont montré une certaine perte de confiance des Français dans la rigueur du métier de journaliste.

A lire sur le sujet...
- « Les professionnels de la télévision », *Sociologie du travail*, 4/93.
- M. Mathien, *Les Journalistes et le système médiatique*, Hachette, 1992.
- Y. Roucaute, *Splendeurs et misères des journalistes*, Calmann-Lévy, 1991.
- R. Rieffel, *L'Elite des journalistes. Les hérauts de l'information*, Puf, 1984.

Dit quoi ?

LES FONCTIONS DES MÉDIAS

Elles sont diverses : informer (actualités, culture...), divertir (musique, films, jeux...), ou les deux (publicité). Il s'agit aussi de créer des contacts (petites annonces) ou de s'exprimer (tribune politique, courrier des lecteurs)...

L'ANALYSE DE CONTENU

Elle permet de déterminer les types de messages explicites ou implicites émis par les informations, les films, etc. Ainsi, la publicité diffuse des images stéréotypées des rôles sociaux de l'homme et de la femme, de la décoration des appartements et des modes vestimentaires...

Jules Gritti, spécialiste des médias, a montré que la télévision généraliste ne pouvait pas se réduire à une analyse unilatérale. Elle correspond à une culture de « l'entre-deux ». Les informations sont régies en partie par le scoop, la rapidité de traitement. Mais on trouve aussi des enquêtes approfondies (reportages, débats...). Les films diffusés sont de plusieurs ordres : série B de mauvaise qualité, téléfilms et grands classiques du cinéma. La présence de jeux, d'émissions culturelles, de débats, de sport contribue à en faire un instrument diversifié et « hybride ».

LA SÉMIOLOGIE

de l'image, des textes... est une discipline spécialement consacrée à l'interprétation des signes produits par les médias.

A lire sur le sujet...

- P. Viallon, *L'Analyse du discours de la télévision*, « Que sais-je ? », 1996.
- E. Katz et D. Dayan, *La Télévision cérémonielle*, Puf, 1996.
- J. Gritti, « La télévision hybride », *Sciences Humaines*, n° 13, janvier 1991.

Comment ?

LA PRESSE ÉCRITE

Il y a en France 70 journaux quotidiens, et plus de 30 000 titres périodiques divers : de *Télé 7 jours* (3 millions d'exemplaires diffusés) au *Journal de l'association des amis de Paul Valéry*... Parmi les périodiques, environ 3 000 titres ont une finalité professionnelle.

LA RADIO

Jusqu'à la création des radios libres (début des années 80), il y avait une douzaine de stations en France ; elles sont aujourd'hui 1 500. Les meilleures audiences : RTL 15 %, Europe 1 et France Inter (environ 10 % chacune) ; les radios locales et spécialisées représentent 45 % de l'audience totale.

LA TÉLÉVISION

Outre les six chaînes hertziennes nationales, il existe une douzaine de chaînes thématiques (dont LCI spécialisée dans l'information) et une vingtaine de chaînes locales. Avec l'usage des antennes paraboliques, puis la création de « bouquets numériques », le nombre de chaînes est en train de se démultiplier.

LES AUTRES MÉDIAS

On parle beaucoup des médias électroniques (Internet), mais il ne faut pas oublier les principaux autres médias : l'affichage, le courrier publicitaire, les tracts, etc., et bien entendu le livre.

A lire sur le sujet...
- C.-J. Bertrand (dir.), *Médias, introduction à la presse, la radio, et la télévision*, Ellipses, 1995.
- J.-M. Charon, *La Presse en France, de 1945 à nos jours*, Seuil, 1991.
- Christian Brochand, *Economie de la télévision française*, Nathan université, 1996.
- F. Barbier et C. Bertho-Lavenir, *Histoire des médias*, Armand Colin, 1996.

A qui ?

Nous sommes tout à la fois auditeurs, téléspectateurs, lecteurs...

LECTURE DE LA PRESSE

Par rapport aux autres pays occidentaux, les Français lisent peu la presse quotidienne (50 % lisent un quotidien au moins 3 fois par semaine) mais ils sont de grands consommateurs de magazines (95 % des plus de 15 ans en lisent).

LA RADIO

98 % des foyers sont équipés en radio. 70 % des Français et 65 % des Françaises écoutent la radio tous les jours.

LES TÉLÉSPECTATEURS

La durée d'écoute moyenne par jour est de 210 minutes (3 h 30). Elle était de 2 h 15 en 1976. Cette « activité » peut être principale ou secondaire lorsqu'on regarde la télévision en mangeant, en lisant ou en discutant...

LE PUBLIC

Il n'est pas un récepteur passif. D'abord parce qu'il a la capacité de choisir ses journaux (nul n'est forcé d'acheter telle ou telle publication), ensuite, parce qu'il exerce collectivement une pression sur les médias (audimat et chiffres de vente des journaux), enfin parce qu'il sait filtrer l'information.

A lire sur le sujet...
- Enquêtes *Médiamétrie.*
- D. Bahu-Leyser et H. Chavenon, *Audience des médias : guide France Europe*, Eyrolles, 1990.
- « Les médias et leur public », *Médiaspouvoirs*, janvier/mars 1991.
- *Les Pratiques culturelles des Français*, La Découverte, 1989.

Avec quels effets ?

L'étude de l'effet des médias a connu trois grandes périodes :

Dans les années 30, les études américaines pensaient l'impact des médias en termes de relation de cause à effet sur le modèle de la « seringue hypodermique ». Les médias ont une influence qui est proportionnelle à leur force de pénétration.

Des années 40 à 60, les travaux empiriques menés aux Etats-Unis, sous l'impulsion notamment de P. Lazarsfeld et E. Katz, ont fortement relativisé l'impact supposé des médias. Les enquêtes sur l'influence des campagnes électorales montraient que le public savait filtrer l'information et que l'impact des médias était toujours limité.

A partir des années 70, des modèles plus complexes ont émergé.
L'impact sur le public varie selon les publics considérés, la nature des émissions (campagne électorale, publicité), le type de média, le mode d'influence (socialisation des individus, incitation à l'achat pour la publicité, transmission de connaissances, etc.).

A lire sur le sujet...
- R. Rieffel, « Les médias et leurs effets », *Cahiers français,* n° 258, 1992.
- D. Dayan, « Les mystères de la réception », *Le Débat,* n° 71, 1992.
- « A la recherche du public, réception, télévision, médias », *Hermès,* n° 11-12, 1993.

LA VICTOIRE DES MÉDIAS

ENTRETIEN AVEC DOMINIQUE WOLTON *

La généralisation des médias de masse correspond à l'avènement de la démocratie de masse. La « victoire » de la télévision, dans les années 80, a généré une élite médiatique restreinte. Celle-là n'a pourtant que peu d'influence sur l'évolution de la société.

***Sciences Humaines :* Est-il pertinent de parler, en cette fin de siècle, du pouvoir des médias de masse : télévision, radios, etc. ?**

Dominique Wolton : Lorsque l'on parle du pouvoir des médias depuis la Libération, il convient de distinguer deux étapes. Des années 50 aux années 80, on a assisté à la montée en puissance du rôle des médias. La seconde étape, qui a débuté dans les années 80 et qui se poursuivra probablement pendant une dizaine d'années, est beaucoup plus critique. Cette nouvelle phase constitue une rupture importante, liée à la « victoire » des médias et à leur difficulté à ne pas en profiter excessivement.

Durant la première période, c'est évidemment la radio puis la télévision qui se sont développées le plus. La presse écrite, principalement la presse quotidienne d'information et d'opinion, s'est trouvée déstabilisée. Elle traverse, en France et dans le monde, une crise qui n'est somme toute pas très grave. Contrairement à l'opinion répandue, il est probable, au contraire, que plus le son, les images et l'édition électronique se développeront et plus les gens liront. On sait d'ailleurs que la presse magazine a bien résisté et que la presse spécialisée s'est beaucoup développée. La concurrence est d'abord venue de la radio, qui fut le grand média des années 50, 60 et 70. Elle a probablement eu du pouvoir mais aussi une certaine autonomie car la puissance publique ne s'en est jamais trop occupée, malgré une intervention financière massive de l'Etat dans ce secteur. Cependant, la radio n'a pas modifié les équilibres de pouvoir dans la société. Si elle a accentué fortement la possibilité de liberté d'expression, elle n'est pas à l'origine du renforcement du mythe du quatrième pouvoir. Les dérives, les « bavures » médiatiques ont plutôt été l'apanage de la télévision dans la période récente.

Dans l'ensemble, cette montée en puissance de l'après-guerre,

* *Directeur de recherches au CNRS, Laboratoire de communication et politique, directeur de la revue* Hermès, *auteur de nombreux ouvrages dont* Eloge du grand public, une théorie critique de la télévision, *Flammarion, 1993, et* Penser la communication, *Flammarion, 1997.*

due à l'explosion télévisuelle, a été favorable. Malgré quelques problèmes, la montée spectaculaire du rôle des images dans les dernières décennies constitue la condition de fonctionnement de la démocratie de masse. Comment faire participer le plus grand nombre à la politique, sans lui donner les moyens d'information et de communication ? Il faut d'ailleurs souligner que l'augmentation de l'offre d'images s'est effectuée conjointement à une augmentation de la capacité critique des journalistes de l'audiovisuel, qui se sont battus pour desserrer l'étau de la tutelle étatique. Une exigence éthique et professionnelle, issue de cette période, demeure dans les actuelles télévisions privées, au moins en ce qui concerne le traitement de l'information. Cette première période a donc été favorable pour de multiples raisons : ce fut l'augmentation croissante du rôle de l'information et de la communication dans un espace où il fallait se libérer de la mainmise du pouvoir politique, acquérir une indépendance économique. On peut estimer que les citoyens en ont été, finalement, les bénéficiaires.

***SH :* A votre avis, pourquoi les gouvernants ont-ils si longtemps cherché à contrôler le supposé pouvoir médiatique ?**

D.W. : A la Libération, les hommes politiques français ont supprimé la presse collaborationniste. Ils avaient également le souvenir de l'influence de la presse écrite et de la radio des années 20, au service du fascisme en Italie ou du nazisme en Allemagne. Cette presse et la radio, conçues dans les années 20 comme des outils d'émancipation, étaient apparues comme des outils de manipulation.

La réglementation issue de la Libération provient de cette appréhension. Le pouvoir politique, ignorant le pouvoir des médias et supposant un effet puissant, a tenté – à travers l'audiovisuel public tout particulièrement – d'encadrer. N'exagérons pas le rôle de l'Etat ! Qui a vraiment exercé une dictature sur l'ORTF ? Attendons vingt-cinq années de dérégulation, de concurrence commerciale, et probablement nous apercevrons-nous que l'organisation publique est une forme plus honnête ! En France, la tradition anglo-saxonne d'analyse sociologique des médias, particulièrement féconde depuis les années 40 au travers de l'œuvre de théoriciens comme Paul Lazarsfeld ou Elihu Katz, est demeurée minoritaire. Elle part de l'idée que l'influence des médias est limitée, parce que le public sait résister aux images qu'il reçoit. Il n'est pas passif.

Dans cette hypothèse théorique, on retrouve l'un des paradigmes centraux de la démocratie depuis le XVIIIe siècle qui est la capacité d'intelligence du public. Si l'on considère que le public est assez intelligent pour devenir citoyen et être à l'origine de la légitimité dans la démocratie, ce qui est le fondement même du suffrage universel, comment alors considérer que ces mêmes individus lisant un journal ou regardant la télévision perdraient toute faculté critique, seraient hypnotisés, et pourraient être aisément manipulables ? On ne peut raisonnablement faire l'hypothèse de la manipulation et de l'influence forte des médias sans dénier au citoyen sa capacité de fonder l'ordre politique de la démocratie. Ces recherches prouvant l'effet limité de l'influence des médias confirment ce que l'on sait depuis longtemps : les gens sont plus intelligents que ce que croient les élites. Celles-ci se font une représentation péjorative des masses populaires et des opinions publiques. La question théorique majeure est de comprendre les conditions de fonctionnement de la démocratie de masse, pour qui tout citoyen est à la source de la légitimité politique. Il s'agit là, avouons-le, d'une ambition et d'un pari incroyables. La généralisation des médias de masse s'inscrit dans l'histoire de l'avènement de la démocratie de masse et de la société de consommation. La communication de masse n'est pas à la source d'un populisme ou d'un despotisme particulier, comme certains commentateurs et éditorialistes se plaisent à le dire régulièrement, aussi bien pour Bernard Tapie que pour Silvio Berlusconi. En cinquante ans de médias de masse, il n'y a pas eu plus de démagogie qu'autrefois. Cela relativise, même si évidemment cela ne veut pas dire que tout risque soit absent.

***SH :* Après une première période favorable de généralisation de la communication de masse, que s'est-il passé ?**

D.W. : La situation actuelle, débutée dans les années 80, provient de la victoire de la télévision et de la communication de masse. Par exemple, la logique des relations entre le pouvoir politique et les médias audiovisuels s'est rapidement modifiée, allant parfois jusqu'à s'inverser. Depuis une quinzaine d'années, la communication prévaut sur la politique. Ce renversement provient de la création de la « sphère » médiatique incluant, en un fonctionnement interdépendant, quelques membres de l'intelligentsia médiatique, le sommet des appareils politiques à vocation gouvernementale et une fraction des journalistes télévisuels et éditorialistes de presse. Ce renversement est à la fois source et conséquence de l'hypermédiatisation de la réalité en général et de la politique en particulier, de la concurrence acharnée des médias, par l'ouverture du fantastique marché de la communication. Dans ce cadre, les journalistes se sont autoconsacrés gardiens de l'espace public médiatisé. Ils ne savent plus la limite de leur rôle, car l'espace médiatique apparaît à tort comme le seul à garantir l'existence d'un fait ou d'un débat. L'ensemble des élites s'est mis à tenter de passer par les médias de masse abandonnant leur propre mode de communication interne. Les médiateurs ont confondu le contrôle de l'accès aux médias avec le contrôle de la réalité !

Dans les années 80, le mode de communication médiatique est progressivement, mais rapidement, devenu le seul mode de communication social possible. La véritable crise sociologique est là. Le problème n'est sûrement pas qu'il y ait plusieurs télévisions et radios concurrentielles, mais plutôt que le monde de la communication ait trop d'influence. Au sens d'aujourd'hui, les hommes politiques ont à tort le sentiment de n'exister que par la communication. En fait, ceux-là acceptent que toute politique soit en premier lieu une politique de communication, ce qui n'est pas évident. Il n'est que de se référer au débat constant entre le gouvernement et l'Assemblée nationale sur la primauté de l'annonce des informations et orientations politiques. Le premier ministre, Alain Juppé, s'est vu reprocher d'avoir annoncé son projet de modification de loi de finance par voie de conférence de presse avant d'en avoir réservé la primeur à la représentation nationale. Cette question n'est pas spécifiquement française. Les communicateurs, au sens large, ont profité de la dépendance dans laquelle les hommes politiques se sont mis à leur égard. On constate ainsi une dégradation de la qualité professionnelle des journalistes. On a assisté à la formation d'une élite médiatique omniprésente, vingt ou trente personnes que l'on retrouve partout dans les télévisions, les radios et la presse écrite. Leurs livres, en raison même de cette omniprésence et de cette conformité, sont eux aussi les seuls à se vendre en masse. Les membres de ce cercle médiatique n'ont certes aucune influence fondamentale sur l'évolution de la société, mais ils donnent l'illusion de l'influence par l'unicité et la récurrence de leur discours.

***SH :* Quelle pourra être l'évolution des médias et des communications spécifiques (sports, Eglises, entreprises, etc.) ?**

D.W. : Les modes de communication traditionnelle des communautés partielles et institutions particulières auxquels vous faites allusion sont également en crise. C'est le second aspect de la mutation sociologique liée à l'hypermédiatisation. Les institutions, l'armée, les Eglises, la communauté scientifique ou médicale... ont vu leur mode de communication délégitimé dans le grand mouvement de médiatisation et de démocratisation de masse qui court depuis un demi-siècle. Ainsi, les communautés autonomes ont abandonné la préservation de systèmes de communication partiels, pour finir par obéir aux impératifs de la communication de masse. Il n'y a, si j'ose dire, pas de mystère : un prêtre ne peut délivrer le même message qu'un journaliste, et pourtant on lui demande de plus en plus de s'exprimer de la même manière. Il est probable que les dégâts de la communication de masse sont d'autant plus forts que les institutions intermédiaires abandonnent leur expression spécifique. Cela signifie concrètement que l'armée, les Eglises, la recherche, le monde de la culture, etc., tout en cherchant à accéder à la communication de masse, devraient persister à entretenir une communication interne, et à la légitimer. La raison essentielle est qu'une part majeure du message, et des valeurs des institutions intermédiaires, ne relève pas de la médiatisation de masse. Par exemple, on dit parfois que l'Eglise est retardataire et ne sait pas utiliser les règles de la communication moderne. Une telle opinion est difficilement recevable. Le temps de communication de l'Eglise est la longue durée, pas l'immédiat qu'imposent les formes actuelles de la médiatisation. En France, si les gens ne comprennent pas le discours de l'Eglise, ce n'est pas parce qu'il est mal expliqué. C'est que nous sommes actuellement dans un espace public dont les valeurs sont à dominante laïque, et que tout discours religieux ou métaphysique paraît décalé par rapport aux valeurs dominantes. La question est, pour l'Eglise, de sélectionner des messages recevables par le grand public et correspondant à ses options fondamentales, et, simultanément, de préserver et de valoriser ses propres systèmes de communication : sermons, lettres pastorales, etc. Ainsi, les journalistes sauraient que ce message de l'Eglise dans les grands médias n'est qu'une faible partie de celui-ci. Ils sauraient aussi que l'accès à la totalité du message demande de

l'attention, de la technicité, une familiarité et que donc tout ne peut être mis sur la place publique dans une logique de l'événement. Il en est de même pour la science, l'art, etc.
Le thème du quatrième pouvoir, qui est une bêtise si l'on se place du point de vue de la théorie démocratique puisque la presse et les médias y constituent avant tout des contre-pouvoirs, provient de l'expansion du rôle des communicateurs, des médias et de l'effondrement de la communication des institutions intermédiaires. Si vous êtes aujourd'hui médecin, militaire, religieux ou scientifique, vous pouvez parfois avoir plus de légitimité en passant par la communication grand public qu'au sein de votre communauté naturelle d'appartenance. Chacun pourra aisément se référer à des exemples récents ou contemporains de « stars médiatiques », ex-commandant, ex-évêque, ex-médecin, ex-philosophe, pour lesquelles cette légitimité grand public est évidemment celle qui prime ! Mais le danger est là dans cette domination de la communication grand public. En réalité, la démocratie de masse, qui est une superbe ambition, requiert en permanence la cohabitation de la communication grand public et celle des espaces publics restreints. Hier, les seconds dominaient ; aujourd'hui, c'est plutôt la communication grand public qui devient monopolistique : elle doit admettre le rôle fondamentalement complémentaire d'autres systèmes de valeurs et de communication.

Propos recueillis par
JEAN-CLAUDE RUANO-BORBALAN
(*Sciences Humaines*, hors série n° 11, décembre 1995/janvier 1996)

Jean Charron*

LES MÉDIAS FONT-ILS L'OPINION ?**

Depuis que le problème est posé, la seule réponse un peu solide qu'aient obtenue les observateurs est que les médias font, en tout cas, l'actualité. Or, faire l'actualité, ce n'est pas seulement occuper l'esprit du public, c'est aussi imposer sa façon de dire aux sources mêmes de l'information.

Même si l'influence des médias sur le public représente depuis cinquante ans une question posée en permanence aux spécialistes, les chercheurs conviennent qu'il n'y a, dans ce domaine, aucune réponse simple à offrir…

L'hypothèse qui, depuis vingt-cinq ans, recueille une assez large adhésion, pose que l'influence des médias est davantage « cognitive » que « normative » : les médias réussiraient assez peu à orienter les opinions des gens, mais ils seraient très efficaces pour orienter leur attention sur tel ou tel objet. Cette hypothèse, surnommée *agenda setting* (ou « fonction d'agenda »), a été étudiée pour la première fois par deux sociologues américains, Maxwell McCombs et Donald L. Shaw qui, lors de la campagne électorale américaine de 1968, ont observé que les électeurs accordaient aux différents enjeux de la campagne le même degré d'importance que les médias pouvaient le faire (1). Leur procédure de recherche, maintes fois reprise et raffinée depuis, consistait à mesurer, en termes de place, de volume et de fréquence, l'importance relative que les médias, à un moment donné, accordaient à certains événements, à certains thèmes, et certains enjeux. En comparant cette mesure avec des résultats d'enquêtes menées auprès du

---

* Professeur à l'Université de Laval, département d'information et communication, Québec. Il a publié *La Production de l'actualité*, Boréal, 1994.

** *Sciences Humaines*, n° 74, juillet 1997.

1. M.E. McCombs et D.L. Shaw, « The Agenda Setting Function of Mass Media », *Public Opinion Quarterly*, vol. 36, 1972.

public, ils constataient que l'ordre de classement était le même. Par l'importance qu'ils accordent à certains événements et pas à d'autres, par les enjeux qu'ils y mettent, les médias conditionneraient donc l'importance que le public leur accorde, sans pour autant dicter son opinion. Autrement dit, leur influence consisterait moins à nous faire aimer ou détester Madonna et Bill Clinton qu'à les rendre intéressants. Selon la formule consacrée : les médias ne nous disent pas quoi penser, mais simplement à quoi penser.

Depuis, la fonction d'agenda est devenue un concept clé de la recherche en communication, au point d'imprégner le monde de l'action politique elle-même : les stratèges politiques ont aujourd'hui tendance à concevoir la communication politique comme une lutte pour le contrôle de l'agenda public. Cependant, au fil des recherches, l'hypothèse de base s'est complexifiée. On a cherché, notamment, à comparer les effets respectifs des journaux et de la télévision. On s'est efforcé de distinguer les effets à court terme des effets à plus long terme, et également de tenir compte du degré d'information des gens et de l'étendue de leur capital culturel, de leurs habitudes de consommation médiatique, de la nature plus ou moins controversée ou sensationnelle des événements et des thèmes (2). Bref, plus l'hypothèse s'est affinée, plus, évidemment, l'influence des médias est apparue variable et difficile à mesurer.

Les premiers travaux sur l'*agenda setting* s'inscrivaient dans le prolongement d'une tradition de recherche ouverte dans les années 50 par l'équipe de Paul Lazarsfeld, de l'université de Columbia. P. Lazarsfeld et ses collaborateurs considéraient le produit médiatique (les informations et les commentaires sur les affaires publiques) comme une donnée brute. La question qu'ils se posaient était de savoir si cette donnée (ce *stimulus*) avait ou non des effets sur le public (3). Leurs travaux ayant conclu à des effets normatifs limités (on ne pouvait pas dire que les médias dictaient leur opinion aux gens), la notion d'agenda représentait une première réorientation de la recherche vers des effets moins évidents.

Parallèlement, à partir des années 70, on a vu se développer un autre type de recherches qui s'intéressait au mode de sélection et de production des informations médiatiques, plutôt qu'à leurs effets. Or, les raffinements apportés au modèle de la « fonction d'agenda » ont amené une certaine convergence de ces deux problématiques (4). En effet, comment espérer débrouiller la question de la nature et de l'origine de l'influence des médias, sans prendre en compte la manière dont ceux-là construisent et mettent en scène leurs messages ? Par exemple, le fait que les informations politiques données par les journaux nous influencent d'une

2. Voir D. Bregman, « La fonction d'agenda : une problématique en devenir », *Hermès*, 4, 1989. Le *Journal of Communication*, vol. 42, n° 2, printemps 1993, et le *Journalism Quarterly*, vol. 69, n° 4, hiver 1992, ont consacré chacun un numéro à l'*agenda setting*.

3. Voir G. Tuchman, *Making News*, Free Press, 1978 ; M. Fishman, *Manufacturing the News*, University of Texas, 1980 ; H. Gans, *Deciding What's News*, Pantheon Books, 1979.

4. M.E. McCombs et D. Shaw, « The Evolution of Agenda Setting Research : Twenty-five Years in the Marketplace of Ideas », *Journal of Communication*, n° 43, 1993.

manière quelconque ne nous autorise pas à attribuer cette influence aux seuls journalistes. Le contenu des médias est également dépendant des acteurs qui, comme on dit, « font l'événement ». En tant que « sources d'information », ces acteurs alimentent les journalistes. Même si les entreprises de presse obéissent à des contraintes propres (le nécessaire ajustement du produit aux demandes des annonceurs et des lecteurs, l'organisation du travail, les normes professionnelles, etc.), il reste que les informations journalistiques sont, pour une bonne part, le résultat des interactions quotidiennes entre des professionnels des médias et des sources d'information. Ne sont-elles pas aussi des « sources d'influence » ?

Ainsi, au modèle de l'*agenda setting*, centré sur la relation médias-public, s'est substitué, au cours des années 80, le modèle plus complexe de construction de l'agenda public (*agenda building*), qui considère les rapports d'influence entre l'agenda des sources (particulièrement l'agenda des autorités politiques, *policy agenda*), l'agenda des médias et l'agenda du public. L'*agenda building* s'intéresse en somme aux processus de communication publique par lesquels sont définis les enjeux sociaux (5).

Les médias et les sources

Un certain nombre de situations récentes, comme la guerre du Golfe, où la situation des pays dans lesquels le contrôle de l'information par un régime politique autoritaire constitue la norme, ont accrédité la thèse de la « manipulation » de la presse, du « contrôle » de l'information exercé par les *establishments* (notamment politiques et militaires), de la « soumission » forcée des médias aux forces de l'argent, des déterminismes structurels qui maintiendraient la presse dans un état de servitude quasi absolu.

Cependant, si les termes de « manipulation », de « contrôle » et de « soumission » sont justifiés dans certains cas (6), ils risquent de fausser notre compréhension dans les contextes où l'information circule plus librement. Les études empiriques (7) suggèrent que les interactions entre les journalistes et leurs sources s'apparentent plus à un jeu d'échanges et de négociations qu'à une guerre de tranchées où les journalistes seraient les éternels perdants.

Les acteurs sociaux en quête de « publicité » (accès contrôlé à l'espace public) doivent négocier leur présence médiatique avec des journalistes qui, eux, sont en quête d'informations. On peut dire que les protagonistes procèdent à un marchandage de l'information contre la « publicité ». La source offre un événement ou une nouvelle qui, sur le marché du jour, représente une certaine valeur. Les facteurs qui déterminent sa valeur journalistique sont nombreux : la gravité des faits, le caractère conflictuel ou controversé des situations, la

5. D. Berkovitch, « Who sets the media agenda ? The ability of policymakers to determine news decisions », in J.D. Kennamer (ed.), *Public Opinion, The Press and Public Policy*, Preager, 1992.

6. N. Chomsky, *Manufacturing Consent : The Political Economy of Mass Media*, Pantheon Books, 1988.

7. Voir R.V. Ericson, P.M. Banarek et J.B. Chan, *Negociating Control : a Study of News Sources*, University of Toronto Press, 1989 ; J. Charron, *La Production de l'actualité*, Boréal, 1994 ; J. Charron, J. Lemieux et F. Sauvageau, *Les Médias, les journalistes et leurs sources*, Gaëtan Morin, 1991.

notoriété des acteurs de l'événement, la correspondance entre l'événement et les formats médiatiques (par exemple, la disponibilité des images pour la télévision), la proximité géographique ou culturelle de l'événement, le volume des arrivages quotidiens qui font varier le seuil d'attention de la presse, les coûts qu'il faut engager pour « couvrir l'événement », etc.

La capacité de marchandage et d'influence des journalistes est fonction, entre autres choses, de la quantité et de la qualité de la publicité qu'ils peuvent offrir : le représentant d'une grande chaîne nationale de télévision vaut davantage que le représentant d'une feuille au tirage confidentiel, et, dans ses tractations avec les sources, il pourra obtenir davantage (une primeur, des détails inédits, une entrevue exclusive ou l'accès prioritaire à certains documents).

Bref, la capacité du journaliste et de la source d'agir l'un sur l'autre varie selon les ressources qu'ils peuvent mobiliser dans la transaction. De ce point de vue, l'influence est bilatérale, mais elle n'est pas équilibrée pour autant. Les sources dites officielles (celles qui occupent le sommet des hiérarchies institutionnelles, les représentants de l'Etat en particulier) profitent d'un accès privilégié aux journalistes. Dans la culture politico-médiatique, leurs messages sont présumés d'intérêt public. Plusieurs chercheurs (8) ont donc affirmé qu'elles exercent un certain ascendant sur les journalistes. Dans ce jeu à deux, ce sont les sources qui mènent davantage que les journalistes. Par ailleurs, compte tenu du caractère routinier des pratiques journalistiques et des contraintes organisationnelles et techniques qui les façonnent, celui qui connaît le fonctionnement général des médias n'a pas à être grand devin pour prévoir le comportement des journalistes et y ajuster sa propre stratégie (9). Le développement de l'industrie du conseil en relations de presse est fondé sur l'idée qu'il suffit à la source d'ajuster son action et son discours à la réponse anticipée de la presse pour faire jouer le processus à son avantage.

Agenda et influence

Les processus d'influence sont donc capricieux et complexes. Il n'est pas sûr que la notion d'agenda épuise les diverses formes d'influence susceptibles d'agir dans l'espace public. On peut en donner quelques illustrations.

Premièrement, l'influence peut consister non pas à acquérir le maximum de visibilité, mais au contraire à s'en protéger. Les technocrates, les institutions militaires, les milieux financiers, les diplomates, les démarcheurs, les mafieux : tous s'emploient à maintenir des zones d'ombre autour de leurs affaires et à ne pas figurer à l'agenda des médias. Et ils y parviennent même dans des sociétés qui se prétendent ouvertes et transparentes. Ces absences structurent, tout autant que les présences, nos représentations et celles des journalistes.

Deuxièmement, le modèle de l'agenda rend mal compte de certains types d'événements, comme les accidents, les

8. Voir L.V. Sigal, *Reporters and Officials : The Organization and Politics of Newsmaking*, Heath, 1973.
9. J. Charron, *La Production de l'actualité*, Boréal, 1994.

scandales, les catastrophes, qui ont une grande valeur journalistique et qui arrivent sur le marché des nouvelles sans que leur occurrence ait été planifiée et sans que leur définition ait fait l'objet de stratégie (10).
Troisièmement, le modèle de l'agenda définit l'influence comme la capacité d'un acteur à mettre un thème à l'ordre du jour. Il néglige de considérer la capacité de cet acteur d'imposer une certaine définition de ce thème et de conditionner le débat à son avantage. Il arrive parfois que l'orientation et l'issue d'un débat public échappent à celui qui l'avait initié. Le modèle ne tient pas compte non plus des processus idéologiques et historiques qui font que certains thèmes demeurent tabous et ne peuvent pas faire l'objet d'un débat public (11).
Quatrièmement, le modèle limite l'action des journalistes à une fonction de sélection, leur décision consistant essentiellement à « acheter » ou non un événement-nouvelle. Une fois cette décision prise, les journalistes ne seraient que les vecteurs de messages définis par d'autres. Or, les recherches menées depuis trente ans sur le discours des médias ont mis en évidence le caractère construit de l'information. Cela ne veut pas dire que les nouvelles sont fausses, mais qu'elles résultent d'un ensemble de procédures de sélection et de formatage qui façonnent et conditionnent les comptes rendus des événements. Sans parler de tout le travail de pondération, de hiérarchisation, de mise en perspective, d'analyse et de synthèse que les journalistes opèrent en permanence. Finalement, il apparaît que le modèle de l'échange marchand tend à reproduire une erreur chronique en analyse des médias : celle de considérer l'information fournie par la source comme une donnée objective. Les chercheurs ont tardé à appliquer aux sources d'information la perspective constructiviste déjà adoptée pour l'analyse de la production journalistique. On peut reprocher à ceux qui défendent l'idée d'un contrôle de l'information par les sources d'avoir une vision « médiacentrique » en se limitant à ne considérer que les contraintes qui conditionnent la production journalistique (12).
Pour avoir une vision plus équilibrée, il faut considérer les contraintes que les médias font peser sur les choix des acteurs sociaux et sur les concessions que ces derniers doivent consentir au langage et à la logique médiatiques. Pour éviter les dérives que les journalistes pourraient faire subir à leurs messages, pour éviter que les travers journalistiques n'entament le vernis de leur image de marque, pour éviter aussi que leur discours se perde dans la surenchère à laquelle se livrent les sources pour l'attention des médias, les sources (conseillées en cela par des experts) ont tendance à prendre en charge le travail des journalistes. Il n'y a pas meilleur spécialiste des relations de presse qu'un

10. H. Molotch et M. Lester, « News as purposive behavior : on the strategic use of routine events, accidentals and scandals », *American Journal of Sociology*, 81, 1975.
11. Le modèle ne rend pas compte, par exemple, du long travail de mobilisation qu'ont dû consentir les groupes féministes, et des obstacles idéologiques et culturels qu'ils ont dû franchir pour que le droit à l'avortement, la violence conjugale, le harcèlement sexuel et l'équité salariale deviennent des thèmes recevables et discutables dans la sphère publique.
12. P. Schlesinger, « Repenser la sociologie du journalisme », *Réseaux*, n° 51, 1992.

journaliste d'expérience. Dans un tel contexte, la notion même d'événement, que le discours de presse tend à naturaliser, devient hautement problématique (13). L'événement n'est pas un agencement naturel ou fortuit de faits bruts. C'est le genre qu'emprunte le discours public pour se mettre en scène. C'est le vecteur du jeu d'influence qui sous-tend la production de l'actualité et par lequel se construisent des images publiques et se fabrique une représentation publique des acteurs sociaux.

En ajustant leurs actions et leurs discours, ces acteurs en arrivent, en somme, à parler le langage des médias. Pensons, par exemple, aux campagnes électorales qui sont aujourd'hui conçues et menées en fonction du journal télévisé. Ce que les sources officielles ont à dire sur les affaires publiques doit, pour accéder à la « publicité », prendre la forme imposée d'un « événement médiatique » qui sera ensuite redéfini dans une « nouvelle », un « reportage » ou un « commentaire ». Or, tout ne peut pas être dit et de n'importe quelle manière dans des formats aussi contraignants. Les acteurs sociaux cherchent à éviter les pièges de la communication médiatisée en devenant eux-mêmes « médiatiques ». Ils font en somme ce que les médias attendent d'eux. C'est ainsi que le langage et la logique médiatiques en viennent à contaminer tous les discours publics.

L'influence dans le jeu de la communication publique ne se ramène donc pas à une situation dans laquelle une source d'information manipule l'agenda d'un autre. Il s'agit plutôt d'une affaire de tractations, d'ajustements, d'adaptations entre des acteurs (les journalistes, les communicateurs, les porte-parole, etc.) dont les intérêts sont en partie opposés et en partie complémentaires, et qui, dans un cadre donné, négocient une définition de la réalité dans les formats de l'actualité.

13. Voir le dossier « Le temps de l'événement » de la revue *Réseaux*, n° 75, 1996.

JACQUES MOUSSEAU*

LE TEMPS DU PUBLIC-ROI**

Le temps de l'ORTF, où une chaîne unique imposait ses programmes, est bien révolu. La multiplication et la diversité des chaînes ne cessent de renforcer la concurrence. Leur asservissement à l'audience fait des spectateurs les véritables décideurs des programmes et de leur programmation.

LONGTEMPS, le public de la télévision a été un public captif auquel les directeurs de programmes imposaient leurs choix. Cette constatation est d'évidence aussi longtemps qu'une seule chaîne a été proposée aux téléspectateurs (de la fin de la Seconde Guerre mondiale jusqu'en 1964). Elle reste vraie pour la période qui suivit le démarrage de la deuxième chaîne (en 1964), puis de la troisième (en 1973), parce que ces trois chaînes étaient placées sous une autorité unique au sein d'un organisme centralisé, l'ORTF. Elles ne se faisaient pas concurrence mais coordonnaient leurs programmes pour offrir chaque soir une palette ouverte d'émissions (par exemple, un divertissement sur la première chaîne, une fiction sur la deuxième et un documentaire sur la troisième), toujours décidées d'en haut. C'était, comme l'écrivait François-Henri de Virieu, *«La Trinité de l'ORTF : un seul discours en trois chaînes.»* (1)

L'éclatement de l'ORTF en 1974 et le démarrage de trois sociétés autonomes, TF1, Antenne 2 et France Régions 3, le 1er janvier 1975, n'ont pas établi davantage les conditions d'une véritable concurrence. L'existence d'un comité d'harmonisation (c'était son nom), composé de trois présidents, la

* Jacques Mousseau a été pendant vingt ans (1978-1997) directeur à TF1. Il est actuellement directeur de la rédaction de la revue *Communication et langages*, vice-président de l'Institut multimédias, et secrétaire général du Comité d'histoire de la télévision.

** *Sciences Humaines*, n° 13, janvier 1992. Texte revu et actualisé par l'auteur, avril 1998.

1. *Le Figaro*, 17 octobre 1991.

détermination du budget des chaînes par le législateur, la prise en compte d'un critère subjectif de qualité dans le calcul de leurs ressources, l'obligation de dépenser la quasi-totalité du budget de production à la SFP (Société française de production, qui employait plus de 3 000 personnes dans la décennie 70), maintenaient dans la réalité ce qui avait été en apparence défait par la loi, à savoir l'interdépendance de toutes les pièces du puzzle audiovisuel. Avec le temps toutefois, les liens entre les sociétés issues de l'ORTF se sont distendus. Au milieu des années 80, l'apparition de nouvelles chaînes privées et commerciales (Canal+ en novembre 1984, La Cinq et TV6 en en février 1986) et surtout la privatisation de TF1 (en avril 1987) créent brutalement les conditions d'un marché réellement concurrentiel de l'audiovisuel. Comme sur tous les marchés, l'offre (des chaînes) et la demande (du public) se cherchent, et, à la longue, s'équilibrent. Dans leur quête de la satisfaction la plus complète des téléspectateurs, les chaînes ne se sentent désormais bridées, parfois brimées, que par les contraintes du cahier des charges qui leur est imposé par le législateur et l'autorité de tutelle : quotas de production et de diffusion, nombre de films de cinéma autorisés, durée des écrans publicitaires, obligation pour le service public d'assurer certaines émissions, telles que les émissions religieuses le dimanche, etc.

Le tournant de 1987

L'essentiel est que, depuis plus de dix ans maintenant, la hiérarchie s'est inversée : désormais, le public fait le programme, et ne le subit plus, par la possibilité qu'il a de choisir à tout instant en France entre cinq chaînes généralistes diffusées en clair (2). Les chaînes commerciales, TF1 et M6, n'ont pas d'autres ressources que les recettes publicitaires, lesquelles sont directement fonction du nombre de téléspectateurs de chacune de leurs émissions. Les chaînes généralistes du service public, A2 et FR3, si elles bénéficient du produit de la redevance, sont également tributaires de la publicité pour une partie de leur budget. Elles ne peuvent en outre ignorer la compétition avec le privé ; enfin, elles sont comptables devant les citoyens de l'usage qu'elles font des deniers publics, en l'occurrence de la redevance qui est une taxe para-fiscale.

Pendant longtemps, Canal+ a exercé un monopole sur la télévision par abonnement, en se présentant comme une chaîne complémentaire cryptée et non concurrentielle des chaînes en clair. A partir du milieu des années 80, les chaînes des réseaux câblés ont commencé à exister puis à se multiplier, mais sans faire une ombre menaçante aux grandes télévisions. La naissance, suivie d'un succès rapide, des bouquets de chaînes diffusés par satellite, Canal Satellite à partir de 1996, puis TPS à partir de janvier 1997, a renforcé la

2. A savoir : TF1, France 2, France 3, M6, Arte/La Cinq. La cinquième chaîne commerciale a déposé son bilan en avril 1992 pour avoir, au cours de sa brève carrière, voulu grandir trop vite, contrairement à TV6, devenue M6 en 1987, qui a choisi d'être « la petite chaîne qui monte, qui monte », stratégie qui lui a réussi. Par la suite, est née La Cinq, chaîne de service public, dont les programmes sont éducatifs, et qui partage son temps d'antenne avec Arte, la chaîne franco-allemande à vocation culturelle.

situation de concurrence dans le secteur de la télévision. Le public a le choix entre un très grand nombre de programmes – souvent une cinquantaine – qui varient selon la situation géographique. Cette évolution n'a fait qu'accroître son pouvoir.

Lorsque n'existait qu'un grand secteur public de la télévision, les analyses de l'audience étaient assorties d'un indice de satisfaction. Une émission de faible audience pouvait perdurer si elle était soutenue par un fort indice de satisfaction. Aujourd'hui, le choix du public pour telle émission à telle heure témoigne à la fois de son intérêt et de sa satisfaction, car sur l'ensemble des chaînes, plusieurs proposent le même type d'émission à la même heure : jeu contre jeu, fiction contre fiction, débat politique contre débat politique, film de cinéma contre film de cinéma. Avec le nouvel âge de la télévision qui a vraiment commencé en 1987, avec la privatisation de TF1 (la plus importante des chaînes du paysage audiovisuel français était brusquement conduite à adopter les comportements de la compétition la plus sévère), les chaînes sont passées d'une programmation complémentaire à une programmation concurrentielle.

Depuis cette date d'avril 1987, les pouvoirs publics vivent en état de choc, soit parce qu'ils ne reconnaissent plus les règles du jeu télévisuel auxquelles ils étaient d'autant mieux habitués qu'ils les avaient dictées, soit qu'ils aient l'impression frustrante d'avoir joué les apprentis sorciers en découvrant les conséquences imprévues des transformations qu'ils ont opérées par la loi. Cependant, on ne reviendra pas en arrière. On doit d'ailleurs noter que la France a retardé, par rapport à ses voisins, le moment d'ouvrir la télévision à la concurrence : en Grande-Bretagne, l'ITV (Independant Television) est née en 1954, en Italie Canale 5 de Silvio Berlusconi, en 1976. Des raisons techniques, économiques et culturelles ne permettaient plus de repousser indéfiniment la cessation du monopole d'Etat sur la télévision.

Une nouvelle ère de la télévision a commencé en 1987, dont le roi est le public. Jamais on ne s'est pareillement empressé à le connaître, à le sonder, à l'interroger pour le suivre. Si un service d'observation des comportements et des attitudes des téléspectateurs (le SOP) a existé dès les débuts de la télévision, son rôle a évolué d'époque en époque. Au temps de la télévision volontariste, lorsque le directeur imposait sa conception du programme, les enquêtes servaient à éclairer ses choix. J'entends encore le directeur du CEO (le Centre d'études d'opinion, qui avait été chargé de cette mission après l'éclatement de l'ORTF), répondre à une question, qu'il avait la tâche de dégager le ciel mais que le directeur de la télévision avait celle d'indiquer le cap. On restait dans la conception d'une télévision volontariste, c'est-à-dire d'une grille de programmes issue de la volonté des présidents, censés savoir mieux que quiconque ce qui était bon pour le téléspectateur, à la fois pour son plaisir et son élévation.

Une aide à la décision

Jusqu'au milieu des années 70, l'Etat a eu une conception culturelle du rôle social de la télévision. Elle devait informer, éduquer et divertir les téléspectateurs : en pratique, la mission éducative imprégnait fortement les deux autres. Depuis quelques années, le public a imposé par ses choix une télévision centrée sur l'information d'une part, le divertissement de l'autre (avec de nombreuses émissions de jeux, de variétés et de fictions). Si le service des études a gardé son nom dans les sociétés de service public, il a été rebaptisé direction du marketing dans les chaînes commerciales privées. Le changement d'appellation est significatif de l'évolution des missions. Il s'est étoffé, passant de trois personnes à quinze et plus, et s'est équipé en informatique sophistiquée. De conseiller lointain, le service de l'audience est devenu le collaborateur le plus proche du directeur des programmes, et son responsable est membre du groupe des décideurs qui, dans chaque chaîne, établit la grille des programmes.

L'organisme commercial, qui assure la mesure de l'audience, Médiamétrie, s'est développé de façon autonome, indépendante des chaînes. Il emploie plus d'une centaine de personnes et multiplie les services qu'il vend aux télévisions mais aussi aux radios. Son autonomie statutaire et son indépendance financière sont les garantes de son objectivité.

Dès 9 h chaque matin, les responsables des chaînes et les directeurs du marketing examinent à la loupe la courbe des émissions de la veille et en analysent les informations. Ils passent vite sur les succès même s'ils savent s'en réjouir. Ils s'attardent sur les cases de programmes où surgissent des problèmes : baisse de l'audience habituelle, baisse de l'audience pendant la diffusion. Les courbes et les tableaux fournis par Médiamétrie permettent de visualiser les comportements des téléspectateurs de minute en minute, par tranche d'âge, par sexe, par catégorie socio-professionnelle. Dans ces données détaillées, une série intéresse particulièrement les chaînes commerciales : celle – sur laquelle on a beaucoup glosé et daubé – qui concerne l'attitude, devant un programme, de la ménagère de moins de 50 ans, parce qu'elle constitue la force d'achat la plus importante dans les grandes surfaces commerciales. L'alimentation, les produits d'entretien et les produits de beauté constituent en effet la plus grosse part des recettes publicitaires de la télévision.

Pour les directions des chaînes, il s'agit de corriger constamment l'organisation de la grille des programmes en fonction des résultats de l'audience, de façon à atteindre le meilleur score. Parfois, un interprogramme apparaît trop long, parfois une émission doit être déplacée. Le plus souvent, il s'agit d'aménagements mineurs mais essentiels. Il arrive aussi que des journées successives enregistrent des résultats continûment décroissants. Le moment est alors venu de remplacer une émission ou un feuilleton.

La télévision moderne ne connaît pas d'autre maître que le public. Ce principe est difficile à faire admettre après un demi-siècle d'une télévision décidée d'en haut. Il s'imposera cependant de plus en plus, même au service public. Les professionnels de la télévision s'avouent ces choses-là entre eux depuis longtemps. Ils commencent à les expri-

mer. Ainsi, Silvio Berlusconi, magnat de la télévision italienne et homme politique : « *D'ici à dix ans, la télévision sera entre les mains du secteur privé. Et les télés publiques seront ce qu'elles étaient au départ : des télés qui rendent un service au public ou diffusent des programmes que les chaînes privées n'ont pas intérêt à diffuser.* »
Transformées en entreprises placées sur le marché ou nées comme telles, les télévisions n'échappent pas à sa loi qui est de répondre aux attentes du client, d'être à son service. Il est vrai qu'une télévision n'est pas une entreprise comme les autres, que cette entreprise façonne la culture d'une société. C'est pourquoi elle est toujours, et doit rester, l'objet d'une attention particulière, soumise à des règles qui prennent en compte sa responsabilité spécifique au sein d'une société démocratique. Mais dans le couple entreprise et culture, si longtemps le pôle culture a prévalu, le pôle entreprise est désormais celui qui contraint.

Trois heures de télévision par jour

Les services des études des chaînes se sont longtemps préoccupés de ce que la télévision faisait aux gens ; les directions du marketing se préoccupent d'abord de ce que les gens font de la télévision. Combien de temps passent-ils devant le récepteur ? Réponse : en 1997, trois cents minutes par jour et par foyer, cent quatre-vingts minutes pour les hommes et deux cent deux minutes pour les femmes (chiffres officiels de Médiamétrie), soit cent quatre-vingt-douze minutes par jour et par individu quel que soit le sexe. En 1991, la durée d'écoute moyenne quotidienne était de cent quatre-vingt-quatre minutes. L'accroissement de l'offre (multiplication des chaînes) a été favorable à la télévision. Combien de foyers sont équipés : 93,5 % des foyers (dont 98,9 % en récepteur couleur) et 36,8 % des foyers avec plusieurs récepteurs.
Quels sont les genres d'émissions préférées des Français ? Quel est le public disponible selon les tranches horaires ? Pour chaque émission ou pour chaque tranche horaire, selon l'approche, les télévisions disposent de plusieurs indices chiffrés dont les principaux sont :
– l'audience cumulée : elle est constituée par l'addition de tous ceux qui ont vu une partie, même minime, de l'émission. Il suffit de « zapper » quelques instants sur une émission pour être pris en compte dans l'audience cumulée ;
– l'audience moyenne représente le pourcentage de téléspectateurs qui sont présents à un moment donné pour regarder l'émission. Le moment donné peut être la totalité de l'émission, ou des tranches de quinze minutes, ou de moindre durée. L'analyse par quart d'heure – on peut descendre jusqu'à la minute avec les moyens actuels d'analyse – permet de voir si une émission a gagné ou perdu du public pendant son déroulement, ce qui est un précieux indicateur de la satisfaction du public ;
– la part de marché exprime le pourcentage des téléspectateurs occupés à regarder la télévision à un moment donné, qui ont choisi telle chaîne et telle émission parmi l'offre disponible, tandis que les deux précédents indices étaient

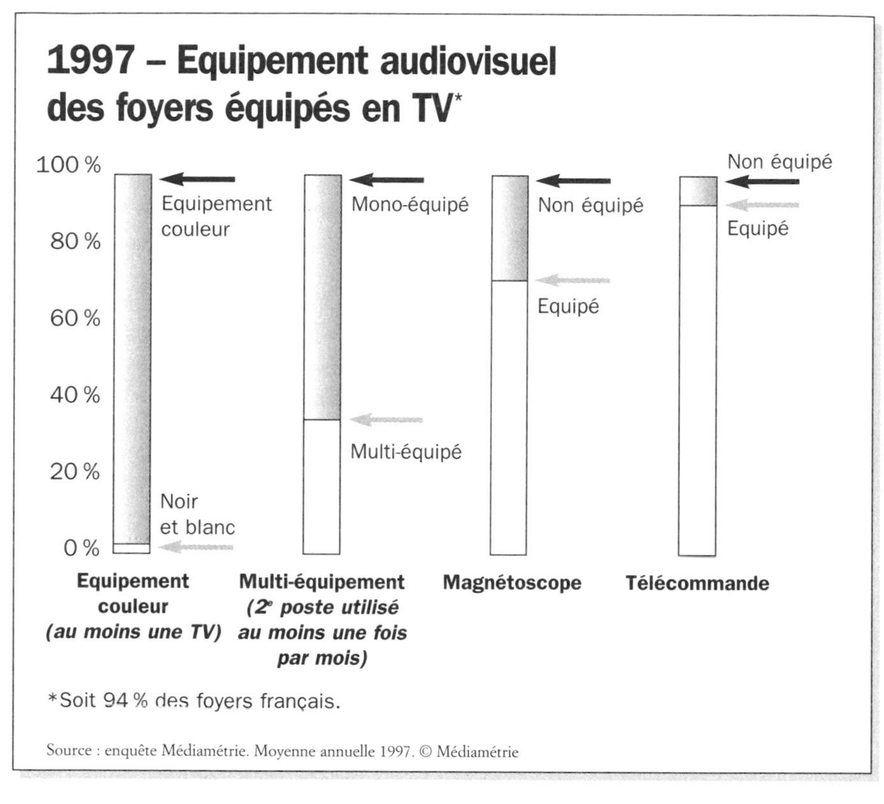

rapportés à l'ensemble du public potentiel, qu'il regarde ou non la télévision. Une émission diffusée à 23 h peut paraître avoir une audience modeste en pourcentage rapporté à l'ensemble des Français équipés d'un récepteur, mais en revanche avoir une audience très satisfaisante en pourcentage du public qui regarde la télévision à cette heure tardive. La part de marché globale a été longtemps la notion que les chaînes ont le plus mis en avant, car elle reflète le plus clairement l'état de la compétition. Puis, pour attirer l'attention des publicitaires, elles ont insisté sur la part du marché des ménagères de plus de 50 ans. Aujourd'hui, la tendance est à la multiplication des informations sur toutes les tranches du public : les enfants, les femmes, les hommes, les personnes de plus de 60 ans. La télévision doit informer et convaincre deux cibles qui ne sont pas sensibles au même langage, les téléspectateurs d'une part, les annonceurs d'autre part.

Au long de l'année 1997, le public s'est réparti de la façon suivante entre les grandes chaînes : TF1 35 %, France 2 23,5 %, France 3 17 %, M6 12,7 %, Canal+ 4,5 %, le solde se partageant entre Arte, La Cinq, les chaînes des câbles et des satellites.

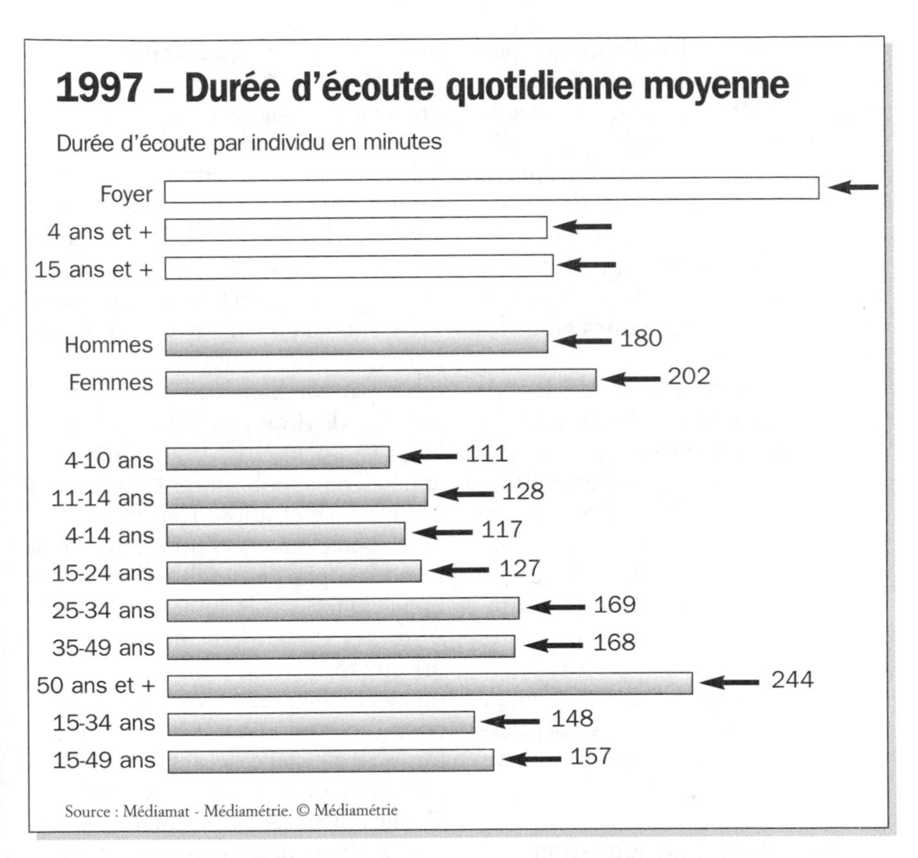

Des enquêtes scientifiques depuis 1967

Pendant vingt ans, la télévision française s'est satisfaite de contacts avec les téléspectateurs par le courrier et le téléphone. Depuis 1967 seulement, alors qu'elle devenait majeure avec plus de sept millions de récepteurs installés, soit un tiers de foyers équipés, elle dispose de données quotidiennes sur l'audience. Les premières techniques d'enquêtes étaient lentes et laborieuses ; elles requéraient la bonne volonté du téléspectateur. Le service des études de l'ORTF procédait par enquête à partir d'un « panel », c'est-à-dire un échantillon représentatif de la population française selon les critères de la sociologie. Le « panel » qui comptait 1 200 personnes au début était renouvelé par moitié chaque semaine.

Les panélistes recevaient un « carnet d'écoute » reproduisant les programmes des chaînes. Sur ce carnet, le panéliste cochait des cases sans changer ses habitudes. Il expédiait par La Poste les feuilles quotidiennes d'écoute. Celles-là étaient collectées, analysées et synthétisées. A l'origine du système, le responsable des programmes ne disposait d'information sur l'audience que plusieurs semaines après la diffusion (entre cinq et huit semaines, jusqu'à douze en été). Au début des années 70, le délai avait été réduit à une semaine, puis il s'était dégradé pour être de trois à quatre semaines à la fin des années 70. Preuve que les directions des chaînes ne ressentaient pas la nécessité de se fonder sur les enquêtes pour établir les programmes !

Une ou trois semaines sont des laps de temps trop importants. Le responsable d'une chaîne aujourd'hui a besoin de connaître sa courbe d'audience dès le lendemain de la diffusion. Son action immédiate porte souvent sur des détails, des génériques trop longs, des fins de variétés qui traînent dans d'interminables au revoir, des écrans publicitaires trop rapprochés, des séquences sur la météo et la bourse trop étirées, avant de porter, dans la durée, sur des déplacements de cases ou des remplacements d'émissions.

Des outils d'investigation rapides et fiables

L'évolution des outils techniques à la disposition des directions des études et des directions du marketing a créé les conditions d'un suivi quasi instantané des comportements du téléspectateur. En 1981, le Centre d'études d'opinion commença à mettre en place, parallèlement à son enquête par cahier d'écoute, un instrument moderne, rapide et fiable : l'audimètre. Placé sur le récepteur de la télévision, il enregistre toutes les utilisations que les habitants du foyer en font. Il est relié par le téléphone à un ordinateur qui puise entre 3 h et 4 h du matin toutes les informations dans les audimètres des foyers du panel, en fait une synthèse qui est acheminée vers les systèmes informatiques des clients dès le lendemain matin, entre 8 h 30 et 9 h. Le système de mesure mis en place en 1981 avec le concours de la SECODIP par le CEO dans six cent cinquante foyers, puis dans mille foyers à partir de 1984, enfin dans vingt-trois mille foyers à partir de 1988, est exploité aujourd'hui par Médiamétrie, société commerciale de droit privé qui a remplacé le CEO, société de droit public. Un appareil plus sophistiqué a remplacé la première génération. L'audimètre ne renseignait que sur l'utilisation de la télévision par l'ensemble d'un foyer. C'était sa principale faiblesse. Depuis le 27 février 1989, Médiamétrie exploite un appareil personnalisé à bouton-poussoir. Chaque membre du foyer dispose d'un bouton qu'il actionne chaque fois qu'il s'installe devant le récepteur ou l'abandonne. Grâce à cet outil, les chaînes disposent désormais d'informations immédiates et précises. Ce système qui mesure les écoutes individuelles a été baptisé Médiamat : 1 % des foyers représente deux cent deux mille foyers ; 1 % des individus de 15 ans et plus représente quatre cent vingt-sept mille personnes.

Vers des outils encore plus sophistiqués

Le Médiamat a encore un point faible au moins. Il exige l'intervention de chaque individu. Aussi n'est-il sans doute pas le dernier avatar des systèmes d'enregistrement de l'audience de la télévision. Lors de l'explosion du paysage audiovisuel à la fin des années 80, on a beaucoup parlé d'un système qui n'impliquerait pas l'intervention humaine. Les sociétés françaises Bertin et Motivaction travaillaient à la mise au point d'un système optico-électronique qui captait tous les comportements de tous les individus devant un récepteur. Des tests avaient été réalisés dans mille cent cinquante foyers. Ils furent soumis au printemps 1991 à la critique du CESP (le Centre d'études des supports de publicité). Dans ses premiers rapports, cet organisme ne se montra pas complètement convaincu. Depuis cette période d'agitation, le silence est retombé sur le sujet. Mais il ne fait pas de doute que des chercheurs et des ingénieurs continuent à travailler sur un appareil de mesure passive de l'audience des médias audiovisuels.

Médiamétrie, même s'il est le plus important, n'est pas le seul organisme à étudier l'audience des chaînes de télévision. Huit sociétés se battent pour un marché annuel de plus de 200 millions de francs : Médiamétrie (75 % du marché), Nielsen, le CESP, la Sofres, SECOPID, IFOP, IPSOS, BVA.

La connaissance *a posteriori* des réactions du public à un programme n'est plus suffisante aujourd'hui. Car les investissements en publicité dans la télévision sont devenus essentiels pour le marché de la consommation : 15 milliards de francs en 1991, plus de 25 milliards en 1997. Après la diffusion, lorsque l'audience réelle est connue, l'argent est dépensé, bien ou mal. Les annonceurs et leurs clients, les chaînes de télévision ont ressenti la nécessité de prévoir les réactions du grand public devant un futur programme : un jeu, un feuilleton. Des tests ont été imaginés et effectués sur des petits groupes représentatifs placés dans des conditions de réception normale. Il est apparu également nécessaire de prévoir le succès d'une grille de programmes en fonction des grilles concurrentes. Plusieurs sociétés sont ainsi spécialisées dans l'anticipation. Artemis et Express font des projections à partir des audiences. Estimat, filiale de Médiamétrie, et Télémètre-plus soumettent à un panel de mille personnes les avant-programmes des chaînes, communiqués trois semaines avant la diffusion et les interrogent. Ces développements, s'ils n'enregistrent pas que des succès, s'efforcent de répondre aux soucis des chaînes et des annonceurs, de sécuriser leurs investissements, les uns dans des programmes (une émission de télévision coûte cher), les autres dans des écrans publicitaires (un spot lié à une émission populaire coûte aussi très cher).

J'ai tel projet d'émission, est-il valable ? J'ai acheté tel film, quelle est la meilleure heure pour sa programmation ? Une case est libre ou libérée dans la grille des programmes, avec quoi la remplir ? Telle série doit être rediffusée, où la placer pour qu'elle rencontre le public le plus différent possible de celui de sa première diffusion ? Quel doit être mon choix de programmes pour faire mieux que la concurrence qui a pris telle décision ? Aujourd'hui aucun responsable de chaîne n'oserait répondre à ces questions en se fiant seulement à son intuition ou à son expérience. Des sociétés sont spécialisées dans l'étude des scénarios de futures fictions, ces productions lourdes par l'argent qu'elles requièrent pour exister et le temps nécessaire pour les réaliser. Elles appliquent des grilles d'analyse aux projets et, en fonction de la case de programmation pour laquelle il est envisagé, et peuvent conseiller d'ajouter ou de retirer un peu de sentiment, de sexe, de violence, de réalisme ou de rêve. Le temps de la télévision des « inspirés » est révolu. La télévision est entrée dans les temps d'une programmation « scientifique » qui a un seul objectif : satisfaire les goûts, les attentes constamment changeants, d'un public-roi car il fait surgir, par sa présence devant le récepteur, l'argent des annonceurs.

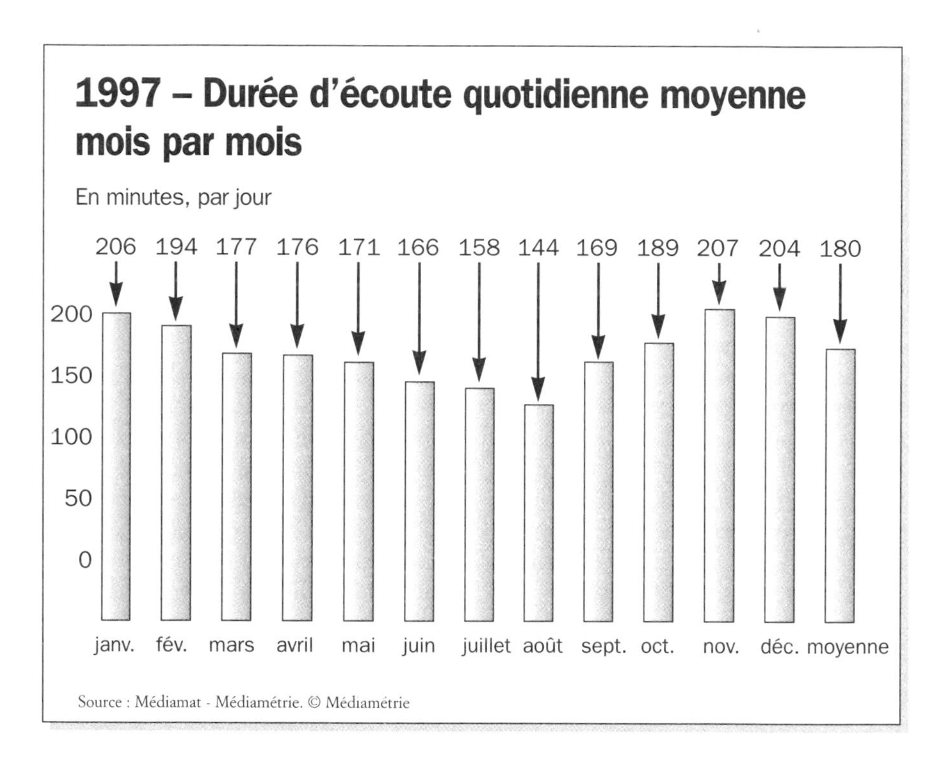

1997 – Offre et consommation TV par genre de programme

En 1997, la publicité a représenté 7,5 % de l'offre de programme de la télévision. Le public, quant à lui, a consacré 9,7 % de son temps d'écoute TV à la publicité.

TV Offerte		TV consommée
5,2 %	Films	8,5 %
22,7 %	Fictions TV	26,6 %
4,8 %	Jeux	8,8 %
8,7%	Variétés	5,6 %
6 %	J.T.	14,1 %
27,9 %	Magazines doc.	14,2 %
3,4 %	Sport	5 %
7,7 %	Emiss. jeunesse	3,1 %
7,5 %	Pub	9,7 %
6,1%	Divers	4,4
TF1, France 2, France 3, Arte La Cinquième, M6		**4 ans et +**
100 % = 41 109 h 13 min		**100 % = 1 001 h 41 min**

Source : Médiamat - Médiamétrie. © Médiamétrie

LE SENS DES CÉRÉMONIES TÉLÉVISÉES

ENTRETIEN AVEC DANIEL DAYAN*

*Les cérémonies télévisées concernent trois grands types d'événements, renvoyant soit au passé (célébrations traditionnelles), soit au présent (confrontations démocratiques), soit encore à l'avenir (histoire en train de se faire).
Le téléspectateur n'est alors aucunement un récepteur passif, mais un acteur lucide.*

***Sciences Humaines* : Vous distinguez trois grands types de cérémonies télévisées. Pourriez-vous préciser en quoi consiste cette typologie ?**

Daniel Dayan : Ces trois types de cérémonies télévisées ont en commun de célébrer des moments de « passage » ou des événements. Une première catégorie est constituée par des « couronnements », terme qui ne recouvre pas seulement des événements monarchiques tels que le couronnement de la reine Elisabeth, ou le mariage du prince Charles, mais également des investitures, des célébrations commémoratives. Souvent liés aux rites de passage du personnel politique, ces « couronnements » sont nos événements les plus « classiques ». Ils établissent un lien entre des figures contemporaines et les symboles que l'on ira puiser dans la mémoire collective. Ces symboles seront ainsi incarnés par de nouveaux personnages, et réactualisés. Quant aux personnages offerts en exemple (disons : les membres de la famille royale anglaise), ils en sortiront légitimés.

Les funérailles officielles font également partie de ces événements-couronnements. Ainsi, celles de John Kennedy associent le président défunt aux valeurs centrales de la religion civile américaine. Elles font de celui-là une sorte de réincarnation de Lincoln. Le présent semble ainsi prolonger la tradition. Les événements-couronnements comprennent toujours une dimension commémorative. Ils mettent en jeu une temporalité rétrospective.

Le deuxième type d'événements cérémonialise le processus démocratique lui-même en usant d'une temporalité au présent. Nous les avons appelés événements-confrontations, ou « confrontations réglées ». Les débats présidentiels en constituent un modèle exemplaire. Ils célèbrent comme parfaitement légitime la dimension possiblement conflictuelle de tout

* *Chercheur au Laboratoire communication et politique (CNRS), coauteur (avec Elihu Katz) de* La Télévision cérémonielle, *Puf, 1996.*

débat politique, à partir du moment où les différentes parties se situent en référence à un « bien commun ». Néanmoins, depuis quelques années, le genre des confrontations réglées dérive vers des formes où l'on voit peu à peu s'évanouir la référence à un « bien commun ». Pensons ainsi à ce qui se passe aux Etats-Unis, avec le procès de O.J. Simpson, célébration du déchirement.

***SH :* Je suppose que l'événement-confrontation est spécifique aux régimes démocratiques.**

D.D. : Oui, car contrairement à ce qui se passe avec les commémorations, seuls des régimes démocratiques peuvent se permettre de jouer à ce jeu dangereux qui consiste à dire que toutes les opinions sont susceptibles d'être émises.
Si un régime non démocratique se met à produire de tels événements, sans étouffer ou simuler les débats, le public découvre alors qu'il existe des alternatives aux discours dominants. Cela crée alors une fissure où la revendication démocratique peut s'engouffrer.

***SH :* En quoi consiste le dernier type d'événements de votre typologie ?**

D.D. : Le troisième type d'événements met en jeu une cérémonialité non plus contemporaine ou rétrospective, mais prospective. On y célèbre l'histoire sur le point de se faire. Les événements de ce genre sont les plus rares. Nous avons étudié les voyages du pape Jean-Paul II dans diverses régions du monde, et en particulier ses premiers voyages en Pologne.
Jouant de ses interventions cérémonielles, le pape provoquait des bouleversements dont il choisissait délibérément de restreindre la portée. Il suscitait de nouvelles perceptions historiques, mais en veillant à ce que ces perceptions ne mènent pas à l'insurrection ouverte, et donc à la répression. Sa stratégie consistait à faire « comme si ». Comme si la Pologne était de retour dans le sein de l'Eglise ; comme si la parenthèse communiste était sur le point de se refermer.
Nous avons également étudié la visite du président Anouar El Sadate à Jérusalem en 1977. Alors qu'il est le chef d'une armée qui vient de livrer une guerre meurtrière à l'Etat d'Israël, Sadate y est accueilli, « comme s'il » avait toujours été le représentant de la paix, et « comme s'il » représentait en cela, non seulement les Egyptiens, mais l'ensemble des pays arabes.
Dans chacun de ces cas, et dans quelques autres, cette stra-

tégie du « comme si » parvient, dans une transformation spectaculaire de l'opinion publique, à faire advenir la réalité cérémoniellement mimée. Cette dimension du « faire comme si » met en jeu les aspects de l'univers rituel, que privilégie l'anthropologue britannique Victor Turner.
Au mode « indicatif », qui caractérise la réalité quotidienne, Turner oppose, en effet, le monde « subjonctif » du rituel, c'est-à-dire le monde de ce qui pourrait être ou de ce qui mériterait d'exister. Le public peut alors répondre en suspendant son scepticisme habituel. Les membres de la société concernée par l'événement vont mettre leurs doutes entre parenthèses. Ils vont laisser agir « l'enchantement » et se laisser « conquérir » par la proposition de réorientation historique qui leur est faite. Voilà pourquoi nous parlons de « conquêtes » à propos de tels événements. Ce sont de véritables conquêtes de l'opinion publique.

***SH :* Vous opérez, dans votre ouvrage, un intéressant rapprochement entre votre typologie et celle de Max Weber sur les sources de l'autorité.**

D.D. : Max Weber distinguait trois formes d'autorité. Une autorité fondée sur le pouvoir des traditions ; une autorité fondée sur la compétence des individus et sur la rationalité des choix ; une autorité de type « charismatique », liée à la force de conviction de certains personnages exceptionnels.
Les événements-conquêtes me semblent étroitement liés à l'exercice d'une autorité charismatique. On y voit des personnages hors du commun tenter de changer les orientations historiques d'une société. Leur force de conviction leur permet de proposer de façon crédible ce qui, chez d'autres, semblerait inacceptable, transgressif ou désespérément utopique.
Quant aux événements-couronnements, ils se caractérisent non seulement par leur dimension rétrospective, mais aussi par l'affirmation de loyauté qu'ils proposent vis-à-vis de normes traditionnellement formulées. Mais les plus intéressants ici sont les événements-confrontations : fortement tournés vers un registre argumentatif, ils montrent qu'il peut exister des cérémonies visant à solenniser un mode d'autorité fondé sur la raison.

***SH :* Certains analystes des médias considèrent que les cérémonies constituent des pseudo-événements. Vous vous inscrivez radicalement en faux contre cette interprétation.**

D.D. : Vous faites évidemment allusion au fameux livre de Daniel Boorstin sur la création de pseudo-événements (1). Il est vrai que nous sommes inondés de pseudo-événements. Mais la critique de Boorstin a méconnu un élément très important mis en lumière par les recherches sur les médias des années 80-90. Il s'agit du rôle actif qui peut être joué par les récepteurs. En effet, les spectateurs ne sont pas toujours des dupes. Si on leur propose des pseudo-événements, ils vont manifester une pseudo-attention ou éteindre leur poste.
Ainsi le public refuse-t-il de prendre au sérieux certains « grands événements », auxquels il ne reconnaît pas une dimension événementielle suffisante, ou de réelle portée symbolique. On peut ainsi penser à l'indifférence polie suscitée en France par la « panthéonisation » d'André Malraux. Une telle désaffection est parfois injuste. Le premier voyage de Richard Nixon en Chine constituait un tournant historique considérable dans les relations entre les Etats-Unis et le monde communiste. Bien que diffusé en grande pompe sur un vaste nombre de chaînes, cet événement a été ignoré par les téléspectateurs. Dans d'autres cas, le désintérêt marqué par les téléspectateurs est plus justifié. Ainsi, le même public américain a-t-il boudé le télémarathon organisé par Ronald Reagan pour venir en aide à la résistance polonaise. Ce public estimait à juste titre qu'il était possible d'aider la résistance polonaise de façon bien plus directe. L'initiative présidentielle a été perçue comme un « pseudo-événement ». Le public n'est donc pas composé de « récepteurs » passifs, comme on le croit encore trop souvent. Ces récepteurs peuvent se révéler lucides. Les grands événements dont nous parlons ici leur offrent certains rôles. Mais ces rôles – qui varient en fonction de la nature de l'événement – peuvent être acceptés, négociés, ou refusés. Les événements qui manifestent des ambitions cérémonielles ne deviennent des cérémonies effectives que s'il se trouve un public pour valider leurs prétentions symboliques, pour les prendre au sérieux. Sans cela, ils restent des « gesticulations, des flonflons et du kitsch ».

Propos recueillis par
JACQUES LECOMTE
(*Sciences Humaines*, hors série n° 16, mars/avril 1997)

1. D. Boorstin, *The Image : a Guide to Pseudo-events in America*, Harper & Rox, 1964.

DOMINIQUE WOLTON*

LES CONTRADICTIONS DE LA COMMUNICATION POLITIQUE**

La communication politique, dans les démocraties occidentales, est tiraillée entre trois discours différents : celui des journalistes, celui des hommes politiques et l'opinion publique. La gestion du temps (logique médiatique de l'événement contre logique anthropologique du politique) est au cœur de son équilibre et de sa légitimité.

LA POLITIQUE est inséparable de la communication, et d'ailleurs l'histoire de la démocratie est celle de leurs relations. Le problème, aujourd'hui, est plutôt de mieux cerner la spécificité de la « communication politique », au moment où, avec la radio, la télévision et les sondages, la communication est en pleine expansion. A la limite, toute politique devient communication politique, au sens où la politique est constamment objet de débats et de communications. Il faut donc comprendre ce qui distingue la communication politique de tous les phénomènes de communication, qui entourent aujourd'hui la politique. Cette dernière n'est pas la communication publique, qui est celle de l'Etat et des institutions à destination de la société. Elle n'est pas non plus la médiatisation de la politique, même si cette médiatisation y joue un rôle important. Elle n'est pas non plus synonyme de marketing politique et ne peut davantage concerner tout échange de discours liés à l'enjeu de pouvoir, ou alors il s'agit d'une définition trop large, sans capacité discriminatoire.

J'ai essayé de construire une définition qui distingue au contraire la communication politique de tous les autres phénomènes de communication entourant la politique, et surtout qui rend compte

* Directeur de recherches au CNRS, Laboratoire de communication et politique, directeur de la revue *Hermès*, auteur de nombreux ouvrages dont *Eloge du grand public, une théorie critique de la télévision*, Flammarion, 1993.

** Ce texte est paru dans la revue *Hermès*, n° 17-18, 1995.

de sa dimension dramatique. C'est-à-dire qui rappelle que dans la communication, il y a toujours mobilisation de ressources différentes, contradictoires, qui s'opposent dans un jeu dynamique, dont l'enjeu est toujours le pouvoir.

C'est pourquoi, j'ai donné en 1989 une définition restrictive de la communication politique comme *« l'espace où s'échangent les discours contradictoires des trois acteurs qui ont la légitimité de s'exprimer publiquement sur la politique, et qui sont les hommes politiques, les journalistes et l'opinion publique au travers les sondages »* (1).

J'essayais ainsi de montrer l'importance des affrontements discursifs, par opposition à l'idée classique, de la communication politique qui la réduit à une stratégie pour *« faire passer un message »*. La communication politique est ici entendue comme un processus dynamique ouvert et non comme une technique, un lieu d'affrontement de discours politiques opposés, relayé soit par les journalistes, soit par les hommes politiques, soit par l'opinion par l'intermédiaire des sondages. Avec cette caractéristique de se terminer toujours par la victoire fragile d'un argument sur l'autre. L'intérêt de la communication politique, ainsi entendue, est à la fois de montrer qu'il s'agit d'un lieu d'affrontement de discours, à l'issue incertaine, mais aussi de montrer que cet affrontement se fait à partir de trois discours qui ont légitimité à s'exprimer par la démocratie : l'information, la politique et l'opinion publique.

La communication politique prend donc des formes différentes selon les périodes normales de crise ou électorale. Mais elle a toujours la double fonction de sélection des thèmes sur lesquels se feront les enjeux, et d'élimination de ceux pour lesquels il n'y a plus d'affrontement. La communication politique change donc de sens et de forme dans le temps, mais chacun de ces chapitres, en quelque sorte, se termine par une élection, avant l'ouverture ultérieure d'un autre chantier. Je disais : *« ... la communication politique est un changement politique aussi important dans l'ordre de la politique, que les médias de masse l'ont été dans celui de l'information, et les sondages dans celui de l'opinion publique »* (2).

J'ai également essayé de montrer qu'il n'y a pas de communication politique sans espace public (3) qui soit distinct de l'espace commun et de l'espace politique. La communication politique est l'intersection la plus petite entre les trois autres espaces symboliques que sont l'espace public, l'espace politique et l'espace communicationnel. Elle est le lieu où se concentrent, et se lisent, les thèmes politiques en débat qui se sont dégagés de l'espace public et de l'espace politique. L'intérêt de cette définition restrictive est de montrer l'enjeu de la communication politique : la sélection des thèmes et des problèmes sur les-

1. Voir les deux articles : « Communication politique : construction d'un modèle » ; et « Communication politique : les médias, maillon faible de la communication politique », *Hermès*, n° 4, « Le nouvel espace public », juillet 1989.
2. *Idem.*
3. Voir « Communication politique : les contradictions de l'espace public médiatisé », *Hermès*, n° 10, « Espaces publics, traditions et communautés », juin 1992 ; « L'espace public européen », *L'Esprit de l'Europe*, t. 3, Flammarion, 1993 ; « La recherche désespérée d'un espace public européen », *La Dernière Utopie : naissance de l'Europe démocratique*, Flammarion, 1993.

quels se règlent les affrontements cognitifs et idéologiques du moment. A la limite, l'histoire de la démocratie est celle de la succession des « cartes » ou des « figures » de la communication politique, qui au fur et à mesure, ont dominé et structuré la vie démocratique. Sa fonction est d'arriver à sélectionner dans les discours contradictoires du moment, celui ou ceux auxquels les publics adhéreront.

L'histoire de la communication politique est l'histoire de ces chapitres où s'est jouée l'interprétation des enjeux politiques dominants du moment. Tous les discours publics et politiques n'entrent pas dans la communication politique du moment. Seuls en font partie ceux sur lesquels se structurent les affrontements. Cela montre l'importance de l'interaction conflictuelle des trois dimensions de la démocratie : l'information, la politique et la communication. Cela montre aussi la place du public dans ce processus au travers de l'opinion publique, et le rôle finalement dominant de la politique par rapport à la communication. En effet, l'enjeu de toute phase de communication politique reste bien la décision et l'action politique, et non la communication. Par sa fonction d'intégration, de légitimation, et d'exclusion des thèmes considérés comme ne faisant pas partie des enjeux politiques du moment, la communication politique est le véritable moteur de l'espace public.

Elle est d'ailleurs un concept clé du fonctionnement de la démocratie de masse. Mais, curieusement, elle fait l'objet de peu d'attention, tant la communication politique a été finalement identifiée à tout ce qui concerne soit le marketing, soit la place croissante de la communication dans la politique. On s'est focalisé sur la « fonction d'agenda » (4) qui finalement n'est qu'un cas de figure de la communication politique, celui où les journalistes arrivent plus ou moins à imposer leur hiérarchie des problèmes. Mais cette fonction d'agenda est trop simple, même si elle est séduisante pour comprendre ce jeu complexe et d'affrontement et de légitimation du discours. A la limite, il y a autant de fonctions d'agenda qu'il y a de combinaisons entre les principaux acteurs : hommes politiques, journalistes, organismes publics, événements. Le succès du mot est à la mesure de leur rationalisation simple qui l'introduit dans un jeu complexe et imprévisible de rapport de force. Par exemple, il ne fait pas apparaître avec suffisamment de netteté ce qui distingue les situations normales de crise ou d'élections.

Dans le sens que je lui donne, il s'agit de tout autre chose : c'est le moyen de passer des approches sectorielles de la politique qui parlent soit des médias, soit des sondages, soit des discours politiques, au profit d'une approche qui essaie de comprendre l'interaction entre les trois. La communication politique devient d'ailleurs un concept plus important pour la démocratie de masse que pour la démocratie élitiste d'hier. En effet, la communication politique d'hier concernait une élite ; aujourd'hui, avec le suffrage universel, elle est à grande échelle. Et, ce sont justement les modalités d'articulation des trois dimensions constitutives

4. Voir mots clés en fin d'ouvrage.

de la politique, à cette grande échelle, qui donnent toute son importance à la communication politique.

Mais au lieu de s'intéresser aux modalités d'interaction entre ces trois logiques, la plupart des analystes privilégient soit les discours, soit les élections, soit les sondages, soit les médias, et rarement le résultat de leur interaction. En réalité, la communication politique est un équilibre instable entre des logiques contradictoires. Equilibre instable, mais qui donne sens aux affrontements de la démocratie de masse.

Dans ce texte, je souhaite étudier les contradictions de la communication politique, telles qu'elles existent dans les démocraties de l'Europe de l'Ouest où nous avons peut-être développé avec le plus de netteté ces trois directions contradictoires, équivalentes du point de vue de la légitimité : l'information, la politique et la communication. Quelles sont les contradictions qui menacent cet équilibre fragile et instable ? Elles résultent de la rupture de cet équilibre entre ces trois logiques. Pour le dire d'un mot, à la mode dans la recherche sur la communication, la communication politique est l'objet d'un affrontement en son sein pour « la maîtrise de la fonction d'agenda ».

Mais il s'agit là d'une fonction d'agenda un peu complexe, à deux niveaux. Le premier niveau est celui du rapport de force entre ces trois discours, chacun essayant d'imposer sa représentation de la situation politique aux deux autres, afin d'avoir une maîtrise – partielle – et toujours fragile de l'agenda de la communication politique. Mais le second niveau est celui du lien entre la communication officielle, celle qui se voit, avec l'état réel des débats dans la société. Le pire survient quand un « découplage » intervient entre la communication politique et les contradictions et les problèmes qui traversent la société. La communication politique est donc l'enjeu d'une lutte pour la maîtrise de l'agenda à deux niveaux : au niveau interne de la communication politique entre les discours ; au niveau externe entre la communication politique et le reste de la société. Les dix contradictions examinées ici, illustrent les deux fonctions d'agenda de la communication politique, et la fragilité de cet espace symbolique traversé de conflits. L'enjeu de cette fragilité est le bon fonctionnement du modèle actuel de démocratie, où la communication joue un rôle essentiel. Si la communication politique n'arrive pas à gérer ces deux niveaux, c'est le statut même de la communication politique comme lieu de représentation, de symbolisation, et de lecture des enjeux politiques du moment qui est en cause. C'est finalement une des pièces essentielles, avec le principe de souveraineté et d'élection, du modèle démocratique.

L'absorption de la société civile par l'espace public

Si la société civile est historiquement antérieure à la naissance de l'espace public, et conditionne d'un point de vue théorique son apparition, le risque est aujourd'hui la fin de cette séparation. Pour Dominique Colas, *« la société civile désigne la vie sociale, organisée selon sa propre logique, notamment associative, qui assurerait la dynamique éco-*

nomique, culturelle et politique» (5). Pour François Rangeon, *«Avant d'être une conception, une idée, la société civile évoque d'abord un ensemble de valeurs positives. L'autonomie, la responsabilité, la prise en charge par les individus eux-mêmes de leurs propres problèmes. Par sa dimension collective, la société civile semble échapper aux dangers de l'individualisme et inciter à la solidarité. Par sa dimension civile, elle évoque l'émancipation de la tutelle étatique, mais aussi des valeurs plus affectives, telles que l'intimité, la familiarité... On s'explique ainsi la réactivation récente du couple société civile-Etat.»* (6) Autrement dit, la société civile est un des processus dominants de représentation de la société sur elle-même. Cette représentation s'étend, au fur et à mesure du processus de laïcisation et de la fin de la séparation des ordres temporels et spirituels.

L'emprise de la politique, de l'Etat, sur cette société civile contribue à rendre celle-ci encore plus visible et plus présente. Quant à l'espace public, son extension est-elle même liée à celle de la démocratisation. Elle traduit le phénomène de politisation de la plus grande partie des questions de société, au sens ou en démocratie presque toutes les questions sont l'objet d'affrontements et de négociations. *«L'espace public est l'espace symbolique où s'opposent, et se répondent, les discours pour la plupart contradictoires, tenus par les différents acteurs politiques, sociaux, religieux, culturels, intellectuels qui composent une société.»* (7) C'est une zone intermédiaire qui s'est constituée au moment des Lumières – Kant est le premier à en parler – entre la société civile et l'Etat. Elle est donc diversement liée au double phénomène de laïcisation et de rationalisation de la société. La conséquence de cette extension de l'espace public, c'est la diminution du rôle de la société civile. Mais, simultanément, l'extension de l'espace public aboutit à étendre l'espace politique, et donc la politique. Le risque est alors la surdimension de la communication politique, avec une sorte de superposition des différents espaces : communication politique, espace politique, espace public, société civile. *«Tout devient politique»*, comme on dit, alors même que le schéma démocratique suppose au contraire une autonomie des instances, une distinction entre public et privé, une séparation entre la politique et le reste. On peut même dire, comme l'a rappelé Jean-Michel Besnier, que «la séparation» est le symbole de la démocratie, par rapport à toutes les autres formes de régime politique non démocratiques qui valorisent l'unité. La séparation c'est la reconnaissance du principe fondamental du droit à l'opposition, la reconnaissance du fait que la légitimité n'est pas acquise pour toujours.

L'effet pervers de la démocratisation, en socialisant tous les aspects de la réalité sociale, en les faisant rentrer dans l'espace public, puis en les politisant, est de réduire cette séparation entre les espaces. Séparation qui a une

5. D. Colas, «La Société civile», O. Duhamel et Y. Meny, *Dictionnaire constitutionnel*, Puf, 1992. Pour plus de détails voir D. Colas, *Le Glaive et le Fléau. Généalogie de la société civile et fanatisme*, Grasset, 1992.
6. F. Rangeon, «Société civile : histoire d'un mot», *La Société civile* (coll.), Puf, 1986.
7. D. Wolton, *Eloge du grand public*, Flammarion, 1990.

importance théorique certaine puisque c'est elle qui explique le rôle de la communication politique. Celle-ci en effet est le processus par lequel, dans une durée de temps précise, se distinguent parmi beaucoup de sujets potentiels les thèmes autour desquels se fait l'affrontement politique. Si tout est politique, il n'y a plus de communication politique puisque tout est communication politique !

Autrement dit, l'enjeu ici est de préserver une limite « au-delà de laquelle la logique politique » ne doit pas s'étendre. S'il n'y a plus cette frontière entre les espaces civils, public et politique, et s'il n'y a plus ce processus dynamique permanent de la communication politique vivant à discriminer ce qui, a un moment donné, constituera l'enjeu politique du moment, alors il n'y a plus de fonctionnement démocratique.

La confusion espace public-espace politique

L'existence de la communication politique suppose donc la distinction entre public et privé, c'est-à-dire entre ce qui, à un moment, fait l'objet de discours publics, et, au sein de ces discours, ceux qui peuvent faire l'objet d'un affrontement politique, par rapport à ce qui, d'autre part, reste dans un ordre du privé. C'est-à-dire qui se situe à une échelle interpersonnelle, ou à celle de petits groupes, et qui en tout cas n'est pas destiné à être débattu sur la place publique. Sur trente ans de vie politique, on voit bien, par exemple, que les thèmes du chômage, de la ville, de l'éducation, de la sécurité, de la formation professionnelle, de l'autonomie régionale, du statut des femmes, de l'immigration, de l'aménagement de la ville, des relations internationales, de la décolonisation... n'ont pas eu la même place dans l'espace public, et *a fortiori* dans la communication politique.

Certains thèmes concernant l'individu, les mœurs, la reproduction, sont même « sortis » de la sphère privée pour devenir « publics ». En revanche, d'autres thèmes comme celui, hier très important, des anciens combattants ou de la décolonisation, ont quitté la sphère publique, faute d'objet. D'autres thèmes, comme par exemple celui lié au statut des commerçants, ont suivi le même chemin, alors que d'autres discours liés au secteur tertiaire et à l'informatisation, par exemple, qui auparavant ne faisait « pas de problèmes », entrent progressivement dans la sphère politique du fait de leur poids social et des mutations techniques.

Ces quelques exemples prouvent que la communication politique comme forme temporaire des affrontements change dans le temps. C'est cette succession de formes différentes qui à chaque fois structure et donne sens aux enjeux de la politique, cœur de la vie démocratique. Autrement dit, il y a trois niveaux : privé/public ; société civile/espace public ; espace public/espace politique. La communication politique suppose ces trois distinctions. La politisation, ou tout au moins la publicisation de la sphère privée, réduit cette séparation entre les trois niveaux. Ce faisant, elle altère aussi la spécificité de la communication politique comme articulation temporaire des trois discours et des trois logiques. Exemple ? Aujourd'hui, tous les problèmes, y compris les plus privés, on aurait dit hier les plus « moraux », comme la sexualité, les mœurs, la reproduction, la morale, sont dans le domaine public, et objets d'affrontements politiques. Ils sont même l'objet de législations et entrent ainsi directement dans la sphère de la communication politique. Les problèmes du sida ont également favorisé le passage du privé au public et au politique. Le lien entre sphère privée, espace public, espace politique et communication politique, n'a donc jamais été aussi direct qu'aujourd'hui. Plus les espaces et les logiques de nature différente communiquent, plus il est difficile de spécifier le rôle et l'enjeu de cette forme spécifique d'interaction qu'est la communication politique. L'efficacité de la communication politique dans le système politique général dépend justement de cette autonomie et de cette séparation des instances.

Autrement dit, plus tout communique, plus il faut maintenir la distinction ; ou pour le dire autrement, est-il possible qu'une société vive sans distinction public/privé, c'est-à-dire sans une autonomie de ces trois instances : le privé, le public, le politique ? Le pire est de croire qu'il y a un « progrès » dans la disparition de ces distinctions, alors même qu'elles sont au cœur du fonctionnement de la société démocratique. C'est en cela que la communication politique est un concept central, car il permet de repérer si le maintien d'une différence entre ces logiques ou ces espaces demeure, ou si au contraire il y a fusion des espaces. Quand la communication politique joue un rôle particulier, cela signifie que ces instances restent séparées et autonomes. Si la communication a tout dévoré, c'est le signe que cette autonomie indispensable au fonctionnement des sociétés démocratiques, a disparu.

L'égalitarisme, la fin de la responsabilité sociale des élites

Alexis de Tocqueville a, le premier et brillamment, montré la contradiction inéluctable et désastreuse, pour la démocratie, entre liberté et égalité. La première est la condition d'apparition de la démocratie, la seconde, la destinée normale du mouvement de démocratisation. L'égalitarisme qui en résulte rend plus difficile le surgissement et le traitement de la politique, surtout aujourd'hui où le mouvement de l'égalitarisme est plus fort que dans les années 1850. Le discours sur l'égalité s'accompagne progressivement d'une disqualification des élites. C'est l'idée d'élite qui est d'ailleurs progressivement attaquée, même si par les diplômes et les concours, les sociétés égalitaires ont maintenu le poids et le rôle de certaines élites. Mais c'est l'idée de hiérarchie sociale, dont l'élite est le symbole, qui est aujourd'hui contestée, même si parallèlement surgissent de nouvelles inégalités. En réalité, un marché de dupes s'est réalisé autour de l'élitisme. Condamné au nom de l'égalitarisme, il subsiste au nom de la méritocratie, apparemment non contradictoire avec l'égalitarisme.

Mais, la méritocratie retrouve tous les privilèges de l'élitisme d'hier, sans le sens de la responsabilité sociale, morale et esthétique qui accompagnait autrefois le rôle et le statut des élites. Autrement dit,

elles en ont les avantages, en terme de privilèges, et aucun en terme de responsabilité sociale. Mieux, le discours officiel continue de nier, au nom de l'égalitarisme, les valeurs de l'élitisme, alors même que nos sociétés égalitaires restent marquées dans la réalité par le maintien du rôle des élites. Celui-ci n'est plus avancé comme une valeur à défendre, ou à mériter, tout en existant, comme une réalité privilégiée. C'est en cela qu'il y a un marché de dupes.
L'égalitarisation donne le sentiment faux d'une démocratisation. Il disqualifie l'élitisme qui subsiste pourtant dans les faits mais sans les responsabilités d'hier. C'est particulièrement vrai en politique. Chacun pense être au niveau de « tous » pour penser et analyser les problèmes de tous genres. L'égalitarisme politique exprime une certaine délégitimation de la place des élites, alors même que la hiérarchie sociale non seulement demeure dans les faits, mais reste également essentielle du point de vue du fonctionnement social. Le principe de l'égalité posé, il faut admettre le principe complémentaire des différences. Non pas comme source d'inégalités, mais comme condition de fonctionnement d'une société. Reconnaître, valoriser et rendre responsable les élites est préférable à ce qui est aujourd'hui observé, à savoir la dénégation les concernant. Au nom de l'égalitarisme dominant, elles sont peu légitimées, alors que dans la réalité leur pouvoir est réel, sans les responsabilités éthiques et esthétiques qui devraient en résulter. Pour le dire en d'autres mots, mieux vaudrait du point de vue des valeurs d'une société démocratique, reconnaître et valoriser le rôle des élites en les doublant des responsabilités qui en résultent, plutôt que la position actuelle de l'autruche qui, au nom d'un certain discours égalitariste, refuse leur valeur, alors même que la réalité de leur emprise est bien là. Mais sans responsabilité corrélative.
En d'autres termes, la communication politique, comme enjeu de l'affrontement des discours, pour la conquête et la maîtrise du pouvoir politique et de la légitimité des discours s'y rapportant, joue ici un rôle central. Soit elle renforce cette idéologie de l'égalité qui nie la réalité, soit elle contribue à préserver le rôle essentiel des différences, qui n'est nullement contradictoire avec l'égalité politique. Si tous les discours ont le même statut, la « différence de potentiel » qui anime, justifie et structure les affrontements discursifs disparaît. La politique ne disparaît pas pour autant, car les contradictions demeurent, mais un des dispositifs essentiels de la « mise en scène », au sens objectif du terme, du dispositif démocratique disparaît. La fausse mise à plat assurée par la communication politique est alors contradictoire avec l'objectif démocratique qui est d'assurer l'affrontement des discours, et non pas de faire croire à leur illusoire égalité.
Finalement, l'égalitarisme supprime les différences qui permettent aux discours de se structurer et de s'affronter. Et la responsabilité de la communication politique dans la dégradation et la mauvaise compréhension du concept d'égalité peut être importante. La manière dont la communication politique admet ou non les différences est essentielle

pour lutter contre une certaine idéologie égalitariste. On retrouve là certaines critiques du discours aristocratique émises à l'endroit du discours démocratique, il y a plus d'un siècle. C'est la victoire même des valeurs démocratiques qui remet au centre des débats sur le fonctionnement de la démocratie de masse ces questions essentielles.

La médiatisation sans limites

Je ne reviens pas sur ce que j'ai analysé ailleurs, lié à des contradictions de l'espace public médiatisé (8) : tyrannie de l'événement ; distorsion entre grande capacité d'accès à l'information et faible capacité d'action ; omniprésence de l'image… Je voudrais ici évoquer un des effets les plus pervers du processus, par ailleurs démocratique, de publicisation, celui de la médiatisation sans limites. On a vu que la publicisation, par l'intermédiaire des médias, a l'avantage de faciliter le passage des problèmes et des discours dans l'espace public : tout est devenu discutable. L'inconvénient, on l'a vu également, est la disparition de la frontière public/privé. Mais il y a un autre effet discutable qui met en cause l'équilibre fragile de la communication politique. C'est le fait que les médias deviennent le seul étalon de la légitimité. Autrement dit, la logique de la communication devient le critère ultime avec le syllogisme suivant : ce qui est connu est médiatisé, donc ce qui est légitime est médiatisé. Ce qui n'est pas médiatisé, non seulement n'est pas connu, mais finalement n'est pas légitime. C'est le lien « connu-légitime » qui est devenu trop fort. Tant que l'espace public était limité, chacun savait qu'il existait des discours, des valeurs, des représentations qui conservaient leur légitimité à l'extérieur de l'espace public. Plus celui-ci s'étend, plus la communication accélère la circulation des discours et des valeurs, plus cette équation simple, mais fausse, s'impose. Tout ce qui est connu est médiatisé, tout ce qui est médiatisé est légitime. Pourtant il y a de très nombreux acteurs, de discours, de représentations qui ne sont pas dans l'espace public, ni sujet à médiatisation, et qui jouent pourtant un rôle essentiel dans la société ! Et l'élargissement de l'espace public, sous l'effet de la démocratisation depuis un siècle, ne peut, fort heureusement, conduire à faire de ce qui est dans l'espace public le seul critère de légitimité.

Hier comme aujourd'hui, ce qui est connu n'est pas toujours synonyme de qualité. Cette différence est encore plus importante à préserver au moment où, justement, beaucoup de phénomènes sont sur la place publique, et où la renommée par les médias est plus importante que jamais. Quel est l'impact de ce déséquilibre sur la communication politique ? Dénaturer son rôle de régulation qui consiste justement à intégrer et à exclure du champ politique certains thèmes et certains discours. Ce qui suppose la capacité à distinguer ce qui est extérieur à ce champ de la communication politique.

Si l'espace médiatique se considère comme représentatif de l'ensemble des discours, ou préoccupations, cela

8. D. Wolton, « Journalists : the Tarpeian Rock is Close to the Capitol », *Journal of Communication*, vol. 42, n° 3, 1992.

conduit à délégitimer ce qui existe à l'extérieur, et donc à favoriser le renfermement de la communication politique sur elle-même, ce qui est l'inverse de son rôle. Aujourd'hui, par exemple, le discours journalistique médiatique s'impose à tous, limitant l'effort et le rôle de toute autre approche. Non seulement un certain regard sur le monde, celui du journaliste, devient l'étalon des autres regards et discours, mais surtout ce discours privilégie un certain mode d'expression, une certaine simplification, tout à fait légitime dans l'ordre des médias, mais peu légitime à l'extérieur de ceux-ci. Cette survalorisation du discours journalistique renforce la tyrannie de l'événement sur toute approche à caractère structurel, ou tout simplement complexe et qui échappe au code dominant du moment.

La communication politique à l'avantage d'accélérer la circulation des thèmes et des idées qui sont au sein de l'espace public, elle dévalorise trop ceux qui n'y sont pas. On le voit très bien dans l'exemple simple du marché du livre. Hier, le rôle des journalistes était de valoriser les livres ; médias et livres appartenaient à différents espaces culturels. Aujourd'hui, les livres qui n'ont pas la sanction des médias subissent un évident effet de délégitimation. Mais pire, les journalistes sont de plus en plus nombreux à écrire des livres pour renforcer leur légitimité professionnelle toujours fragile. Comme ils savent, mieux que tout autre groupe, utiliser les médias, on arrive au résultat paradoxal suivant : les médias parlent peu des livres, et sur ce faible nombre, les livres de journalistes sont majoritaires et largement évoqués. Ce qui a un double inconvénient : renforcer encore un peu plus l'emprise des discours journalistiques sur la réalité ; exclure un peu plus les autres discours. Cet exemple illustre le phénomène général par lequel la médiatisation devient le processus unique de légitimation.

Or, la force de la communication politique, qui est d'organiser à un moment le heurt des enjeux, est justement de laisser la place à d'autres logiques que celles des journalistes. Si celles-ci prédominent, c'est le jeu des différences qui déséquilibré.

La représentativité omniprésente

Plus il y a de discours dans l'espace public, par l'intermédiaire des médias et la prise de parole des acteurs, plus se pose le problème, pour les journalistes, du critère au nom duquel donner la parole aux acteurs. Tout le monde ne peut pas parler ou s'exprimer. La communication requiert donc une logique de représentativité. Finalement, parle et s'exprime celui qui est légitime, c'est-à-dire représentatif. Ce processus démocratique produit ici un risque de rigidification, au sens où ce critère relève davantage de l'espace politique que de l'espace public. Si la représentativité est la transcription directe du principe de légitimité de l'ordre politique, rien ne justifie *a priori* qu'elle organise également la hiérarchisation des valeurs de l'espace public. Le risque est même celui d'un appauvrissement, car les valeurs scientifiques, esthétiques, culturelles, religieuses… ne s'organisent pas principalement selon ce principe de

représentativité, mais selon des principes de qualité qui leur sont à chaque fois spécifiques. Autrement dit, il peut y avoir simultanément médiatisation et conformisme. Conformisme, car chacun sait que le processus de représentativité peut se dénaturer en défense des intérêts acquis. Et l'histoire des sociétés est remplie de conflits où les instances « représentatives » ont été contestées par des conflits « sauvages ».
Le processus de la communication politique, qui gère le problème essentiel du critère d'accès, pour intégrer ou non les discours et les acteurs dans le champ des affrontements, peut très bien contribuer à rigidifier la communication politique, au lieu de l'assouplir. L'inconvénient est alors de ne plus favoriser ce mouvement constant de flux et de négociations des discours et des intérêts. La communication politique ne joue plus, dans ce cas, son rôle de « capteur » assurant l'aller-retour entre les espaces public et politique, elle risque de ne pas réduire les menaces d'explosion sociale liées à une certaine souplesse du jeu politique. La logique de la représentativité peut donc conduire à un effet pervers : au lieu de rapprocher les différents intérêts, elle contribue au contraire à découpler la communication politique de la réalité sociale et culturelle. En effet, le microcosme inévitable, représenté par le rassemblement des hommes politiques, les sondeurs et des journalistes, a constamment le sentiment d'avoir une « bonne représentation » de la réalité, et peut avoir ainsi la tentation naturelle de se replier sur lui-même. C'est l'effet « bocal » dont j'avais parlé, avec Jean-Louis Missika, dans *La Folle du logis*, en 1981. Quinze ans après, le processus ne s'est pas amélioré.
La communication politique n'est jamais qu'une figure temporaire de l'affrontement politique, sorte de délégation, plus que de représentation. Certes, la représentation démocratique des réalités est un progrès, mais à condition de ne pas trop la figer. On peut dire qu'aujourd'hui la communication politique est à la fois le processus qui permet au mieux dans des sociétés ouvertes de préserver la force du principe représentatif, et celui qui au contraire peut le desservir.

La simplification de l'argumentation politique

L'avantage de la politique démocratique est d'obliger à une simplification du discours politique : la politique faite aux « balcons du peuple » doit être compréhensible. La télévision, après la radio, facilite ce phénomène. L'inconvénient est évidemment d'aller trop loin dans cette simplification de l'argumentation politique au point de réduire celle-ci à un jeu de stéréotypes. Jusqu'où cette simplification est-elle possible ? D'autant que le jeu de la politique institutionnelle, par le rythme des élections, contribue lui aussi à une sorte de simplification.
Le risque ? Réduire l'hétérogénéité des discours échangés au sein de la communication politique, appauvrir celle-ci et donc ne plus lui faire jouer ce rôle essentiel de mise en scène des discours politiques du moment. La conséquence ? Dans un premier temps, une sorte d'assagissement de la politique, dans un second, l'émergence d'une politique sauvage qui conteste la politique

institutionnelle. Ce risque est constant, mais il est dangereux, s'il arrive à mettre en cause l'efficacité de la communication politique. Trop de simplification est aussi dangereux que trop de représentativité. Avec le risque corollaire : l'illusion de la maîtrise du temps. Car tel est la conséquence ambiguë de cette simplification : comprimer l'échelle du temps, déjà réduite par le jeu des calendriers électoraux. En simplifiant les arguments, et en renouvelant pour chaque élection les thèmes de débats, on risque de donner le sentiment, faux, d'une solution rapide aux problèmes de la société et de la politique.

Le problème du chômage depuis une quinzaine d'années, illustre ce phénomène. Il fut au cœur des débats tant qu'il était dans l'agenda du moment, et que les uns et les autres pensaient pouvoir lui trouver une solution. Il disparaît aujourd'hui presque des débats, même si la réalité est plus lourde, tout simplement parce que les solutions sont trop difficiles et qu'une sorte d'usure du thème est apparue. Il n'est pas certain que les débats qui progressivement se nouent autour de l'aménagement du temps de travail, la réduction, la formation… suffisent à rendre compte de la complexité du problème « chômage ».

L'avantage de la démocratie médiatisée est de pouvoir parler de tout, simplement ; l'inconvénient est l'usure des thèmes quand les problèmes demeurent, ce qui est le cas avec le chômage. La simplification, qui est la condition de cette communication élargie, peut même devenir un handicap. Nous assistons au même phénomène, avec la persistance d'un discours politique d'extrême-droite concernant l'immigration et finalement l'identité. Comme les autres forces politiques n'ont pas pour l'instant réussi à trouver des contre-arguments simples et convaincants, et que l'on sent le problème délicat pour l'avenir de l'Europe politique, on le laisse pour le moment en jachère, de peur de relancer un débat politique dont les termes ne sont pas déplacés, et en espérant que progressivement la relance économique résoudra ce que le discours politique n'a pas réussi à arbitrer.

En un mot, la simplification de la communication politique ne change rien à la complexité de la politique. Au contraire ! Elle accentue les défauts de nos sociétés modernes qui acceptent difficilement le temps et la durée. L'accélération des débats, des échanges, des arguments, des thèmes qui entrent et sortent de la communication politique n'a pas de conséquence directe sur la solution des problèmes politiques. La difficulté est d'admettre ce découplage, et de ne pas confondre simplification des débats avec simplification de la résolution de problèmes.

L'unidimensionalisation des discours

C'est le risque complémentaire du précédent. La simplification et l'institutionnalisation réduisent l'hétérogénéité des discours politiques, vidant ainsi progressivement la communication politique de sa fonction de « carrefour symbolique », auquel les différents milieux sociaux peuvent accéder. La paix civile dépend de la représentation que les différentes forces sociales se font de leur

vision du monde et de la manière dont ils la retrouvent « au sein » de la communication politique. Une trop grande rationalisation favorise le retour de la politique sauvage. La communication politique assure la mise en forme et en scène du discours politique, avec le double écueil d'un éventail trop large ou trop étroit. L'institutionnalisation de la politique mène plutôt au second risque, avec la menace de la « spirale du silence » : les acteurs et les groupes qui ne se reconnaissent pas dans le jeu de la communication politique, s'en excluent de plus en plus, sans qu'on le sache. C'est le phénomène bien connu, et paradoxal, de rétrécissement du champ de la communication politique.
Paradoxal, bien que l'augmentation du nombre des sujets et le rôle croissant des médias auraient dû au contraire contribuer à élargir le champ de la communication politique. Mais la communication plus facile n'aboutit pas à favoriser la diversité des discours en circulation. Elle renforce au contraire les conformismes. Circulent plutôt les discours qui, à un moment, sont dans l'air du temps. Et aujourd'hui, comme hier, il est aussi difficile de faire « passer » des idées originales. L'omniprésence de l'information accentue quasiment mécaniquement la place et le rôle des discours communs du moment. Et comme les médiateurs, journalistes pour l'essentiel, ont une conscience aiguë de leur rôle, et sont largement influencés par l'état de la communication politique qu'ils contribuent eux-mêmes à organiser, ils en arrivent facilement à changer de statut. Ils ne se contentent plus d'être les passeurs ou les animateurs de la communication politique, ils pensent en être finalement les législateurs.
Il peut donc y avoir simultanément élargissement de la communication politique et unidimensionalisation des discours. En un mot, et c'est un constat lié à l'observation de ce demi-siècle, il n'y a pas de rapport direct entre la place grandissante de la communication et la tolérance à l'égard d'idées et de discours plus hétérogènes.
Tout se poursuit normalement. Mais dans un deuxième temps, il y a un risque de conflit. Une partie du public et des forces sociales ne se sentant plus représentée dans les discours y oppose des gestes et des faits. C'est l'exemple que chacun a en tête de ces conflits sociaux qui, régulièrement, viennent contester les mécanismes institutionnels chargés de résoudre les problèmes ! Les faits et les coups se transcrivent en discours, à la condition d'un certain gain. Sinon, les gestes se substituent de nouveau aux mots. Car tel reste toujours l'enjeu de la communication politique : accepter que l'affrontement des mots soit préférable à celui des gestes.

Le déséquilibre entre les trois discours de la communication politique

On a vu que la communication politique est un équilibre fragile entre les trois discours (journalistes, politiques, publics) dont l'enjeu est la maîtrise, momentanée, de l'interprétation de la réalité dans une perspective qui est toujours liée à la prise de pouvoir, ou à son exercice.
Le premier risque est celui où les médias mangent la politique : risque bien

connu de la « politique spectacle ». Dans ce cas, les médias perdent de leur autonomie et de leur crédibilité auprès de la société civile. Celle-ci ne les prend plus comme partenaire-allié contre les hommes politiques. C'est l'autonomie de la logique médiatique et médiatrice qui est alors contestée. C'est son statut de contre-pouvoir qui est alors visé. En se rapprochant trop les uns des autres, journalistes et hommes politiques arrivent à être rejetés par le public. Autrement dit, c'est une chose de se plaindre en permanence de la politique et des médias, tout en reconnaissant l'altérité des points de vue ; c'en est une autre de ne plus voir de différence entre les deux. Et du coup de réduire le trépied de la communication politique à une simple dualité.

Le deuxième risque est celui où les sondages mangent l'opinion publique, en donnant le sentiment d'une représentation possible de celle-ci. Ce qui est gagné en simplicité est perdu en complexité et en vérité. La tendance aujourd'hui est qu'il n'y a plus d'autre représentation de l'opinion publique que celle des sondages. Cela favorise évidemment un certain appauvrissement, et, à terme, une expression sauvage des opinions exogènes au jeu de la quantification. Au sein de la communication politique, c'est une sorte de convention implicite qui identifie opinion publique et sondages. Plus cette identification semble réalisée, plus il y a risque. Non seulement d'appauvrissement de la communication politique, mais aussi de débordement de la représentation de l'opinion publique par d'autres formes de manifestations. La représentation de l'opinion publique au sein de la communication politique a toujours l'inconvénient d'être insatisfaisante et partielle, par rapport à l'autre représentation qui est celle du suffrage universel. Le paradoxe est qu'il est préférable de se satisfaire de cette « représentation à demi », plutôt que de croire à l'isomorphie entre les deux. Le risque est grand pour la représentation politique de l'opinion publique, mais au moins y a-t-il le vote qui vient ensuite rééquilibrer. Le danger est plus grand pour tous les autres sujets de société, où il n'y a pas de vote. Il y a là un glissement concernant le rôle et la valeur du sondage. Celui-là, au lieu d'être pris comme un moyen partiel de compréhension, devient en réalité le seul facteur explicatif. Sur la science, Dieu, la sexualité, la culture… la connaissance apportée par les sondages est d'une faible utilité, mais rassurante. Le pire est que chacun reconnaîtra la nécessité d'autres modes d'appréhension de ces réalités, tout en acceptant finalement cette représentation quantitative !

Le troisième déséquilibre résulte de la rupture de la relation entre médias et opinion publique. Ceux-là « représentent » l'opinion publique face aux hommes politiques. Représentation libre et subjective puisque, par définition, le journaliste parle en son nom personnel, c'est d'ailleurs sa grandeur. Mais dans la théorie démocratique, le journaliste est aussi le porte-parole implicite de cette opinion, au nom de laquelle il pose des questions aux hommes politiques, ou les critique. Il y a donc une sorte de concurrence entre les deux représentations de l'opinion publique, celle des sondages, celle des journalistes. Une quantitative, une qualitative. La difficulté et l'intérêt du modèle démocratique font qu'il n'y a pas de rapport direct entre public, opinion publique et corps électoral. Le public n'est pas l'opinion publique, et celle-là n'est pas le corps électoral. Il s'agit à chaque fois de représentations partielles d'une réalité difficilement représentable, sauf sur le mode strictement affectif. Le risque est donc que les journalistes, pour être crédibles, assurent moins ce rôle de porte-parole « qualitatif » de l'opinion publique et s'abritent davantage derrière les sondages comme représentation de l'opinion publique pour parler aux hommes politiques. Ils y gagnent apparemment en « objectivité », mais y perdent en liberté critique. Sans pour autant être plus crédibles du côté des hommes politiques qui craignent toujours leur esprit critique. Les journalistes risquent même de se voir opposer par les hommes politiques le fait de ne pas bien « représenter » l'opinion publique. Et de se voir opposer les sondages, à leurs questions. Peut-être, et surtout, parce que les sondages posent moins de questions embarrassantes qu'un journaliste...

La fragilité de l'équilibre entre les trois logiques de la communication politique est l'envers de son efficacité. Elle est certes le moteur de l'espace public, mais on voit bien qu'à chaque instant une de ces trois logiques risque de l'emporter.

La communication politique comme processus de délégation des enjeux politiques n'est possible que si les citoyens s'identifient, d'une manière ou d'une autre, aux discours et aux enjeux.

Une communication hors de l'échelle humaine

Or, le drame dans la société individualiste de masse actuelle est la distance entre l'échelle de l'expérience individuelle et l'échelle où sont organisées la politique et l'économie. L'individu est au centre du système politique, mais il est perdu dans le nombre des grandes organisations. Souverain et libre, il est en réalité seul et sans pouvoir. Sans capacité d'action sur les grandes décisions. Voilà le paradoxe du citoyen de la société individualiste de masse (9).

Tout l'enjeu de la communication politique est d'arriver à faire le lien entre une expérience individuelle limitée et un système collectif d'organisation et de décision éloigné. Cette situation difficile est renforcée par l'accélération de l'information nullement compensée par une augmentation de la capacité d'action. Comme je l'ai dit souvent, le citoyen occidental est un géant en matière d'information, et un nain en matière d'action. Ce qui ne simplifie nullement le processus de la communication politique.

Non seulement la communication politique est confrontée à un problème de lien entre ces deux échelles, éloignées l'une de l'autre, mais elle est également confrontée à un problème de décalage entre le rythme de succession des problèmes débattus, et leur intégration dans les consciences collectives. Les

9. D. Wolton, *Eloge du grand public, op. cit.*

deux phénomènes amplifient un effet de découplage de la communication politique par rapport à la réalité socio-historique. Découplage peu visible parce que les hommes politiques, comme les journalistes, semblent en liaison avec l'opinion publique, elle-même représentée par les sondages. La visibilité des enjeux n'a rien à voir avec leur intégration dans les consciences collectives, ni avec leur métabolisation par les acteurs.

La communication politique détachée des cadres nationaux

On retrouve ici le décalage structurel entre les performances de communication qui permettent de tout savoir, sur tout, et le fait que la communication politique, comme lieu de lecture et de légitimation des enjeux du moment, requiert des contraintes de temps et d'espace limités. En un mot, les formes, et le sens de la communication politique sont différentes à Paris, à Bonn ou à Rome, même si en grande partie, ce sont évidemment les mêmes problèmes qui dans l'ensemble sont débattus. Mais tout, du langage, des traditions, des vocabulaires, des représentations, des références historiques, des symboles, est différent. Il n'y a de communication politique que nationale. Et il n'y a pas de citoyen mondial. Ce n'est pas parce que certains problèmes sont mondiaux que la politique est mondiale. Car il n'y a de politique que rapportée à un territoire physique et symbolique à partir duquel les citoyens se sont engagés. Aucun citoyen ne peut vivre à l'échelle mondiale. Telle est la limite à l'universalisme d'un certain modèle démocratique, ou plutôt la limite à un modèle qui ignore le poids déterminant des « variables locales ». Les variables locales ne sont pas des « restes » du passé, des « archaïsmes », mais les conditions essentielles de fonctionnement de la démocratie.

S'il existe un certain modèle universel, celui-ci est médiatisé par des réalités locales. Autrement dit, il n'y a pas de contradiction entre le rôle universel de la communication politique dans le modèle théorique et les formes empiriques de son fonctionnement. Les caractéristiques nationales d'un modèle de communication politique ne sont pas extrapolables d'un pays à l'autre : quoi de commun entre la communication politique en Italie, au Danemark, au Pays-Bas, en Espagne, au Canada... en dehors du fait que les règles démocratiques y sont communes ? Cela signifie que les identités culturelles sont aussi importantes que les règles du jeu démocratique.

Cette spécificité nationale de la communication politique explique, par exemple, les difficultés actuelles de constitution d'une communication politique en Europe, faute de l'existence d'une tradition politique spécifiquement européenne. C'est cette contradiction entre les constituants quasi universels de la communication politique, comme les espaces publics et les espaces politiques, et le poids des identités nationales qui expliquent la forme spécifique de chaque forme de communication politique. Comme je l'ai dit ailleurs (10), il y a en Europe un espace

10. D. Wolton, *La Dernière utopie : naissance de l'Europe démocratique*, Flammarion, 1993.

commun, à peine un espace politique, et pas encore d'espace public. Cela est normal compte tenu de la très grande rapidité avec laquelle s'est faite l'Europe. C'est la raison pour laquelle il faut se méfier des promesses du « village global » et de la démocratie directe à l'échelle planétaire, assurées grâce aux nouvelles technologies de la communication. La surmédiatisation ne peut rien contre cet irrédentisme.

Pourquoi insister sur le caractère relatif et contraignant des modèles de communication ? Pour rappeler l'importance des données culturelles et éviter la globalisation apparemment permise dès que l'on constate un peu partout le poids identique des médias, des sondages, des règles du jeu démocratique... C'est précisément à partir du moment où les règles formelles de la communication politique sont presque semblables d'un pays à l'autre, qu'il faut comprendre le poids déterminant des identités. En d'autres termes, ni la mondialisation des problèmes, ni celle des médias ne suffisent à assurer la mondialisation de la communication politique. Pour une raison simple : il n'y a pas de citoyen mondial qui serait l'enjeu de cette mondialisation. La surmédiatisation n'assure pas la mondialisation de la communication politique : elle peut même provoquer l'effet inverse de repli, et de contentieux, comme on l'a vu lors de la guerre du Golfe, de la part des opinions publiques arabes (11). Celles-là n'ont pas reçu l'information occidentale comme une forme de liberté, mais comme une manifestation de l'impérialisme occidental.

La vraie difficulté à comprendre est la suivante : plus il est facile de faire de l'information, de débattre des grands problèmes, de mondialiser les enjeux et les formes de la communication, plus il est important, simultanément, d'admettre les contraintes et les limites de la communication politique. Pour que celle-là ait un sens, c'est-à-dire, assurer cette fonction d'identification pour les citoyens, plus elle doit être organisée à l'échelle où existe l'unité d'une culture politique, que ce soit l'Etat-nation, la région, le comté, la province. Si l'échelle varie d'un pays à l'autre, l'importance de son principe, elle, ne varie pas.

Conclusion

Quelles sont les idées essentielles évoquées ici concernant les contradictions de la communication politique ? D'abord, que la communication politique est un équilibre fragile entre des composantes contradictoires. Chacune d'entre elles souhaite maîtriser l'orientation des échanges symboliques dont l'enjeu est toujours la maîtrise de l'interprétation de l'espace politique du moment : journalistes, hommes politiques et opinion publique sont en concurrence pour orienter le sens des débats politiques. Mais cela veut dire, contrairement au discours commun, que cela se fasse difficilement, notamment en ce qui concerne la tyrannie des sondages ou des médias. En revanche, cela signifie aussi que cet équilibre entre les trois discours contradictoires, qui fondent la communication politique est instable, rien n'en garantit *a priori* l'équilibre.

La deuxième idée concerne l'importance

11. D. Wolton, *War Game*, Flammarion, 1991.

du temps dans la communication politique, c'est-à-dire l'inverse de la logique de l'événement qui domine dans les médias et les sondages. L'enjeu de la communication politique est, en effet, la maîtrise de l'interprétation politique des événements, dans une perspective de pouvoir, c'est-à-dire d'action. Mais la politique requiert du temps, ce temps de plus en plus contradictoire avec la logique de l'instantanéité liée au triomphe de l'information et des mesures d'opinion. L'enjeu est donc non seulement la maîtrise du discours politique, mais aussi une représentation du temps. Pour le moment, depuis un demi-siècle de domination de ce modèle de communication politique, la logique politique n'a pas réussi à distinguer clairement l'importance vitale de ces deux échelles du temps.

Pour l'instant, c'est plutôt la politique qui court après le temps des médias et des sondages, alors que du point de vue d'une analyse structurelle, opinion publique et médias ne se comprennent aussi que dans une longue période. On retrouve là, sans doute, une des difficultés les plus grandes de la politique moderne : la confusion entre la performance des instruments de mesure, ou d'information, et la nature des phénomènes auxquels ils se rapportent. Autrement dit, c'est le problème du rapport au temps, entre événement et structure, qui est probablement la plus grande fragilité de notre modèle politique. En un mot, les démocraties rêveraient que la politique se cale sur un rythme de communication alors même qu'elle en est l'opposée. Le risque est évidemment que toutes les techniques de communication imposent finalement leur logique à cette autre logique des relations humaines qu'est le politique.

La troisième et dernière idée concerne le conflit entre expérience et représentation. Le drame de la politique moderne est l'éloignement du citoyen des lieux de pouvoir, et la diminution de sa capacité d'action. On a vu que la place croissante de la communication permet de savoir tout, tout de suite, sans pouvoir compenser cette distorsion entre notre statut de « géant de l'information et de nain de l'action ». Le danger pour réduire cette contradiction structurelle, est d'accentuer le rôle de la communication politique, comme sorte de représentation la plus fidèle possible des enjeux de la politique. Mais, ce que la représentation gagne en fidélité, elle le perd en capacité d'action. Et voilà le risque : une communication « représentative » comme substitut à une capacité d'action insuffisante.

Le problème, aujourd'hui, de la communication politique, comme scène symbolique de l'affrontement des discours contradictoires, n'est pas la domination de l'une ou de l'autre de ces trois composantes. Il est plutôt dans la capacité à préserver la dimension anthropologique de la communication politique, de toutes les performances techniques qui doivent apparemment la rendre plus vivante. L'enjeu de la communication politique reste bien l'interprétation d'une situation politique, et non la vitesse de circulation des informations, ou des mesures de réaction de l'opinion ou des capacités à d'innovation discursives des hommes politiques. C'est bien le rapport à la réalité avec ses contra-

dictions, ses lenteurs qui reste le défi de la communication politique.
En d'autres termes, la force et la fragilité de la communication politique demeurent la gestion contradictoire de deux échelles de temps constitutives de la politique : celle de l'événement, celle de la structure. En un demi-siècle, tout a été vers une performance croissante de la première. Le risque serait la délégitimation de la seconde qui renvoie à l'anthropologie culturelle, sans laquelle il n'y a pas de politique. *A fortiori* démocratique. En un mot, plus l'événement domine, plus le temps long doit conserver sa place. Car c'est au carrefour des deux que se structure la communication politique ; le temps court des communications et des événements, et le temps long de la politique et de l'histoire.

Sélection bibliographique

Faire l'opinion, le nouveau jeu politique
Patrick Champagne

Livre et télévision : concurrence ou interaction ?
Roger Establet et Georges Felouzis

L'Opinion publique
Judith Lazar

La Télévision dans la vie quotidienne
Etat des savoirs
Lorenzo Vilches

La Parole confisquée
Un genre télévisuel : le *talk show*
Patrick Charaudeau et Rodolphe Ghiglione

Sociologie de la communication
Paul Beaud, Patrice Flichy, Dominique Pasquier et Louis Quéré (dir.)

Le Discours d'information médiatique
La construction du miroir social
Patrick Charaudeau

La Parole manipulée
Philippe Breton

FAIRE L'OPINION,
LE NOUVEAU JEU POLITIQUE
Patrick Champagne, Editions de Minuit, coll. « Le Sens commun », 1990, 318 p.

Ce livre, paru à l'automne 1990, a eu un retentissement important. Il s'attache à montrer le caractère artificiel du concept d'opinion publique, tel qu'il est construit par les sondages et relayé par les médias. Approfondissant les analyses de Pierre Bourdieu sur la question, l'auteur dénonce l'instrumentalisation de l'opinion par un groupe restreint de spécialistes (politologues, journalistes, hommes politiques) et la « démagogie savante » sur laquelle débouche son utilisation, utilisation d'autant plus trompeuse qu'elle se veut démocratique et qu'elle s'appuie sur l'argument de la scientificité.

A priori, un tel discours peut sembler peu original, et en tout cas il est souvent latent. Ce livre lui offre une assise en fournissant une critique méthodologique et pertinente. A l'aide de nombreux exemples, et dans un style mordant et clair, Patrick Champagne ébranle des certitudes et des lieux communs.

Si les sondages électoraux reflètent un acte politique réel, les « enquêtes d'opinion publique », portant sur toutes sortes de sujets, créent des situations qui n'existent pas comme telles dans la réalité. Elles posent aux gens des questions qu'ils ne se posent pas. Il y a un « effet d'imposition » des questions. En outre, la compréhension linguistique d'une question ne signifie pas la compréhension pratique du problème qu'elle soulève. Les enquêtes ne recueillent donc pas des « opinions » mais des réponses à des questions d'opinion qui peuvent, parfois seulement, correspondre à des opinions effectives.

Ceux qui composent et interprètent les questionnaires ne font jamais l'enquête eux-mêmes et ignorent par conséquent les problèmes rencontrés par les enquêteurs, notamment sur le caractère surréaliste de certaines questions. Les sondeurs confondent les questions qu'ils se posent en tant que scientifiques et les questions qu'il faut poser aux enquêtés pour essayer d'y répondre. Les réponses sont interprétées comme des données, alors qu'elles sont des produits complexes dont il faudrait déterminer les logiques de production.

Les instituts de sondage recueillent des opinions privées individuelles, et les transforment sans précautions en une « opinion publique ». Or celle-là n'est qu'une agrégation statistique : elle n'est pas une opinion qui s'exprime publiquement.

Autour de ce concept gravite tout un ensemble d'agents sociaux pour qui il constitue un véritable fond de commerce et un enjeu central. Les sondages deviennent un rouage essentiel du jeu politique et en bouleversent les règles. Ainsi, écrit P. Champagne, les instituts de sondage ont créé un type nouveau d'opinion, qu'il appelle *« l'opinion pour enquête d'opinion »*, c'est-à-dire des réponses à des questions préformées *« qui sont données sans conséquences ni engagement pour l'enquêté et dont l'irréalité explique en partie l'inaptitude à prévoir les mouvements d'opinion réels et parfois massifs »*.

En dépit du caractère discutable de certains postulats (par exemple : l'opinion peut-elle être seulement ramenée à ses expressions les plus explicites comme les mouvements sociaux ?), ce livre est un ouvrage important. En mettant en lumière les potentialités mystificatrices de certain processus, il interroge le lecteur, et plus encore l'acteur ou l'observateur de la vie politique, sur les croyances qui fondent, dans nos démocraties, la régulation politique.

PHILIPPE CABIN

LIVRE ET TÉLÉVISION : CONCURRENCE OU INTERACTION ?

Roger Establet et Georges Felouzis, Puf, coll. « Politique aujourd'hui », 1992, 173 p.

« Les gens lisent moins parce qu'ils regardent la télévision. » Telle est une opinion souvent entendue concernant à la fois les jeunes et les adultes. Est-elle exacte ? Très peu !, révèle cette enquête de psychosociologie menée avec des techniques rigoureuses, notamment de psycholinguistique par l'observatoire de France-Loisirs et le ministère de la Culture.

Quel est le facteur massif qui gouverne la pratique de la culture ? Réponse : le niveau socioculturel, la culture. Les autres facteurs, âge, sexe, revenus, apparaissent très secondaires. Se trouvent ainsi confirmées les observations déjà anciennes de Pierre Bourdieu et de Jean-Claude Passeron qui avaient naguère montré dans leur enquête que *« la culture allait à la culture »*. Autrement dit, qu'il n'existait pas de raccourci pouvant mener à la culture des personnes qui, à l'école, n'avaient pas appris, par un long apprentissage, à déchiffrer les codes nécessaires aux pratiques culturelles. On sait, par exemple, que le « théâtre populaire » recueille en majorité une assistance de cadres et non d'ouvriers malgré les efforts de ses promoteurs. De même en va-t-il pour le livre, la lecture et la télévision. Opposer livre et télévision en termes de rivalité est simpliste ; il existe en effet bien d'autres loisirs qui peuvent les concurrencer ensemble, comme par exemple les activités de plein air, le sport et le bricolage...

Ce qui est le plus remarquable dans cette étude, c'est qu'elle creuse plus loin que les sempiternels sondages d'opinions grâce notamment aux techniques actuelles de la psycholinguistique.

Par exemple, l'opposition entre lecture et télévision est celle du « je » et du « nous ». La lecture est vécue comme un choix personnel et solitaire, tandis que la télévision est un spectacle familial regardé avec souvent moins d'attention et commenté en groupe. De même, l'emploi du terme « bouquin » révèle une familiarité avec la lecture, tandis que « livre » un respect distant et une pratique moins assidue. De même, ce n'est pas la même chose que de regarder « Pivot » ou *Apostrophes*, de parler de « télé » ou de « télévision » (objet tenu à distance).

L'enquête montre qu'il existe six grandes manières de gérer le couple télévision-lecture :

– le groupe 1 est celui des grands lecteurs, qui se caractérise par une grande richesse de vocabulaire, des pratiques de lecture et un mépris de la télévision populaire, spécialement des variétés. Cette critique s'accompagne d'un usage raisonné de la télévision par le moyen de *Télérama* et du magnétoscope. Son utilisation « domptée » marque une pré-

férence pour les magazines culturels : *Apostrophes, Ex-Libris, La Marche du siècle...* ;
– le groupe 2 se caractérise par un décalage social par rapport au groupe d'appartenance. Aux romans, il préfère les lectures qui apportent un « contenu » (histoire, documents). De même, il préfère les émissions à contenu instructif mais sans critique de la télévision dite populaire. Caractérisé par sa volonté d'apprendre, il suit notamment les conseils d'achat de livres des émissions télévisées ;
– le groupe 3 rassemble ceux qui ont un rapport « utilitaire » aux objets culturels. Il s'agit essentiellement des diplômés de l'enseignement supérieur qui utilisent la télévision comme « détente » ou outil de *« baby-sitting »*. Les hommes ont des lectures utilitaires pour leur travail, tandis que les femmes sont plus portées sur les romans ;
– dans le quatrième groupe, la télé, qui reste constamment allumée, joue le rôle d'une toile de fond, d'un outil de compagnie. Tout est regardé sans distinction. Les magazines de télévision sont peu compulsés, mais ces personnes lisent pas mal en fonction des informations qu'elles reçoivent de la télé : non seulement les livres littéraires mais aussi les romans tirés des fictions télévisées ;
– cinquième groupe : la lecture romanesque. Ce groupe est essentiellement composé de femmes qui lisent beaucoup de romans et refusent en bloc la télévision ;
– sixième groupe : le consumérisme télévisuel. Ce groupe majoritairement masculin a une forte pratique de la télévision en soirée au travers de films et d'émissions choisies. Mais il lit assez peu. Au total, ce n'est pas l'usage populaire de la télévision qui concurrence la lecture mais son usage culturel et savant qui la place sur le même terrain que le livre.

LOUIS TIMBAL-DUCLAUX

L'OPINION PUBLIQUE

Judith Lazar, Sirey Editions, 1995, 164 p.

Qui dit opinion publique dit ordinairement sondage. En fait, comme le montre Judith Lazar, l'opinion publique est davantage que le simple agrégat de réponses particulières aux questions du sondeur ; elle est un *« processus de communication complexe »* dans lequel interviennent *« les relations interindividuelles et les mécanismes de masse-média »*. En cela, elle est indissociable de l'espace public et politique caractéristique du système démocratique. Quant au sondage, il est avant tout une technique de recherche susceptible de fournir une photographie de l'opinion publique, à un moment et sur un sujet donnés. Si on décèle des traces de la notion d'opinion publique dès l'Antiquité – en témoigne par exemple le *vox populi, vox dei* des Romains –, c'est au XVIIIe siècle qu'elle prend son véritable envol. Comme l'a montré Jurgen Habermas, elle s'exprime dans les cafés, les clubs et les salons et se transmet par la voie d'une presse alors en plein essor. Il faut cependant attendre la fin du XIXe siècle et les travaux de Gabriel Tarde, relatifs aux pratiques de la conversation et de l'imitation, pour qu'elle devienne un objet d'investigation scientifique à part entière. L'émergence dans l'entre-deux-guerres des premiers instituts de sondage (Gallup aux Etats-Unis, IFOP en France) et, d'autre part, le rôle croissant des médias et principalement de la télévision achèveront de placer l'opinion publique au cœur de la vie sociale et politique. Mais, ils favoriseront aussi une confusion entre opinion publique, médias et sondage. Aussi performants soient-ils, les sondages ne peuvent refléter l'état réel des opinions d'une population. La théorie de la spirale du silence sur laquelle J. Lazar revient longuement le confirme : un individu ne se prononce ouvertement sur un sujet donné qu'en fonction de l'idée qu'il se fait de l'opinion partagée par la majorité.

SYLVAIN ALLEMAND

LA TÉLÉVISION DANS LA VIE QUOTIDIENNE

Etat des savoirs

Lorenzo Vilches, Apogée, 1995, 200 p.

Au commencement de l'histoire de la télévision, dans les années 30, il y a ni plus ni moins qu'un… accident technologique ! La télévision résulte en effet de l'invention d'un système de diffusion et de réception de signaux dont les concepteurs ignoraient alors l'usage qu'ils pouvaient en faire. Depuis, elle est devenue un média de masse qui exerce une influence sans équivalent dans la vie quotidienne. Reste cependant à savoir si les transformations sociales, culturelles et politiques qui ont accompagné son essor, se seraient produites avec ou sans elle. Cette question marque la ligne de partage des recherches sur les effets de la télévision, conduites depuis les années 40, aux Etats-Unis. Les premières, fondées sur des études expérimentales articulées autour des concepts de *« balle magique »* ou de la *« seringue hypodermique »*, accordent à la télévision un pouvoir de domination directe ou indirecte sur les masses. Les autres, plus récentes, portent leur attention sur ce média comme *« lieu de production de systèmes symboliques »*. Professeur à la faculté des sciences de la communication de l'université autonome de Barcelone, l'auteur s'inscrit manifestement dans le second courant. La télévision, écrit-il ainsi, est *« un média, comme le furent antérieurement la musique et la littérature, qui exprime la société contemporaine à travers la narrativité, le fantastique et le rituel de la quotidienneté, sans chercher l'objectivité de la réalité comme le font les sciences »*.

SYLVAIN ALLEMAND

LA PAROLE CONFISQUÉE

Un genre télévisuel : le *talk show*

Patrick Charaudeau et Rodolphe Ghiglione, Dunod, 1997, 178 p.

Ce livre poursuit un double objectif : analyser les dispositifs propres à un genre télévisuel, le *talk show*, et évaluer sa fonction eu égard aux attentes et aux interprétations dont il est l'objet. Patrick Charaudeau et Rodolphe Ghiglione, tous deux portés par un intérêt de longue date pour les médias, sont, respectivement, linguiste et psychologue, et se complètent bien dans cette tâche. Mais quelle est la spécificité du *talk show* ? C'est celle de traiter de « faits de société » (personnes perdues, drames affectifs, questions sociales) en convoquant les protagonistes, les simples témoins ou encore des « experts anonymes ». Les débats, vifs ou intimes, les confessions ou les témoignages visent à l'« authenticité », et s'appuient sur le mythe d'une parole libérée par un animateur dévoué. Toutefois, le *talk show* est avant tout un spectacle, dont les auteurs, s'appuyant sur des travaux d'équipe, démontent et comparent les dispositifs de parole et d'image. Trois émissions à succès (*Ciel mon mardi !*, *Maurizio Constanzo show*, *La Vida en un Xip*) donnent matière à une comparaison européenne, suggérant que des modèles culturels (l'arène, le salon-théâtre et l'amphithéâtre) sont en jeu, mais aussi des styles personnels d'animateurs. Mais la question posée en fin de compte est plus large : les promesses de télédémocratie facilement avancées par les partisans du genre ont-elles un quelconque rapport avec la mise en œuvre des *talk shows* ? La réponse des auteurs est critique : l'encadrement affectif et technique de ces émissions, les stratégies rigoureuses qui sont appliquées, la prééminence des animateurs font de la parole des témoins une parole confisquée, vidée, ou renvoyée dans le pur effet sentimental. En conclusion, les auteurs soulignent à quel point la participation de genre télévisuel à une « démocratie directe » électronique reste à démontrer, si elle existe. Mais est-il nécessaire d'attribuer à la télévision une intention aussi profonde ?

NICOLAS JOURNET

SOCIOLOGIE DE LA COMMUNICATION
Paul Beaud, Patrice Flichy, Dominique Pasquier et Louis Quéré (dir.), Réseaux/CNET, 1997, 982 p.

L'histoire du téléphone en France est connue : un retard en équipement accumulé depuis son invention, puis, à partir des années 70, le passage à marche forcée du « 22 à Asnières » à des technologies avancées plaçant la France parmi les pays les mieux équipés. L'histoire de la recherche sur la communication de masse a suivi à peu près le même parcours avec un décalage d'une décennie : des années de retard, notamment par rapport aux Etats-Unis, puis un rattrapage amorcé à partir des années 80. Créée en 1983 par deux des collaborateurs du présent ouvrage (Patrice Flichy et Paul Beaud), la revue *Réseaux* dresse un bilan des avancées théoriques et empiriques à partir d'une synthèse des quelque 500 articles publiés à ce jour. Réalisées conjointement avec le CNET, ces études accordent naturellement une place de choix aux nouvelles technologies mais également à la culture de masse, l'opinion publique, les professionnels de la programmation audiovisuelle, le comportement des récepteurs (auditeur ou téléspecteur)... Autant d'axes de recherche qui expliquent à la fois l'émergence d'une discipline spécifique (la sociologie de la communication) et le concours d'autres approches : celle du sémiologue Umberto Eco, des historiens Roger Chartier et Mona Ozouf, etc.

Peu courante en France, la formule adoptée (présentation thématique complétée d'une bibliographie générale et d'une synthèse des données statistiques les plus récentes sur les médias) a d'ores et déjà fait ses preuves dans les pays anglo-saxons où on la désigne sous le nom de *« reader »*.

Nul doute qu'elle comblera aussi bien les étudiants, les enseignants et les chercheurs… qu'un certain retard de la production éditoriale.

SYLVAIN ALLEMAND

LE DISCOURS D'INFORMATION MÉDIATIQUE

La construction du miroir social

Patrick Charaudeau, Nathan/INA, coll. « Médias-Recherches », 1997, 286 p.

Dans ce livre, Patrick Charaudeau s'intéresse au « discours d'information médiatique », c'est-à-dire aux discours qui, dans la presse écrite, la télévision et la radio, ont pour rôle *« de diffuser les informations relatives aux événements qui se produisent dans le monde-espace public »*. Sont donc privilégiés, dans cette étude, les journaux télévisés et radiodiffusés ainsi que la presse d'information générale. Certains genres particuliers de l'information médiatique, comme le débat télévisé ou l'interview radiophonique, ont également leur place. Linguiste de formation, l'auteur aborde son objet avec une approche *« à dominante sémio-discursive »*, mais résolument interdisciplinaire. Il pense, en effet, que les sciences humaines et sociales ne peuvent pertinemment décrire et interpréter le monde que si chaque discipline enrichit son point de vue de celui des autres. Il en résulte un ouvrage original, dont l'ambition, le foisonnement notionnel et les abondantes typologies surprendront peut-être certains lecteurs, mais où chacun devrait trouver, au fil des chapitres, matière à nourrir sa réflexion. L'auteur a organisé son exposé en quatre parties. La première propose une définition du discours d'information. La deuxième définit les contraintes situationnelles de ce discours. La troisième en définit les contraintes discursives et offre une large place à la construction de l'événement médiatique. La dernière partie, au terme de laquelle l'auteur caractérise l'instance médiatique comme *« un manipulateur manipulé »*, est plus particulièrement consacrée à la question de la déontologie et au rôle des médias dans la vie démocratique. Cet essai à vocation didactique attirera avant tout l'attention d'un public d'étudiants et d'enseignants-chercheurs s'intéressant aux médias.

ALICE KRIEG

LA PAROLE MANIPULÉE

Philippe Breton, La Découverte, « Cahiers libres/Essais », 1997, 220 p.

Dans ce livre, qui relève autant de la psychologie sociale que de l'analyse du discours, Philippe Breton décrit les procédés qui, dans la parole, relèvent de la manipulation. « Manipulation » et non « argumentation » tient à préciser l'auteur. En effet, de nombreux discours ont une dimension argumentative forte, c'est-à-dire tendent à amener le lecteur ou l'auditeur à une certaine conclusion. Pour autant, ces discours ne sont pas des discours de manipulation. La distinction entre argumentation et manipulation suppose un choix normatif. On pose le principe qu'il y a des discours honnêtes et d'autres qui ne le sont pas, des discours qui respectent l'auditoire et d'autres qui font violence à sa liberté de penser, des discours qui trompent, alors que d'autres essaient « simplement » de convaincre.

Pour P. Breton, la manipulation est loin d'être le monopole des régimes totalitaires ou des pays en état de guerre ; elle « *se développe aujourd'hui massivement, dans nos sociétés démocratiques et médiatiques* », en particulier à travers certains procédés publicitaires et certaines formes de communication politique. Manipulation il y a lorsqu'un homme politique de droite (il s'agit d'Alain Juppé, alors Premier ministre) parle du programme du parti socialiste comme d'une aspiration à la « récidive », terme qui immédiatement place les socialistes au rang des bandes délictueuses. Manipulation il y a encore quand une publicité pratique l'« amalgame », c'est-à-dire associe le produit à des valeurs qui sont sans liens logiques avec lui (Marlboro et la virilité rustique, le cachou Lajaunie et la femme à la poitrine généreuse). Les discours de l'extrême-droite sont coutumiers des procédés de manipulation, comme le montrent différents exemples qui jalonnent le livre. Cet ouvrage, accessible à tous, mérite particulièrement l'attention de ceux qui se préoccupent de l'usage pervers du discours dans l'espace public.

ALICE KRIEG

CINQUIÈME PARTIE

TECHNOLOGIES DE LA COMMUNICATION ET SOCIÉTÉ

TÉLÉPHONE, télécopie, multimédia, informatique, Internet, autoroutes de l'information, téléformation, télétravail, hypertextes, jeux vidéo : les technologies de la communication ne cessent de se renouveler et de s'étendre. La généralisation de leur usage pose des questions d'ordre économique, social, voire anthropologique.

Il est vrai que ces technologies changent le rapport au monde de leurs utilisateurs. Patrice Flichy nous montre, à travers une histoire et une sociologie du téléphone, comment l'emploi de cet outil par un nombre sans cesse croissant d'individus est indissociable des questions des formes de la sociabilité privée et de la coopération au travail. Pour Armand Mattelart, l'informatisation de la société, la multiplication des réseaux et la globalisation des échanges entretiennent la croyance en un « village planétaire » et la vision d'une « société de communication » transparente et égalitaire.

Or, comme le montre l'analyse géographique de Loïc Grasland, à l'aide de l'exemple d'Internet, le « *cyberspace* » est loin d'abolir la notion de territoire. L'examen de la répartition de sites et des utilisateurs d'Internet, ainsi que de leurs logiques d'expansion, témoigne de la persistance d'un ancrage territorial et du poids des infrastructures anciennes. Contrairement à une croyance spontanée, Internet ne tend pas naturellement à réduire les inégalités spatiales.

Les technologies de l'information sont productrices d'utopies. Ces mythes sont certes des déformations de la réalité. Mais, en même temps, ils concourent, par leur existence dans l'imaginaire des individus, à la construction de cette réalité, en agissant sur la mobilisation des acteurs, sur leurs usages et *in fine* sur la diffusion de la technique. Le cas d'Internet est particulièrement éclairant sur ce point (*voir le texte de Patrice Flichy sur ce thème*) : les circonstances et le milieu (gratuité, universitaires) dans lesquels Internet a vu le jour sont constitutifs de l'idéologie des premiers utilisateurs, fondée sur les principes d'échange égalitaire et de libre circulation des informations. L'extension du réseau au secteur industriel privé, puis au grand public, bien que marquée par cette utopie fondatrice, va aboutir à un cadre sociotechnique nouveau, issu des usages et des attentes de ces nouveaux usagers.

Il reste que les NTIC ont des impacts réels et concrets sur les pratiques. Pour Pierre Lévy, elles favorisent l'émergence d'une « intelligence collective ». Jacques Perriault souligne l'essor de l'enseignement et de la formation à distance. Outre la nécessité de la mise en place de structures adaptées, il pense

que ces nouvelles formes d'acquisition de la connaissance vont modifier la nature même du savoir.
Le monde du travail est profondément touché par les nouvelles technologies. L'essor du télétravail, même s'il reste limité en France, en est une des manifestations (*voir l'article de Michel Lallement*). Plus généralement, selon Marc Guillaume, les NTIC constituent bien plus qu'une nouvelle vague d'innovations, elles représentent un véritable changement de paradigme. La fonction de commutation, à travers l'informatisation et la mise en réseaux de toutes natures, oblige les entreprises à repenser de fond en comble la structuration de leur système d'information en particulier, et de leur organisation en général.

Communication et technologie

Armand Mattelart*

VERS LA COMMUNICATION-MONDE**

Face au développement de nouveaux médias, Marshall McLuhan prophétisait l'avènement d'un « village global ». C'est davantage à la naissance d'une « communication-monde », selon Armand Mattelart, à laquelle on assiste avec ses réseaux, ses centres et ses périphéries... Une évolution qui pose en termes nouveaux la question de la citoyenneté.

En matière de communication, la globalisation est, certes, déjà inscrite dans les faits : de plus en plus, nos sociétés sont connectées aux réseaux d'information et de communication dont la logique est de fonctionner sur le mode « universel ». Mais la globalisation appliquée au champ de la communication est aussi une notion « piégée » : elle dissimule les enjeux de la complexité des nouvelles formes d'interaction et de transaction au niveau planétaire. Bien que l'image du « Village global » ait été lancée dans les années 60 par Marshall McLuhan, cette représentation du globe ne s'est imposée qu'avec la déréglementation des années 80. D'entreprises multinationales, les réseaux d'agences publicitaires, les groupes multimédias et les réseaux télématiques ont été promus « acteurs globaux ». Globaux par l'extension et l'accumulation des synergies entre diverses spécialités, globaux par leur ambition géostratégique à l'échelle du monde. Même si ces géants ont parfois émergé à partir de pays comme le Brésil (siège du groupe de télévision *Globo*) ou le Mexique (avec *Televisa*), le plus souvent c'est dans le pré carré des grands pays industriels qu'ils ont surgi.

On l'aura compris, l'idée de globalisation de la communication et de « culture

* Professeur en sciences de l'information et de la communication à l'université Paris-VIII. Auteur de *La Communication-monde* et de *L'Invention de la communication*, La Découverte, 1992 et 1994. Il vient de publier *La Mondialisation de la communication*, Puf, coll. « Que sais-je ? », 1998.

** *Sciences Humaines*, hors série n° 17, juin/juillet 1997.

globale » est d'abord la propriété des spécialistes du marketing et du management. Elle est en quelque sorte leur grille de lecture du monde. Le déclin de l'organisation fordiste du travail va de pair avec l'emballement des stratégies de communication, à l'interne comme à l'externe. Cette promotion a bouleversé le statut et la nature de la communication : elle s'est professionnalisée et a vu se multiplier ses champs de compétences et ses métiers. Le modèle de communication entrepreneurial a été promu comme une technologie de gestion symbolique des rapports sociaux et a imprégné l'ensemble de la société, comme seul mode efficace de « mise en relations ». Ainsi, les institutions d'Etat, les organisations intergouvernementales, les collectivités locales et territoriales, voire des associations humanitaires aussi différentes que Médecins sans frontières, Greenpeace ou Amnesty International, n'hésitent plus à faire appel au savoir-faire de la communication publicitaire en matière de construction d'une image et d'une identité. La hiérarchie des pouvoirs et la spécialisation des tâches qu'instituait le fordisme correspondaient à une sédimentation du monde. L'espace local, l'espace national et l'espace international étaient jusqu'alors considérés comme des paliers, compartimentés et imperméables l'un à l'autre. En renforçant l'interaction entre ces trois niveaux, l'organisation en réseaux des entreprises rend aujourd'hui caduque une telle représentation. Dans le cadre d'un marché mondialisé, la stratégie d'une entreprise-réseau doit être à la fois globale et locale – ce que les managers japonais expriment à travers le néologisme glocalisation (1). Un mot d'ordre régente cette nouvelle logique de l'entreprise, l'« intégration » : intégration des échelles géographiques, mais aussi de la conception, de la production et de la commercialisation, voire de sphères d'activités jadis séparées. Que l'on pense, par exemple, à cette course effrénée à la synergie entre les industries du contenant et celles du contenu, le *hardware* et le *software*, déclenchée par la numérisation. Plus anecdotique, mais non moins significative de ce mouvement d'intégration, est la prolifération des néologismes de la novo-langue technique dans le secteur des médias : *advertorials* (contraction de *advertising* et *editorials*), *infomercials* (*information* et *commercials*), *infotainment* (*information* et *entertainment*) et, plus récemment, *edutainment*. Autre mariage sémantique également révélateur : celui qui s'effectue autour de la notion de consommateur, promu comme « coproducteur » ou « pro-sommateur ».

Liberté et lois du marché

Le regard stratégique des acteurs globaux du marché n'est pas sans modifier les règles du jeu en matière de régulation des réseaux de communication. Un premier déplacement s'est opéré dans la définition même de la liberté d'expression, désormais concurrencée par la « liberté d'expression commerciale », dont on veut faire un nouveau « droit de l'homme ». Cela crée une tension constante entre la loi empirique du marché et la règle de droit, entre la sou-

1. Voir mots clés en fin d'ouvrage.

veraineté absolue du consommateur et celle du citoyen. Les organisations interprofessionnelles de la communication y ont vu une justification et une légitimation à leurs actions de *lobbying* en faveur du libre-échange et de la libéralisation des flux culturels et d'information transnationaux. Cette revendication, en clair, cherche à repousser les limites imposées par la société à la « colonisation » de la sphère publique par les logiques marchandes. Comme principe d'ordonnancement du monde, cette notion de liberté d'expression commerciale est indissociable du vieux principe, mis en circulation par la diplomatie américaine au début de la guerre froide, du *Free Flow of Information*. La doctrine managériale de l'entreprise sur la globalisation recycle ce principe général – qui aligne la liberté tout court sur la liberté de faire du commerce – et fait de la *Global Democratic Marketplace* le critère de la démocratie.

Un autre déplacement concerne le cadre même des débats. Dans les années 70 et jusqu'au début des années 80, l'Unesco avait été l'une des principales tribunes choisies par le mouvement des pays non alignés pour lancer l'idée d'un « nouvel ordre mondial de l'information et de la communication ». Mais depuis 1985, après le retrait des gouvernements de Margaret Thatcher et de Ronald Reagan, au motif de la « politisation » des débats, la discussion a glissé vers un organisme plus technique, le Gatt, l'Accord général sur les tarifs douaniers et le commerce, (aujourd'hui rebaptisé OMC). Assimilée aux services, la communication inclut aussi bien les produits des industries culturelles que les télécommunications, l'industrie du tourisme que les techniques de gestion. Les négociations du Gatt qui se sont achevées en décembre 1993 ont donné lieu à un affrontement direct entre l'Union européenne et les Etats-Unis sur la question de l'« exception culturelle », qui s'est soldé par l'exclusion pure et simple des productions audiovisuelles et culturelles des accords de libre-échange. A cette occasion, on a pu voir se creuser le fossé entre les défenseurs des identités culturelles et les partisans de l'application intransigeante du critère de marchandise à toute forme de production. Pour justifier leur opposition à la clause de l'exception culturelle, ces derniers ont tenu un discours de ce genre : *« Laissez les gens regarder ce qu'ils veulent. Laissez-les libres d'apprécier. Faisons confiance à leur bon sens. La seule sanction appliquée à un produit culturel doit être son échec ou son succès sur le marché. »* En soi, ce discours n'est pas entièrement négatif, puisqu'il reconnaît à l'usager un rôle actif, alors que les théories déterministes des années 60 et 70 le réduisaient au statut de simple « récepteur » des machines à communiquer. Mais ce retour à un consommateur actif revêt une autre signification lorsqu'il prend la forme de l'axiome néo-libéral de la souveraineté absolue du consommateur de produits culturels. En se focalisant unilatéralement sur la liberté du consommateur de décoder les programmes et autres produits culturels, d'où qu'ils viennent, il permet de se débarrasser à bon compte des questions sur l'inégalité des échanges entre les diverses cultures, les diverses économies, et sur la nécessité d'élaborer des politiques nationales et régionales.

Fin 1996, l'argumentation libre-échangiste a franchi un nouveau pas avec le plaidoyer du président Bill Clinton pour un réseau mondial libre de tout « interventionnisme », qui veut déclarer Internet zone franche pour les échanges de produits et services. Par ce biais, les autorités américaines visent directement l'Europe. Sous prétexte qu'elle représente une barrière non tarifaire, elles attaquent plus particulièrement la Directive européenne de 1995 sur la protection des données relatives à la vie privée, notamment en matière de constitution de bases et de banques de données – essentielles pour un marketing en quête de profils et de cibles définis de façon de plus en plus précise.

De plus, c'est l'occasion de revenir à la charge contre la Directive sur les quotas nationaux et européens en matière de télévision, qui a légitimé la revendication de l'exception culturelle et l'élaboration d'une stratégie commune de production.

Le monde comme construction sociale

La croyance en l'existence d'un « village planétaire » nourrit la vision d'une « société de communication » transparente et égalitaire. Elle contribue aussi à brouiller les enjeux de pouvoir en niant les différenciations entre les sociétés et l'existence de rapports de force et d'un intérêt collectif. Les responsabilités au sein du système global se diluent au point qu'il n'y a plus moyen d'identifier ses acteurs, et il n'est donc pas possible ni nécessaire d'envisager une riposte au projet de République mercantile universelle formulé dès le XVIIIe siècle par Adam Smith. Pour toutes ces raisons, il semble préférable de considérer la phase actuelle comme celle de l'émergence d'une « communication-monde », une notion qui renvoie explicitement à celle d'« économie-monde » forgée par l'historien Fernand Braudel, et reprise par Immanuel Wallerstein. A l'instar de ce qu'a été l'histoire de la construction de l'économie-monde, l'évolution vers une « communication-monde » suscite de nouvelles disparités entre les pays, régions ou groupes sociaux.

La planète n'est plus cette société globale ou ce village global qui convoque indistinctement tous les individus et tous les peuples autour des mêmes *global events* (événements sportifs, grandes catastrophes ou fléaux...), mais un archipel avec ses pôles d'excellence technologique et ses immenses marges de laissés-pour-compte. La concentration des flux et des équipements de télécommunication est là pour le prouver, au nord comme au sud, à l'ouest comme à l'est. Des constats de ce genre obligent même les géostratèges du marketing à se départir du mythe globalitaire pour adopter une approche des marchés en termes de segmentation ou de « communautés de consommation » (*consumption communities*). Estimant que les variables de styles et de niveaux de vie sont plus importantes que la proximité géographique et l'appartenance à une tradition nationale, ils cherchent à construire de vastes communautés transnationales de consommateurs partageant les mêmes

« sociostyles », les mêmes formes de consommation et de pratiques culturelles. Les années 80 n'ont pas été seulement la décennie de l'obsession globale, elles ont été aussi celles de la revanche des cultures singulières. Laquelle a conduit à s'interroger sur les modalités de la réception des flux culturels transnationaux au sein de chaque culture et de chaque communauté. Comment se jouent les négociations entre le singulier et l'universel, entre le local, le national et l'international ? Sans pour autant renoncer à analyser les nouvelles modalités de la domination sociale, ce renouvellement des regards à partir de la réception et des usages a permis de substituer des termes tels que « métissage », « hybridation » et « créolisation » aux notions compactes d'« occidentalisation » et de « dépendance ».

Il s'agit en fait d'un retour à une vieille histoire. Car les modèles culturels et institutionnels véhiculés par les puissances hégémoniques ont rarement été appropriés tels quels par les peuples et les cultures « dominés ». Seul l'angélisme empêche de voir que le nouvel intérêt pour les fragmentations peut être ambivalent. Il peut aussi faire bon ménage avec les formes multiples du repli nationaliste, voire chauvin. Pour redonner à la mondialisation de la communication son sens historique de construction sociale, et la faire échapper aux manichéismes de la fatalité, il convient d'approfondir la réflexion sur trois points. D'abord, sur le changement fondamental en train de s'opérer dans le rapport des citoyens à un processus qui, il y a encore peu, leur paraissait très abstrait. Seule une vision médiatique de la société peut faire croire que le branchement sur l'horizon planétaire se résume à l'exposition accrue à des marques, des informations, des programmes, des données et des serveurs transfrontières. La connexion au monde se fait de plus en plus au travers des retombées de la mutation du modèle économique et social que suppose l'intégration de chaque société particulière à l'espace mondial. Ensuite, il est difficile de ne pas tenir compte d'un phénomène majeur de la seconde moitié du XXe siècle : l'émergence des réseaux associatifs comme acteurs de l'espace transnational. Ces organisations réticulaires ont été les premières à tabler sur l'usage des technologies de communication comme adjuvant dans la création du lien social universel. De là à croire que l'on assiste à l'avènement d'une nouvelle « société civile internationale », il n'y a qu'un pas qu'ont déjà franchi les groupes libertaires du réseau des réseaux Internet et de la démocratie de l'interactivité numérique, enclins à faire fi de la complexité des sociétés contemporaines. La faisabilité de la société civile internationale continue à dépendre pour une grande part des rapports de force internes aux Etats-nations. Sauf à adhérer au mythe de la fin de l'Etat, le territoire national reste le lieu de la construction de la citoyenneté et du contrat social. Cela dit, l'unification du champ économique appelle des organisations sociales certes ancrées dans un territoire historiquement situé, mais capables d'élargir leur horizon au-delà de l'enclos national. Les récents mouvements autour de l'Europe sociale en sont un témoignage vivant.

Enfin, il y a urgence d'une prise de conscience citoyenne du processus généralisé d'extériorisation de la mémoire que signifie l'expansion des réseaux numériques. Les systèmes de structuration du sens par numérisation des savoirs sous-tendent un modèle culturel qui risque d'imposer, comme critère de l'universalité, un mode particulier de penser et de sentir sous le couvert d'une nouvelle rationalité technique. Avec le déploiement du cyberespace, la question est posée de la modélisation du savoir par une société hégémonique qui risque de pratiquer le découpage sélectif à l'égard de sa propre mémoire collective. Une question sur le stockage de l'information dans des banques et bases de données que formulait déjà ouvertement en 1978 le fameux rapport Nora-Minc sur l'« informatisation de la société » (2). Que la décision historique prise par le G7 à Bruxelles, en février 1995, de s'en remettre au marché pour tracer l'architecture des inforoutes, socle de la « société globale de l'information », n'ait été légitimée que par la sacro-sainte compétitivité devrait être un sérieux motif de préoccupation pour l'honnête homme du XXIe siècle.

2. S. Nora et A. Minc, *L'Informatisation de la société*, Seuil, 1978.

Patrice Flichy*

UTOPIES ET INNOVATIONS, LE CAS INTERNET**

Chaque grande innovation technique s'est accompagnée d'un discours utopique sur les bouleversements sociaux qu'elle allait engendrer. C'est le cas d'Internet qui véhicule son lot de rêves et de peurs en matière de communication. Ces mythes ne sont pas simplement des idées fausses : ils participent à la mobilisation des acteurs, à la construction et à la diffusion technique elle-même.

« *Les utopies,* écrivait Lamartine, *ne sont souvent que des vérités prématurées.* » La communication semble un domaine particulièrement adapté pour tenter de confirmer ou d'infirmer cette thèse. En effet, les discours utopiques ont très souvent accompagné l'apparition des nouvelles technologies de communication. On a notamment assisté depuis un quart de siècle à des enthousiasmes successifs. Ce furent la vidéocassette et le câble pendant les années 70, puis la radio FM, la télématique, la micro-informatique, la télévision haute définition puis interactive et, enfin, aujourd'hui Internet et les autoroutes de l'information.

Chacune de ces nouvelles technologies trouva ses idéologues qui annonçaient une nouvelle révolution de la communication. Ainsi Jean-Claude Batz écrivit en 1972 que *« l'apparition de la vidéocassette constitue un événement d'une portée considérable. Dans l'histoire des moyens d'expression audiovisuels, cet événement est aussi important que le fut, il y a vingt ans, l'apparition de la télévision elle-même. »* (1)

Deux ans plus tard, Jean d'Arcy, qui fut l'un des premiers responsables de la télévision française, écrit à propos de la télédistribution : *« Jusqu'à nos jours, la communication à distance était demeu-*

---

* Chercheur au Centre national d'études des télécommunications (CNET). Il a publié notamment *Une histoire de la communication moderne*, La Découverte, 1991, et *L'Innovation technique*, La Découverte, 1995.

** *Sciences Humaines*, hors série n° 16, mars/avril 1997.

1. J.-C. Batz, *La Vidéocassette*, Conseil de l'Europe, Strasbourg, 1972.

rée ce qu'elle était depuis les premiers âges de l'humanité : rare, exceptionnelle, chère, quasi magique. Elle devient soudain abondante, facile, à la portée potentielle de tous sans les intermédiaires de magiciens. » (2)

De son côté André Holleaux, ancien directeur de cabinet d'André Malraux, estime que la télédistribution « *provoque à la parole, à l'expression, et à la communication ; elle tend à l'approfondissement des relations* » (3).

A la fin de cette même décennie, quand Gérard Théry, directeur général des télécommunications, lance son plan télématique dans un discours à Dallas, il est également persuadé qu'il va révolutionner la communication. « *On assiste,* note-t-il, *au début d'un phénomène d'une ampleur considérable, dont l'importance est analogue à celle de l'apparition, dans le passé, du chemin de fer ou de l'aviation (...). Tout ceci m'amène à penser que la civilisation du papier a maintenant une durée de vie limitée.* » (4)

Arrêtons l'énumération ; comme on peut le constater, tous ces discours ont beaucoup de points communs. Résumons les brièvement. L'image va remplacer l'écrit ; l'écran informatique, la lettre et le livre ; les self-médias vont se substituer aux masses-médias, chacun va pouvoir s'exprimer sans passer par les médiateurs officiels. Enfin, la topologie de la communication sera bouleversée : grâce aux vertus de l'électronique on pourra aussi bien échanger avec ses voisins qu'avec des personnes situées à l'autre bout de la planète.

Si ces discours sur la révolution de la communication se retrouvent donc dès qu'un nouveau média commence à apparaître, on comprendra que l'observateur attentif de ces évolutions ait parfois l'impression que l'histoire bégaie. Il s'étonnera de ces réformateurs sociaux qui espèrent résoudre les difficultés de l'école ou de la santé grâce aux nouvelles technologies, ou de ceux qui imaginent qu'un nouveau média peut revivifier la démocratie.

A l'inverse, faut-il suivre les Cassandres qui voient dans tout nouveau système de communication une menace pour la culture ou les libertés du citoyen, ou faut-il faire confiance à ces idéologues qui voient poindre l'aube d'une nouvelle civilisation communicationnelle ? Faut-il également dénoncer les faux prophètes qui ont la mémoire courte et oublient toujours de comparer l'évolution des technologies d'aujourd'hui avec leur prévision d'hier ? Mais le sociologue de la communication n'a pas plus de raisons d'épouser la cause des idéologues que celle des réalistes ou des sceptiques. Les utopies communicationnelles font partie du processus de développement d'un nouveau média, elles doivent être prises comme telles.

Ces utopies techniques et sociales accompagnent un projet technique tant pendant sa conception que pendant sa diffusion. Il s'agit d'un des éléments de la construction d'un objet technique. En revanche, il est erroné d'essayer de trouver là le germe initial qui n'aurait qu'à se développer par la suite ou la

2. J. d'Arcy, « Un nouveau médium », *Communications*, n° 21, 1974.
3. A. Holleaux, « La télédistribution vers une télévision communautaire », *Revue politique et parlementaire*, n° 842, mai 1972.
4. G. Théry, discours au Salon Intelcom de Dallas, 26 février 1979.

vérité d'un projet qui serait ensuite dévoyée. Les discours utopiques qui accompagnent un projet technique sont des ressources disponibles pour les acteurs au même titre que les phénomènes physiques connus ou les pratiques sociales existantes. Chaque acteur – et on sait qu'au cours des processus de construction d'un objet technique ils sont nombreux à se confronter et à tenter de coopérer – est partiellement guidé par ses projets initiaux et ses utopies.

Cette réflexion sur le rôle des utopies dans la construction sociale des objets techniques semble particulièrement bien convenir à l'étude d'Internet qui, comme on le sait, a suscité une littérature très abondante.

Petite histoire d'Internet

On peut distinguer deux périodes dans le développement de ce nouveau système de communication, celle des années 70 et 80, où le réseau est destiné au monde scientifique et celle des années 90, où l'on commence à créer une « toile d'araignée » universelle qui rejoint aussi bien les entreprises que le grand public. Au cours de la première période, les différents acteurs ont construit un cadre sociotechnique qui articulait leurs visions et leurs intérêts ; ils avaient ainsi mis en place un « objet-frontière ». En revanche, Internet des années 90 n'a pas encore trouvé sa forme définitive. C'est encore un « objet-valise ».

Le projet de créer un réseau de connexion entre ordinateurs est lancé au milieu des années 60 par le Département américain de la Défense. L'objectif était de disposer d'un système capable de protéger les données informatiques militaires en cas d'attaque nucléaire soviétique. Ce programme de recherche fut confié à des universités. Très vite, un second objectif interne à la recherche informatique militaire s'est mêlé au premier : offrir une puissance informatique partagée aux laboratoires qui travaillaient avec l'agence ARPA du Département de la Défense. Le réseau Arpanet, qui démarra au tournant des années 60 et 70, est donc le résultat d'une commande des militaires qui souhaitaient bénéficier des recherches informatiques universitaires les plus avancées.

Les informaticiens universitaires avaient déjà une solide tradition de collaboration et d'échange, ils constituaient ce qu'on a parfois appelé un « collège invisible ». Le réseau informatique est devenu le canal naturel de ces échanges. Par ailleurs, les universités pouvaient accéder gratuitement à certains développements informatiques réalisés par les grandes entreprises du domaine. C'est ainsi que le laboratoire de Berkeley, qui joua un rôle majeur dans le démarrage d'Arpanet, utilisa le système d'exploitation Unix d'ATT. Grâce au réseau, cette université a pu diffuser par la suite les nouvelles versions d'Unix qu'elle avait réalisées. On le voit donc, Arpanet se trouve à l'articulation de plusieurs mondes sociaux : celui de la recherche militaire, de la recherche académique et celui de l'industrie informatique. Les universités furent l'acteur central capable d'associer ces différents mondes.

Le rôle clé des universités dans le développement d'Arpanet explique qu'elles aient pu projeter sur le réseau leur mode d'organisation. Une des valeurs fondamentales du monde académique est le libre accès aux résultats des recherches. C'est ce principe d'une circulation libre et gratuite de l'information qui fut adopté par Arpanet. La seule récompense que pouvait espérer l'auteur d'un logiciel était la reconnaissance de ses pairs.

Mais Arpanet n'adopta pas seulement certaines des valeurs du monde académique, il en adopta également certains principes d'organisation. L'université est un monde où les échanges scientifiques sont importants, et où en même temps l'autonomie de chaque laboratoire est très grande. Aussi Arpanet organisa la circulation de l'information en construisant des règles du jeu minimales, et donc simples, qui permettaient l'interconnexion des ordinateurs. Le protocole TCP/IP définit une structuration de l'information en paquets standard munis d'une adresse qui permet d'expédier l'information à des machines dites « hôtes » qui coordonnent ensuite le réseau de l'université ou du laboratoire. En revanche, l'organisation locale du réseau était laissée à l'initiative de chaque université. Cette architecture de réseau permet un fonctionnement souple et décentralisé, et elle a évité de définir un standard trop complexe permettant d'interconnecter directement tous les terminaux informatiques de l'époque.

Dans les années 80, la connexion informatique a commencé à s'étendre dans les secteurs universitaires qui n'étaient pas spécialistes d'informatique. La *National Science Fondation* (NSF) américaine organisa un nouveau réseau destiné à l'ensemble du monde académique. C'est dans un autre laboratoire, le Centre européen de recherche nucléaire (CERN), qu'on a défini un nouveau mode de recherche de l'information en s'appuyant sur des liens hypertextuels. Le principe : c'est l'utilisateur qui va chercher l'information dont il a besoin et non l'auteur (ou l'éditeur) qui envoie son texte à une liste de lecteurs. Le *World Wide Web* (toile d'araignée mondiale) a nécessité la construction d'un logiciel : un navigateur (ou *browser)* qui permet d'effectuer cette recherche d'information, en consultant des fichiers conçus et stockés pour cette exploration. Le Web est donc bien un outil qui permet de rendre plus efficace la recherche documentaire pour les scientifiques. On remarquera au passage qu'Internet est devenu mondial et que l'étape du Web a été conçue en Europe.

Ces quelques indications sur l'histoire d'Arpanet permettent de comprendre comment s'est construit ce système technique. Pour Arpanet, comme pour d'autres technologies, les différents acteurs ont dû élaborer ensemble un cadre sociotechnique qui doit devenir suffisamment stable pour que le système soit utilisable.

Le développement d'un objet technique ne se fait pas, comme on l'imagine souvent, en deux temps : élaboration technique puis diffusion mais, au contraire, par un processus plus complexe où le cadre de fonctionnement et le cadre d'usage sont construits en parallèle. Ordinairement, dans un labo-

ratoire de recherche, on élabore un objet technique tout en imaginant ses usages, les représentations que les ingénieurs se font de l'utilisation influent sur leur travail de conception. Dans le cas d'Arpanet, l'articulation entre l'élaboration du cadre de fonctionnement et du cadre d'usage est encore plus étroite. Côté cadre de fonctionnement, le protocole TCP/IP permet de connecter de façon très décentralisée de nombreux ordinateurs ; côté cadre d'usage, il est particulièrement adapté à des valeurs de libre circulation de l'information et d'autonomie des utilisateurs et, de plus, ses premiers utilisateurs furent ceux-là mêmes qui l'avaient construit. A chaque évolution d'Arpanet, les concepteurs en furent toujours les usagers.
L'utilisation fut d'autant plus intensive qu'elle était gratuite pour les chercheurs, puisque le réseau était financé par le Département de la Défense et par la NSF. En définitive, ce processus d'élaboration a permis d'articuler étroitement le cadre de fonctionnement et le cadre d'usage pour donner naissance à un cadre sociotechnique stable.

Du *cyberspace* à la nouvelle société

Ce cadre va toutefois se modifier assez profondément quand le réseau va se développer au-delà du monde scientifique pour atteindre, d'abord, les laboratoires de recherche privés puis l'ensemble des entreprises et, plus récemment, le grand public. En quittant le monde fermé de la recherche universitaire pour pénétrer dans l'ensemble de la société, Internet va apporter avec lui un certain nombre de ses valeurs, et notamment les principes d'échange égalitaire et de circulation libre et gratuite de l'information, dans le cadre d'un réseau coopératif géré par ses utilisateurs. Ces principes sont mal adaptés à un réseau grand public ; leur transfert en dehors du monde académique va donner naissance à une série d'utopies communicationnelles. Tout un courant de la contre-culture *new age* qui s'était investi dans la micro-informatique au milieu des années 70 va s'intéresser à Internet. Grâce à l'informatique connectée, estiment ces utopistes, une nouvelle société va se créer où les individus vont pouvoir se rencontrer et communiquer uniquement sous forme électronique. Ce « *cyberspace* » a été décrit pour la première fois par le romancier de science-fiction William Gibson dans son livre *Neuromancer* publié en 1984. Ces idées sont reprises par des organisations plus structurées comme l'*Electronic Frontier Foundation,* qui réunit des « *hackers* illuminés », et les nouveaux hommes d'affaires de l'informatique dans un puissant *lobby* qui veut établir une nation virtuelle et promouvoir l'informatique comme instrument de liberté et d'épanouissement individuel. La revue *Wired* constituera l'organe d'expression de la contre-culture informatique, associant informations techniques, spiritualisme *new age* et hyperboles futuristes. Les hommes politiques vont se passionner pour ces nouvelles autoroutes de l'information ; ils vont souhaiter dialoguer avec leurs administrés grâce à Internet. Le nouveau média va permettre de revivifier la démocratie. De leur côté, les commerçants voient dans Internet un nouveau média pour faire la promotion de leurs produits et, plus largement, une nouvelle place du marché qui permet d'organiser les transactions au niveau mondial de façon rapide et efficace. Les utopies les plus diverses se développent ainsi, elles convergent dans une même certitude : Internet constitue *« l'exploit le plus important et le plus porteur d'avenir de l'histoire de l'humanité »* (5).

Le succès d'Arpanet venait de sa capacité à organiser un compromis entre les intérêts des militaires, des universitaires et des industriels ; c'était, selon l'expression des sociologues interactionnistes, un « objet-frontière ». Au contraire, l'Internet du milieu des années 90 attire à lui les projets les plus divers et les plus contradictoires, c'est un « objet-valise ». Un système technique ne peut se développer sur le mode de l'objet-valise, il doit sélectionner ses usages, adapter son fonctionnement. Certains acteurs s'y engageront réellement (d'autres abandonneront), ils devront alors rentrer dans un processus de négociation, de co-construction, établir des rapports de force pour définir un nouvel objet-frontière. Pour tout système de communication qui est d'abord utilisé dans un cadre de totale gratuité, comme la radio au début des années 20 ou Arpanet/Internet dans les années 80, le passage à un système marchand est une mutation profonde. Les différents modes de paiement imaginables dans le domaine de la communication (abonnement, à la durée, à l'acte ou par la publicité) modifient assez profondément le cadre d'usage.

La circulation de l'argent entre les partenaires (usagers, transporteurs, prestataires de service, fournisseurs de contenu) amène à définir des conventions de collaboration entre les acteurs du dispositif technique. Le cadre d'usage évolue également par le fait qu'on n'est plus dans un groupe restreint d'utilisateurs ayant les mêmes valeurs et ayant adopté les mêmes règles de sociabilité. La « net-étiquette » qui réunissait les scientifiques d'Arpanet voulait qu'on réponde aux messages reçus, qu'on participe activement aux forums dans lesquels on s'était inscrit, qu'on développe en définitive une culture du partage. Dans l'Internet grand public, la net-étiquette disparaît et les premiers internautes s'en plaignent.

Le nouveau cadre médiatique et marchand d'Internet entraîne également une modification du cadre de fonctionnement. La circulation d'informations marchandes nécessite de créer des barrières, des autorisations d'accès, de sécuriser la transmission, c'est-à-dire de coder l'information.

Quand Internet aura trouvé sa forme définitive, et notamment qu'un mode de paiement aura été retenu par les différents acteurs, le nouveau cadre sociotechnique sera bien différent de celui d'Arpanet. Les utopies initiales paraîtront alors bien lointaines. On ne peut pourtant pas en déduire que les cyberlibertaires, les démocrates électroniques ou les internautes universitaires auront été trahis, mais plutôt qu'ils n'auront été que des acteurs du processus de construction d'Internet. Comme nous l'avons déjà noté, leur apport peut être

5. Présentation de « The Internet : complete Reference », publié en 1995 aux Etats-Unis.

repéré précisément aussi bien en termes de fonctionnement que d'usage ; par ailleurs, ces utopies ont joué un rôle majeur dans la notoriété d'Internet. Si ce nouveau réseau occupe aujourd'hui une place aussi importante dans les médias, et notamment dans la presse, alors que son usage est encore très confidentiel, c'est que beaucoup de journalistes estiment qu'il y a là l'amorce d'un phénomène important qui peut avoir des ramifications dans différents domaines de l'espace social. L'imagination sociale, écrivait Bronislaw Baczko, *« passe par des périodes chaudes qui se caractérisent par un échange particulièrement intense entre le réel et les phantasmes, par une pression plus grande de l'imaginaire sur la manière de vivre le quotidien, par des explosions de passions et de désirs »* (6). Cette intensité du désir, cette force de l'imagination sociale sont aussi une des composantes de la naissance d'Internet.

A lire sur le sujet...

Sur les utopies et la construction sociale des techniques :
P. Flichy, *L'Innovation technique. Récents développements en sciences sociales. Vers une théorie de l'innovation*, La Découverte, 1995.

Sur Internet :
- *Réseaux*, numéro spécial sur Internet, n° 77, juin 1996.
- A. Norberg et J. O'Neill, *Transforming the Computer*, John Hopkins University Press, 1996.

6. B. Baczko, *Lumières de l'utopie*, Payot, 1978.

Internet et ses usages en Amérique du Nord

Sur les quelque 24 millions de personnes qui utilisent Internet en Amérique du Nord, un tiers y accède au moins une fois par jour pour une durée moyenne de connexion d'environ trois quarts d'heure (d'après l'enquête CommerceNet/Nielsen de l'automne 1995).

Parmi tous les outils disponibles sur Internet, près de six utilisateurs sur dix déclarent explorer principalement le Web. Viennent ensuite : le courrier électronique (un quart) ; les conférences (*usenet*, 7 %) ; les services de téléchargement (environ 4 %).

Virtuellement, le Web permet de tout faire à distance : consulter des bases de données, acheter ou vendre des produits, réserver son billet d'avion... Dans la réalité, les usages sont loin d'être aussi fonctionnels, la principale activité à laquelle les internautes reconnaissent se livrer étant... le *browsing*, soit la navigation sans but précis (quatre utilisateurs sur cinq). Viennent ensuite les activités ludiques (près de deux utilisateurs sur trois). A l'heure actuelle, seul un utilisateur sur deux se connecte à des fins professionnelles. Quant au télé-achat via le Web, il n'est encore pratiqué que par un usager sur dix (soit 2,5 millions de personnes).

A lire sur le sujet...
« Les usages d'Internet », *Réseaux*, n° 77, mai/juin 1996.

VERS L'INTELLIGENCE COLLECTIVE ?

ENTRETIEN AVEC PIERRE LÉVY*

Pour Pierre Lévy, le multimédia interactif et Internet offrent l'occasion de promouvoir une forme originale d'intelligence : l'intelligence collective. Seulement, saurons-nous renoncer à nos modes classiques de communication ?

***Sciences Humaines* : Parmi toutes les potentialités offertes par les nouvelles technologies de l'information et de la communication (NTIC), vous avez souligné dans l'un de vos derniers ouvrages, l'apparition d'une intelligence collective. Qu'entendez-vous par là ?**

Pierre Lévy : L'intelligence collective consiste à mobiliser au mieux et à mettre en synergie les compétences des individus, en partant du principe que chacun sait quelque chose, est doué de compétences et de savoir-faire. Une bonne organisation et un sens de l'écoute mutuelle suffisent à mettre en œuvre ce type d'intelligence collective au sein de petits groupes humains : quartier, école ou association… Mais avec les nouvelles technologies de l'information et de la communication, l'intelligence collective peut être mise en œuvre à une plus grande échelle. Le Minitel et les messageries en ont donné un premier aperçu. Avec l'extension du réseau des réseaux Internet, un nouveau milieu de communication, de pensée et de travail s'ouvre à nous. Interconnectés les uns aux autres au moyen de leurs ordinateurs, les individus sont désormais en mesure de produire de nouveaux savoirs en mettant en commun leurs savoir-faire et leurs imaginations.

L'intelligence collective peut être assistée de systèmes spécialement conçus à cet effet. Je citerai l'exemple que je connais bien pour avoir participé à sa conception aux côtés de Michel Authier : l'« arbre de connaissances® » (1). Il vise à cartographier les savoirs des membres d'un groupe humain. Les savoir-faire nouvellement acquis sont enregistrés en temps réel. La rencontre entre les offres et les demandes de compétences se fait par l'intermédiaire de messageries électroniques.

On l'aura compris, l'intelligence collective constitue un projet d'une tout autre nature que celui de l'intelligence artificielle (faire penser les machines à la place des hommes). Elle a une visée humaniste. Dans le *cyberspace* ou sur le réseau des réseaux Internet, les individus communiquent sans distinction

* *Philosophe, professeur au département Hypermédia de l'université Paris-VIII. Auteur de :* L'Intelligence collective. Pour une anthropologie du Cyberspace, *La Découverte, 1994 ;* Qu'est-ce que le virtuel ?, *La Découverte, 1995.*

sociale mais en fonction de centres d'intérêt communs. L'intelligence collective peut donc contribuer à refonder le lien social et, en ouvrant l'accès de tous à la production et à la diffusion du savoir, une participation accrue des citoyens à une « démocratie de la connaissance ».

***SH :* Celle-ci suppose une démocratisation de l'utilisation des nouvelles technologies. Votre projet d'intelligence collective n'est-il pas une utopie ?**

P.L. : Une utopie est au sens étymologique quelque chose qui n'existe nulle part. Or, les supports de l'intelligence collective existent, même s'ils ne sont pas aussi étendus qu'on pourrait le souhaiter. Par ailleurs, tout porte à croire qu'ils se démocratiseront comme se sont démocratisés avant eux le téléphone ou la télévision. Jusqu'à une période relativement récente, les gens qui n'avaient pas le téléphone passaient leur communication chez le voisin qui en avait un… Le même scénario se reproduit actuellement avec Internet : dans les universités, les étudiants utilisent l'adresse électronique des utilisateurs du réseau Internet qu'ils connaissent.

Le vrai problème n'est donc pas celui de l'accès aux NTIC, il est plutôt de savoir si avec ces NTIC nous allons reproduire le mode de diffusion de l'information propre aux médias classiques. Celui-là se réduit à un schéma assez simple : d'un côté, un émetteur (journal, radio, TV), de l'autre, un grand nombre de récepteurs (lecteurs, auditeurs, téléspectateurs) isolés les uns des autres et dénués des moyens de répondre immédiatement. Les NTIC offrent de nouvelles possibilités : de simple consommateur d'informations marchandes, l'individu devient coproducteur de savoirs en participant à des processus d'intelligence collective. Alors que le téléphone permet une communication d'individu à individu, les ordinateurs branchés sur Internet permettent une communication de tous vers tous et, par là même, la constitution de communautés virtuelles. A cet égard, les forums et autres conférences électroniques sont emblématiques de l'ère numérique dans laquelle nous sommes entrés. Ni le téléphone, ni la télévision n'ont été en mesure d'offrir de telles perspectives. Seulement, saurons-nous les exploiter au mieux et éviter de nouvelles formes d'exclusion ? Nous commettrions une erreur si nous concevions les NTIC comme des moyens de dispenser un savoir marchand à des personnes peu qualifiées et non comme un moyen de faire participer les individus à des processus d'échanges.

***SH :* Dans la perspective que vous décrivez, qu'advient-il de la fonction pédagogique ? de la relation maître/élève ?**

P.L. : On exagère beaucoup les résistances du corps enseignant. De nombreux enseignants se sont battus et se battent encore pour introduire les technologies nouvelles dans leur établissement. Ainsi, de nombreux lycées se sont jumelés ou connectés à des laboratoires de recherche par l'intermédiaire d'Internet ou utilisent ce réseau pour préparer des voyages, etc. Cette tendance a gagné également les écoles primaires. En témoigne, par exemple, l'expérience du « réseau buissonnier » mené dans le Vercors qui réunit plus d'une quinzaine d'écoles primaires rurales. L'objectif initial était de rompre l'isolement des instituteurs et par la même occasion d'initier les enfants aux nouvelles technologies. Les enfants de ces écoles participent directement à la constitution en commun de dossiers thématiques, échangent des informations, etc.

Cette pédagogie consistant à faire coopérer les enfants, et à valoriser les connaissances acquises autrement que par l'attribution d'une note ou d'un diplôme, n'est pas nouvelle : elle existe depuis plus d'un siècle et participe de ce qu'il est convenu d'appeler la pédagogie active. Les NTIC permettent d'aller encore plus loin dans cette démarche somme toute classique. Non sans transformer à terme le métier d'enseignant. Celui-ci sera de moins en moins celui qui dispense des connaissances à un enfant. Sur Internet, on peut en principe apprendre de n'importe qui et d'où que ce soit. Mieux, on a directement accès à la source de production du savoir. L'enseignant risque donc de ne plus apparaître que comme un intermédiaire inutile, à moins qu'il ne trouve une nouvelle identité « d'animateur de l'intelligence collective ». Cette remise en cause du métier d'enseignant ne signifie pourtant pas sa disparition. Il incombera en effet toujours à l'enseignant de donner envie d'apprendre, d'aider ceux qui sont en train d'apprendre à progresser, enfin de stimuler l'apprentissage coopératif. Autant de fonctions qu'une machine – rappelons-le au passage – ne pourra jamais remplir.

***SH :* En lui-même, le CD-Rom ne peut pas être un moyen de dispenser un savoir en l'absence d'un animateur ?**

P.L. : Il est illusoire de penser qu'un instrument puisse dispenser un savoir. Les individus construisent leur savoir en se construisant eux-mêmes à travers la relation à autrui. Le CD-Rom n'est qu'une ressource qui a pour elle l'avantage de permettre un apprentissage interactif et sur un mode ludique.

***SH :* Quel est l'avenir des supports traditionnels du savoir, et de l'écrit en particulier ? Certains prédisent leur disparition...**

P.L. : Ils sont mal informés de la réalité que constituent les nouvelles technologies. Il n'y a sans doute jamais eu autant de production et de lecture de texte que sur des écrans d'ordinateur. Les personnes branchées sur Internet s'écrivent, se lisent, échangent des informations, des fichiers. World Wide Web, l'un des services les plus utilisés sur Internet, s'apparente à un immense hypertexte qui ne cesse de gagner en volume en reliant les uns avec les autres un nombre toujours plus important de fichiers, de bases de données, de documents audiovisuels, sonores, textuels. Bref, avec les NTIC, nous n'assistons pas à la fin du texte mais bien au contraire à son explosion, y compris d'ailleurs sur support papier. Car ce texte fluide, dynamique et interactif qui circule sur Internet donne lieu aussi à des impressions sur papier. On en arrive à ce paradoxe : l'essor de la numérisation se traduit finalement par un trop plein de documents imprimés.

***SH :* Le mode d'accès à un hypertexte diffère-t-elle de la lecture d'un texte classique ?**

P.L. : Rien n'est moins sûr. Si vous observez dans le détail ce que peut faire un hypertexte (hiérarchisation des informations au sein d'une grande masse de textes, mises en relation de segments d'un même texte, interconnexion de plusieurs textes), c'est au fond ce que l'on fait naturellement en lisant un texte. Ce mode de lecture n'est pas apparu simultanément avec l'écrit, c'est-à-dire il y a plus de cinq mille ans. Il est le fruit des perfectionnements successifs qui ont été apportés à l'écrit et qui ont par là même simplifié la pratique de la lecture : la ponctuation, l'index, la table des matières... D'une certaine façon, les supports techniques de l'hypertexte s'inscrivent dans le même mouvement : ils constituent autant d'aides à la lecture. C'est d'ailleurs à cette fin qu'ils sont conçus... Avec l'hypertexte, on ne fait que franchir un stade supérieur, vivre une accélération de cette déjà longue histoire des aides techniques à la lecture.

***SH :* Peut-on en dire autant des nouvelles formes de communication induites par les NTIC ?**

P.L. : De ce point de vue, les NTIC marquent une réelle rupture. Dans les sociétés orales, la réception d'un message suppose d'être plongé dans le même contexte que celui qui produit le message. Avec l'écriture, en revanche, on est séparé du contexte de production du message : l'auteur du message écrit peut avoir disparu depuis plusieurs siècles ou être distant de plusieurs milliers de kilomètres. Le passage de l'oral à l'écrit n'est pas allé de soi : il a fallu concevoir le message écrit de telle sorte qu'il soit compréhensible en dehors de tout contexte précis. L'émergence de la science, de la philosophie, ou des religions universelles... est liée à cette mutation de la pragmatique de la communication, amenée par l'écriture. C'est en effet à partir du moment où les hommes ont communiqué dans des contextes séparés, qu'ils en sont venus à inventer l'universel. Aujourd'hui, on vit une nouvelle mutation de la pragmatique de la communication. Sur Internet, il n'y a quasiment plus de message qui soit séparé d'un contexte commun. Tout est relié. Le contexte des messages émis sur les réseaux informatiques n'a plus rien à voir avec le contexte de la tribu, du clan, de la micro-société ; c'est un contexte planétaire. Ainsi assistons-nous à la constitution d'une nouvelle forme d'universalité non plus fondée sur la totalisation et la clôture du sens (le sens du message est le même quel que soit le contexte où il est lu) mais sur l'interactivité et l'interconnexion : tout est en contact avec tout. Ce qui n'est pas sans susciter certaines objections : tout et n'importe quoi circule, sur Internet, entend-on souvent. Le nouvel universel n'implique plus d'ordre global ni de maîtrise par un « centre ».

***SH :* Une autre objection est fréquemment adressée aux NTIC : en mettant l'individu seul devant un écran, elles favoriseraient une « virtualisation » de son existence...**

P.L. : La virtualisation de l'existence n'a pas commencé avec les NTIC mais avec le langage. C'est par le langage que l'être humain a pu se différencier des animaux. Le simple fait de lire un roman engage le lecteur dans une réalité virtuelle. Par ailleurs, quand quelqu'un lit, dit-on qu'il passe des heures à ne rien faire devant du papier ? En fait, le lecteur est en relation avec un discours auquel il réagit intérieurement. Il en va finalement de même de l'individu placé devant l'écran de son ordinateur. De ce point de vue, il n'y a pas de différence fondamentale entre le mode de lecture sur papier et celui effectué sur écran.

***SH :* Votre regard sur les mutations en cours tranche avec le pessimisme qu'elles inspirent souvent…**

P.L. : Comme je l'explique dans *Les Technologies de l'intelligence*, nous vivons l'une des plus importantes mutations de l'histoire de l'humanité, après la révolution néolithique (apparition de l'agriculture, de l'Etat, des villes…) et la révolution industrielle (triomphe du capitalisme, accélération de l'urbanisation et de la mondialisation des échanges…). Les changements que nous vivons actuellement sont du même ordre ; les technologies à supports numériques en sont le principal vecteur comme l'écriture et l'imprimerie le furent pour les mutations précédentes. Mais rien n'est encore tout à fait joué. Tout dépend de l'usage que les individus et les sociétés feront de ces technologies. Il ne suffit pas d'en percevoir les applications positives, encore faut-il se battre pour qu'elles soient utilisées dans ce sens. Pour bien faire, il faut éviter de décourager de prime abord les individus, mais plutôt les sensibiliser au fait que le champ des possibilités offertes par les NTIC est ouvert et que l'usage que nous en ferons dépend pour beaucoup de facteurs humains et sociaux.

Propos recueillis par
SYLVAIN ALLEMAND
(*Sciences Humaines*, n° 59, mars 1996)

---

1. « Les arbres de connaissances® » sont une marque déposée de la société Trivium®.

Loïc Grasland*

INTERNET : UN RÉSEAU ET DES TERRITOIRES**

Internet, pour certains, serait l'abolition des différences régionales : le cyberespace. Pourtant, les représentations cartographiques l'attestent, Internet conserve un ancrage territorial. Son développement suit celui des infrastructures traditionnelles.

Les réseaux de télécommunications, et en particulier Internet, permettent de s'affranchir des contraintes de distance et de satisfaire potentiellement l'homme dans son désir d'ubiquité. Pour autant, l'amélioration globale de l'accessibilité ne réduit pas la différenciation spatiale et l'émergence de nouveaux concepts (cyberespace, espace virtuel…) ne signifie pas la mise au rencart d'une notion indissociable de cette différenciation, le territoire.

Les inégalités spatiales peuvent-elles raisonnablement s'atténuer avec Internet ? Le seul exemple de l'accès à Internet montre bien la reproduction du processus des inégalités spatiales. Le fait que cet accès ne soit pas simultanément possible partout maintient déjà une inégalité de fait : l'accès à l'information renforce un processus de différenciation qu'il sera ultérieurement difficile de réduire, la disponibilité de l'information s'apparentant à une innovation dont les premiers détenteurs sont les principaux bénéficiaires. L'inégalité d'accès à Internet relève sans doute moins du problème de l'accessibilité physique et de son coût – que les fournisseurs d'accès globalisent – que des inégalités socio-économiques et culturelles.

Les différences dans les coûts d'accès restent sensibles entre pays et expliquent ainsi des écarts importants dans les niveaux de connexion à l'échelle mondiale. Mais il faut aussi invoquer

---

* Maître de conférences à l'université d'Avignon.

** *Sciences Humaines*, hors série n° 16, mars/avril 1997.

des différences socio-économiques plus générales, renvoyant aux catégories socioprofessionnelles. L'Institut de sondage américain Nielsen définit d'ailleurs ainsi le profil-type de l'internaute américain : deux fois sur trois, c'est un homme ; il a moins de 44 ans, a suivi dans 79 % des cas un enseignement supérieur, est cadre, ingénieur ou exerce une profession libérale dans 70 % des cas, et gagne plus de 60 000 dollars dans 60 % des cas. L'inégal niveau d'équipement préalable selon les pays relève aussi de ce type d'explication. Le rapport Miléo (Commissariat général du Plan, 1996) a ainsi relevé la faiblesse du parc de micro-ordinateurs français (15 % de foyers équipés en France, 25 % dans les pays du nord de l'Europe, 35 % aux Etats-Unis).

Des comportements culturels s'ajoutent aussi à ce critère de différenciation. Une partie du retard français dans les niveaux de connexion à Internet peut encore s'expliquer par des coûts de télécommunications élevés, par les services disponibles sur Minitel, mais aussi par un obstacle linguistique et un relatif manque d'intérêt pour cet outil, que l'on peut globalement appréhender par la notion d'« inappétence » (*voir la carte « Internet en Europe »*).

Les inégalités d'accès

Au niveau infranational, les différences sont généralement moins marquées

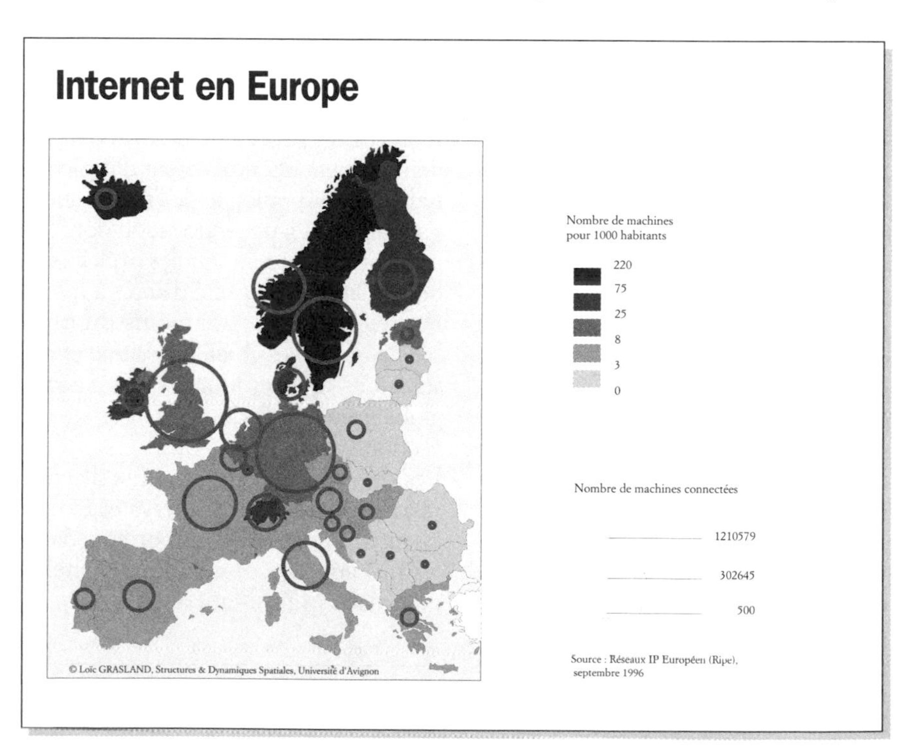

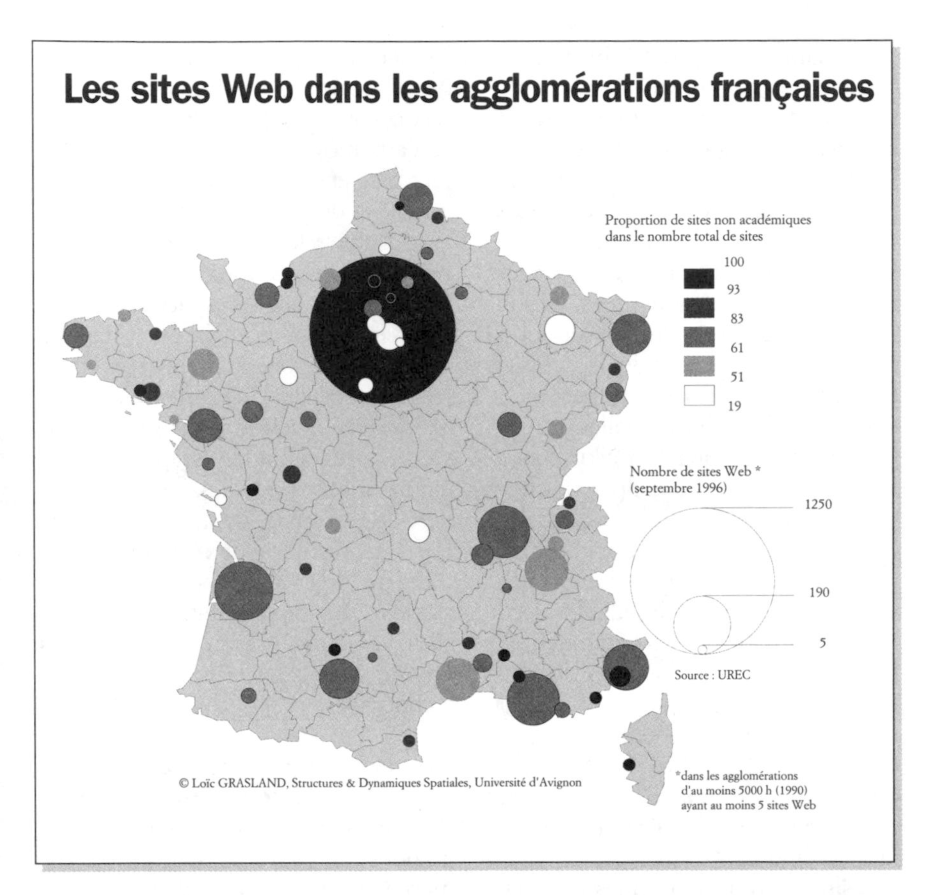

qu'entre pays et tiennent moins au strict coût de l'abonnement local qu'à la qualité de connexion (débit, facilité de connexion, *hot-line*, services d'information...) et surtout aux caractéristiques socio-économiques et culturelles régionales. Comment ultérieurement un accès généralisé à Internet permettrait-il de réduire alors l'avance prise aujourd'hui par des catégories de population économiquement et culturellement différenciées et les lieux qu'ils habitent, alors que la détention primitive d'informations leur a permis théoriquement de profiter de cette innovation, de creuser les écarts et d'affirmer leurs différences ? A ces inégalités d'accès s'ajoutent celles qui relèvent de la création et de la diffusion d'information par Internet et plus particulièrement par le Web (1). A l'échelle française, le processus de création des sites Web laisse ainsi par exemple peu de doutes sur la permanence des différences territoriales *(voir la carte ci-dessus)* : la cartographie de ces sites pour les agglomérations de plus de

1. Voir mots clés en fin d'ouvrage.

5 000 habitants reproduit bien la hiérarchie urbaine. En effectuant une distinction entre deux grands types de sites, les sites académiques et les autres, l'ancrage territorial peut varier considérablement. Les sites académiques (universités, écoles d'ingénieurs, laboratoires de recherche...) ont été isolés, car ils ont été les premiers créés, ils sont nombreux (27 % du total) et suivent de très près l'implantation des instituts de formation supérieure, et de recherche et donc la hiérarchie des villes.

Or, ces sites, notamment ceux consacrés à la recherche, disent peu de chose du territoire et consacrent l'essentiel de leur information à la présentation de spécialités scientifiques qui pourraient fort bien être localisées ailleurs. Leur ancrage territorial est généralement faible et, pour simplifier, ces sites ont plutôt une spatialité par défaut. Mais il est vrai que les petites universités, peu dotées en laboratoires de recherche, cherchent volontiers à valoriser leur enracinement régional pour affirmer leur différence.

Les sites non académiques émanent donc du secteur privé, mais aussi des associations, des collectivités locales... On peut bien sûr y voir l'effet de diffusion à partir des lieux les mieux informés, les plus « branchés ». L'effet culturel « branché » serait toutefois nul s'il n'était soutenu par le besoin économique, en partie anticipé, de certaines catégories socioprofessionnelles et catégories d'acteurs d'afficher leur visibilité et de se positionner sur un marché mondial. Cette prolifération dissimule cependant mal le fait que ces catégories sont d'autant mieux représentées que les villes sont grandes et que le nombre de sites varie en fonction du nombre de services aux entreprises spécialisées, des niveaux moyens d'éducation, de revenus, etc., et donc finalement de la hiérarchie et de la spécialisation des villes. A ce chapitre, les campagnes peu denses présentent des indicateurs plutôt faibles et autant dire que les espaces les mieux dotés en capital humain et en matière grise engrangeront en premier les effets, positifs et négatifs, de cette innovation. Cette carte révèle aussi des variations secondaires selon les catégories d'agglomérations. Les villes du nord et de l'est de la France, de la périphérie de Paris se distinguent notamment de celles du sud et d'un croissant sud-ouest par leur sous-représentation relative en sites. Cette disposition n'est d'ailleurs pas sans rappeler la localisation des technopoles.

La persistance du territoire

Une ventilation des sites selon quelques grandes catégories thématiques (commerce, tourisme, activités informatiques, associations, collectivités locales, arts et culture, autres organismes publics...) montre que certains sites Web ont un contenu fortement territorial, comme ceux du tourisme, des collectivités territoriales, de l'immobilier en région, ou encore d'une partie des sites de sports et de loisirs, des médias, des arts et de la culture : l'information y est par essence territoriale. Pour d'autres, le contenu territorial reste un support qui permet de situer ou de valoriser un produit ou service, comme dans le cas de beaucoup de sites commerciaux ou

Les sites Web en milieu rural

de prestataires locaux de services Internet. Pour d'autres encore, l'apport est quasi négligeable comme dans le cas des sites d'entreprises du secteur informatique, de produits de haut niveau technologique ou de services rares, ou encore de services administratifs. Selon les sites, le territoire intervient ainsi largement comme élément de spécification, porteur d'une différenciation directement intégrée à un produit ou à un service, compensant dans bien des cas un faible marquage technologique ou culturel.

Localement, les sites peu denses intègrent ainsi davantage de « territoire » que les villes, notamment les plus grandes, parce que l'information que celles-là diffusent relève de compétences technologiques et culturelles très spécialisées et apparaît alors plus souvent a-territoriale.

On peut aussi observer que le territoire se dessine à travers des spécialisations régionales, sans que la vision régionale soit sans doute très explicite chez les créateurs de sites. Ainsi, à l'échelle française, les sites des régions méditerranéennes valorisent-ils, plus que les autres, le tourisme ou l'immobilier des stations littorales (Provence) ou encore les galeries d'art (Côte d'Azur). Les régions viticoles, en particulier le Bordelais avec son mode spécifique de commercialisation des vins (vente à l'avance et par correspondance, clientèle américaine importante...), se distinguent également.

Les régions où le tourisme rural, associé à la promotion de produits du terroir, peut être un élément de diversification économique, se singularisent également, et ce d'autant mieux que les sites spécialisés dans d'autres domaines sont rares : zones rurales des régions Rhône-Alpes, Languedoc, Centre, Limousin *(voir la carte des sites Web en milieu rural page précédente).*

Internet permet une meilleure égalité de circulation d'informations entre les territoires. Paradoxalement, cette relative homogénéité d'accès n'aboutit pas à une ressemblance progressive selon un système de vases communicants, mais plutôt à un renforcement des différences par ajustement progressif des jeux de concurrence et de complémentarité : s'ils se font plus visibles, les territoires doivent ainsi se « situer » à travers l'image des produits et des services qu'ils diffusent. Le réseau des réseaux assure ainsi une meilleure intégration spatiale qui se réalise sur la base non d'une ressemblance mais d'une diversité des éléments du réseau. Il renforce la diversité, les identités et se nourrit des complémentarités qu'il provoque. Les territoires en ressortent valorisés, notamment les espaces peu denses et peu diversifiés, sans doute pour le meilleur et le pire, car Internet est aussi une vitrine pour la vente. Quoi qu'il en soit, on est loin d'une conception du cyberespace où l'on serait totalement affranchi des contraintes spatiales et territoriales.

Patrice Flichy*

LE TÉLÉPHONE ET SES USAGES**

On ne peut pas séparer le téléphone des pratiques sociales dans lesquelles il s'insère : telle est la principale conclusion que l'on peut tirer des nombreuses recherches sur les usages de ce média. Patrice Flichy montre que, derrière la question du téléphone, ce sont bien celles de la coopération au travail et de la sociabilité qui sont posées.

Si la littérature sociologique sur le téléphone est bien plus réduite que celle qui est consacrée à la presse ou à la télévision, elle est néanmoins assez diverse. Tout se passe comme si différents courants de la sociologie s'étaient penchés successivement et un peu par hasard sur cet objet quotidien, sans toujours entreprendre des investigations systématiques. Je me propose ici de faire la revue de ces différentes approches.

Téléphone et société

On cite souvent comme textes fondateurs sur le téléphone ceux de Donald Ball (1), de Sydney Aronson (2) et d'Ithiel de Sola Pool (3). Ces trois textes partagent une même problématique, longtemps puissante dans la sociologie de la communication, celle du déterminisme technique dont Marshall McLuhan et plus récemment Régis Debray sont les figures de proue. Cette tradition sociologique s'appuie essentiellement sur des exemples historiques. La question posée par tous ces auteurs est en définitive la suivante : qu'est-ce que

* Chercheur au Centre national d'études des télécommunications (CNET), directeur de la revue *Réseaux*.

** Ce texte est une version abrégée et actualisée de l'article publié par l'auteur sous le titre « Perspectives pour une sociologie du téléphone », dans la revue *Réseaux*, n° 82-83, mars/juin 1997.

1. D. Ball, « Toward a sociology of telephones and telephoners » dans M. Truzzi (ed.), *Sociology and Everyday Life*, Prentice Hall, Cliffs, 1968.
2. S. Aronson, « The sociology of telephone », *International Journal of Comparative Sociology*, 12 (3), septembre 1971, traduit en français dans *Réseaux*, n° 50, septembre/octobre 1992.
3. I. de Sola Pool (ed.), *The Social Impact of Telephone*, MIT Press, 1977.

le téléphone a changé dans nos sociétés après un siècle d'existence ?
S. Aronson distingue classiquement trois types d'effets portant respectivement sur l'activité économique, le recueil de l'information et la sociabilité privée. Le téléphone augmente la cadence et l'intensité des affaires, il contracte « le temps de transaction », il permet d'assurer l'organisation et le fonctionnement efficace des grandes organisations. La presse écrite et audiovisuelle l'a adopté comme l'un de ses instruments de travail privilégié. Mais, plus profondément, ce sont les modes d'organisation des entreprises qui ont été modifiés avec l'arrivée du téléphone. Pour McLuhan, comme pour D. Ball, le téléphone entraîne une érosion des structures hiérarchiques et bureaucratiques, une décentralisation de la communication, il *« constitue une nouvelle toile* (D. Ball parle déjà du Web) *à laquelle l'entreprise doit s'adapter »* (4). Mais les thèses de S. Aronson ou de D. Ball ne s'appuient sur aucun travail historique ou sociologique précis. En ce qui concerne le rapport entre le téléphone et l'organisation, nous avons montré avec Paul Beaud, dans le cadre d'une étude monographique d'une administration, que le téléphone était fortement inégalitaire, constituant un médium hiérarchique, moins dans son usage que dans l'absence d'usage (5).
Dans la vie privée, le téléphone est souvent apparu comme un facteur clé des nouvelles formes urbaines. Deux sociologues françaises, Françoise Bornot et Anne Cordesse, se sont interrogées sur les rapports entre la dispersion des communautés traditionnelles et le développement du téléphone. Elles concluent leur analyse ainsi : *« S'il ne parvient pas lui-même, sinon dans l'exceptionnel, à susciter des relations qui n'existaient pas, (…) le téléphone exerce en revanche pleinement son rôle de "communication" et devient une dimension majeure de la maintenance des groupes (familiaux ou amicaux) lorsque la dispersion la menace. »* (6)
De même, les recherches historiques de Claude Ficher (7) et de Michèle Martin (8) montrent que c'est au début du siècle, dans le monde rural nord-américain, que le téléphone devient un authentique instrument de sociabilité. Jusque-là, il servait principalement à envoyer des informations brèves et restait très largement unidirectionnel dans son usage. Il se développe en parallèle avec l'automobile, les deux techniques permettant d'entretenir une sociabilité régulière avec un réseau plus étendu. Cette pratique de la visite téléphonique a nécessité un véritable apprentissage. Les règles du savoir-vivre téléphonique furent d'abord diffusées par les compagnies de téléphone à travers les instructions des annuaires. L'étude de ces documents a permis aux historiens d'analyser le décalage apparu au début du siècle entre les usages proposés (et

4. D. Ball, *op. cit.*
5. P. Beaud et P. Flichy, *La Communication bureaucratisée. L'utilisation du téléphone dans une administration*, rapport CNRS/INA, 1980.
6. F. Bornot et A. Cordesse, *Le Téléphone dans tous ses états*, Actes Sud, 1981.
7. C. Ficher, « Appels privés, significations individuelles. Histoire sociale du téléphone avant-guerre aux Etats-Unis », *Réseaux*, n° 55, septembre/octobre 1992.
8. M. Martin, « Hello central ? Compagnies de téléphone, abonnés et création d'une culture téléphonique au Canada », *Réseaux*, n° 55, septembre/octobre 1992.

parfois imposés par les ingénieurs) et les usages choisis par les utilisateurs. Ainsi le « bavardage téléphonique » fut-il d'abord considéré comme injustifié, puis simplement inutile et devint peu à peu légitime.

Quantifier les pratiques téléphoniques

Si la question des effets constitue, dans la filiation de la sociologie des médias, le paradigme central de la recherche sur le téléphone, on trouve néanmoins dans la littérature d'autres approches. Des travaux statistiques ont notamment été réalisés sur l'équipement et la pratique téléphoniques. La plupart des enquêtes quantitatives qui portent spécifiquement sur le téléphone ont adopté un type de questionnaire particulier : le carnet où l'on note chacune des communications émises ou reçues pendant une à deux semaines.

La première population qui paraît fortement différenciée par sa pratique téléphonique est celle des célibataires. Les personnes vivant seules utilisent en moyenne deux fois plus le téléphone que celles vivant en famille. Gérard Claisse et Frantz Rowe (9) expliquent cette spécificité par deux phénomènes : la nécessaire communication du ménage ou de l'unité d'habitation avec son environnement (usage fonctionnel du téléphone) et l'isolement affectif des célibataires (usage relationnel). Ce qu'il faut également noter, c'est que dans ce cas il n'y a pas de différence d'usage entre les sexes.

Pour le restant de la population au contraire, le sexe apparaît comme une variable très discriminante de l'usage du téléphone : les femmes téléphonent deux fois plus que les hommes (10). Cette différence n'est pas liée à la présence souvent plus grande des femmes au domicile, puisque l'écart homme-femme se maintient quand les femmes travaillent. Cette différence peut être expliquée par la division sexuelle des tâches au sein du couple, la gestion de la vie quotidienne et l'entretien des relations familiales et amicales constituant un attribut féminin. Les effets de l'âge sont un peu plus complexes. Les jeunes et les personnes âgées téléphonent sensiblement moins que les personnes d'âge mûr. En revanche, leurs communications téléphoniques sont plus longues. On a donc aux deux extrémités du cycle de vie un réseau de sociabilité téléphonique plus restreint, mais pratiqué de façon plus intense.

G. Claisse et F. Rowe ne repèrent pas d'autres variables socio-démographiques influençant fortement sur la consommation téléphonique. Cependant, ils voient dans l'importance du réseau de relations un déterminant essentiel de la sociabilité téléphonique. On remarquera à ce point de la réflexion qu'on ne peut pas étudier l'usage du téléphone sans intégrer dans l'analyse la présence d'un correspondant (qui reçoit ou a l'initiative de la communication). Ces correspondants sont, pour les trois quarts, constitués de la famille (40 %), des amis et des relations (36 %). Cette structure des correspondants

9. G. Claisse et F. Rowe, « Téléphone, communications et sociabilités : des pratiques résidentielles différenciées », *Sociétés contemporaines*, 14-15, 1993.

10. D'autres enquêtes donnent un écart moins important de l'ordre de 40 %.

semble relativement stable puisqu'aux Etats-Unis où la pratique du téléphone est 1,5 fois plus importante en nombre de communications (11), on retrouve des pourcentages voisins (12).

Après avoir étudié les caractéristiques socio-démographiques des enquêtés et celles de leurs correspondants, les études quantitatives sur la pratique du téléphone examinent un troisième aspect, la communication elle-même. G. Claisse et F. Rowe distinguent trois motifs d'entretien téléphonique : gérer (39 %), s'informer (35 %), discuter (27 %). Là encore, l'enquête américaine de Herbert Dordick et Robert Larose donne des chiffres assez voisins (13).

Si l'on compare le réseau des correspondants aux motifs des appels, on ne peut que constater qu'une bonne partie de la communication familiale et amicale touche à la gestion de la vie quotidienne, aux usages domestiques, et n'est donc pas strictement d'ordre affectif et relationnel. Si cette distinction paraît à première vue importante, on peut toutefois se demander si les communications téléphoniques n'ont pas des objets multiples, si l'affectif et la gestion quotidienne ne sont pas toujours mêlés. Seul l'accès à un corpus de conversations téléphoniques pourrait permettre d'avancer sur ce point.

Diversité des usages et des usagers : des analyses qualitatives

Dès que l'on quitte l'analyse quantitative globale des pratiques téléphoniques pour étudier un peu plus finement tel ou tel usage, on s'aperçoit qu'on ne peut pas séparer le téléphone des pratiques sociales dans lesquelles il s'insère. Contrairement à l'usage d'autres médias, celui du téléphone ne constitue pas une activité en soi. Il prend toujours place au sein d'autres activités familiales, amicales, amoureuses, commerciales, professionnelles... Les usages du téléphone sont donc aussi divers que la sociabilité humaine. La sociologie du téléphone doit en conséquence s'articuler avec d'autres domaines de la sociologie, notamment la sociologie de la famille et la sociologie du travail.

Dans la littérature anglo-saxonne, la principale recherche sur des usages spécifiques du téléphone porte sur les femmes. Ann Moyal (14), dans une enquête réalisée en 1989 auprès de 200 femmes australiennes, décrit une pratique du téléphone organisée essentiellement autour du maintien et de l'activation du réseau de sociabilité, soit à travers des appels purement instrumentaux, d'une à trois minutes, qui permettent de gagner du temps dans la vie quotidienne – dans ce cas, comme le dit joliment une interviewée, *« on laisse les doigts faire le déplacement »* –

11. Le chiffre le plus souvent cité sur l'écart de consommation téléphonique entre les Etats-Unis et la France est de 3,5. Ce chiffre ne sépare pas la communication professionnelle et la communication privée. Sur ce point, voir J.-L. Chabrol et P. Perin, « Les usages du téléphone en France et aux Etats-Unis », *Réseaux*, n° 82-83, mars/juin 1997.

12. D'après H. Dordick et R. Larose, « Le téléphone dans la vie de tous les jours, une enquête sur l'utilisation domestique », *Réseaux*, n° 55, la famille représente 36 % des interlocuteurs et les amis 30 %.

13. Gérer (35 %), s'informer (32 %), discuter (24 %), divers (9 %). Il faut néanmoins tenir compte que la répartition entre ces trois catégories a pu être réalisée un peu différemment dans les deux enquêtes.

14. A. Moyal, « The gendered use of the telephone : an australian case study », *Media Culture and Society*, n° 14, 1992.

soit par l'intermédiaire de « vrais appels » où l'on peut parler, se raconter. Dans ce dernier cas, la durée de la conversation téléphonique est un élément constitutif du plaisir qu'elle donne. C'est avec les amies très proches que les conversations sont les plus longues. Elles peuvent durer jusqu'à trois quarts d'heure, ou même plus. Les interviewées insistent sur la force de la voix. « *Le téléphone*, déclare l'une d'entre elles, *est plus personnel que le courrier. Ce que je veux, c'est savoir ce que mes amis ressentent, et cela je peux l'entendre au téléphone.* » Pour une autre, « *le téléphone est l'instrument qui permet de créer le voisinage psychologique des femmes* ».

Pour les femmes plus âgées, le téléphone est présenté comme le « lien vital », une « connexion humaine indispensable ». Par symétrie, il permet aux femmes plus jeunes d'assurer la responsabilité affective des personnes âgées ou malades. En France, différents travaux ont été réalisés sur les enfants et les adolescents (15). A côté de ces différentes recherches qui concernent la sociologie de la famille au sens large, d'autres travaux utilisent des méthodes qualitatives et ont mis au cœur de leur réflexion la question des rapports entre l'espace privé et l'espace public. Catherine Bertho (16) a montré que la société française du début du siècle se méfiait du téléphone, car il permettait d'accéder directement à l'intimité de telle ou telle personne. Pour éviter cette intrusion du monde extérieur dans le monde privé, les familles bourgeoises ont rapidement pris l'habitude de ne pas répondre elles-mêmes au téléphone, de le faire faire par un domestique. Il fallait éviter que le téléphone puisse court-circuiter les codes de la sociabilité bourgeoise. Dans le monde contemporain où le téléphone s'est diffusé dans toutes les couches sociales, cette question de l'intimité, de la protection de l'espace privé, continue à se poser, d'autant plus que le téléphone contribue à brouiller les frontières entre la vie privée et la vie professionnelle. Il permet non seulement de continuer à travailler chez soi, mais également de gérer les problèmes privés au bureau (17). Dans toutes ces situations, les utilisateurs du téléphone cherchent à protéger leur intimité. Dans d'autres cas au contraire, le téléphone est un instrument semi-collectif. Les communications téléphoniques y sont sinon publiques, du moins successives : elles alimentent les conversations de l'entourage. Chantal de Gournay (18) a étudié cette question de l'intimité dans des espaces partagés par plusieurs personnes comme un bureau ou un appartement. Elle note que la volonté de protéger ses secrets personnels peut être plus forte quand un message est enregistré (répondeur) que quand la communication est en direct.

C'est justement ce jeu entre le direct et le différé que Pierre-Alain Mercier a

15. M. Fize, « Les adolescents et l'usage du téléphone » ; C. Castelain-Meunier, « Le cordon paternel : des liens téléphoniques entre des pères "non gardiens" et leurs enfants » ; C. Calogirou, « Les usages du téléphone dans les familles d'origine immigrée », *Réseaux*, n° 82-83, mars/juin 1997.

16. C. Bertho, *Télégraphes et téléphones, de Valmy au micro-processeur*, Livre de Poche, 1981.

17. D'après une enquête INSEE, près de la moitié des actifs déclarent utiliser le téléphone pour passer ou recevoir des appels sur leur lieu de travail.

18. C. de Gournay, « C'est personnel... la communication privée hors de ses murs », *Réseaux*, n° 82-83, mars/juin 1997.

examiné (19). Le répondeur offre toute une gamme de possibilités entre la communication instantanée et permanente et la déconnexion totale. L'usager du répondeur peut, par exemple, prendre une communication au moment où l'appelant laisse son message et le répondeur devient alors un filtre. Il peut aussi faire aboutir systématiquement ses appels à un répondeur qu'il interrogera à distance, et il décidera alors de rappeler ou non ses interlocuteurs. On peut également sciemment téléphoner à une personne quand « il n'y a que son répondeur » pour l'amener à vous appeler la première, etc.

L'ethnologie du téléphone

Parallèlement aux différents travaux de sociologie des usages utilisant des méthodes quantitatives ou qualitatives, on trouve une dernière voie de recherche, celle de l'ethnographie. Vanessa Manceron (20) a réalisé une monographie sur une bande de jeunes pour lesquels le téléphone est l'instrument essentiel qui permet d'organiser leurs loisirs communs. La télécommunication est non seulement un mode de coopération entre les membres du groupe, mais aussi l'un des éléments constitutifs de son identité. Le téléphone permet d'être branché en permanence sur le groupe. A travers ce cas un peu exceptionnel, on voit apparaître une nouvelle approche ethnographique dans laquelle on considère le téléphone comme un élément clé du lien social qui relie les individus entre eux.

En étudiant l'objet téléphonique ou les différents correspondants, on sent bien que reste à l'extérieur de l'analyse ce qui fait le cœur de l'activité téléphonique : une conversation qui utilise comme seul dispositif d'interaction la voix. Pour un courant des sciences sociales, l'ethnométhodologie, l'analyse de conversation constitue une méthode essentielle. Les ethnométhodologues cherchent à expliciter la logique et le raisonnement pratique qui régissent les interactions conversationnelles. Ils se sont notamment intéressés à la gestion des tours de parole ainsi qu'à la question de l'ouverture et de la clôture coordonnées des conversations (21).

Dans un article (22) sur les appels d'urgence aux pompiers, Joel Whalen et Donald Zimmerman montrent comment les énoncés sont d'abord compris en fonction de leur position dans le déroulement séquentiel de la conversation. Ce type de dialogue fonctionne de façon routinière, mais il est néanmoins très vulnérable. L'analyse de conversation permet de comprendre comment des interactions téléphoniques peuvent s'écarter de la trajectoire habituelle et, dans un cas d'urgence, entraîner éventuellement une issue fatale. L'échec d'une conversation ne serait pas dû à une « mauvaise compréhension », mais à une « mauvaise trajectoire », à une

19. P.-A. Mercier, « Dopo ze bip... Quelques observations sur les usages du répondeur téléphonique », *Réseaux*, n° 82-83, mars/juin 1997.
20. V. Manceron, « Tribu en ligne : usages sociaux et modes d'interaction au sein d'un réseau de jeunes Parisiens », *Réseaux*, n° 82-83, mars/juin 1997.
21. Pour une présentation de l'analyse de conversation, voir J. Héritage, « L'ethnométhodologie : une approche procédurale de l'action et de la communication », *Réseaux*, n° 50, novembre/décembre 1991.
22. J. Whalen, D. Zimmerman et M. Whalen, « Une conversation fatale », *Réseaux*, n° 55, septembre/octobre 1992, mars/juin 1997.

divergence de cadrage. De son côté, Ruth Akers-Porrini (23) s'est intéressée aux visites téléphoniques entre des malades et leur famille. L'intérêt de ce travail vient du fait qu'il ne se contente pas d'étudier une unique conversation, mais un ensemble de dialogues qui se succèdent de jour en jour. La visite téléphonique avec un malade se distingue de la visite en face à face par le fait que les interlocuteurs sont « contraints » de parler en permanence. Alors que dans le second cas, la présence physique peut suffire, dans le premier les silences sont intolérables. La parole est le seul moyen d'exprimer sa sollicitude. La visite téléphonique peut également paraître effectuée au bénéfice unique du malade. Or, note l'ethnométhodologue, on assiste petit à petit à un rééquilibrage, d'autres thèmes de conversation étant abordés, qui concernent prioritairement l'appelant. Si la réaction de soutien est constamment présente, elle n'est pas l'unique sujet du dialogue, elle est en quelque sorte enchâssée dans d'autres activités conversationnelles.

En définitive, il serait sans doute vain de vouloir fonder une sociologie du téléphone qui ne dialoguerait pas avec ces autres domaines de la sociologie. Car derrière la question du téléphone, c'est bien celle de la coopération au travail, de la sociabilité qui est posée. Etudier le téléphone, c'est bien analyser le lien social dans une de ses composantes essentielles.

23. R. Akers-Porrini, « La visite téléphonique », *Réseaux*, n° 82-83, mars/juin 1997.

Technologies de la communication et travail

Jacques Perriault*

APPRENDRE À DISTANCE**

Télé-enseignement, cours par correspondance, *Open University*, multimédia, télévision éducative... La communication du savoir à distance prend des canaux de diffusion très divers, qui bousculent les cadres d'enseignement traditionnels. Quels sont ces nouvelles formes d'enseignement, leurs publics, leurs réseaux ?

Depuis quelques années, une tendance nette se dessine à utiliser les nouveaux outils de communication et d'information pour l'accès au savoir. Bien que ce phénomène ait pris une grande ampleur en Europe depuis une décennie, il est encore peu connu, même auprès de bien des experts en éducation.

Selon toute vraisemblance, les dispositifs dans lesquels s'inscrivent ces nouveaux outils épauleront de plus en plus les systèmes de formation dans les années à venir. Cependant, en raison de leur manque de visibilité, le public dispose encore de peu d'informations à leur sujet.

Il est plus que temps en effet de se dégager de l'image simpliste et réductrice, véhiculée par les médias, de l'individu solitaire qui, depuis sa chambre, aura accès à l'ensemble des connaissances disponibles sur Internet.

La réalité est en fait beaucoup plus complexe et l'avenir ne se réduit pas au seul usage solitaire des technologies de l'information.

Trois facteurs principaux retiennent aujourd'hui l'attention :

– l'émergence ou la transformation, au cours de la dernière décennie, des pratiques du public pour accéder à la formation à distance, et l'adaptation corollaire des institutions qui s'en chargent.

---

* Professeur des universités, directeur du Laboratoire de recherche sur l'industrie de la connaissance du CNED, Futuroscope de Poitiers. Auteur de *La Communication du savoir à distance ; autoroutes de l'information et télésavoirs*, L'Harmattan, 1996.

** *Sciences Humaines*, hors série n° 16, mars/avril 1997.

Cette dynamique a suscité l'apparition de nouveaux types d'opérateurs, dont une des principales raisons d'être est l'utilisation des nouvelles techniques d'information et de communication. Les programmes européens ont favorisé des consortiums tels que *Humanities*, *Teleskopia* ou le *European Open University Network* (EOUN), qui recourent soit aux vidéoconférences interactives par satellite, soit à la visiophonie, soit encore à Internet, pour distribuer des cours ;

– la mondialisation de cette évolution. La politique de la Commission a joué un rôle essentiel dans ce processus de transformation pour les pays membres de l'Union européenne. Toutefois, le même phénomène s'est produit ailleurs : de longue date en Amérique du Nord, Etats-Unis et Canada, mais aussi au Mexique, en Asie du Sud-Est et en Afrique du Sud ;

– l'apparition de dynamiques qui conduisent les systèmes traditionnels de formation à recourir à la formation à distance. Une demande croissante d'interactivité accompagne ce mouvement. De nouveaux modèles de références sont à mettre à l'étude car l'ampleur constatée des besoins montre que leur croissance posera dans de brefs délais de difficiles questions aux Etats, telles que celle de l'adaptation du service public de formation, ou encore celle du passage au stade industriel de la distribution des savoirs.

L'évolution des pratiques du public

En dix ans, la population européenne a accru de façon spectaculaire sa maîtrise des nouvelles techniques de communication. En France, le Minitel y a été pour beaucoup. En Italie, le téléphone portable a connu un succès considérable. Les ménages de Grande-Bretagne sont les plus équipés d'Europe en micro-ordinateurs.

Partout les jeunes ont accaparé les jeux vidéo ; et les recherches montrent qu'ils les utilisent moins comme un exutoire de violence que comme des appareils modernes dont il convient de découvrir les règles complexes de fonctionnement.

Dans le même temps, la crise de l'emploi a sévi. Bien des gens se sont tournés vers la formation à distance pour acquérir les notions nécessaires au maintien dans leur activité ou pour en retrouver une. Ainsi, le nombre d'inscrits au CNED *(voir encadré page suivante)* est passé de 250 000 en 1985 à 370 000 en 1996. Les autres pays ont connu des évolutions similaires.

Le fait majeur à noter ici est le changement d'attitude des personnes qui suivent ces formations. Elles se comportent désormais en consommateurs avertis et exigeants, et elles veulent du « sur mesure » et non plus de la « confection ». Ici résident deux mutations fondamentales en cours, qui auront sans doute de profondes répercussions dans l'avenir.

La première mutation est l'inversion de l'offre et de la demande. Le contenu des formations est de plus en plus souvent défini « en creux », c'est-à-dire par les besoins de l'usager et renvoie aux modifications des techniques de production dans l'entreprise, alors que précédemment l'offre avait une origine que l'on peut globalement qualifier d'académique.

Le CNED

Le CNED (Centre national d'enseignement à distance) propose plus de deux mille formations couvrant tous les niveaux du cursus scolaire et universitaire (de l'école élémentaire à l'agrégation), et des formations continues. Cet organisme prépare aux diplômes des universités et du CNAM, avec lesquels il travaille en coopération. Le CNED utilise le Minitel pour le dialogue entre les étudiants et les professeurs, une gestion informatisée de la production des cours et de leur distribution, et le développement des vidéotransmissions interactives par satellite. Il existe bien d'autres réseaux français de communication du savoir à distance ; la plupart appartiennent encore au secteur public ou parapublic. On peut citer, entre autres, le Centre national de documentation pédagogique (CNDP), l'AFPA, etc. Dans ce tableau, l'originalité de la chaîne télévisée « La Cinquième » mérite d'être mentionnée. Conçue comme la chaîne « du savoir, de la connaissance et de l'emploi », elle joue en fait le rôle de *« Coffein TV »*, surnom qui avait été attribué aux émissions de la BBC accompagnant les programmes de l'Open University. En proposant des émissions courtes et attrayantes sur les sujets les plus divers, elle attire des publics de toutes origines, des cadres supérieurs aux foyers de chômeurs, en passant par les lycéens, les étudiants et les enseignants.

La seconde mutation ne concerne plus seulement la délivrance – et la mise à jour – de savoirs, mais englobe aussi la fourniture d'informations de tous ordres, qui encadrent en quelque sorte le contenu et lui donnent son relief : statistiques, réglementations européennes, etc. En outre, dans bien des cas, cette nouvelle conception de la formation suppose le contact direct, en présence ou à distance, avec un expert. L'hypothèse est, en l'espèce, que la compréhension même du concept de formation est en train de se modifier du fait de l'inversion mentionnée plus haut.

Face à ces évolutions, les institutions ont réagi en accroissant leur réactivité et en tentant – et ce n'est pas chose facile – de satisfaire des demandes de plus en plus particularisées. Elles l'ont fait de deux façons :

– en intensifiant le recours aux médias : extension du contact par téléphone, messageries Minitel, vidéoconférences interactives, visioconférences, salles de ressources équipées d'ordinateurs, télécopies notamment, ce qui ne supprime pas pour autant les regroupements traditionnels ;

– en maillant le territoire de centres dans lesquels le public peut accéder par télécommunications à des ressources à distances : sites de réception des vidéoconférences interactives du CNED, maisons du savoir, *Eurostudy Centers* (l'université de Paris-X-Nanterre-La Défense en a ouvert un en 1997), centres d'accueil du CNAM dans les Pays de Loire. A ce jour, les réalisations commencent à être nombreuses.

La mondialisation en cours

Bien avant que le traité de Maastricht ne l'y autorise explicitement, l'Union européenne avait impulsé de nombreux programmes, financièrement conséquents, pour développer des partenariats qui associent des universités, des entreprises de divers pays avec des opérateurs de télécommunication et d'informatique.

Or, la même évolution s'est produite dans d'autres régions du monde. Il est trop tôt pour en augurer l'évolution. Toutefois, certains indicateurs permettent de penser que ces dynamiques vont bien dans le sens d'une coopération renforcée avec les systèmes traditionnels de formation, alors que quelques années plus tôt, la crainte d'une divergence aboutissant à un système dual n'était pas sans fondements. Les régions du monde qui ont innové les premières dans ce domaine sont principalement l'Amérique du Nord, l'Australie et la Nouvelle-Zélande. La distance géographique y est pour quelque chose. L'Europe, comme on l'a dit, a décollé dans les dix dernières années et les pays d'Asie du Sud-Est, Chine populaire, Taiwan, Corée du Sud, Philippines et Indonésie lui ont emboîté le pas. Cinq des dix universités à distance qui comptent plus de cent mille étudiants se situent dans cette région du monde. En Amérique latine, le Mexique en tête, le Brésil et l'Argentine s'intéressent très fortement à cette évolution. L'Union européenne et le Conseil de l'Europe ont créé un maillage institutionnel de notre continent qui enchâssera à terme les institutions scolaires et universitaires.

Ces opérations sont assurées par :

– des associations internationales spécialisées dans les médiations éducatives innovantes recourant aux technologies de l'information et de la communication. Ainsi en est-il de l'*European Association for Distance Teaching Universities* (EADTU) ou encore de l'*European Distance Education Network* (EDEN) ;

– des diffuseurs d'émissions par satellite, tels que l'université d'Uppsala en Suède, l'*Open University* en Grande-Bretagne, le CNED en France et le *Consorzio Nettuno* en Italie ;

– des gestionnaires de réseaux télématiques tels que *First Class* ou les systèmes d'accès à Internet, et dont il ne faut pas exclure le Minitel qui a rendu de grands services. Il est intéressant d'observer en Europe le phénomène de convergence signalé plus haut. Les lieux d'initiative sont tantôt internationaux comme les programmes européens déjà évoqués. Ils peuvent être aussi nationaux ; par exemple, en France, une mesure ministérielle offre aux collèges ruraux démunis d'enseignants en seconde langue les ressources de la formation à distance ; ou bien, enfin, ils peuvent être locaux, comme cette création, par un inspecteur d'académie, d'un service de suivi par télécopie des enfants temporairement malades. Tous ces dispositifs de formation ouverte et à distance des différentes régions du monde entrent en contact. L'*International Council for Distance Education* (ICDE) est une ONG qui en réunit un très grand nombre.

Le succès de l'*Open University*

Fondée en 1969, l'*Open University* britannique est devenue une référence en matière d'université ouverte à distance. Son budget annuel de l'ordre de 200 millions de livres est composé principalement de la subvention de l'Etat, à laquelle viennent s'ajouter les droits d'inscription. Elle emploie 3 000 personnes à plein temps et 7 000 à temps partiel. Aucun diplôme n'est requis pour s'y inscrire, seul un minimum d'âge est demandé (18 ans). Son public – 200 000 candidats environ – est essentiellement celui de la « seconde chance » : des personnes souhaitant poursuivre ou compléter leurs études. Son catalogue propose 400 formations : formations supérieures de second et de troisième cycle, formation continue et aussi formations non diplômantes. L'*Open University* a mis au point un certain nombre d'innovations dans le domaine de la formation à distance. Les médias y occupent une place importante avec des utilisations particulières, telles les téléconférences assistées par ordinateur. Le tutorat y est depuis longtemps développé et les formes de regroupements des étudiants sont très diversifiées : 290 centres d'accueil, voyages thématiques, écoles d'été, week-ends pédagogiques... L'Open University a en outre une politique étrangère très dynamique : plusieurs centres annexes sont installés à Paris, à Dusseldorf, à Barcelone ; elle diffuse des cours en hongrois, en slovaque, en russe. Elle a récemment initié le programme INSTILL, projet global de développement technologique s'appuyant sur les utilisations du satellite, des CD-ROM et d'Internet.

Plusieurs universités ouvertes dans le monde s'en sont inspirées : l'*Open Universität* hollandaise, La *Fern Universität* allemande, l'*Universita Abierta* du Portugal ; en Espagne, l'*Universitad Nacional de Education a Distancia* développe son action en direction de l'Amérique latine où elle a établi 5 antennes. En France, le modèle d'université à distance peut être rapporté aux 22 centres de télé-enseignement universitaire (CTU). Cependant, ces centres constituent des départements inclus dans le fonctionnement des universités : les étudiants n'y sont acceptés que sur diplômes. Chaque centre a, en général, une vocation thématique : espagnol à Toulouse, histoire à Besançon, etc.

M.F.

La nécessité de nouveaux modèles

Cette évolution turbulente pose plusieurs problèmes. Elle devrait intéresser les sciences humaines à plus d'un titre, car ces dernières pourraient lui apporter leur contribution.

Le premier problème est sans conteste celui de l'acclimatation des nouvelles techniques de communication dans notre culture européenne. En maîtrisons-nous véritablement les usages pour les intégrer dans un projet d'accès au savoir ? Cela reste à démontrer, même si la décennie 85-95 a vu beaucoup de compétences se développer quant à leurs utilisations. Mais les compétences sont une chose, la culture en est une autre. Il est frappant de constater que ces technologies nouvelles que sont l'informatique, les télécommunications, la vidéo, etc., sont encore très souvent plaquées sur les contenus qu'elles doivent véhiculer. Contrairement à ce qui se passe dans des domaines aussi divers que la littérature et la mode, l'émergence de styles n'est pas encore perceptible. Bien des écrans proposés manquent d'élégance sans qu'on sache véritablement dire pourquoi. La question sous-jacente est celle de l'assimilation effective de ces nouveaux dispositifs. En tant que tels, ils ont aussi une capacité formatrice qui leur est propre, mais que l'on sait mal apprécier.

Le second problème est celui de l'industrialisation. Un terme est posé : *Knowledge Industry*, que l'on traduit très imparfaitement par « industrie de la connaissance ». Il ne s'agit certes pas de mettre la connaissance en boîte, mais de tenir compte de deux impératifs :

– d'une part, des impératifs quantitatifs ; certaines formations à distance s'adressent aujourd'hui à des milliers, voire à des dizaines de milliers d'étudiants. Cela implique des processus industriels de fabrication et de distribution. Or, ceux-là ne sont pas neutres par rapport aux contenus. L'arrivée des réseaux de télécommunication ne fait que complexifier cette question ;

– d'autre part, des impératifs qualitatifs. Les savoirs les plus divers sont aujourd'hui demandés avec la garantie qu'ils sont à jour. Cela suppose l'établissement de circuits courts permanents entre les sources de savoir et les institutions qui les diffusent. Dans les réseaux qui permettent une exploration planétaire de ces gisements, le facteur industriel entre là aussi en ligne de compte.

De nouvelles configurations se créent dans cette optique, telles que celle de campus virtuel, qui est une mise en relation par réseau de télécommunication des gisements d'information, thématiquement liés mais géographiquement disséminés, avec des utilisateurs, disséminés eux aussi.

Le troisième problème est celui du rôle de la société civile dans ces nouvelles configurations qui se mettent en place. Laissera-t-elle le champ totalement libre aux industries de la connaissance ou bien, dans un processus de ressaisissement, ne va-t-elle pas réactiver des échanges de savoirs en proximité ? Que deviennent l'espace public et le service public dans une hypothèse d'interactivité généralisée ? Et si la connaissance s'élabore aussi dans l'interaction, l'enseignant à distance pourra-t-il accorder à chacun de ses interlocuteurs l'interactivité attendue ? Le quatrième problème est de savoir comment on apprend avec les médias. Leur usage ne favorise-t-il pas la démarche inductive (1), comme semblent le montrer les études sur les pratiques de jeux vidéo ? Quelles sont les compétences pré-requises : savoir gérer des processus en parallèle, savoir gérer un emploi du temps alternant contacts avec des professeurs et séquences avec des machines ? Plus en profondeur, comme l'ont signalé Marvin Minsky, Seymour Papert et plus récemment Michel Serres (2), le savoir, sous l'influence de ces technologies, n'est-il pas en train de changer de nature : ne deviendrait-il pas procédural (3), alors que nous l'avons connu constitué de propositions ? Bien d'autres questions se posent certainement.

Cette époque de transition se révèle passionnante car de nouvelles voies s'ouvrent à la formation, qui, si l'on reste vigilant, conforteront les systèmes de formation en place. Peut-être ces derniers offriront-ils alors plus d'attrait, du fait d'une réactivité accrue et d'une plus grande ouverture sur le monde, à ceux que, pour l'instant, ils laissent de côté ?

1. Voir mots clés en fin d'ouvrage.
2. M. Serres, *Le Tiers instruit*, Gallimard, Folio, 1992.
3. Voir mots clés en fin d'ouvrage.

Marc Guillaume*

COMMENT LES ENTREPRISES S'ADAPTENT**

Les nouvelles technologies de l'information offrent de grandes potentialités pour modifier la production et la communication dans les entreprises. Mais celles-ci ne peuvent ni évoluer au rythme des techniques ni lui échapper totalement.

On sait, aujourd'hui, que ce ne sont pas les nouvelles technologies par elles-mêmes qui changent l'organisation des entreprises. Le changement est produit par l'offre technique et par les réactions des entreprises, au cours d'un processus d'ajustement, généralement lent et sinueux. Cela est particulièrement vrai pour les technologies de l'information et de la communication (TIC). Elles constituent plus qu'une nouvelle vague d'innovations et représentent un véritable changement de paradigme.

Evidemment, un changement technique majeur perturbe les routines de production et les méthodes de management ainsi que les rapports de force établis. S'il n'est pas accepté au niveau des individus et surtout à celui de l'organisation, il est rejeté définitivement ou reporté à plus tard. L'histoire industrielle est riche de produits mort-nés, d'inventions sans lendemain et de délais considérables séparant l'invention théorique de sa diffusion de masse. Le principe de la télécopie, par exemple, a été découvert au milieu du XIXe siècle alors que le fax ne se développe massivement qu'à partir des années 80.

En dépit de la pression du discours publicitaire en faveur des « autoroutes de l'information », il faut donc se garder de prendre les souhaits légitimes des offreurs de nouveaux outils et ceux des entrepreneurs innovants pour les

* Professeur à l'université Paris-Dauphine. Vient de publier *Où vont les autoroutes de l'information ?* (dir.), Descartes et Cie, 1998.

** *Sciences Humaines*, n° 80, février 1998.

réalités de demain. Par des effets d'annonce, souvent repris dans les médias, les industriels tentent de produire la demande et de créer des marchés. Mais toutes leurs prévisions ne se réaliseront pas.

La compétition industrielle s'aiguisant et changeant de régime (portant plus sur la vitesse de mise sur les marchés que sur les rapports qualité/prix), il est certes possible que la généralisation des TIC soit exceptionnellement rapide. Mais il ne faut pas oublier que c'est le rythme des évolutions sociales et organisationnelles qui, étant plus lent, impose la vitesse du changement.

Des avancées techniques réelles

Les nouvelles TIC se développent selon trois principes : l'accroissement de la puissance informatique (la « loi » de Moore (1)), l'augmentation des débits (et la compression des données) et la numérisation généralisée. A ces progrès s'ajoutent ceux réalisés depuis une vingtaine d'années en génie logiciel qui résultent de la convergence de recherches théoriques ambitieuses et d'applications plus opératoires. Les insuffisances du langage C, en particulier, ont conduit au langage C++ qui constitue un changement de point de vue dans la conception des programmes. Ces langages représentent une avancée technique considérable dont les premières applications ont été les interfaces graphiques des micro-ordinateurs, puis le développement de la logique client/serveur, et aujourd'hui la technologie agent dont le développement est stratégique pour des réseaux de type Internet.

Tous ces progrès ont potentialisé une fonction essentielle des ordinateurs, la fonction de commutation (2). Un ordinateur est un calculateur puissant mais surtout un commutateur capable d'établir à très grande vitesse des liaisons entre les éléments d'un ensemble aussi grand soit-il. C'est à partir de là qu'ont pu se développer les hypertextes qui représentent une véritable révolution dans le mode de lecture. Au lieu de chercher une information dans un océan de données, on affiche ce qui est recherché et l'ordinateur le trouve automatiquement. Il s'agit du même principe dans la navigation hypertextuelle entre différents serveurs. C'est ce qui a fait le succès grand public d'Internet en donnant naissance au Web (3). Les données du Web constituent ainsi une sorte d'hypertexte mondial et les agents intelligents peuvent en faciliter la consultation et même réaliser, dès maintenant, des transactions simples, voire dialoguer et négocier entre eux. Beaucoup de progrès sont à attendre dans ce domaine de la navigation dans les réseaux, en particulier grâce à l'introduction d'interfaces en langage naturel.

Jusqu'à la fin des années 70, ce sont les processus manuels et routiniers de l'entreprise (ce que Herbert Simon appelle les décisions programmées) (4), tels que la comptabilité, qui ont été automatisés. Avec le développement de la micro-informatique et des architectures de réseaux, l'information et son traitement

1. Voir mots clés en fin d'ouvrage.
2. *Idem.*
3. *Idem.*
4. Voir l'ouvrage de H. Simon, *Reason in Human Affairs*, Stanford University Press, 1983.

ont été décentralisés. Les modes de travail sont devenus de plus en plus transversaux.
Cette période, de trente ans environ, a cependant été parsemée de revers et de désillusions. Les résultats effectifs n'ont pas correspondu globalement à la hauteur des prédictions. Il y eut tout de même de nombreuses réalisations, mais souvent avec des délais plus longs et toujours avec des coûts plus élevés. C'est le cas, par exemple, des systèmes de comptabilité informatisés imposés par une direction et s'appliquant mal aux situations diverses des unités de production. Ces déconvenues proviennent de l'insertion insuffisante des directions informatiques dans l'entreprise, mais aussi de la faible qualité ergonomique des matériels et des logiciels, du dérapage presque systématique des coûts d'investissement, de fonctionnement et de maintenance.
La cause de ces difficultés est à rechercher, en particulier, dans les évolutions mêmes de l'informatique, dont les effets ont été pervertis par la stratégie de renouvellement rapide de l'offre. Les développeurs d'applicatifs et les utilisateurs ont été ainsi le plus souvent placés en position d'apprentissage quasi permanent. Toute compétence acquise étant menacée d'obsolescence rapide, cela a constitué un frein à l'adaptation, à l'industrialisation et au retour sur investissement.
En outre, toute entreprise est confrontée à la pléthore (*overflow*) d'informations, à l'abondance des processus nouveaux et à leur rapide obsolescence. D'où l'importance d'une transmission sélective de l'information, des dispositifs permettant de la trouver, de la filtrer et de la traiter automatiquement. De même, le *groupware* (5) offre beaucoup de possibilités et de facilités, mais il peut parfois devenir très consommateur de temps. Enfin, s'il est essentiel de suivre les progrès décisifs et même de les anticiper, il est en revanche coûteux, sur bien des plans, de suivre le rythme artificiellement soutenu des améliorations mineures.
Même si les critiques et les réserves à l'égard des évolutions du passé sont parfois excessives, il faut reconnaître que les effets de l'augmentation de la productivité de l'informatique sur l'entreprise sont globalement plus modestes que ce que la loi de Moore aurait pu laisser espérer. L'informatisation des fonctions répétitives a cependant permis aux entreprises de rester dans la compétition et d'acquérir des apprentissages indispensables. De ce point de vue, l'informatique technique, par la réalisation de modèles virtuels de plus en plus précis, et l'informatique de process, par la supervision en temps réel de nombreux capteurs, ont pesé profondément sur l'économie de beaucoup d'entreprises et ont permis des progrès sensibles sur la qualité et la fiabilité des produits.
Aujourd'hui, l'entreprise n'est pas confrontée à une vague de progrès de plus mais à une véritable mutation. Elle était déjà engagée par la simplification de la programmation, l'amélioration des interfaces homme-machine et la diffusion de la micro-informatique. Maintenant, cette mutation entre dans une

5. Voir mots clés en fin d'ouvrage.

phase décisive. L'ordinateur passe du statut d'avion à celui d'automobile. Naguère, seuls les professionnels pouvaient l'utiliser, aujourd'hui il est à la portée de chacun après un court apprentissage... Par ailleurs, le traitement de l'information ne relève pas de la responsabilité d'une seule direction mais concerne tous les services et tous les processus. L'opportunité technique débouche sur le changement du management en vue d'une meilleure valorisation du travail, de qualité, de réactivité, donc de productivité.

L'importance des réseaux

En ce qui concerne l'information strictement utilitaire, généralement facile à définir, la lecture hypertexte et le *groupware* offrent des performances inégalables. On obtient instantanément les cours de la bourse de Tokyo. Un responsable commercial peut, en utilisant l'intranet de son groupe industriel, accéder à toutes les informations concernant un client accumulées par toutes les entreprises du groupe, etc. Un grand nombre de services et d'entreprises utilisent déjà ce procédé de télélecture automatisée de leurs bases de données. Tout ce qui est automatisable dans la recherche d'information peut ainsi être réalisé par logiciels et réseaux. Ces processus sont favorisés par trois facteurs : les systèmes multi-agents facilitant la navigation dans les réseaux et les hypertextes, les interfaces permettant le langage naturel (manuscrit, dessin, voix) et l'accoutumance des jeunes générations à ces nouveaux dispositifs d'information et d'intermédiation.
Ces outils permettent, en outre, l'exploitation des informations informelles ou faiblement structurées, l'exploration des interfaces multiples des organisations, l'élaboration de textes ou de projets en commun et la dissémination sélective d'information (chacun ne reçoit que ce qui l'intéresse). Ils dessinent ainsi un nouveau paradigme, post-taylorien, qui mêle les techniques les plus performantes et des dispositifs plus traditionnels et plus conviviaux.
On connaît les conséquences sur l'emploi et sur la transformation des métiers de l'informatisation dans les banques, les compagnies d'assurances, les Bourses, les grandes entreprises et une partie des administrations. Ce mouvement ne peut que se généraliser et modifier l'organisation d'un grand nombre de secteurs et de professions.

Le risque de la pléthore informationnelle

Dans le secteur des services (commerces, crédits à la consommation, banques, assurances, assistances, tourisme, santé, édition) se mettent ainsi en place des dispositifs d'intermédiation électronique qui modifient les relations interindustrielles, les places de marché existantes, les comportements de consommation (regroupés autour de grandes fonctions) et les formes de travail. Il existe déjà des dispositifs de télécommerce, de télébanque guidant le client potentiel vers les objets ou les services susceptibles de lui convenir. On peut prévoir demain des formes d'« hypercommerce » où l'affichage des préférences et des possibilités financières du client potentiel simplifiera sa recherche en lui proposant le bien ou le service adapté à sa situation. La monétique et le commerce électronique réaliseront l'allocation des ressources dès qu'elles seront disponibles ou anticipées en réduisant les délais, les hésitations, voire les libertés de choix des individus. Ils faciliteront les paiements pour les fonctions collectives, les transports, les communications, les impôts ; ils permettront de mobiliser des clientèles élargies pour des placements d'épargne diversifiés. Ces nouvelles techniques monétaires favoriseront ainsi une allocation instantanée des fonds disponibles grâce à la commutation informatique qui les fonde.

L'information commutative va donc transformer en profondeur à la fois l'organisation des entreprises, les systèmes d'intermédiation commerciale et financière, les conditions de travail et les modes de consommation. On doit toutefois souligner les limites liées à ce développement.

Le progrès qu'apporte la logique client/serveur est de ne plus imposer, comme naguère, une normalisation uniforme et des systèmes de bases de données contraignants qui se sont souvent révélés décevants. En revanche, l'information informelle, celle par exemple qu'on ne peut pas écrire pour des raisons déontologiques, juridiques ou autres – ce que les Américains appellent le *wetware* – et qui est pourtant souvent précieuse, échappe à ces techniques.

Dès que l'information recherchée ne peut pas être définie de façon étroite, la pléthore des données menace : le mot clé ouvre trop de pistes qui noient l'information pertinente dans beaucoup de bruit. Si on recherche par Internet un ouvrage récent sur Descartes dont on a oublié l'auteur, le mot clé « Descartes » fait apparaître des milliers de références et rend cette recherche très laborieuse. La commodité même de l'hypertexte engendre l'excès des arborescences. De même, le *groupware* peut mobiliser trop de monde et provoquer de l'*overflow* et du gaspillage de temps. Ces risques sont maintenant couramment éprouvés dans beaucoup d'entreprises et les progrès réalisés sur les filtres et les agents intelligents visent précisément à limiter leurs effets. Nicholas Negroponte résume d'une phrase le problème de la surinformation : *« Moins c'est mieux ! »* (6)

Les techniques, en nous délivrant de la recherche laborieuse des informations, nous privent aussi des bénéfices secondaires qui étaient souvent associés à cette recherche. L'information informelle déjà citée, mais aussi ce que l'on découvrait par hasard, les relations interpersonnelles directes, etc. Elles nous privent aussi des effets de formation qui étaient indissociables de cette recherche fastidieuse. On peut aujourd'hui constituer un dossier d'informations récupérées automatiquement sur Internet, et le transmettre sans même le lire... Et par conséquent sans en vérifier la cohérence, sans apporter la moindre intelligence ajoutée et sans en retirer, pour soi, un quelconque profit.

S'adapter pour ne pas disparaître

En définitive, sur le plan économique, l'enjeu est immense à court terme. En

6. N. Negroponte, *L'Homme numérique*, trad. française, R. Laffont, 1995.

effet, les entreprises qui ne réorganiseront pas rapidement leurs systèmes d'information pour tenir compte de toutes les potentialités techniques disponibles sur le marché sont menacées de disparition. Autrement dit, cette réorganisation est vitale pour les entreprises. Mais cette condition absolument nécessaire n'est pas suffisante : pour les entreprises qui survivront, la concurrence se maintiendra sur leur cœur de métier, sur d'autres capacités d'innovation, sur leur capital de conventions tacites, de confiance, d'image de marque, etc. La maîtrise de l'information automatisable est en effet par nature un processus qui s'évanouit dès qu'il est mis en place. L'information sur Internet étant disponible pour tous, elle n'a plus de valeur relative (sauf pour ceux qui ne sont pas branchés). Lorsque les intranets sont d'efficacités comparables pour les entreprises d'un même secteur, la compétition se poursuit, simplement à un niveau plus élevé de qualité, dans d'autres domaines. La révolution de cette fin de siècle est la numérisation de l'information, couplée à l'accroissement de puissance des ordinateurs et des réseaux. Cela permet de traiter à des coûts accessibles des volumes considérables de données dans des réseaux planétaires. Avec cette mutation, on passe de l'informatique relevant du management opérationnel à l'information et à la décision non programmée relevant du management stratégique.

L'information partagée par tous les acteurs de l'entreprise les conduit à se transformer en autant de capteurs utiles à la mise en éveil permanente de l'organisation. Cela les pousse aussi à s'impliquer dans des circuits de décision dont ils sont rendus aptes à mesurer l'enjeu et les retombées. En remettant à plat les organisations traditionnelles héritées du passé, le *business process reingeneering* fait émerger de nouveaux besoins de communication : travail à distance et en réseau, échange de documents hypertextes, réactivité immédiate.

L'entreprise est ainsi confrontée à une redistribution des tâches avec ses clients et fournisseurs. Ses frontières sont remises en question avec un vaste glissement de l'amont vers l'aval, car elle tente de prendre en charge une partie des problèmes de ses clients, à la fois pour accroître sa valeur ajoutée et pour attirer et fidéliser ses clients. Elle passe ainsi d'un modèle mécaniste et hiérarchisé à un modèle systémiste, « biologique », dans lequel l'intelligence de chacun, qui était souvent sous-utilisée dans une structure hiérarchique, est pleinement mobilisée.

Michel Lallement*

UNE NOUVELLE FORME D'EMPLOI : LE TÉLÉTRAVAIL**

Favorisé par le développement des communications et de l'informatique, le télétravail fait une timide apparition en France. Mais quel intérêt présente-t-il pour l'entreprise et le salarié ?

Le télétravail a vu le jour en France grâce aux premières expériences lancées, au début des années 80, par la Direction générale des télécommunications. Mais l'innovation n'a pas fait immédiatement tâche d'huile et le télétravail est resté cantonné aux marges du système productif, les entreprises françaises se montrant fort peu sensibles aux incitations à la délocalisation (1). Lorsqu'en 1994 paraît le rapport Breton (2), la situation n'est plus tout à fait la même : l'amélioration constante des nouvelles technologies de communication, la tertiarisation et l'externalisation des entreprises, l'impératif de flexibilité et de travail en temps réel constituent autant de bonnes raisons qui ont fait pencher la balance en faveur de ce nouveau travail en chambre.

Mais que faut-il entendre au juste par télétravail ? Bien que la comparaison hante toujours les esprits, le télétravail n'est pas la simple duplication du vieux travail à domicile. Aujourd'hui, la définition la plus communément admise met moins l'accent sur la délocalisation de l'emploi que sur le support techno-

* Professeur de sociologie à l'université de Rouen, membre du Groupe de recherche Innovations et sociétés. Auteur de *Histoire des idées sociologiques*, Nathan, 1993 et de *Sociologie des relations professionnelles*, La Découverte, 1996.

** *Sciences Humaines*, n° 30, juillet 1993. Texte revu et actualisé par l'auteur, mai 1998.

1. Pour un bilan du télétravail à ses premiers pas, et plus généralement pour une analyse socio-historique des formes d'emploi délocalisé, voir M. Lallement, *Des PME en chambre*, L'Harmattan, Logiques sociales, 1990. Une synthèse centrée sur la période contemporaine est présentée par B. Schneider et N. Rosensohn dans *Télétravail, réalité ou espérance ?*, Puf, Le sociologue, 1997.
2. T. Breton, *Le Télétravail en France*, La Documentation française, 1994.

logique (télécopie, modem, micro-ordinateur, Internet et intranet...) nécessaire à l'activité professionnelle. Le télétravail est donc une forme de travail à distance qui requiert les techniques des télécommunications et/ou de l'informatique. Du coup, l'éventail des expériences recensées à ce jour s'avère fort large et les conditions optimales d'usage de cette forme d'emploi sont encore loin d'être établies avec certitude.

Une réalité plurielle

Il existe au moins trois formes différentes d'activité regroupées sous le terme générique de télétravail. La première implique une forte structuration en réseau dont les ramifications conduisent au domicile du télétravailleur. Il en est ainsi des travaux de traduction à distance. Par exemple, les télétravailleurs de la société Logomotiv, spécialisée en prestations de services linguistiques, sont répartis entre la France, l'Allemagne, le Luxembourg et la Grèce mais puisent dans un vaste réservoir de données terminologiques situé à Madrid et Paris. Le réseau fonctionne dans tous les sens puisqu'à tout moment les télétravailleurs peuvent être contactés afin de satisfaire à une demande urgente. De la même manière, sans que la pression soit aussi forte, l'amélioration du réseau de communications a modifié dans beaucoup d'entreprises la façon de travailler des commerciaux : ces derniers peuvent gérer à distance l'expédition des commandes, prendre connaissance à tout moment de l'état effectif des stocks, actualiser les plannings de rendez-vous...

La seconde forme de télétravail ne nécessite pas pour autant une centralisation aussi forte du réseau de communication. La formation à distance (cours de langue par téléphone), le marketing téléphonique, le travail à domicile à temps partiel grâce à l'implantation de micro-ordinateurs au foyer des salariés, en sont les versions les plus communes. Dans l'assurance notamment, ce partage inédit des lieux de travail a vu le jour dès les années 80. Grâce à l'informatique – rien de plus facile que d'emmener sa disquette de travail –, cette recomposition des espaces de travail a été également facilitée pour tous ceux (journalistes, universitaires, éditeurs, traducteurs...) qui, hier déjà, distinguaient difficilement leurs lieux et temps de travail des lieux et temps hors travail. Depuis les années 90, et grâce au boom des nouvelles technologies (micro-ordinateurs portables, téléphones mobiles...), on assiste plus généralement au développement d'un télétravail mobile. Commandée par la CFDT, une étude récente (3) montre que les cadres sont les premiers concernés : plus de la moitié de l'échantillon étudié effectue une partie de son travail à la maison mais aussi dans des « lieux intermédiaires » comme le train, la chambre d'hôtel, l'aéroport...

La dernière forme de télétravail a ceci de particulier qu'elle évite l'éclatement du collectif salarié. Service offert principalement aux PME et PMI, le secrétariat à distance, tel qu'il est ainsi proposé par la société Aatena d'Aix-en-Provence, est une illustration de la ten-

3. Centre idées, résultats de l'enquête UCC-CFDT sur les lieux, les outils et les temps de travail, février 1996.

dance à l'extériorisation de certaines activités (tenue d'agendas, comptabilité, suivi téléphonique, assistance bureautique, gestion d'archives sur disque optique...) qu'autorisent désormais avec efficacité les nouvelles technologies, et cela sans pour autant renvoyer systématiquement les salariés à leur domicile. La caisse primaire d'assurance maladie de Nantes a innové de même en 1991 en ouvrant plus d'une vingtaine de « maisons de la sécurité sociale » dans un département rural à l'habitat dispersé. Plus de 80 employés, sur un total de six cent, ont alors opté pour cette formule de délocalisation. Ouvertes aux heures de bureau, les antennes facilitent le contact avec les assurés et accélèrent le traitement informatique de leurs dossiers. Cinq ans après, l'expérience paraît plutôt favorable aux yeux de son initiateur puisque la productivité de la caisse de Loire-Atlantique a cru de 30 % (4). Outre l'augmentation de l'efficacité du travail, la diminution des coûts fixes (le loyer notamment) et une nette diminution de l'absentéisme ainsi que de la fatigue due aux transports quotidiens sont autant d'arguments en faveur de cette décentralisation de l'emploi vers des zones peu urbanisées et peu industrialisées.

Un développement inégal

En dépit de l'attention portée à son égard, le télétravail est encore loin de représenter un gisement d'emplois conséquent. En France, lorsque l'on exclut les activités mixtes (mi-travail à domicile, mi-travail de bureau), force est de constater son caractère toujours marginal. A la fin des années 1990, un ou tout au plus deux pour cent de la population active serait concernée (5). En Allemagne, le télétravail a pris naissance dans quelques entreprises pilotes (Int. Tübingen, ICR Neustadt...) et concerne tout comme en France une frange plutôt restreinte de la population, soit 22 000 salariés à domicile et 3 500 en centres de télétravail occupés pour l'essentiel sur des emplois de secrétariat et de programmation (6).

Le télétravail a connu en revanche une véritable explosion aux Etats-Unis. En cette fin de décennie, entre 10 et 50 millions d'Américains peuvent être considérés comme des *« telecommuters »* (salariés à domicile). Certes, les définitions sont-elles, ici aussi, incertaines et fluctuantes, ce qui explique l'écart conséquent dans les évaluations. Les conditions permissives n'en sont pas moins nettement plus importantes qu'en Europe. D'un point de vue économique, le faible coût du matériel informatique et une fiscalité attrayante ont d'abord tôt stimulé l'expansion du télétravail. L'hypervalorisation de la figure de l'entrepreneur individuel dans une société qui a, de longue date, favorisé la vie locale est un élément d'interprétation complémentaire. Il convient cependant de se montrer prudent : depuis fort longtemps, un ensemble non négligeable de la population active

4. D. Rouard, « La planète du télétravail », *Le Monde*, 11 mai 1996.
5. Voir le dossier d'*Entreprise et personnel*, « Le télétravail existe-t-il ? », avril 1998.
6. M. Jürgens, « Telearbeit : Kinder, Küche und Computer », *Welt am Sonntag*, 8 février 1998. Le nombre de télétravailleurs mobiles est en revanche plus conséquent (500 000) tout comme celui de ceux qui partagent leur temps de travail entre le bureau et la maison (350 000).

a coutume de réaliser une partie de son activité à domicile (enseignants, cadres, professions libérales...). L'usage de l'ordinateur au sein de cette population n'est donc pas un indice pertinent pour qui cherche à enregistrer le vaste retour à domicile anticipé un peu trop à la légère par certains futurologues américains.

Dans le livre qu'il a consacré en 1992 aux métamorphoses de l'activité de production induites par les nouvelles techniques de communication, D. Ettighoffer ne cachait pas l'espoir qu'il plaçait en l'avènement d'une « entreprise virtuelle », entreprise éclatée, immatérielle et dotée d'une ubiquité inédite grâce aux nouvelles technologies (7). Il est vrai qu'outre les gains de productivité que génère la délocalisation par télécommunication, un des enjeux majeurs liés au télétravail concerne directement l'aménagement du territoire. Les Suédois et les Danois l'ont compris rapidement. Dès le début des années 80, ils ont créé des Centres communautaires de service et d'information afin de pouvoir relier les villages isolés au réseau général des télécommunications. A la fin des années 90, les Finlandais ne sont pas en reste puisqu'ils détiennent le record européen du nombre de télétravailleurs (8 % de la population active).

Les actions menées depuis 1992 par France Télécom et par la Datar prouvent que la France perçoit clairement, elle aussi, les enjeux de la délocalisation par la communication (8). Le télétravail est en effet un puissant levier de désenclavement territorial. Les chiffres parlent d'eux-mêmes : selon le Comité pour l'aménagement du temps de travail et des Loisirs (Catral), le déplacement de 130 m^2 d'archives de Paris vers Saint-Quentin-en-Yvelines représente au milieu des années 90 une économie égale à la localisation d'un lien numérique à très haut débit entre ces deux sites ; bref, déplacer un service de 100 personnes occupant 1 000 m^2 permet d'économiser près de 750 000 francs. L'enjeu n'est pas mince lorsque l'on sait qu'à l'aube de l'an 2000, près de 40 % de la population française occupent moins de 1 % du territoire (le bassin parisien en l'occurrence) (9).

Freins et difficultes

En dépit du volontarisme politique et des nouvelles stratégies déployées par les entreprises, les résultats ne sont encore pas à la hauteur des ambitions affichées ici ou là. Il n'est pas toujours évident d'abord, lorsque l'on délocalise au sein de zones peu urbanisées, de trouver une main-d'œuvre adaptée aux tâches requises. La délocalisation peut même tourner à l'effet pervers avec les activités *« off shore »* : la frappe et le traitement de données en Inde, aux Philippines, aux Caraïbes, au Maroc... font chuter les coûts de main-d'œuvre et ont des conséquences néfastes directes sur le volume de l'emploi. De

7. D. Ettighoffer, *L'Entreprise virtuelle ou les nouveaux modes de travail*, Odile Jacob, 1992.
8. Voir Conseil régional Provence-Alpes-Côte-d'Azur, France Télécom, colloque « Technopoles, télétravail et développement de l'espace rural », Sophia-Antipolis, 10-11 décembre 1992 et CATRAL, « Le travail à distance, un atout pour l'Ile-de-France », Conseil régional d'Ile-de-France, 4 mars 1993.
9. D. Carré et S. Craipeau, « Entre délocalisation et mobilité : analyse des stratégies entrepreneuriales de télétravail », *Technologies de l'information et société*, n° spécial consacré au télétravail, vol. 8, n° 4, 1996.

nombreuses maisons d'éditions et imprimeries françaises n'hésitent plus aujourd'hui à faire saisir leurs manuscrits à l'étranger sachant qu'il leur est aisé de doubler la productivité pour des salaires deux fois moindres. Se pose par ailleurs le problème des formes déguisées d'externalisation du travail tertiaire : le télétravail n'est-il pas, comme l'ont prouvé certaines entreprises au cours des années récentes, un bon moyen de transformer en douceur le salarié en un travailleur indépendant, simple prestataire de services sous-traitant de l'entreprise ?

La législation de la circulation des informations immatérielles reste par ailleurs incomplète et les préjudices que peuvent subir les usagers lors des défaillances des télécommunications sont mal garantis. Quant au statut de télétravailleur, il n'est pas vraiment cerné juridiquement. Or les conditions spécifiques de travail à distance n'imposent-elles pas une certaine garantie au télétravailleur ? Qu'en est-il, par exemple, de la promotion professionnelle, du droit de recevoir systématiquement des informations utiles (syndicales, vie de l'entreprise...) ? Quelles sont les conséquences d'un accident à domicile ? Est-ce assimilable à un accident de travail ? Autant de questions auxquelles les juristes commencent depuis peu seulement à se confronter (10).

Demeure enfin l'éternel problème de l'articulation optimale entre vie au travail et vie hors travail. Autrement dit, le télétravail est-il un outil intéressant d'aménagement du temps de travail ? A cette question, l'enquête de la Fondation européenne pour l'amélioration des conditions de vie et de travail répondait déjà en 1986 : effectuée auprès d'un échantillon de 62 télétravailleurs de cinq pays de la Communauté européenne, elle montrait que flexibilité du temps de travail, efficacité technologique, désir d'autonomie, quiétude du cadre de travail et garde des enfants sont les avantages mis en exergue par les télétravailleurs. La solitude est, en revanche, le désagrément le plus fréquemment dénoncé. Malgré une qualification et une polyvalence plus importante, l'absence de relations de travail denses, la distance de la hiérarchie face aux problèmes des télétravailleurs restent le poids le plus difficile à supporter. Enfin, le domicile est dans l'esprit des télétravailleurs un espace structuré autour des relations de type familial et il apparaît difficile de gérer, dans le même temps et dans un même endroit, des activités de nature et de logique fort différentes. Une recherche fondée sur des entretiens semi-directifs confirme, en 1994, une même conclusion majeure : télétravailler c'est aussi être mis à l'écart du monde social de l'entreprise (11). Il n'est donc pas étonnant qu'après avoir été présentées en 1991 comme des pionnières du télétravail, les 48 rédactrices d'AXA aient, pour une partie d'entre elles, fina-

10. Sur cette dimension juridique, voir J.E. Ray, « Nouvelles technologies et nouvelles formes de subordination », *Droit social*, n° 6, juin 1992 ainsi que M.-F. Kouloumdjian, L. Armellino et V. Montandreau, « La dimension sociale du télétravail », *Performances humaines & techniques*, n° 86-87, dossier « télétravail », janvier/avril 1997. Pour une approche internationale du problème, voir V. Di Martino et L. Wirth, « Le télétravail : un nouveau mode de travail et de vie », *Revue internationale du travail*, n° 5, 1990.

11. M.-F. Kouloumdjian et V. Montandreau, *L'Identité professionnelle du télétravailleur*, rapport CNRS, Miméo, 1994.

lement renoncé à cette formule en raison des difficultés à scinder vies professionnelle et extra-professionnelle et par crainte également de ne pouvoir bénéficier de promotions. C'est pourquoi la majorité des observateurs s'accordent aujourd'hui pour promouvoir en priorité des formes de télétravail mixtes, aptes à concilier les nouvelles exigences techniques de « l'entreprise virtuelle » et la sociabilité minimale sans laquelle le travail devient une activité vide de sens.

Les centres de télétravail ou « frapper à distance »

La frappe de documents (courriers, rapports, devis, expertises...) représente une masse de travail considérable, dont les flux sont très variables. Il en résulte des secrétaires débordées à certaines périodes, avec pour conséquences des délais trop longs et une qualité moindre, et en sous-activité en période de besoin moindre.

Des centres de télétravail prennent en charge la frappe de documents d'entreprises. Ils sont souvent localisés en province, où les conditions de travail sont meilleures qu'en région parisienne : travailler à 5 minutes de chez soi dans un cadre agréable constitue de meilleures conditions de travail qui permettent une disponibilité et une concentration supérieures. Par ailleurs, les coûts d'implantation en province sont moindres qu'à Paris, enfin la technologie des télécommunications et le réseau existant en France suppriment la notion de distance.

Les centres de télétravail, comme par exemple ceux de la société PBS, regroupent environ 25 opératrices salariées permanentes. Elles sont équipées de micro-ordinateurs couplés d'imprimantes et de lecteurs des divers supports possibles. Chaque document est traité puis corrigé et mis en page. Le document contrôlé et rectifié est ensuite transmis à l'entreprise émettrice, en fonction de l'urgence, soit par courrier, soit par télécommunication entre systèmes informatiques. Par ce système, un document peut être traité et retourné en une heure.

Source : Colloque CATRAL, 4 mars 1993.

Les mythes et réalités du télétravail

Dès les années 60 aux Etats-Unis, à partir des années 80 en France, une abondante littérature annonçait que grâce à la diffusion des nouveaux moyens de communication – fax, téléphone, télématique puis micro-informatique – nous étions tous ou presque appelés à devenir des télétravailleurs.

En 1971, un slogan de la compagnie de télécommunications américaine ATT n'hésitait pas à annoncer que tous les Américains télétravailleraient à l'horizon... 1990.

C'était sans compter avec un certain nombre d'obstacles, à commencer par la réticence des individus eux-mêmes. En 1992, une enquête de la Sofres révélait que 46 % des personnes interrogées refusaient le télétravail. 31 % l'acceptaient mais pour seulement une partie de leur temps de travail. Motif couramment avancé : outre le risque de ne pouvoir établir une distinction claire entre vie professionnelle et vie privée, il y a la crainte de ne pas être tenu informé de ce qui se passe au sein de l'entreprise ; enfin, l'importance reconnue aux contacts informels dans la circulation de l'information, sur le lieu de travail.

Contrairement à ce que laissaient entendre les scénarios plus ou moins futuristes des années 60-80, les moyens de communication n'épargnent pas la nécessité pour le télétravailleur de se rendre régulièrement à son entreprise... ne serait-ce que pour réduire les problèmes de communication. Comme le résume la spécialiste Sylvie Craipeau, *« le télétravail ne conduit (donc) pas à une substitution de lieux de travail mais à leur diversification »*.

L'expérience montre aussi que les nouvelles technologies de communication ne suffisent pas à faire d'un employé un télétravailleur : le télétravail implique également de revoir en profondeur l'organisation même de l'entreprise, de laisser une plus grande autonomie à l'employé... Autant d'évolutions auxquelles toutes les entreprises ne sont pas prêtes. Les possibilités d'intégrer le télétravail dans une organisation déjà existante diffèrent selon la taille de l'entreprise et la nature de son activité. C'est d'ailleurs dans les activités du tertiaire que le télétravail rencontre le plus de chances de se développer. Mais dans bien des cas, il s'agit de services « délocalisées » : c'est-à-dire dont *« le traitement s'effectue à distance de l'utilisateur dans des lieux structurés de façon industrielle et dont la vocation est d'utiliser les moyens de communication électronique »* (définition de la Datar).

Pour l'heure, cette forme de télétravail ne concerne qu'une infime minorité de travailleurs. A la fin des années 80, on en comptait un millier en France, en Italie ou en Allemagne, trois mille en Grande-Bretagne, dix mille aux Etats-Unis (Korte, *Le Télétravail*, 1993). En 1993, les travaux de la mission Télétravail estimaient à environ 16 000 le nombre de télétravailleurs « délocalisés ». Selon Thierry Breton, auteur d'un rapport sur la question, le nombre de télétravailleurs devrait atteindre d'ici le début du siècle prochain entre 300 000 et 500 000 personnes. Même si cette prévision se réalisait, le télétravail ne concernerait que 2 % de la population active en France. Et surtout, nous serions encore loin du télétravail effectué chez soi à partir d'une utilisation intensive des moyens de communication.

SYLVAIN ALLEMAND

A lire sur le sujet...

S. Craipeau, « Le télétravail : quelle alternative ? », dans P. Musso et A. Rallet, *Stratégies de communication et territoires*, L'Harmattan, 1995.

Sélection bibliographique

A L'IMAGE DE L'HOMME
Du Golem aux créatures virtuelles
Philippe Breton

LA MONDIALISATION DE LA COMMUNICATION
Armand Mattelart

TÉLÉCOMMUNICATIONS ET PHILOSOPHIE DES RÉSEAUX
La postérité paradoxale de Saint-Simon
Pierre Musso

LA CITÉ INTERNET
Paul Mathias

LES SYSTÈMES DE COMMUNICATION
Approche socio-anthropologique
Jean Lohisse

A L'IMAGE DE L'HOMME

Du Golem aux créatures virtuelles

Philippe Breton, Seuil, 1995, 192 p.

Quel rapport y a-t-il entre le Golem (ce personnage de légende dont les origines remontent à la haute Antiquité), la Galatée de Pygmalion, Pinocchio ou encore le monstre créé par le Dr Frankenstein ? Réponse : tous ces personnages de récit sont des « créatures artificielles ». D'une part, ils sont conçus à partir d'un matériau de base : l'argile pour le Golem, l'ivoire pour la statue de Galatée, les rouages ou les circuits imprimés pour les automates modernes... D'autre part, toutes ces créatures sont engendrées par la main d'un être humain : Pygmalion pour Galatée, le rabbin Loew pour le Golem... Enfin, les récits qui relatent leur histoire mentionnent tous l'intervention d'une force extérieure qui, par un mystère jamais tout à fait expliqué, insuffle la vie.

L'auteur de cette analyse anthropologique n'est autre que Philippe Breton, davantage connu pour ses travaux sur les technologies de la communication à l'ère de l'informatique. Mais, comme la suite de l'ouvrage en fournit une étonnante démonstration, les problématiques ne sont pas aussi éloignées que l'on pourrait le croire. En analysant minutieusement les écrits de Norbert Wiener, d'Allan Turing et de John von Neumann, les initiateurs du programme de l'intelligence artificielle, P. Breton révèle de troublantes analogies avec les récits précédents. L'intelligence artificielle ne ferait qu'exprimer sous une autre forme un fantasme aussi vieux que le monde : celui de donner naissance à des créatures par des voies différentes de celle de la reproduction naturelle...

De là à considérer que l'intelligence artificielle ne serait pas un projet viable, il n'y a qu'un pas, que P. Breton franchit volontiers. Fondé sur une représentation de l'humain comme sujet individuel, le rêve d'intelligence artificielle est en passe de devoir s'effacer devant les perspectives offertes depuis par les créatures virtuelles et par l'intelligence collective. Une conclusion que les concepteurs de Deep Blue seraient bien inspirés de méditer même après la victoire de leur progéniture sur le champion du monde d'échecs Gary Kasparov.

SYLVAIN ALLEMAND

LA MONDIALISATION DE LA COMMUNICATION

Armand Mattelart, Puf, coll. « Que sais-je ? », 1996, 128 p.

C'est en l'inscrivant dans l'histoire des processus socio-économiques et politiques de ces deux derniers siècles qu'Armand Mattelart raconte l'internationalisation de la communication. Il fait ainsi la généalogie de l'espace international des réseaux et identifie les lieux d'où parlent les acteurs pour comprendre la « communication-monde » d'aujourd'hui. « *L'internationalisation de la communication est fille de deux universalismes : les Lumières et le libéralisme.* » D'un côté, la libre circulation de la pensée et des opinions ; de l'autre, l'individualisme et la libre concurrence sur un marché unique : deux projets d'un espace mondial sans entraves, tantôt opposés, tantôt convergents. C'est ainsi que depuis le télégraphe, premier espace unifié des flux, jusqu'aux autoroutes de l'information – en passant par les réseaux de la route, du rail et des ondes hertziennes ou encore, par l'instauration de l'heure universelle et de normes métriques – les différents dispositifs techniques vont porter les discours de la communication comme facteur d'intégration des sociétés humaines.

Dans les faits, ces dispositifs n'ont jamais cessé d'être au centre des luttes pour des hégémonies étatiques et commerciales. A. Mattelart trace les grandes étapes qui scandent ces luttes. Dès la fin du XIXe siècle, l'industrialisation de l'information (création des agences et des groupes de presse) et de la culture (feuilletons, arrivée du son et des images animées) est en place. *« La Grande Guerre confère à la propagande ses lettres de noblesse. La paix la consacre comme méthode de gouvernement »*. Son efficacité dans l'issue du premier conflit mondial forge l'idée que l'administration des sociétés modernes ne peut se passer des techniques de gestion invisible : la publicité va émerger et l'on fera un usage prosélyte de la presse, de la radio et du cinéma dans la diffusion des idéologies. La Seconde Guerre mondiale puis la guerre froide reconduisent la conception propagandiste de la communication. A la fin des années 60, le global fait son entrée par le biais de la communication électronique. Le slogan du « village global » commence sa carrière dans l'imaginaire du tout-planétaire. Bien que déclinée et globale, la circulation des flux d'information à l'échelle planétaire est unidirectionnelle. *« Les réseaux, imbriqués qu'ils sont dans la division internationale du travail, hiérarchisent l'espace et conduisent à une polarisation toujours plus grande entre le(s) centre(s) et le(s) périphérie(s). »* C'est pour rendre compte de cette logique qu'A. Mattelart parle de « communication-monde », en référence à l'économie-monde de Fernand Braudel. La réalité concrète, c'est l'homogénéisation et la fragmentation de l'espace mondial.

CHANTAL PACTEAU

TÉLÉCOMMUNICATIONS ET PHILOSOPHIE DES RÉSEAUX

La postérité paradoxale de Saint-Simon

Pierre Musso, Puf, « La politique éclatée », 1997, 400 p.

Dans *L'Utopie de la communication*, paru en 1995, Philippe Breton situait autour de l'année 1942 et des travaux du père de la cybernétique, Norbert Wiener, le point de départ de la « religion communicationnelle » qui érige les nouvelles technologies de la communication en *deus ex-machina* des sociétés modernes. Tout en s'inscrivant dans le même courant critique de la communication, Pierre Musso, spécialiste des télécommunications, considère, lui, que la naissance de cette religion pourrait être très largement antérieure et attribuée au socialiste utopiste Claude-Henri de Rouvroy (1760-1825), plus connu sous le nom de Saint-Simon. C'est en effet dans l'œuvre de ce dernier qu'émerge une notion qui devait faire florès dans le champ de la communication : le réseau. Et P. Musso de faire apparaître, à travers une généalogie de ses significations successives, les curieuses similitudes existant entre la vision saint-simonienne et certains discours technophiles contemporains (le rapport Nora-Minc de 1978 sur la société de l'information, en France ; le projet des autoroutes de l'information, aux Etats-Unis, etc.).

SYLVAIN ALLEMAND

LA CITÉ INTERNET

Paul Mathias, Presses de Sciences-po, coll. « La bibliothèque du citoyen », 1997, 128 p.

Dans le réseau des réseaux Internet, beaucoup voient l'accomplissement du fameux « village global » de Marshall MacLuhan. Paul Mathias montre que la métaphore, bien que galvaudée, n'est pas si infondée que cela. Les internautes qui fréquentent les forums de discussions et les communautés virtuelles se comportent pour la plupart selon un code de conduite (le « netiquette ») qui, par certains aspects, évoque les règles qui régissent les relations dans les sociétés villageoises. Toute la question est de savoir si d'un tel village peut émerger une véritable cité où l'internaute se comporterait en netizen (de *net*, le réseau, et *citizen*, le citoyen). A cet égard, deux visions s'affrontent : celle des libertaires qui défendent l'idée de démocratie directe et, avec elle, le respect de la liberté d'expression ; celle, plus réglementariste et interventionniste, qui, face aux atteintes présumées de la vie privée et l'existence de serveurs pornographiques ou révisionnistes, prône le recours à la censure. Soulignant, pour sa part, les spécificités des « espaces publics » que constituent les forums électroniques et, par conséquent, la difficulté d'appliquer la législation qui régit les autres médias, l'auteur convainc, par une réflexion rigoureuse mais non dénuée d'humour, de l'urgente nécessité de renouveler les catégories de l'analyse sociopolitique pour mieux apprécier les potentialités offertes par Internet.

SYLVAIN ALLEMAND

LES SYSTÈMES DE COMMUNICATION

Approche socio-anthropologique

Jean Lohisse, Armand Colin, 1998, 188 p.

Jean Lohisse propose ici d'analyser les systèmes de communication privilégiés par différents types de sociétés dans l'histoire. Selon l'auteur, il existe, du point de vue des systèmes de communication, quatre grands types historiques de sociétés. Un premier type de société est dominé par l'« oralité » : la langue est avant tout parlée, l'échange se fait en face à face, les codes de communication sont motivés plutôt qu'arbitraires, le langage a une fonction magique et de cohésion du groupe. Ce type est représenté par les sociétés villageoises traditionnelles (sociétés tribales de l'Afrique sub-saharienne contemporaine, par exemple). Un second type de société est caractérisé par la « scribalité » : l'écriture manuscrite n'y est pas encore le fait de tous, mais elle s'impose comme mode de relation légitime entre les hommes. C'est ce type qui domine l'Europe au cours du Moyen Age classique. Dans un troisième type de société, c'est la « massalité » qui caractérise la communication : des contenus communs sont adressés au plus grand nombre par les moyens sophistiqués utilisés par les masses-médias. Ce type est pleinement réalisé en Occident au XXe siècle. Enfin l'« informalité », qui est le quatrième type retenu par l'auteur, est le modèle de société qui tendrait à s'imposer aujourd'hui en Occident. Favorisé par le développement des nouvelles technologies de la communication, l'*« informalité est le système de communication où un langage machiné privilégie et est privilégié par une société à mentalité collective virtualisante et à structure sociétale cellulisée »*…

Cet ouvrage pourra retenir l'attention de ceux qui s'intéressent à la communication comme fait social, en dépit d'une écriture parfois difficile. Par ailleurs, certaines propositions méritent d'être débattues. Par exemple : peut-on légitimement caractériser les comportements et les attitudes comme des « langages », au même titre que la langue ? Ou encore : la dimension magique du langage, c'est-à-dire sa fonction performative, est-elle vraiment réservée aux sociétés dites traditionnelles ?

ALICE KRIEG

ANNEXES

MOTS CLÉS

Acides nucléiques
L'ADN (acide désoxyribonucléique) et l'ARN (acide ribonucléique) sont les principales macromolécules de la chaîne chromosomique. Ce sont les briques fondamentales de la vie.

Analyse de conversation
Ce champ de recherche, qui a pris son essor dans les années 70, renvoie en fait à une multitude d'approches : l'ethnographie de la conversation (Dell Hymes, John Gumperz) ; l'ethnométhodologie (Harold Garfinkel, puis Harvey Sacks et Emanuel Schegloff) ; la sociolinguistique (William Labov, Joshua A. Fishman) ; l'anthropologie de la communication (Erving Goffman) ; les nouvelles théories de l'argumentation (Chaïm Perelman, Oswald Ducrot) ; la linguistique pragmatique (John L. Austin) ; et les approches proprement linguistiques (Catherine Kerbrat-Orecchioni).
L'analyse de conversation étudie les conversations en situation réelle. Elle montre que le langage courant est loin de correspondre aux règles de la grammaire formelle, qu'il existe beaucoup de différences dans l'expression selon les milieux sociaux et les situations, que le sens des mots dépend beaucoup du contexte, des intonations et des expressions faciales qui les accompagnent, que la conversation comporte beaucoup d'implicite (et donc suppose une culture commune entre interlocuteurs), que la conversation est fortement ritualisée par des tours de parole, etc.

Analyse du discours
Discipline qui a pour objectif de décrire le fonctionnement des différents types de productions discursives, écrites ou orales, monologuées ou dialoguées.

Approche systémique
Née vers la fin des années 40, ses pères fondateurs sont : Norbert Wiener, théoricien de la cybernétique ; Warren McCulloch, créateur de la bionique ; Ludwig von Bertalanffy, auteur d'une théorie générale des systèmes (1954) et Jay W. Forrester, électronicien au MIT.
L'approche systémique repose sur trois principes fondateurs : le principe d'interaction, le principe de totalité et le principe de rétroaction.
• Selon le principe d'interaction ou d'interdépendance, on ne peut pas comprendre un élément sans connaître le contexte dans lequel il interagit.
• Le principe de totalité rappelle que « le tout est supérieur à la somme des parties ».
• Le principe de rétroaction (*feed-back*) est un type de causalité circulaire où un

effet (B) va rétroagir sur la cause (A) qui l'a produit. Le thermostat est un bon exemple de cette causalité en boucle.

Attracteur étrange
En théorie du chaos, on appelle « attracteurs étranges » des points d'équilibre vers lesquels convergent – et semblent irrésistiblement attirés – des systèmes dynamiques.

Commutation
Toute opération (le plus souvent programmée et automatisée, car fondée sur une structuration hiérarchique préalable) de recherche et de mise en relation d'éléments d'un ensemble quelconque. Elle regroupe donc toutes les opérations qui précèdent ou accompagnent les processus médiatisés d'information, de communication, de transfert ou d'échange.

Constructivisme
En sciences humaines, l'approche constructiviste considère que les individus participent à la construction de leur réalité. C'est-à-dire qu'ils ne se contentent pas d'observer le monde tel qu'il est (attitude réaliste ou objectiviste) mais que leurs représentations, leurs relations au monde sont le produit d'une construction du sujet.
La notion de constructivisme ne renvoie pas à un courant de pensée unifié mais se décline en fait sous diverses formes :
– en philosophie, c'est une théorie de la connaissance partagée par des auteurs comme Giambattista Vico, Emmanuel Kant et Ludwig J. Wittgenstein ;
– en psychologie, le terme sert à désigner une approche différente : celle de Paul Watzlawick de l'Ecole de Palo Alto, la théorie de l'intelligence de Jean Piaget, la psychologie de la forme (*Gestalt-théorie*) ;
– en sociologie, le terme a une signification quelque peu différente. Il renvoie à l'idée que nos conduites sociales et les systèmes sociaux ne sont pas des dispositifs « naturels » mais font l'objet d'une construction et d'une reconstruction permanente.

Déictique (geste)
Geste consistant à montrer du doigt (ou de la tête) une personne, une direction ou un objet.

Démarche inductive
La démarche inductive consiste à s'adapter à des situations particulières, pour en déduire un fonctionnement général. Dans l'usage des ressources multimédias par exemple, le sujet qui joue à un jeu informatisé en découvre par lui-même la règle : par essais successifs, il reconstruit progressivement la loi interne qui régit le dispositif.

***Double-bind* (double contrainte)**
Expression introduite par Gregory Bateson pour qualifier une situation contradictoire et inévitable. Par exemple, quand un individu dit à un autre *« Sois spontané »*, en obéissant, ce dernier ne sera pas spontané.

Ecole de Francfort
Courant de pensée d'inspiration marxiste qui s'est constitué durant l'entre-deux-guerres à Francfort autour de Theodor Adorno, Max Horkheimer, Walter Benjamin. L'Ecole de Francfort

s'est distinguée par sa théorie critique, expression critique radicale de la société industrielle, de ses expressions idéologiques et sociales.

Ecole de Vienne (ou Cercle de Vienne)
Ecole qui regroupa autour de Moritz Schlick, son fondateur, plusieurs philosophes, logiciens et savants allemands et autrichiens (Rufolf Carnap, P. Frank, Hans Reichenbach, et à ses débuts Ludwig Wittgenstein). Marquée par la logique mathématique et par le développement de la physique moderne, l'Ecole de Vienne a cherché à construire une science de la signification cohérente par une analyse du langage, et à unifier les sciences en leur donnant une assise unique qui prit comme modèle la physique. Paul Lazarsfeld a été le principal propagateur en sciences sociales des principes du Cercle de Vienne.

Ethnométhodologie
Courant de la sociologie né aux Etats-Unis dans les années 60 dont Harold Garfinkel est la principale figure. Pour l'ethnométhodologie, le social se construit et se reconstruit sans cesse dans les relations quotidiennes qui se nouent entre acteurs. Ceux-ci véhiculent des connaissances ordinaires et des représentations du monde que le sociologue, par une procédure proche de l'ethnographie, cherche à dévoiler.

Ethologie
Etude du comportement des animaux dans leur cadre de vie naturel. Les rites sociaux (parades, attitudes de défense, d'attaque, de séduction), l'organisation sociale (hiérarchie, organisation familiale, division du travail), les modes d'apprentissage et les comportements innés, etc., constituent les thèmes d'étude les plus fréquents. Karl Lorenz, avec ses célèbres études sur les oies cendrées, est un des pères de l'éthologie.

Fonction d'agenda
Il s'agit de la sélection par les concepteurs de programmes télévisés, et en particulier par les journalistes, des événements jugés importants. Par voie de conséquence, les journalistes, les rédacteurs privilégient certains faits ou analyses et en rejettent d'autres dans l'ombre. Cette sélection de l'information est revendiquée par les journalistes comme le droit de leur profession, mais également comme son danger.

Glocalisation
Ce néologisme a été forgé par les managers japonais pour désigner un mode de gestion à la fois global et local de l'entreprise-réseau dans le cadre de l'économie mondialisée. En géographie, la notion de glocalisation est une manière de souligner la persistance d'une inscription spatiale de phénomènes économiques : par exemple, la glocalisation des sites de production d'une multinationale dans des territoires.

Groupware
Ensemble des techniques de communication utiles au travail collectif d'équipes dispersées sur des stations de travail distantes.

Habitus
Selon Pierre Bourdieu, ensemble des dispositions (comportements, style de

vie...) acquises au sein du milieu social d'origine et qui vont par la suite structurer les pratiques quotidiennes. Le langage châtié de l'aristocratie ou le franc-parler populaire sont des habitus linguistiques.

Haptique
Ce qui se réfère à la sensibilité tactile en l'absence de vision. La sensibilité haptique concerne les capacités de la main à percevoir, en l'absence de vision, les caractéristiques tactiles d'un objet, comme sa forme, sa texture, son poids ou sa substance.

Kinésique
Théorie qui étudie l'ensemble des signes relatifs aux mouvements et positions du corps, émis culturellement ou naturellement. La kinésique a appliqué les méthodes de la linguistique structurale au système des gestes, sans les dissocier de l'interaction verbale.

Loi de Moore
Observation empirique, mais vérifiée depuis une trentaine d'années, selon laquelle le prix des matériels informatiques est divisé par deux tous les dix-huit mois, à performance égale.

Médiologie
Pour Régis Debray (*Cours de médiologie générale*, 1991), l'objectif de la médiologie est l'étude des conditions matérielles de la diffusion des messages. Pour qu'une idée ou une idéologie s'impose, il ne lui suffit pas d'être convaincante, elle doit encore s'appuyer sur un réseau humain et technique – la « médiasphère » –, objet d'étude de la médiologie.

Morphème
Plus petit segment de signe porteur de signification. Le mot « valise » constitue à lui seul un morphème, car il ne peut pas être décomposé en éléments plus simples ayant une signification. Mais dans le mot « nageuse », par exemple, « nage » et « euse » sont deux morphèmes qui permettent de distinguer « nageuse » des deux mots voisins « nageur » et « rageuse ».

Nouvelle rhétorique
On appelle « nouvelle rhétorique » le courant de recherche initié par Chaïm Perelman (1912-1984). L'ancienne rhétorique est l'étude classique de l'art oratoire et des règles de l'argumentation. Cette rhétorique classique a disparu de l'enseignement à la fin du XIXe siècle. La nouvelle rhétorique vise à énoncer des règles générales de l'argumentation qui ne tiennent pas uniquement compte de la forme du discours, mais aussi des différents types de réception de l'auditoire.

NTIC
Les nouvelles technologies de l'information et de la communication désignent l'ensemble des moyens de stockage, de traitement et de diffusion de l'information issus du mariage entre l'informatique, les télécommunications et l'audiovisuel : le Minitel, le CD-Rom, Internet, les autoroutes de l'information.

Paradigme compréhensif
Pour le paradigme compréhensif, les comportements humains ne peuvent se comprendre qu'en relation avec les significations que les person-

nes donnent aux choses et à leurs actions. Le but est de comprendre et non pas d'expliquer ; en cela, le paradigme compréhensif s'oppose au paradigme positiviste qui utilise le concept de causalité et recherche des lois explicatives.

Phonème
Unité de base sur le plan sonore (consonne, voyelle) qui, combinée à d'autres, forme une unité significative porteuse de sens.

Phylogenèse
Evolution des organismes vivants, des premières cellules aux espèces les plus complexes.

Pragmatique
Etude du langage en acte, l'approche pragmatique met l'accent sur l'importance du contexte dans l'exercice de la langue ; et, par ailleurs, sur le fait que « dire, c'est faire ». La pragmatique étudie le langage en tant qu'il est un instrument d'action.

Proxémique
Discipline étudiant les relations spatiales comme mode de communication. Le jeu des territoires, la façon de percevoir l'espace dans différentes cultures, les effets symboliques de l'organisation spatiale, les distances physiques de communication relèvent de la proxémique.

Savoir procédural
Le raisonnement procédural désigne l'ensemble des règles à suivre pour atteindre un objectif donné. Le savoir procédural est un « savoir-faire ». Exemple : démonter et remonter un moteur de Mobylette, intervenir dans le logiciel d'un jeu vidéo sont des procédures que les jeunes affectionnent particulièrement.

Sémiologie
C'est la « science des signes » (mots, image, indice...). Cette discipline se préoccupe surtout d'analyser la multiplicité des sens contenus dans un même signe. Son fondateur est l'Américain Charles S. Pierce (1839-1914).

Sociolinguistique
Discipline née aux Etats-Unis dans les années 60, dont le chef de file est l'Américain William Labov, qui se propose d'étudier les différences linguistiques selon les groupes sociaux.

Structuralisme
Théorie d'abord appliquée à la langue, puis étendue à l'ensemble des pratiques sociales. Elle consiste à organiser les faits en un système qui peut se décrire de façon cohérente, interne et autonome. Les structures ainsi dévoilées ne sont pas caractéristiques d'un domaine particulier, mais on les retrouve partout, soit identiques, soit déductibles par des lois simples de transformation. Dans cette perspective, un texte doit pouvoir être décrit sans référence sociale ou historique autre que celle qu'il met lui-même en évidence et sans recours aux intentions supposées de son auteur.

Système
Notion qui consiste à privilégier les relations globales contre l'isolement de

chaque élément. L'analyse systémique repose sur trois principes fondamentaux :
– le tout forme un ensemble qui surdétermine la somme des éléments le constituant ;
– tous les éléments interagissent entre eux ;
– il existe des actions en retour (*feedback*) qui permettent la régulation du système.
La théorie générale des systèmes, inspirée de la cybernétique, insiste sur les dynamiques de régulation, sur l'intégration de chaque système dans des entités plus vastes et sur les échanges entre systèmes.

Système neuro-endocrinien
Système formé par les glandes endocrines (productrices d'hormones) et contrôlé par le cerveau.

Web
Terme courant utilisé pour désigner le *World Wide Web* d'Internet. Appelé aussi « toile », c'est un système d'information distribué entre de multiples sites (ou serveurs) et basé sur des documents en hypertexte : les documents et sites ont ainsi des liens entre eux et l'exploration des liens entraîne des déplacements automatiques vers de nouvelles pages ou de nouveaux sites. Mis au point à la fin des années 80, il a connu un formidable développement à partir de 1993 et compte aujourd'hui des milliers de sites. Il nécessite des logiciels de « navigation », dont les plus connus aujourd'hui sont Netscape et Internet Explorer, et le recours à des « moteurs de recherche » tels que Yahoo, Alta Vista, Nomade… pour faciliter, par mots clés, la recherche d'information sur les sites.

BIBLIOGRAPHIE GÉNÉRALE

La production éditoriale sur la communication est pléthorique. Nous avons privilégié ici les ouvrages de synthèse ou à vocation pédagogique publiés récemment et en français, ainsi que quelques classiques.

Ouvrages de référence

Denis BENOÎT (dir.), *Introduction aux sciences de l'information et de la communication*, Editions d'Organisation, 1995.

Daniel BOUGNOUX (dir.), *Sciences de l'information et de la communication, Recueil de textes classiques*, Larousse, 1996.

Daniel BOUGNOUX, *Introduction aux sciences de la communication*, La Découverte, collection « Repères », 1998.

Régis DEBRAY, *Cours de médiologie générale*, Gallimard, 1991.

Robert ESCARPIT, *L'Information et la Communication, théorie générale*, Hachette « Supérieur », 1991.

Judith LAZAR, *La Science de la communication*, Puf, « Que sais-je ? », 1992.

Jean LOHISSE, *Les Systèmes de communication. Approche socio-anthropologique*, Armand Colin, 1998.

Françoise MASSIT-FOLLÉA, *Les Sciences de l'information et de la communication*, Comité national d'évaluation, 1993.

Armand MATTELART, *Histoire des théories de la communication*, La Découverte, 1996.

Alex MUCCHIELLI, *Les Sciences de l'information et de la communication*, Hachette, 1995.

Alex MUCCHIELLI et Jeanine GUIVARCH, *Nouvelles Méthodes d'études des communications*, Armand Colin, 1998.

Lucien Sfez (dir.), *Dictionnaire critique de la communication*, Puf, 1993, 2 volumes (1 800 pages).

Lucien Sfez, *La Communication*, Puf, « Que sais-je ? », 1991.

Dominique Wolton, *Penser la communication*, Flammarion, 1997.

« Les Théories de la communication », *Ciném'Action*, n° 63, mars 1992.

« La Communication », *Cahiers français*, n° 256, octobre/novembre 1992.

Communication interpersonnelle

Jean-Claude Abric, *Psychologie de la communication, méthodes et théories*, Armand Colin, 1996.

Guy Barrier, *La Communication non verbale, aspects pragmatiques et gestuels des interactions*, ESF, 1996.

Christian Baylon et Xavier Mignot, *La Communication*, Nathan Université, 1991.

Philippe Breton, *L'Argumentation dans la communication*, La Découverte, collection « Repères », 1996.

Jacques Cosnier et Alain Brossard, *La Communication non verbale*, Delachaux et Niestlé, 1984.

Alain Degenne et Michel Forsé, *Les Réseaux sociaux*, Armand Colin, 1994.

Rodolphe Ghiglione, *L'Homme communiquant*, Armand Colin, 1986.

Erving Goffman, *Les Rites d'interaction*, Editions de Minuit, 1974.

Edward T. Hall, *La Dimension cachée*, Seuil, 1971.

Catherine Kerbrat-Orecchioni, *Les Interactions verbales*, tomes I, II, III, Armand Colin, 1990-1993.

Edmond Marc et Dominique Picard, *L'Ecole de Palo Alto*, Retz, 1996.

Alex Mucchielli, *Psychologie de la communication*, Puf, 1991.

Dominique Picard, *Les Rituels du savoir-vivre*, Seuil, 1995.

Paul WATZLAWICK, J. HELMICK BEAVIN et Don D. JACKSON, *Une logique de la communication*, Seuil, 1972.

Yves WINKIN, *L'Anthropologie de la communication, de la théorie au terrain*, De Boeck université, 1996.

Communication dans les groupes et organisations

Gilles AMADO et André GUITTET, *Dynamique des communications dans les groupes,* Armand Colin, 1991.

Lionel BRAULT, *La Communication d'entreprise au-delà du modèle publicitaire*, Dunod, 1992.

Jean-Baptiste FAGES, *Communiquer entre personnes et en groupe*, Privat, 1990.

Axel GRYSPEERDT, *Une industrie de la célébration : les relations publiques ; Réflexions pour une autre approche de la communication d'entreprise*, Editions Evo, 1996.

Alex MUCCHIELLI, Jean-Antoine CORBALAN et Valérie FERRANDEZ, *Théorie des processus de communication*, Armand Colin, 1998.

Philippe ZARAFIAN, *Travail et organisation*, Puf, 1996.

Médias et communication de masse

Francis BALLE, *Médias et sociétés*, Montchrestien, 1994.

Frédéric BARBIER et Catherine BERTHO-LAVENIR, *Histoire des médias, de Diderot à Internet*, Armand Colin, 1996.

Claude-Jean BERTRAND (dir.), *Médias, Introduction à la presse, la radio et la télévision*, Ellipses, 1996.

Jean-Marie CHARON (dir.), *L'Etat des médias*, La Découverte/Médiapouvoirs/ CFPJ, 1991.

Jean CHARRON, *La Production de l'actualité*, Boréal, 1994.

Daniel DAYAN et Elihu KATZ, *La Télévision cérémonielle*, Puf, 1996.

Jean-Noël Kapferer, *Les Chemins de la persuasion*, Dunod, 1990.

Judith Lazar, *Sociologie de la communication de masse*, Armand Colin, 1991.

Armand et Michèle Mattelart, *Penser les médias*, La Découverte, 1986.

Marshall McLuhan, *Pour comprendre les médias*, Seuil, 1968.

Marshall McLuhan, *La Galaxie Gutenberg*, Gallimard, 1977.

Jean-Louis Missika et Dominique Wolton, *La Folle du logis. La télévision dans les sociétés démocratiques*, Gallimard, 1983.

René Prédal, *Les Médias et la communication audiovisuelle*, Editions d'Organisation, 1995.

Jean-Michel Saillant, *Comprendre la dimension médiatique ; comment analyser les médias*, Ellipses, 1996.

Dominique Wolton, *Eloge du grand public, une théorie critique de la télévision*, Flammarion, 1990.

Nouvelles technologies

François du Castel, *La Révolution communicationnelle ; les enjeux du multimédia*, L'Harmattan, 1995.

Arnaud Dufour, *Internet*, Puf, « Que sais-je ? », 1995.

Patrice Flichy, *Les Industries de l'imaginaire*, Pug/INA, 1991.

Marc Guillaume (dir.), *Où vont les autoroutes de l'information ?*, Descartes et Cie, 1998.

Pierre Lévy, *L'Intelligence collective : pour une anthropologie du cyberspace*, La Découverte, 1994.

Armand Mattelart, *La Mondialisation de la communication*, Puf, « Que sais-je ? », 1998.

Jacques Perriault, *La Logique de l'usage. Essai sur les machines à communiquer*, Flammarion, 1989.

Claudine Schmuck, *Introduction aux multimédias ; Technologie et marchés*, Afnor, 1995.

Communication et formation

Jean-François Dortier (dir.), *La Communication appliquée aux organisations et à la formation*, Editions Demos, 1998.

Bruno Ollivier, *Communiquer pour enseigner*, Hachette, 1992.

Louis M. Ouellette, *La Communication au cœur de l'évaluation en formation continue*, Puf, 1996.

Réflexions critiques

André Akoun, *La Communication démocratique et son destin*, Puf, 1996.

Philippe Breton, *L'Utopie de la communication, le mythe du village planétaire*, La Découverte, 1995.

Philippe Breton et Serge Proulx, *L'Explosion de la communication ; la naissance d'une nouvelle idéologie*, La Découverte, 1989.

Patrick Champagne, *Faire l'opinion*, Editions de Minuit, 1990.

Jean-Marc Ferry, *Philosophie de la communication*, Cerf, 1994.

Jurgen Habermas, *Théorie de l'agir communicationnel*, Fayard, 1987.

Bernard Miège, *La Pensée communicationnelle*, Pug, 1995.

Lucien Sfez, *Critique de la communication*, Seuil, 1990.

Les revues

Communication et langages,
Retz, 1, rue du départ, 75014 Paris.

Quaderni, *La revue de la communication*,
Retz, 9, rue charlot, 75003 Paris.

Communications,
Seuil, 27, rue Jacob, 75006 Paris.

Réseaux,
Editions du CNET, 38, rue du Général-Leclerc, 92131 Issy-les-Moulineaux.

Communication et organisation,
Editions de l'ISIC, Université Michel-de-Montaigne, Bordeaux-III.

Hermès, Cognition, Communication, Politique,
Editions du CNRS, 27, rue Damesne, 75013 Paris.

Ciném'Action,
Corlet, 106, bd Saint-Denis, 92400 Courbevoie.

Médiaspouvoirs,
9, rue Abel-Hovelacque, 75013 Paris.

Les Cahiers de médiologie,
Gallimard, 26, rue Condé, 75006 Paris.

Langage et Société,
Editions de la MSH, 54, bd Raspail, 75270 Paris, Cedex 06.

TIS, Technologie de l'information et société,
Dunod, 5, rue Laromiguière, 75005 Paris.

INDEX THÉMATIQUE

INDEX DES NOMS DE PERSONNES

Achevé d'imprimer en avril 1999
sur les presses des imprimeries Quebecor
N° d'impression : 995397
Imprimé en France
Dépôt légal avril 1999